GRANDES BIOGRAFÍAS

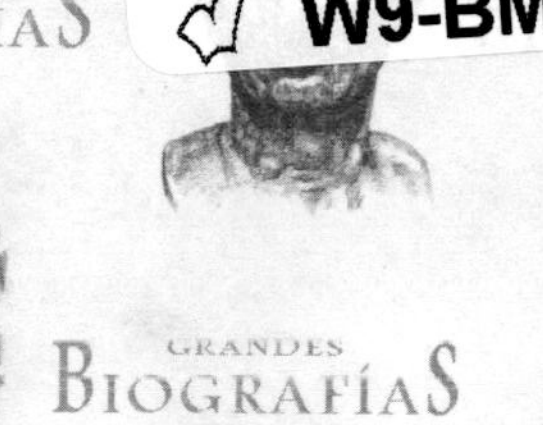

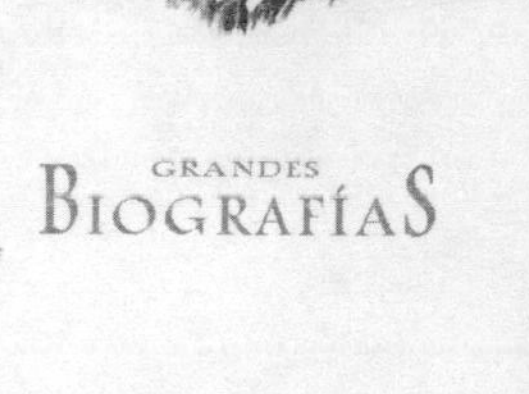

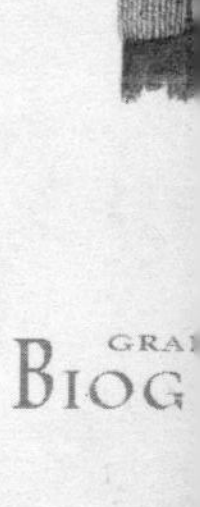

Wolfgang Amadeus Mozart
(1756-1791)

Wolfgang Amadeus Mozart (1756-1791)

José Miguel Muñoz de la Nava Chacón

Autor: José Miguel Muñoz de la Nava Chacón
Ilustración de cubierta: Ramón López
Director de colección: Felipe Sen
Dirección editorial: Raul Gómez
Edición y producción: José Mª Fernández

c/ M nº 9 Pol. Ind. Europolis
28230 Las Rozas (Madrid)
Telf.: (+34) 916 375 254
Fax: (+34) 916 361 256
e-mail: dastinexport@dastin.es
www.dastin.es

I.S.B.N.: 84-96249-67-0
Depósito legal: M-29.648-2004

Tanto la editorial como el director de colección no se hacen responsables de las opiniones vertidas por el autor.

Impreso en España - Printed in Spain

En memoria de mi padre, el solista y compositor
don Damián Muñoz de la Nava León, y de mi tío abuelo,
el solista, compositor y poeta don Miguel León Ferrera.
Y con ellos, en homenaje a cuantos han dedicado
su vida a la música.

JOSE MIGUEL MUÑOZ DE LA NAVA CHACÓN, *madrileño, historiador especialista en Historia del Arte por la Universidad Complutense de Madrid. Su tesis doctoral trata sobre la relación del Ayuntamiento de Madrid con la música a lo largo de la Edad Moderna; fruto de sus investigaciones fue, entre otros, su trabajo* Música en el Prado de San Jerónimo *(1999).*

Entre los diversos estudios por él realizados, se quiere destacar aquí tan sólo los de Solfeo y Piano, así como sus amplios conocimientos sobre los más variados estilos y movimientos musicales.

ÍNDICE

PRÓLOGO

La figura de Mozart ha sufrido todo tipo de manipulaciones, y sigue sufriéndolas, muy especialmente aprovechando el tirón del *año Mozart* que se celebró en 1992. Basta dar una vuelta por cualquier buena tienda de discos para encontrar, compartiendo anaquel con las más diversas rarezas y extravagancias, grabaciones tales como *Mozart o la inteligencia*, que promete hacer aprobar un examen de física o de filosofía sin estudiar, sólo con escuchar ese disco (para no correr riesgos innecesarios, se recomienda muy especialmente la audición de la *Sonata para dos pianos*, KV 448). *Mozart para desaparecer dentro de uno mismo*, igual que *Mozart para el relax*, pueden servir para dormir sin pastillas o para calmar el ardor de estómago. Aunque para esto último seguramente resulte más adecuado *Mozart para hacer la digestión*, ideal para aliviar las tensiones intestinales; no se señalan contraindicaciones. Los fetos que se están desarrollando son los destinatarios de *Mozart para el ser que llevas en tus entrañas;* después del nacimiento serán más adecuados *Mozart para el desarrollo intelectual de tu hijo* o *Mozart para los bebés*, ambos de probada eficacia también con ejecutivos agresivos. Estos últimos, además, a medida que vayan perdiendo la contundencia de su último bronceado veraniego pueden recurrir a *Mozart con sonidos del mar*, que pueden escuchar entre semáforo y semáforo, o cuando lleguen a casa y se den un baño con burbujas. No ha faltado algún investigador en algún lugar del planeta que haya justificado su beca proponiendo, estudiando y verificando la influencia positiva de la música de Mozart sobre la producción lechera de las vacas; la música de Mozart, no la de Bach o la de Beethoven, ni siquiera la de Haydn: la de Mozart. Con la misma lógica cabría plantear como hipótesis de trabajo si reproducir en los establos música de, pongamos por caso, Wagner (y que nos perdonen los wagnerianos) podría llegar a hacer que las vacas produjesen directamente yogur.

Pero el contenido de estos discos siempre es el mismo: la sinfonía 40, la serenata número 13, el concierto 21, el adagio del concierto para clarinete..., a menudo interpretados por orquestas anónimas, o por medio de un sintetizador electrónico. Estas obras sirven para todo.

Por no hablar de la marca comercial *Mozart:* bombones, licores, camisetas, puzzles, helados, colchones, calcetines, corbatas, programas informáticos, cadenas de hoteles, discotecas...

La serenata n.º 13 puede conocerse en algunos países como *la música del desodorante;* en otros un aria del *Don Juan* puede tener el sobrenombre de *la del jabón de ducha;* y cuando nos encontramos en un teatro escuchando en vivo la sinfonía n.º 40, podemos ser impiadosamente sobresaltados por el estridente sonido de esa misma obra en una ratonera reducción para teléfono celular.

A nosotros nos gusta la música de Mozart. *Mozart para escuchar a Mozart* sería el título del disco que propondríamos a estas compañías discográficas. *Mozart o la música.* El efecto que Mozart cause en nosotros dependerá, sin duda, en muy buena medida, de nosotros mismos, de nuestra actitud personal, de nuestra capacidad de profundización, de nuestro estado anímico; de nuestra sensibilidad, de nuestros conocimientos... Como ocurre con cualquier otra música, con cualquier obra de arte. Para conocer a Mozart, como a cualquier otro músico, hay que escuchar su obra atentamente, no como fondo en la antesala del dentista, o mientras se lucha con el ordenador. Hay que escucharla una y otra vez, aprehender la melodía, distinguir los diversos períodos que la configuran, captar todos y cada uno de los instrumentos, entender la lógica interna de la pieza, dejarnos sorprender cuando esa lógica no es la que esperábamos; ser conscientes de sus posibles errores, que también existen en Mozart, como en cualquier otro artista. Pues lo verdaderamente maravilloso de Mozart es que fue un ser humano, no un semidiós o un ente espiritual, ni siquiera un abducido por habitantes de algún lejano planeta de estrafalario nombre. Fue un ser humano muy joven, pues murió con treinta y cinco años, y comenzó a componer con sólo cinco o seis, lo que significa que una parte nada desdeñable de su producción fue realizada por un niño o un adolescente.

Nuestra intención en el presente trabajo ha sido acercar la figura de Mozart a las personas que apenas saben nada de él, o que sólo le conocen por la visión que se da en la fábula (maravillosa, pero fábula) que se escenifica en la película *Amadeus.* Hemos puesto especial empeño en suprimir cualquier elemento novelesco y las anécdotas no contrastadas, que, lamentablemente, son demasiado a menudo el eje fundamental de las biografías de los personajes más destacados; el autor no puede olvidar que de niño devoró una breve biografía de Beethoven en la cual se afirmaban cosas tales como que todas las tardes, cuando se ponía a estudiar el violín, una araña se descolgaba desde el techo para escucharle mejor...

El armazón de esta biografía lo ha constituido la riquísima correspondencia de los Mozart (que aún está esperando ser editada en castellano como lo merece el personaje), complementada con testimonios lo más próximos posibles al momento en que supuestamente se produjeron los hechos referidos. Cuando un dato no está suficientemente contrastado, hemos procurado señalarlo adecuadamente, y hemos indicado con claridad cuáles son anécdotas apócrifas sin más fundamento que la febril imaginación de algunos biógrafos románticos. Si tal vez la lectura podría así llegar a ser más árida en algunos momentos (nos hemos esforzado por que no lo fuera), creemos habernos encontrado a cambio con un personaje mucho más rico en matices, más humano, más creíble, incluso más admirable, si es que las biografías tienen que hacer admirar a los personajes biografiados. Y al menos hemos conseguido, nosotros mismos, después de terminarla, disfrutar mucho más intensamente al escuchar la música de Mozart.

Capítulo Primero

PREPARATIVOS DE VIAJE: 1756-1761

Yo, Johannes Chrisostomus Amadeus Wolfgangus Sigismundus Mozart

El domingo 27 de enero de 1756, día de San Juan Crisóstomo, por la tarde, nació el protagonista de nuestra historia:

Os anuncio que el 27 de enero, a las ocho de la tarde, mi mujer ha dado a luz felizmente un varón. Pero ha sido necesario quitarle la placenta. Debido a esto ha estado muy débil. Ahora, gracias a Dios, la madre y el niño se encuentran bien. El niño se llama Johannes-Chrysostomus-Wolfgang-Gottlieb [1].

El día siguiente fue bautizado e inscrito en la colegiata de San Pedro como *Johannes Chrysostomus Wolfgangus Theophilus Mozart*. Además de los nombres correspondientes al santo del día en que nació, recibió el de *Wolfgang* por su abuelo materno, y el de *Theophilus* por su padrino, el comerciante Johann Theophilus Pergmayr.

En alguna ocasión se presentará como *Yo, Johannes Chrisostomus Amadeus Wolfgangus Sigismundus Mozart* [2] o *Yo, Joannes Chrisostomus Sigismundus Amadeus Wolfgangus Mozartus* [3]; *Sigismundus* le fue añadido al recibir el sacramento de la Confirmación, lo que seguramente ocurrió en 1769; es muy posible que ese nombre se debiese a Sigismund Schrattenbach, el príncipe arzobispo de Salzburgo en esos momentos.

Teófilo (amante de Dios), en alemán se traduce como *Gottlieb*, y Mozart fue conocido durante toda su infancia como *Wolfgang Gottlieb* o, más frecuentemente, como *Wolfgang*, aunque familiarmente siempre se le llamó *Wolfgangerl* o *Wolferl*, diminutivo cariñoso de *Wolfgang*, algo así como *Wolfangete* o *Wolfete*, del mismo modo que su hermana, María Ana, sería llamada *Nannerl*, esto es, *Nannette* o *Anita*.

Fue a los catorce años de edad, durante su primer viaje a Italia en 1770, cuando él, o posiblemente su padre, decidieron cambiar el nombre *Gottlieb* por su equivalente italiano, *Amadeo;* para los latinos es mucho más fácil pronunciar *Amadeo* que *Wolfgang* o *Gottlieb*. Desde entonces solía firmar como *Wolfgang Amadé* o *Wolfgang Amadeo*. Sobre esta cuestión, como sobre casi todas, no dejó de bromear; así, por ejemplo, firmó algunas cartas escritas desde Italia en este primer viaje como *Wolfgang en Alemania, Amadeo en Italia, De Mozartini* [4], como *Wolfango in Germania e Amadeo in Italia,* o como *Amadeo Wolfgango Mozart* [5].

Ocasionalmente utilizó la versión latina de su nombre al firmar; pero, además de sus contemporáneos italianos, que le llamaban *Amadeo* o *Amadeus,* fueron sobre todo sus biógrafos románticos quienes hicieron uso de la latinización de su nombre, por lo que ha llegado a nosotros como *Wolfgang Amadeus*. En todo caso, nunca se le llamó *Amadeus,* sin duda un título más adecuado que el de *Wolfgang* para una película, excelente, pero no tan realista como muchos creen; ya hablaremos de ello con más detalle en otro momento. Posiblemente el nombre latino *Amadeus* tenga para algunos unas connotaciones esotéricas, misteriosas, que se han avenido muy bien con el movimiento romántico y sus continuos corolarios: el Neorromanticismo, el Postromanticismo, el Seudorromanticismo y otros *ismos* más o menos duraderos.

Su padre fue Leopoldo Mozart, un buen músico, atrapado, como tantos hombres de su época, entre el mundo barroco y el neoclásico. Con Ana María Pertl, su madre, Wolfgang tenía un gran parecido, tanto en cuanto a sus rasgos físicos como a su carácter.

Cuatro años y medio antes había nacido su hermana María Ana, *Nannerl*. No deja de ser indicativo el hecho de que la primera hija de los Mozart que logró sobrevivir recibiera, como las dos hermanas que le precedieron, los nombres de *María* y *Ana*: los nombres de su madre, Ana María: la Virgen María y su madre, Santa Ana; en definitiva, la figura de la madre, de la familia. En este ambiente hogareño, quizá excesivamente cerrado en sí mismo, surgiría del modo más natural el pequeño gran milagro de los dos niños músicos, Nannerl y Wolferl, que muy pronto causarían el asombro de las cortes europeas.

Ambos nacieron en Salzburgo, hoy una ciudad austríaca, con la que Wolfgang mantendría desde muy pronto una conflictiva relación.

Salzburgo, la encrucijada

El escenario donde comienza esta historia está situado en el Tirol, en el inicio de los Alpes, a orillas del río Salzach, afluente del Inn, junto a la frontera de la actual Austria con Baviera. Salzburgo no era todavía una ciudad austríaca, sino bávara. Su toponimia, como la del río y otros lugares del entorno, hace referencia a la abundante sal que existe en el subsuelo de esta región. También hay abundancia de oro y plata, en los montes de Tauern.

Seguramente Salzburgo es una ciudad muy conocida incluso por quienes no han tenido oportunidad de visitarla, no sólo por haber visto fotografías de ella, sino por la película basada en el musical *The sound of music,* titulada en castellano como *Sonrisas y lágrimas.* Es el escenario de un cuento de los que llamamos «de hadas», o tal vez sea que quienes conciben los cuentos de hadas tiendan a situarlos, consciente o inconscientemente, en un lugar como Salzburgo. Muy cerca de allí, en la aldea de Mariapfarr, Franz Xaver Gruber (1787-1863) compondría unos años después el mundialmente famoso villancico *Noche de paz.*

Como consecuencia de su antiguo esplendor, la ciudad había sido completamente renovada en el siglo XVII, por lo que, frente a lo que era habitual en las ciudades europeas de la Edad Moderna, no era una ciudad gótica, medieval, sino una ciudad barroca, coherentemente barroca, incluso con algunas fachadas erigidas en el entonces nuevo estilo, que no eran sino pantallas que ocultaban solares vacíos. Por sorprendente que pueda resultarnos, el estilo gótico, muy especialmente en lo relativo a la arquitectura y el urbanismo, mantuvo plenamente su vigencia durante la Edad Moderna; cuando hablamos de Renacimiento y Barroco nos estamos refiriendo a los sectores sociales más avanzados, a los artistas más innovadores (aunque, como es lógico, a la zaga de ellos cada vez serán más numerosos los artistas —y los compradores de sus obras— que se incorporen a estas innovaciones); pero muchos personajes seguían anclados en el pasado, y continuaban demandando a los artistas lo mismo que les habrían pedido sus padres o sus abuelos. Leopoldo, y el propio Wolfgang también, no dejarán de comentar, durante sus viajes, su desagrado por encontrarse una y otra vez con ciudades de aspecto mucho más arcaico que Salzburgo.

El compositor y editor londinense Vincent Novello (1781-1861) hizo en 1829, con su esposa, Mary Sabilla (1789-1854) un viaje por el norte de Francia, Holanda, las cuencas del Rhin y Austria, procurando en lo posible seguir el itinerario de los viajes realizados por Mozart cincuenta o sesenta años antes; más adelante efectuó otros viajes a Salzburgo. Novello subrayó el paralelismo entre la belleza de Salzburgo y la música de Mozart. También han sugerido otros autores posteriores a Novello que Salzburgo, muy vinculada con Italia, aportaría, por medio de su madre, la faceta «mediterránea», más alegre y despreocupada, de Mozart, en tanto que Augsburgo, la ciudad natal de su padre, representaría el espíritu germánico, reflexivo, enérgico, trágico. Este determinismo geográfico es muy propio del Romanticismo decimonónico, pero es posible que haya en tales ideas algo de cierto; hoy tiende a volverse los ojos a un cierto determinismo, tras muchos años en que ha estado completamente desprestigiado. Las ciudades no son sólo tramas de calles y edificios; la parte más importante de ellas, aunque a veces los especialistas del urbanismo se olvidan de ello, la constituyen los seres humanos que allí nacen, viven y mueren. Es muy peligroso hablar de inconsciente colectivo, de caracteres sociales; pero no vemos dificultad en aceptar que, al menos en las ciudades anteriores a nuestra propia época, existía una cierta comunidad de vivencias, de mentalidades, de educación y de intereses, que podría llegar a conferir a cada ciudad y sus habitantes unas determinadas características. La música de Vivaldi, por ejemplo, seguramente no podría entenderse por completo sin conocer Venecia. Pero, a la vez, debemos tener ciertas precauciones con esta idea: los hombres de otros tiempos también viajaban, y mucho, y existía una comunidad internacional de ideas e intereses que en muchos aspectos podría y debería ser envidiada por nuestro actual sistema *globalista* e *internáutico*. El propio Mozart se formó no sólo en Salzburgo, sino sobre todo en el transcurso de sus viajes por Europa. Quedémonos, pues, con la idea de que en la ciudad de Salzburgo nació un personaje capaz de producir una música perfectamente acorde con la belleza de sus edificios y de su entorno natural.

Pero, además, Salzburgo está situada en una encrucijada de caminos, uno de los cuales es la más importante vía de comunicación entre Viena e Italia, entre el mundo germánico y el mundo latino, la esencia de Europa. En el siglo anterior, la guerra de los Treinta Años (1618-1648) había diezmado la población de los territorios situados en las cuencas de los ríos Rhin, Danubio y Elba; Salzburgo se repobló entonces con personas procedentes de diversas zonas de Italia y Alemania, lo que la convirtió en un pequeño, pero influyente, crisol de culturas.

Dicha guerra había concluido con la Paz de Westfalia, que permitió a Francia debilitar los estados alemanes, fragmentándolos en numerosas ciudades-estado independientes; algo muy similar a los medievales reinos islámicos de Taifas en la Península Ibérica. Salzburgo, originalmente bávara, era uno de estos principados eclesiásticos independientes entre sí y englobados en el imperio de Alemania, regido éste por soberanos pertenecientes a la familia de los Austrias, y cuya capital en esos momentos era Viena. En el momento de nacer Mozart, los habitantes de estas regiones se consideraban, sobre todo, alemanes; Salzburgo hoy es una ciudad austríaca, pero Mozart siempre se proclamó alemán o bávaro, no austríaco: el nuevo imperio austríaco no aparecerá hasta 1805, como una de las consecuencias de la Revolución Francesa; y además, el principado de Salzburgo no fue absorbido por él hasta 1816, veinticinco años después de morir Mozart.

Entre 1756 (el año de su nacimiento) y 1763 tuvo lugar la *guerra de los Siete Años,* en la que estaban enfrentados de un lado Federico el Grande de Prusia, con la alianza de Inglaterra, y del otro Francia, aliada con la rama austríaca de los Habsburgo; al cabo, resultó victorioso Federico el Grande, lo que produjo a su vez el debilitamiento de las viejas monarquías continentales. El arzobispo salzburgués mantuvo su ciudad-estado fuera de la contienda, y esto redundó en el beneficio económico y cultural de Salzburgo.

A ello se unía la mencionada riqueza de minerales de la región, y la fundación de la universidad benedictina en 1623. Como consecuencia de todo ello, los arzobispos de Salzburgo, además de legados de la Santa Sede, eran desde 1750 primados de Germania, con jurisdicción sobre siete obispados. Así mismo, tenían voto en el *Reichstag* y pertenecían al consejo de los príncipes del Imperio.

Cuando nació Mozart, vivían en Salzburgo unas diez mil personas, exclusivamente católicas, pues en 1731 los protestantes habían sido expulsados por el arzobispo Anton von Firmian; el ambiente ideológico, por tanto, era poco tolerante, muy opresivo para una persona con ideas propias. Así lo percibiría y padecería pronto Wolfgang.

Inmediatamente después de Dios, papá

El padre de Wolfgang, Johann Georg Leopold Mozart, nació el 14 de noviembre de 1719 en Augsburgo, otra importante ciudad episcopal del sur de Alemania. A comienzos del siglo XVI había tenido lugar en ella la fundación de una de las primeras bancas privadas, y de las más importantes durante la Edad Moderna, la banca Fugger. Los Fugger (en España conocidos como los *Fúcar* o *Fúcares)* se convirtieron en los prestamistas del emperador Carlos V, quien les honró por sus servicios con importantes mercedes, entre las cuales no era la menor el control de las minas de mercurio de Almadén, fundamentales para la sublimación de la plata proviniente de América. Pero en la segunda mitad del siglo XVIII Augsburgo era, desde hacía unos cuantos años, una ciudad en decadencia.

Leopoldo procedía de una familia de albañiles: el primer Mozart que se instaló en Augsburgo, en 1635, fue David, albañil, procedente de Pfersee; se casó en 1643 con la hija de un campesino, María Negeler, y tuvieron tres hijos, todos ellos albañiles. El más pequeño, Franz, se casó con otra hija de campesinos, Anna Harrer. Su hijo, Johann Georg, fue encuadernador, y llegó a ser síndico de su gremio. El auge en Augsburgo de los oficios relacionados con los libros se debió a una de tantas expulsiones de jesuitas, que, procedentes de otros lugares, se vinieron a establecer en esta ciudad. Cabe pensar en este sentido que quizá fuera debido a las relaciones con ellos que le proporcionaba su oficio, por lo que Juan Jorge consiguió que Leopoldo, el mayor de ocho hijos tenidos en su segundo matrimonio, con Ana María Sulzer, recibiera una esmerada educación en el colegio de San Salvador, de jesuitas.

Entre los muchos hechos de gran trascendencia histórica que subyacen como fondo de la vida de Mozart (por ejemplo, la publicación de la *Enciclopedia,* entre 1751 y 1783), uno de los más destacables es la situación de la poderosísima Compañía de Jesús. Se ha insistido, con razón, en la importancia de la masonería en la vida de Mozart (habría que matizar que sólo en los últimos años de su vida), pero no suele mencionarse el papel desempeñado por una organización, la Compañía, que en algunos aspectos guardaba muchas semejanzas con la masonería, e incluso tenía (o la tenían muchos de sus miembros) evidentes relaciones con ella.

Además de partir ambas organizaciones de un fundamento religioso, tienen en común, muy en especial en estos momentos del siglo XVIII, el interés por el conocimiento, por la educación, por el aprendizaje y, consecuentemente, por la enseñanza; y, relacionado con este interés, el deseo de influir directamente sobre la sociedad. También la tendencia al elitismo en la aceptación de sus miembros, y el apoyo o protección que éstos suelen dispensarse entre sí. Y, sobre todo en esta fase final de la Edad Moderna, un carácter «progresista», avanzado en lo social, más claro quizá en los jesuitas, pero presente también en algunas corrientes de la masonería, precisamente aquellas con las que existió una mayor relación por parte de jesuitas o antiguos jesuitas. Por eso, y por otras razones no muy alejadas de éstas, ambas organizaciones fueron a menudo puestas en entredicho, sobre todo en estos momentos de rápidos cambios sociales que precipitaron el paso del mundo moderno al contemporáneo.

La elección como Papa de Lorenzo Ganganelli, Clemente XIV, fraile franciscano que había sido nombrado cardenal por el Papa Clemente XIII, se debió fundamentalmente a que fue considerado enemigo de los jesuitas. En enero de 1769 los embajadores de las monarquías borbónicas (España, Francia y Nápoles) habían exigido a Clemente XIII la supresión de la Compañía de Jesús; esto debió de impresionar de tal modo al Papa, que falleció unos días después, el 2 de febrero, de un ataque de apoplejía. Los jesuitas ya habían sido expulsados de Portugal y sus colonias en 1762, de Francia en 1764, de España en 1767 y de las colonias de Nueva España en 1768.

Proclamado como nuevo Papa Clemente XIV, el 22 de julio de 1769 el cardenal Bernis le entregó un escrito suscrito por las mencionadas monarquías, en el que se reclamaba la supresión de la Compañía de Jesús en el plazo de dos meses. La Compañía tenía todavía suficiente poder como para convencer al Papa de que no lo hiciese así, y consiguió retrasar la decisión hasta 1772, año en que, bajo la presión del embajador español en Roma, José Moñino, se encomendó al cardenal español Zelada que redactase el decreto de supresión (la gestión de este asunto por parte de Moñino le valió ser recompensado por Carlos III con el condado de Floridablanca). El Breve *Dominus ac Redemptor noster* se publicó, el 16 de agosto de 1773, nada menos que en la emblemática iglesia del Gesú de Roma, la iglesia principal de los jesuitas. Estaba redactado desde al menos diez días antes; quizá esto último no dejase de estar relacionado con que el 31 de julio sea la festividad de San Ignacio de Loyola: hubiese sido excesivo publicarlo en esa fecha, aunque tal vez se llegase a pensar en hacerlo así. La supresión se basaba en la acusación hecha a la Compañía de haber sembrado la discordia entre las demás órdenes religiosas y, sobre todo, de mantener una actitud hostil frente a las instituciones docentes y académicas, e incluso contra los monarcas. Como en este trabajo mencionaremos alguna que otra vez la película *Amadeus,* no estará de más mencionar otra magnífica película de los mismos años, *La misión,* en la que se recrean algunos aspectos de su labor en América y en la época de la que nos estamos ocupando, y que, a pesar de estar planteada en términos inequívocamente elogiosos para la Compañía, no deja de ilustrar bien estos conflictos.

Federico II de Prusia y Catalina II de Rusia no aceptaron la publicación del Breve, de modo que la Compañía de Jesús pudo mantenerse en estos territorios; también se intensificó su presencia en otras zonas del mundo, sobre todo en China, lo que tendría indirectamente gran interés para la Historia del Arte, por la intensa (aunque no nueva) relación que se produjo en estos mismos momentos con el arte chino, por medio de las misiones jesuíticas. En definitiva, lo que subyace debajo de este asunto son, por un lado, las tensiones entre las diversas dinastías reinantes en Europa, y por otro los diversos modos de entender las relaciones sociales por parte de unas y otras órdenes religiosas y grupos intelectuales y de poder económico, constituyendo en esos momentos la orden jesuítica una avanzadilla ideológica, peligrosa para los intereses de los grupos más arcaizantes y retrógrados. Algo en lo que coincidió con determinadas corrientes de la masonería, algunos de cuyos miembros más señalados, conviene destacarlo, habían pertenecido a la Compañía. Será precisamente con estas corrientes masónicas más relacionadas con el Iluminismo con las que a partir de determinado momento se relacionará Mozart.

De momento es a Leopoldo Mozart a quien nos encontramos relacionado con los jesuitas. Significativamente, su padrino era un canónigo de la catedral de Augsburgo, Johann Georg Gabher, quien tenía la intención de que Leopoldo llegase a ser sacerdote. Así, le hizo entrar como niño cantor en la escolanía de la iglesia de la Santa Cruz, y más tarde en el colegio de San Ulrico, donde, además de las letras, aprendió a tocar el órgano y composición.

Leopoldo, cuando tenía dieciocho años, se marchó a Salzburgo, en cuya Universidad, en la facultad de Teología, continuó los estudios que le habrían conducido al sacerdocio. Pero, como años después confesaría a su hijo, ya tenía decidido no ser sacerdote, aunque lo silenció, porque era el único modo que tenía de poder seguir estudiando. Éste es un dato muy importante sobre la personalidad de Leopoldo: era consciente de que su única posibilidad de ascenso social, en una sociedad claramente estamental, pero con cierta permeabilidad entre los diversos estamentos, era el estudio, el esfuerzo intelectual; y esta idea será la que impere en él, hasta el momento de su muerte, como una verdadera obsesión respecto a su hijo, en el que además supo apreciar muy pronto muchas más dotes para la música de las que él mismo tenía (que no eran pocas). Leopoldo no podrá nunca entender que Wolfgang parezca desperdiciar no ya una, sino numerosas oportunidades de llegar mucho más lejos que él mismo.

En Salzburgo, Leopoldo compaginó sus estudios musicales con los de Teología, primero, y después con los de Derecho, hasta que en 1739 o 1740 se dedicó exclusivamente al estudio de la música. Este último año entró, como ayuda de cámara *(Kammer-diener),* al servicio del conde Johann Bautista Thurn Valsassina und Taxis, presidente del cabildo catedralicio de Salzburgo; como vemos, se mantenía relacionado con los círculos eclesiásticos. Ya en el siglo xv los Taxis (Tasis o Tassis) habían disfrutado de importantes privilegios reales como concesionarios de los servicios de postas: en 1505 Felipe I *(el Hermoso)* había dictado en Bruselas una cédula real para que Francisco de Tassis organizase el servicio de postas en España, Francia, Alemania y Güeldres. En 1518, Carlos V nombró a Bautista, Mateo y Simón de Tassis maestros mayores de postas de su casa y corte, y de sus reinos y señoríos. Entre los descendientes de Francisco de Tassis se encontraba el célebre conde de Villamediana, Juan de Tassis y Peralta (1582-1622), al que Felipe III confirmó como Correo Mayor General de sus reinos. En cuanto a Johann Bautista Thurn Valsassina, sus vehículos cubrían más de cuarenta rutas entre diversos estados, transportando no sólo correo, sino también pasajeros; estos vehículos eran denominados popularmente *taxis;* éste es el origen de esta palabra que hoy utilizamos cotidianamente. El puesto de Leopoldo, insistimos, era de *ayuda de cámara,* no, como a menudo se afirma, de *músico de cámara;* pero lo habitual en esa época y en determinados ambientes cortesanos era que los sirvientes de algunos grandes señores fuesen músicos, para que pudiesen actuar como tales cuando las circunstancias lo requiriesen; de este modo se ahorraban unos cuantos sueldos, al no tener que mantener una capilla musical integrada por personas dedicadas exclusivamente a la música.

Poco a poco, las actividades musicales fueron dominando su quehacer, y en 1743 consiguió una plaza como cuarto violinista en la capilla del príncipe arzobispo gobernador de Salzburgo, Anton von Firmian, el mismo que había expulsado a los protestantes doce años antes.

En 1747 contrajo matrimonio con Ana María Pertl, y para obtener más ingresos comenzó a impartir lecciones de violín.

En 1756, el mismo año en que nació Wolfgang, fue publicado por Jacob Lotter en Augsburgo un método de violín realizado por Leopoldo, que tuvo mucha aceptación, de modo que fue reimpreso en diversas ocasiones, y traducido a varios idiomas: el *Versuch einer gründlichen Violinschule (Ensayo para un método fundamental de violín),* más conocido en nuestros días como *Escuela del violín.* Como figura en la última página del tratado, Leopoldo tenía pensado publicar más trabajos didácticos: *quizá osaré colocar aún otro libro en la biblioteca de los músicos.* Esta referencia genérica a *los músicos,* no sólo a los violinistas, tal vez indique que pensaba en un tratado de armonía o de composición. Pero no llegó a elaborar más tratados.

En 1757 redactó su currículo, a petición de F. W. Marpurg, para que éste lo incluyera en el *Historisch-Kritische Beitrage (Contribuciones histórico-críticas al estudio de la Música),* que dirigía Marpurg. Entre otras noticias sobre Leopoldo, se recogen allí las siguientes:

Se ha dado a conocer en todos los géneros de composición, pero aún no ha impreso nada; sin embargo, en el año 1740 imprimió, sobre cobre, seis sonatas a tres, sobre todo para ejercitarse en el arte del grabado.

Entre las obras manuscritas más conocidas del señor Mozart sobresalen numerosas obras de iglesia, en contrapunto, y otras; además de esto, un gran número de sinfonías, algunas para cuatro instrumentos solamente, otras con todos los instrumentos habituales; más de treinta grandes serenatas para diversos instrumentos. Ha compuesto también numerosos conciertos [...], innumerables tríos y divertimentos para instrumentos variados, doce oratorios y gran cantidad de fragmentos de música para la escena, algunas pantomimas y sobre todo algunas piezas de circunstancias, como por ejemplo: una música militar con trompetas, timbales, tambores y pífanos añadidos a los instrumentos habituales; una música turca; una música para teclado metálico; y, para terminar, una «Carrera de trineos» para cinco carillones; sin contar las marchas, las piezas conocidas como «música de noche» y algunos centenares de minuetos, danzas de ópera y otras piezas análogas.

Ese mismo año de 1757 fue nombrado *Hofkomponist,* compositor de la corte, siendo ya príncipe arzobispo el conde Segismundo Christoph von Schrattenbach. Esto indica, como es lógico, que sus composiciones, aún muy relacionadas con el estilo que nosotros llamamos *barroco,* eran acogidas con agrado por los cortesanos. En 1763 sería nombrado *maestro auxiliar de capilla (Vicekapellmeister)* en la misma corte del arzobispo de Salzburgo, aunque nunca llegó a ocupar el puesto superior a éste, el de *Kapellmeister* titular; se ha dicho que esto se debió a su carácter supuestamente orgulloso, pero no creemos que ésta pudiera ser la razón; más bien cabe atribuirlo, además de a las inevitables intrigas de quienes aspiraron al mismo empleo de *Kapellmeister,* a las características de su propia música, sin descartar que sus viajes con Wolfgang, primero, y luego el enfrentamiento de éste con el sucesor de Schrattenbach (el arzobispo Colloredo), pudieran repercutir negativamente en el desarrollo de su propia carrera. Pero, sobre todo, a Leopoldo le perjudicó, como a su propio hijo y a tantos músicos alemanes, el predominio de los músicos italianos en las cortes europeas de esos momentos.

De su labor como compositor nos quedan numerosas piezas de baile y de circunstancias, como la célebre *casación,* de la que algún editor poco escrupuloso extrajo tres movimientos que publicó como *Sinfonía de los juguetes,* haciéndola pasar como de Franz Joseph Haydn.

Su producción, no muy conocida por el gran público, es, sin embargo, abundante, y comprende obras de iglesia, sinfonías, serenatas, conciertos y oratorios. Un aspecto muy interesante de Leopoldo Mozart es su tendencia a experimentar con las sonoridades, a buscar en algunas de sus piezas combinaciones instrumentales poco frecuentes, algo que aparece reflejado en el fragmento de su reseña biográfica que acabamos de citar. Una buena parte de su música es como un juego, tiene mucho de broma; lo cual, sin duda, influyó decisivamente en la forma de entender la música por parte de su hijo.

Mi querida madre

De padre salzburgués, pero nacida en Sant Gilgen, un pueblo montañés cercano a Salzburgo, Anna Maria Pertl procedía de una familia de campesinos, pañeros y fundidores de campanas. Su padre, Wolfgang Niklas Pertl, tuvo también talento musical: impartiendo clases de canto se pagó el estudio de las leyes en la universidad salzburguesa; fue cantor en la iglesia de San Pedro, y después ocupó cargos administrativos en la corte de Salzburgo, antes de recibir el traslado a Viena y a Graz. No fue el único músico entre los antepasados de Ana María: su abuelo materno, el suegro de Wolfgang Niklas, había sido músico profesional. Tuviese o no ella misma dotes musicales, lo que es indudable es que nació en un ambiente muy relacionado con la música.

En 1712, Wolfgang Niklas se casó con una viuda, Eva Rosina Altman, con la que tuvo tres hijas. Tras su regreso a Salzburgo, fue destinado a la cercana localidad de Sant Gilgen, próxima al lago de San Wolfgang. En este lugar nació la menor de sus hijas, Anna Maria Pertl, el día de Navidad de 1720, un año después que Leopoldo. Su padre murió cuando ella tenía cuatro años, lo que dejó a la madre y las hijas en una precaria situación económica que las devolvió a Salzburgo, donde vivieron muy humildemente. Una de las primeras consecuencias fue la venta de la importante biblioteca de Wolfgang Niklas.

Parece ser que tanto Ana María como Leopoldo eran bastante apuestos; la tradición quiere que sus convecinos les nombrasen *la pareja más bella de Salzburgo*. En 1747, el 21 de noviembre (víspera de Santa Cecilia) contrajeron matrimonio, tras un largo noviazgo, en la iglesia parroquial de Aigen; Leopoldo había cumplido veintiocho años hacía una semana, y Ana María cumpliría veintisiete un mes después. El matrimonio duraría veintinueve años, hasta el fallecimiento de Ana María.

Pasaron a habitar una casa alquilada, situada en la misma calle de Salzburgo en que había vivido de niña Ana María, la elegante *Getreidegasse;* la casa pertenecía a Johann Lorenz Haguenauer, de quien se harían muy amigos. Leopoldo le dirigirá muchas de sus cartas, que son la fuente fundamental para conocer detalles de los primeros viajes de Mozart. Este edificio, actualmente número 9 de dicha calle, es la casa natal de Mozart, hoy museo, el *Mozart Geburtshaus;* fue muy reformado en el siglo XIX, cuando se abrió ante él una nueva calle, por lo que a los Mozart hoy les costaría algún esfuerzo reconocer su casa. Ocupaban el tercer piso; Wolfgang nacería en una pequeña cámara emplazada junto a la cocina.

En 1748 nació el primer hijo, Johann Joachim Leopold, que murió a los seis meses. Los dos siguientes hijos también fallecieron pronto: María Ana Kordula (18 a 24 de junio de 1749) y Maria Anna Nepomucena Walburgis (13 de mayo a 29 de julio de 1750). La cuarta hija, Maria Anna Walburga Ignatia, *Nannerl,* nació el 30 de julio de 1751, cuatro años y medio antes que Wolfgang; fue la primera que logró sobrevivir. Tras ella nacieron otros dos niños: Johann Karl Amadeus (4 de noviembre de 1752 a 2 de febrero de 1753) y María Creszentia Francisca de Paula (8 de mayo a 27 de junio de 1754). Wolfgang (27 de enero de 1756) sería el séptimo y último.

Nannerl y Wolferl

María Ana (Mariana), *Nannerl,* mostró pronto tener dotes musicales; fue por el tiempo en que nació Wolfgang cuando Leopoldo comenzó a impartir a la niña sus primeras lecciones de solfeo y clave. La música, en definitiva, formó parte muy importante de las primeras experiencias sensoriales del niño, y, tan pronto como aprendió a gatear, su presencia fue habitual durante las clases de su hermana, mostrando evidentes dotes musicales; su oído y su memoria para la música llegarían a ser prácticamente perfectos.

Leopoldo, cuando comenzó a dar clases a Nannerl, le compró un *Notenbuch* o *Nottenbook,* un cuaderno de música, en cuya primera página escribió: *Pour le clavecin. Ce livre appartient à Mlle. Marianne Mozart. 1759.* Pero muy pronto el protagonista del cuaderno sería Wolferl. La música formaba para él parte de sus juegos, en un ambiente alegre y distendido. Con algo más de cuatro años, como antes que con él hizo con su hermana, Leopoldo comenzó a enseñarle a tocar el clavecín; pero, además, Wolfgang dio muy pronto muestras de sus dotes creativas. Sin duda con gran satisfacción, Leopoldo iba haciendo anotaciones como las siguientes en el *Nottenbook:*

Estos ocho minuetos anteriores han sido aprendidos por el pequeño Wolfgang a sus cuatro años.

El pequeño Wolfgang aprendió esta pieza el 24 de enero de 1761, tres días antes de cumplir los cinco años, durante la noche, entre las 9 y las 9,30 horas.

El minué y el trío se los aprendió Wolfgangerl en media hora, el 26 de enero de 1761, un día antes de su quinto cumpleaños, a las nueve y media horas de la noche.

Podemos imaginarnos a Leopoldo animando al niño, como en un juego, para que el día de su cumpleaños fuese capaz de sorprender a su madre interpretando estos fragmentos musicales, tal vez después de que la niña interpretase los que ella también tendría preparados. Pronto irían siendo reflejadas en el cuaderno las primeras composiciones que el niño (con la ayuda de su padre, no lo dudemos) iba elaborando; en un par de años, el 6 de febrero de 1761, estaba completo el cuaderno. En unas memorias escritas en diciembre de 1799 para la casa Breitkopf, María Ana Mozart, *Nannerl,* recor daría lo siguiente:

Wolfgang tenía tres años cuando su padre empezó a enseñar el clavicémbalo a su hija de ocho años de edad. Muy pronto el niño reveló el extraordinario talento que había recibido de Dios. En ocasiones se divertía durante horas buscando terceras al clave, con el ingenuo placer de oír la agradable armonía que producía cada vez. A los cuatro años su padre empezó a enseñarle, como por juego, algunos minuetos y otras piezas al clave; estudio que costaba tan poco esfuerzo al padre como al hijo, y este último aprendía una pieza entera en una hora y un minueto en media hora, de forma que podía tocarlos sin ninguna falta, con la claridad y medida más perfectas. Hacía tales progresos que a los cinco años componía ya pequeñas piezas que tocaba en el clave ante su padre, y que éste trasladaba al papel.

Es difícil, por no decir imposible, precisar cuáles de las piezas recopiladas por Leopoldo en el *Nottenbook* tienen algo de creación original de Wolfgang; junto a un centenar de obras breves de músicos barrocos y de la generación de los hijos de Bach, como Eberlin, Adlgasser, Carl Philip Emmanuel Bach, Georg Philip Telemann, Georg Christoph Wagenseil o J. K. F. Fischer, se encuentran otras muchas elaboradas por el propio Leopoldo, así como ejercicios prácticos para los niños. La primera edición del catálogo de Köchel (1862) consideraba como primera obra de Mozart (K 1) un minueto en sol mayor que habría sido compuesto por Wolfgang en Salzburgo en diciembre de 1761 o enero de 1762, es decir, muy poco antes de cumplir seis años; María Ana certificó, muy posteriormente, su autenticidad. Sin embargo, la edición de 1964 del *Köchel* situó por delante de ese minueto otras cuatro piececitas para piano: un andante en do mayor (K 1a), dos allegros (1b, en do y 1c, en fa) y otro minueto, en fa mayor (1d), que se consideraban compuestos entre el 11 y el 16 de diciembre de 1761; incluso, posteriormente el 1a y el 1b han sido fechados en los primeros meses de 1761. Pero, dicho sea muy respetuosamente, nos parece que tales propuestas no podrán superar nunca el grado de conjeturas de musicólogos bien intencionados. Sería cuando menos curioso saber que el primer momento de inspiración creadora lo tuvo Wolfgang el día 22 de noviembre de 1761 a las nueve y media de la noche, como si se tratase de su primer biberón, su primer balbuceo inteligible o su primer paso sin ser sostenido, y puede hasta parecer sorprendente que el meticuloso Leopoldo no lo consignase con claridad, si es que alguna de las piezas anteriores tenían alguna aportación propia de Wolfgang; tampoco cabe descartar la posibilidad de que en un primer momento Leopoldo no concediese especial importancia a los primeros escarceos de Wolfgang como autor. De aceptar lo que antes nos decía Nannerl (y no tenemos por qué dudar de su veracidad), sólo podemos saber que algunas de las piezas breves de ese *Nottenbook* fueron pergeñadas por Wolfgang e interpretadas ante Leopoldo para que éste las transcribiera, tampoco sabemos con certeza si introduciendo en ellas algunas correcciones o no; cabe suponer que, cuando menos, aprovecharía para enseñarle las primeras nociones sobre el modo correcto de componer, señalándole los errores que sin duda cometería.

Sí consignó expresamente Leopoldo al margen del minueto K 2: *compuesto en enero de 1762;* de ser cierto que lo compuso Wolfgang, podría considerarse este minueto el primero de los compuestos por él, al menos el primero de los conocidos que puede atribuírsele con seguridad. Poco a poco vamos encontrándonos en el *Nottenbook* diversas piezas, con la caligrafía de Leopoldo, y con anotaciones también consignadas por él, tales como éstas: *«Composiciones del pequeño Wolfgang en los tres primeros meses después de su quinto cumpleaños»; «Del Sgre. Wolfgango Mozart, 1762, d. 4 martii»; «Di Wolfgango Mozart, d. 11 May 1762»; «Di Wolfgango Mozart, d. 16 July 1762»...*

Se conserva un segundo *Nottenbook;* al igual que antes había hecho con Nannerl, Leopoldo inició un cuaderno para Wolfgang, en el que llegaría a recopilar ciento veintiséis piezas de diversos autores, y en cuya primera página escribió: *A mi querido hijo Wolfgang por su santo, a la edad de seis años, de su padre, Leopoldo Mozart. 31 de octubre de 1762.*

Me preguntaba diez veces al día si le quería

Andreas Schachtner era un trompeta de la corte de Salzburgo, y amigo de la familia Mozart. A él debemos preciosos testimonios sobre la infancia de Wolfgang:

Desde que empezó a dedicarse por entero a la música, todos sus sentidos quedaron como muertos para cualquier otra ocupación, y hasta los juegos infantiles, para interesarle, debían ir acompañados de música. Cuando, para distraernos, transportábamos, él y yo, los juguetes de una habitación a otra, teníamos que cantar cada uno una marcha. Pero antes de esta época, antes de que empezara la música, estaba tan interesado en todas las cosas propias de la infancia, que olvidaba comer y beber, y todo lo demás. Me quería tanto porque me ocupaba de él, y me preguntaba diez veces al día si le quería; y si bromeando le respondía que no, las lágrimas brillaban en seguida en sus ojos.

Antes de esta época... Antes de que empezara la música... Sorprende pensar que hubo algún momento en su vida en que Mozart aún no se dedicaba por entero a la música. Por otra parte, esta capacidad para concentrarse a que se refiere Schachtner le acompañaría toda su vida (también la necesidad de ser querido y su extrema sensibilidad); pero, ¿hasta qué punto es cierta la afirmación de que, después de comenzar a dedicarse a la música, *todos sus sentidos quedaron como muertos?* Algo debía de haber en ello; es como una maldición que acompañó a Mozart toda su vida: su supuesta incapacidad para gobernarse adecuadamente en algunos aspectos de su vida, en contraposición con sus magníficas dotes musicales. En la misma línea que el testimonio de Andreas Schachtner se encuentra este otro de Nannerl, en el que la hermana introduce un importante matiz:

Se centraba exclusivamente en todo lo que podía enseñarle algo, dejando de lado todo lo demás, incluida la música[6].

Según este testimonio, ya no es que fuese un superdotado para la música y esto le invalidase para todo lo demás, sino que su inmensa capacidad de concentración, unida a su interés por todo, podía llevarle a cambiar a menudo su centro de atención, comportándose en cada ocasión como si fuese a pasar el resto de su vida dedicándose a ello y olvidándose de todo lo demás. En cualquier caso, una característica propia de los niños en general, pero muy acentuada en Wolfgang, era su afán por aprender. Más *mozartiana* era la tendencia a apasionarse con facilidad:

Era todo fuego y llama, y se apasionaba fácilmente. Pienso que, si hubiera carecido de disciplina y educación, habría podido convertirse en un pillo o en un granuja, de tal manera estaba impresionado por todo lo que le interesaba, y de lo que no siempre sabía apreciar los diferentes aspectos, tanto los útiles como los nocivos[7].

Todo despertaba su interés; y, por otra parte, la mesura no fue nunca una de sus características más destacadas, lo que podía dar lugar a singulares consecuencias:

Cuando aprendió a contar, cubrió todo con números pintados con tiza: mesas, sillas, paredes, hasta el entarimado[8].

Pero la música, inducido (que no obligado) a ello por su padre, era su principal motivo de interés:

Siendo niño tenía deseo de aprender todo lo que veía. Mostraba muchas disposiciones para el dibujo y para el cálculo; pero estaba demasiado absorbido por la música para poder manifestar su talento en cualquier otra rama.

[...] Nunca fue necesario obligarle a componer o a tocar; al contrario, había que distraerle para que no lo hiciera. Si no, hubiera estado día y noche sentado al piano o componiendo[9].

Pero no era fácil distraerle cuando algo reclamaba su atención:

Cuando estabas sentado al piano, u ocupado con la música, nadie podía acercarse a ti, ni intentar distraerte[10].

Wolfgang no fue nunca a la escuela; su profesor fue su padre, todo un lujo, pero esto supuso que Wolfgang permaneciese aislado en su ámbito familiar como en una burbuja. Apenas aparecen en la biografía de Mozart más niños que él y su hermana; el mundo de la infancia y el de los adultos se interpenetran durante toda su vida de un modo muy peculiar, sin solución de continuidad. Jugaba de niño, siguió jugando de adulto; trabajó de adulto en lo que había trabajado de niño. Y tanto de niño como de adulto, aun rodeado de seres queridos, de multitudes, podemos percibir en él una intensa sensación de soledad, de tristeza, que se muestra continuamente como la otra cara de una misma moneda: misantropía y sociabilidad, intransigencia y generosidad; tendencia a la soledad y deseo de ser querido por los demás; tristeza y alegría, lucha y abandono. Sin duda, era un personaje con una inmensa personalidad, que se vio abocado a luchar con otra fortísima personalidad, la de su padre. El resultado fue una continua contradicción, la falta de seguridad en sí mismo; la conciencia de su propia fuerza y de su gran valor, la fuerza y el valor de la inteligencia, la sensibilidad, la imaginación. Conciencia que, sin embargo, era a menudo dominada por la duda sobre esas mismas cualidades.

Unos años después, Leopoldo nos descubrirá una de las características de su propia personalidad, referida a las relaciones sociales, que nos permite entender algo mejor cuál era el ambiente en que se formó Wolfgang:

Yo era un hombre hecho y derecho y vosotros unos niños; yo evitaba todo conocimiento y sobre todo cualquier familiaridad con las personas de nuestra profesión [...]. Buscaba sólo la amistad de personas de un rango superior; y entre ellas, personas formadas y no chiquillos. No invitaba nunca a nadie a mi casa, para conservar mi libertad, y siempre me parecía más oportuno visitar yo a los demás [11].

Capítulo II

PRIMERAS APARICIONES EN PÚBLICO, PRIMEROS VIAJES: 1761-1763

Debo mostrar este milagro al mundo

A finales de 1761 se produjo la primera aparición pública de Wolfgang, si bien cabe pensar que pasaría relativamente inadvertida: cantó en una escolanía de cien niños, en la representación en la universidad de una comedia latina con música de Johann Ernst Eberlin, el maestro de capilla de la corte salzburguesa.

Debo mostrar este milagro al mundo, justamente ahora, puesto que hoy día se tiende a ridiculizar y a impugnar todos los milagros [12].

Europa se aburría; si no fuese un insulto para cada uno de los numerosos dramas familiares que se vivían cada día, podríamos decir que se aburría hasta de las continuas guerras. Cualquier novedad, cualquier rareza, todo lo que rompiese la monotonía, era acogido con un entusiasmo que hoy nos parecería excesivamente ingenuo. Wolfgang no fue el primer niño *prodigio* (es decir: *raro, milagroso, infrecuente,* un *fenómeno;* quizá sería mejor decir *prodigioso)*: por aquellos mismos días había algunos niños más mostrando sus habilidades por los caminos de Europa; pero el impacto de Wolfgang superó a todos, y su ejemplo sería imitado con Beethoven, Liszt y muchos otros niños. Niños con dotes musicales, que eran exhibidos lo más pronto posible; en el caso de Beethoven, por ejemplo, nunca llegó a saber que tenía dos años más de los que él creía, pues su padre, además de presentarle como dos años más joven, se aseguró de que su hijo no le descubriese inocentemente, por el procedimiento de hacerle creer a él mismo que realmente lo era.

La exhibición de *fenómenos* de todo tipo, curiosidades, animales exóticos, seres monstruosos, autómatas, hallazgos científicos, fue muy frecuente en todas las épocas, pero, como es lógico, se desarrolló especialmente según fueron incrementándose las facilidades para viajar y las relaciones entre lugares distantes. Las *cámaras de maravillas* renacentistas y barrocas forman parte de la misma mentalidad: en ellas podían encontrarse magníficas obras de arte, pero también piedras preciosas, meteoritos, animales disecados, conchas gigantes, fetos de seres monstruosos, dibujos y pinturas de animales reales o imaginarios... Todo aquello que escapaba de la realidad cotidiana era susceptible de despertar la admiración de una sociedad en la que aún no había tenido lugar la inmensa acumulación de sensaciones intensas que afectan al hombre de nuestra época, y que terminan por producir un ciudadano indiferente a los estímulos externos [13].

A menudo se valoraba una obra de arte mucho más por los materiales con los que estaba realizada que por la labor efectuada por el artista. Aún no se había producido (aunque se pueden citar muy numerosos e ilustres antecedentes) el fenómeno, típicamente decimonónico, de la exaltación de la originalidad que terminó por conducir a una situación que podríamos en cierto modo definir como de *dictadura del artista*. Pero, desde hacía muchos años, incluso desde finales de lo que llamamos *Edad Media,* y durante toda la Edad Moderna, muchos artistas, conscientes de su valía intelectual, fueron dando muestras de sentir orgullo por sus capacidades, y en consecuencia se atrevían a reivindicar una mayor consideración social en todos los aspectos. En estos años decisivos de tránsito del mundo moderno al contemporáneo, tal posición se estaba haciendo mucho más generalizada que nunca; por eso nos encontraremos con un Leopoldo y un Wolfgang que, a la vez que se exhiben como un espectáculo circense y pugnan (Leopoldo mucho más que Wolfgang) por tener un gran señor al que servir (lo cual era esencial en una sociedad claramente estructurada en torno a clanes familiares), se lamentan de no ser suficientemente remunerados o considerados como artistas, y en la intimidad hacen bromas despectivas contra muchos de sus convecinos, por considerarles mucho menos dotados intelectualmente que ellos.

Pero, en sus primeras presentaciones en público, este jovencísimo pianista aparece como un *prodigio,* algo surgido por capricho de Dios, una rareza, una curiosidad merecedora del examen de los científicos y el interés de los profanos:

Nos reservan con cuatro, cinco e incluso ocho días de antelación, para no quedarse sin asiento. Todas las señoras están enamoradas de mi pequeño. Aún no he encontrado a nadie que no lo considere un fenómeno inexplicable [14].

Durante la misma estancia vienesa, el conde Karl Zinzendorf (que con el tiempo llegó a ser un implacable crítico de su música) anotó en su diario la impresión que le había producido ese *fenómeno* llamado Mozart:

He estado en casa de los Thurn, donde se exhibían al piano el niño de Salzburgo y su hermana. El pobre pequeño toca de una manera maravillosa. Es inteligente, vivo, amable. Su hermana, por su parte, es una pequeña maestra. Él la aplaudió. La señorita von Gudenius, que es una buena clavecinista, le ha besado; entonces él se ha limpiado la boca[15].

Leopoldo, un hombre de gran religiosidad, estaba además absolutamente convencido de que la capacidad musical de Wolfgang era un milagro de Dios, y sintió la obligación moral de mostrarlo a la Humanidad como un testimonio del poder divino, porque *hoy día se tiende a ridiculizar y a impugnar todos los milagros,* como argumentaría Leopoldo siete años después. Es antigua la consideración, especialmente mantenida por los platónicos y neoplatónicos, de que *lo bello* y *lo bueno* son una misma cosa; procede del mundo griego, y durante muchos siglos se ha dado vueltas a esta cuestión de la relación entre el arte y la moral. Por eso, llegado el momento, Leopoldo no tendrá la menor duda de que, de no seguir su misión divina (convenientemente interpretada por él mismo, por Leopoldo), Wolfgang estaría cometiendo una inmensa ofensa contra Dios. Esta presión de índole moral se convertirá en otra constante en la vida de Mozart.

Así pues, aprovechando la paz que se estaba produciendo en el sur de Alemania desde enero de 1762, Leopoldo decidió realizar un viaje a Munich, la capital de Baviera, donde se presentaron ante el elector Maximiliano III. Este primer viaje de Wolfgang duró sólo tres semanas; no sabemos las fechas exactas, pero probablemente coincidió con las fiestas de carnaval, en la segunda mitad de enero. A él se referiría años después María Ana de este modo:

En el sexto [año] de Wolfgang, su padre hizo un primer viaje con él; fue a Munich, donde los dos niños han sido escuchados por el príncipe elector. Después, tras una estancia de tres semanas en esta ciudad, han regresado a Salzburgo.

Tal vez deba situarse en estos momentos posteriores al viaje a Munich una conocida anécdota que refirió Schachtner en una carta dirigida a Nannerl en abril de 1792, esto es, treinta años después, por lo que debe ser considerada con ciertas prevenciones:

Un día que volvía a vuestra casa, con vuestro padre, después del servicio del jueves, encontramos al pequeño Wolfgang (debía tener entonces cuatro años) muy ocupado en escribir alguna cosa.

Papá: *¿Qué haces?*
Wolfgang: *Un concierto para clavicémbalo; quiero terminar pronto la primera parte.*
Papá: *¡Déjame ver!*
Wolfgang: *Pero es que todavía no está terminado.*
Papá: *¡Es lo mismo, deja que lo vea! Tiene que ser algo muy bonito...*
Y su padre cogió el papel y me mostró un borrador de notas de música, la mayoría de las cuales estaban escritas sobre manchas de tinta (ya que el pequeño Wolfgang, por inexperiencia, hundía su pluma hasta el fondo del tintero, y el resultado era, cada vez que tocaba el papel, una gran mancha que extendía resueltamente con la palma de la mano para secarla, y luego escribía sobre ella). Comenzamos a reír de lo que parecía un verdadero galimatías; pero vuestro padre se puso enseguida a examinar lo esencial: la música, la composición. Durante un buen rato se quedó mudo ante la hoja de papel; finalmente, dos lágrimas de admiración y de alegría se deslizaron por sus mejillas:
—Ved, señor Schachtner—me dijo—, *¡qué justamente está todo colocado! Pero es tan difícil que no habría nadie capaz de tocarlo.*
El pequeño Wolfgang intervino entonces:
—¡Es un concierto, papá! ¡Hay que ensayarlo para conseguirlo! Mira, así es poco más o menos como debe quedar.
Entonces tocó, pero apenas pudimos adivinar lo que tenía en la cabeza.

Debe, sí, ser considerada con prevenciones, porque, sin duda, está adornada por el cariño que Schachtner sentía hacia Wolfgang, quien difícilmente podía estar escribiendo un concierto para piano a los cuatro años cuando a los seis apenas sabía escribir pequeños minuetos; pero, entre manchas de tinta, bromas y lágrimas de admiración, tampoco es improbable que el niño estuviese jugando a componer un concierto de piano y, lo que quizá más nos interesa, que sólo él pudiese entender qué era lo que quería conseguir.

De nuevo se puso toda la familia en marcha el 18 de septiembre de 1762; este viaje duraría hasta el 5 de enero de 1763. El primer viaje, el que habían hecho para visitar al elector, Maximiliano III, quizá fuese útil por muy diversas razones, pero no supuso que el elector decidiese patrocinar la misión de los Mozart por las descreídas ciudades europeas. Fue Lorenz Haguenauer, el casero y amigo de la familia, quien prestó a Leopoldo el dinero necesario para emprender esta aventura. Debemos tener en cuenta este dato para entender mejor la acucia de Leopoldo por conseguir una adecuada rentabilidad económica; seguramente no era tanto por avaricia, como con bastante ligereza se afirma a menudo, sino por la necesidad de devolver a su amigo lo que éste les había prestado, aunque sólo fuese para mantener su crédito. A lo largo del viaje, Leopoldo fue enviando cartas a Haguenauer, dándole razón de los resultados económicos de las diversas etapas, y a la vez comunicándole detalles sobre su acontecer cotidiano, que hoy son preciosos para nosotros.

Salieron hacia el norte, por el Danubio. Ya en Passau se encontraron con la primera dificultad: el obispo Fürstl les tuvo esperando cinco días, para terminar recibiendo sólo a Wolfgang, no a Nannerl, y recompensándole con tan sólo un ducado; el balance de esta primera etapa, como refiere Leopoldo, fue de ochenta florines en el *debe*.

En Passau trabaron amistad con un canónigo, el conde Heberstein, que les acompañó hasta Linz y que preparó la llegada a Viena.

En Linz dieron los niños un recital ante la nobleza y la burguesía de la ciudad; uno de los asistentes fue el conde Palfy, quien contribuiría a propagar por Viena la fama de los Mozart previamente a la llegada de éstos.

El 4 de octubre salieron de Linz y, en barco, se dirigieron hacia Viena, pasando por Mauthausen e Ybbs, en cuyo convento franciscano protagonizó Wolfgang la siguiente anécdota:

Los tres frailes que habían sido nuestros compañeros en la barcaza han ido a celebrar sus misas. Durante éstas, Wolferl ha trepado hasta el órgano y ha tocado tan bien que los frailes franciscanos que estaban desayunando con algunos invitados han dejado de comer, han acudido a la capilla y han quedado estupefactos[16].

Tras pasar esa noche del día 5 por Stein, llegaron a las puertas de Viena el día siguiente, 6 de octubre:

En la aduana vienesa, nuestro hijo nos ha evitado la inspección del equipaje [...]. Hizo en seguida amistad con el aduanero, le enseñó su clavicémbalo y tocó para él un minueto en su pequeño violín [...][17].

En Viena fueron presentados inmediatamente en diversas academias y casas de personajes poderosos, como el conde Collalto, el conde Rodolfo José Colloredo (padre del futuro príncipe arzobispo de Salzburgo, Hieronymus Colloredo) o la condesa Von Zinzendorf.

El 13 de octubre fueron recibidos en Schoenbrunn (el palacio de los Habsburgo en las afueras de Viena) por la reina María Teresa, su esposo Francisco I de Lorena y uno de los hijos de ambos, el futuro emperador José II, entonces archiduque José, mucho más aficionado a la música que su hermano el archiduque Leopoldo, que también sería emperador, como Leopoldo II:

No tengo tiempo más que de deciros apresuradamente que hemos sido recibidos por sus majestades, con una benevolencia tan extraordinaria que, cuando lo cuente, lo tomarán por una fábula. Wolferl ha saltado sobre las rodillas de la emperatriz, ha rodeado su cuello con sus brazos y la ha besado. Hemos estado con ellos desde las tres hasta las seis, y el mismo emperador me ha llevado a una habitación vecina para que pudiera oír al niño tocar el violín [18].

María Ana recordaría bastantes años después lo siguiente:

La sesión que dieron delante de sus majestades imperiales duró más de tres horas; los grandes duques y duquesas también asistieron. El emperador Francisco dijo, entre otras cosas, a Wolfgang que no era difícil tocar con todos los dedos, pero que lo que sería más complicado sería hacerlo con un clave cubierto. En este momento el niño se puso a tocar encima de un paño, como si estuviera habituado a este esfuerzo extraordinario.

Nissen refirió una célebre anécdota relacionada con una hija de María Teresa, la archiduquesa María Antonieta, que se convertiría en reina consorte de Francia y terminaría guillotinada unos meses después que su marido, el rey Luis XVI; no es una información de primera mano, por lo que también debemos tener prevenciones con ella:

Se resbaló y cayó sobre un suelo encerado. La archiduquesa María Antonieta le ayudó a levantarse y le consoló:
—Sois muy gentil —le dijo Wolfgang—, *y cuando sea mayor me casaré con vos.*
La emperatriz María Teresa, que había llegado mientras tanto, le preguntó la razón de esta decisión, y Wolfgang le respondió:
—Para recompensarla, porque ha sido muy buena conmigo.

La reina María Teresa dio muchas muestras de cariño hacia Nannerl y Wolferl, pero no satisfizo las aspiraciones económicas de Leopoldo, e incluso se sintió molesta por la familiaridad con que Wolfgang trató a Wagenseil, el compositor de la corte. Sin embargo, esta estancia en la corte vienesa fue decisiva para la difusión de la fama de Mozart.

Los días siguientes fueron de frenética actividad:

Hoy, a las dos y media, deben ir a casa de los dos jóvenes archiduques; a las cuatro, a casa del príncipe Palfy; ayer estuvimos con el conde Kaunitz, y anteayer con la princesa Kinsky, y más tarde en casa del conde Von Uhlefeld. Estamos ya comprometidos para dos días[19].

Hoy estuvimos con el embajador de Francia; mañana estamos invitados de cuatro a seis en casa del conde Harrach. Siempre vienen a buscarnos con carrozas, acompañados de lacayos, y después nos vuelven a acompañar a casa. Hemos prometido ir esta tarde, de seis a nueve, a una gran academia donde actuarán los más grandes virtuosos de Viena. Los señores nos esperan hasta con una semana de antelación, por miedo a llegar demasiado tarde; ya estamos comprometidos para el lunes próximo con el conde Paar [...]. Fuimos a casa a las dos y media, y nos quedamos hasta las tres y cuarto; el conde Hardegg nos hizo conducir a galope con su coche a casa de una dama, y allí estuvimos hasta las cinco y media. El conde Kaunitz nos llevó con él y no salimos de su casa hasta las nueve de la noche[20].

En una loa a Mozart escrita en estos momentos por Pufendorf, el poeta comparaba a Wolfgang, *el niño de Salzburgo*, con otro prodigio, *el niño de Lübeck*, que con seis años dominaba muchas lenguas y era un erudito en los más variados temas, pero que se extinguió como una bengala o como una estrella fugaz:

Admirable niño, del que encomian el talento; tú que entre los músicos eres el más pequeño, pero también el más grande. El arte de los sonidos no ofrece obstáculos para ti; muy pronto puedes ser el primero de los maestros. Deseo solamente que tu cuerpo sostenga la fuerza de tu alma y no vaya, como el niño de Lübeck, prematuramente a la tumba.

Debía de estar muy extendida la idea de que en un niño precoz, del mismo modo que se adelantaba el desarrollo intelectual, se producía un adelantamiento en otros aspectos de la vida y, muy en especial, que también sería precoz su muerte; como recordaría unos años después Leopoldo:

Cuando te dedicabas a la música, tu rostro expresaba tal seriedad que numerosas veces y en diversos países he visto a la gente inquietarse por tu salud y preguntarse si tu talento precoz no llegaría a trastornarte[21].

En una de las cartas de estos momentos encontramos una interesante reflexión de Leopoldo, relacionada con la guerra que estaba teniendo lugar en esos momentos, la *guerra de los Siete Años*:

Soy incapaz de daros ninguna noticia de la guerra; se habla tan poco de ella que es como si no existiera. En toda mi vida he oído y conocido menos noticias que desde las cuatro o cinco semanas que llevo lejos de Salzburgo [22].

Leopoldo asegura que en Salzburgo circulan las noticias mejor que en la propia Viena, lo que tal vez no fuera exagerado, teniendo en cuenta su condición de encrucijada de caminos. Pero, por otra parte, hay un hecho innegable: la nobleza europea de finales del siglo XVIII vivía aislada en un mundo tan ficticio y vacuo como las escenas galantes que se representan en los cuadros, no obstante magníficos, de pintores como Fragonard. Complicadas etiquetas, refinados juegos dialécticos, artificiosas poses y gestos. Alrededor, la guerra; la revolución, que se acercaba a pasos agigantados. Recordemos una célebre anécdota de la misma María Antonieta que hemos dejado correteando por el palacio de Schoenbrunn: cuando, ya reina de Francia, se desencadenó la crisis del pan que, en breve, terminaría dando lugar a los hechos que culminaron con la decapitación de Luis XVI y de la propia María Antonieta, algún cortesano le advirtió de que el pueblo no tenía pan, y ella, con una lógica desde su punto de vista impecable, respondió: *¡Pues que coman croissants!*

La felicidad es como el cristal

El día 21 realizaron los Mozart una nueva visita a Schoenbrunn. Wolfgang asistió aquejado de fiebre; al regresar se acostó, y tenía calambres:

La felicidad es como el cristal. Acabamos de romper la vasija del vinagre. Pensaba que habíamos sido demasiado felices estos últimos catorce días; ahora Dios nos ha enviado una pequeña prueba y nosotros le agradecemos su infinita bondad, porque esto ya va mejor [23].

Entre el 21 de octubre y el 4 de noviembre, Wolfgang convaleció de escarlatina, la primera de las muchas enfermedades importantes que, como a cualquier niño del momento, le afectaron. Ya en el viaje hacia Viena, había padecido un catarro:

Wolfgang ha tenido un fuerte catarro después de Linz, y a pesar de la vida desordenada, los madrugones, la irregularidad en las comidas, la lluvia y el viento, ahora se encuentra bien, gracias a Dios [24].

Leopoldo señaló acertadamente que no era un niño débil, como por el contrario se ha afirmado a menudo, sino que su constitución era fuerte, pues a pesar de las condiciones adversas consiguió reponerse pronto. En aquella época la mortandad infantil era muy grande, y en general puede afirmarse que sólo sobrevivían a las enfermedades de la infancia los más fuertes. Por otra parte, muchos biógrafos de Mozart han interpretado la relación del niño con su padre como una impiadosa explotación por parte de Leopoldo, que habría dado lugar a que padeciese enfermedades que supuestamente no se habrían producido de no haber sido sometido a tantos viajes. Pero no debemos ignorar que el concepto actual de la infancia es muy reciente; los niños eran antes considerados hombres pequeños, hasta el punto de que en determinados momentos los artistas han tenido dificultades para representar correctamente el cuerpo de los niños, como ocurrió en la Grecia antigua: suelen aparecer como hombres perfectamente formados, pero de pequeño tamaño. Lo más frecuente era que sólo una minoría de los niños llegasen a la adolescencia; la mayoría nacían muertos o sólo vivían unos días o unos meses. Esto hacía que, a menudo, muchos padres ni siquiera se encariñasen con ellos hasta que tenían algunos años. Los que sobrevivían, tan pronto se encontraban en disposición física para ello, debían contribuir a las tareas de la familia, y a menudo el fallecimiento de sus progenitores ponía sobre sus hombros toda la responsabilidad propia de un cabeza de familia. Son muy frecuentes los casos de reyes niños, pero también de niños mineros, explotados de sol a sol; de niños mendigos, niños encarcelados o ajusticiados junto con hombres y mujeres adultos.

Wolfgang, no lo dudemos, en este sentido fue un privilegiado, con unos padres amantes y cariñosos, absolutamente volcados en él y en su hermana; las tareas que se le encomendaban formaban parte de su mundo de juegos infantiles. De la mano de su padre no sólo recibió una educación muy superior a la de la mayoría de los niños de su época, sino que pudo viajar, conocer personajes de todo tipo, muchos de ellos muy interesantes para su formación, y recibió un oficio que le debería permitir, mal que bien, vivir con cierta holgura, y sin duda en mejores condiciones que lo harían la mayoría de sus conciudadanos de la misma edad.

A mediados de noviembre, Wolfgang tuvo una recaída en su enfermedad, lo que mantuvo a la familia inactiva en Viena. Un mes después realizaron un viaje de un par de semanas a Bratislava, donde fueron presentados ante los aristócratas húngaros.

Volvieron a pasar por Viena y regresaron a Salzburgo el 5 de enero de 1763. Wolfgang sufrió entonces un ataque de reúma que le afectó los dedos y las piernas, de modo que no podía tenerse en pie.

Schachtner refiere una célebre anécdota relativa a estos momentos, en la que, sin embargo, existen algunos errores: uno de ellos, la afirmación de que fue entonces cuando Wolfgang comenzó a tocar el violín; hemos visto que ya tenía uno (lo que no excluye que pudiera regalársele otro), y que con él tocó un minueto para un aduanero de Viena; contradicciones como ésta no son quizá trascendentales, ni siquiera relevantes, pero deben hacernos contemplar con prevención el resto de las informaciones que contiene un testimonio determinado:

Durante los primeros días después de vuestro regreso de Viena, donde se le regaló a Wolfgang un pequeño violín, nuestro excelente violinista Wentzl, hoy fallecido, sometió al examen de vuestro señor padre una serie de seis tríos que había compuesto durante su ausencia; era su primer intento de composición. Tocamos, pues, los tríos. Vuestro padre debía hacer el bajo sobre el alto; Wentzl, el primer violín y yo el segundo. Wolfgang pidió entonces que se le permitiera tocar el segundo violín, pero vuestro padre no quiso acceder a esta insensata petición, pues el pequeño no había tomado jamás una lección de violín, y su padre le creía incapaz de tocar nada con ese instrumento. Wolfgang dijo: «Pero, papá, para hacer la parte del segundo violín no es necesario haber aprendido.» Y como su padre le ordenó irse inmediatamente y dejarnos trabajar, el pequeño Wolfgang se puso a llorar amargamente, saliendo con pequeños pasos y llevando su violín. Al ver esto, rogué que le dejaran tocar conmigo; entonces su padre le dijo: «Bueno, ¡de acuerdo! Toca con el señor Schachtner, ¡pero tan bajito que no te oiga, o sales inmediatamente!»

Así se hizo, y Wolfgang tocó conmigo. Muy pronto me di cuenta, con estupor, de que yo estaba sobrando. Suavemente dejé mi violín y miré a vuestro padre, que lloraba de admiración. Wolfgang tocó así los seis tríos. Cuando hubo terminado, nuestros elogios le envalentonaron tanto que pretendió tocar también el primer violín.

Hicimos la prueba para complacerle, y creímos morir de risa al verle tocar su parte con un sinfín de malas posiciones y de torpezas, pero llegando hasta el final sin interrumpirse ni una sola vez[25].

En la misma carta, Schachtner nos deja uno de los muchos testimonios sobre una característica de Mozart, su *oído absoluto:*

Quizá recordéis que yo tenía un buen violín, que el difunto Wolfgangerl llamaba «el violín de mantequilla» porque tenía un sonido dulce. Un día, poco después de vuestro regreso de Viena, tocó con él, y no tenía suficientes elogios para mi violín. Me dijo en seguida: «¿Qué le ocurre a vuestro violín de manteca?», y continuó tocando sin dejar de reflexionar; después me dijo: «Señor Schachtner, vuestro violín está afinado un cuarto de tono más bajo que el mío, cuando lo afinasteis la última vez que toqué con él.»

Me eché a reír, pero vuestro padre, que conocía la extraordinaria sensibilidad y memoria de los sonidos del niño, me pidió que fuera a buscar mi violín para ver si tenía razón. Lo hice, y así era.

Otra anécdota famosa de Mozart niño refiere cómo cuando escuchaba el tañido de una campana era capaz de distinguir e individualizar perfectamente sus armónicos. Incluso sus miedos infantiles estaban relacionados con el mundo de los sonidos:

Casi hasta los diez años sintió un horror irracional por la trompeta, sobre todo cuando la tocaban sola sin ningún acompañamiento. Bastaba con que le enseñaran una trompeta y le hacía el mismo efecto que si le hubieran puesto sobre el corazón una pistola cargada.

Vuestro padre quiso librarle un día de ese terror infantil, y me pidió que tocase cerca de él, a pesar de su rechazo. ¡Dios mío, nunca debí haberle obedecido! Apenas percibió el sonido estrepitoso del instrumento palideció, empezó a desvanecerse y, si yo hubiera continuado, seguramente habría tenido convulsiones[26].

El 28 de febrero de 1763, Eberlin fue sustituido como *Kapellmeister* de la corte de Salzburgo por Giuseppe Francesco Lolli, hasta entonces *Vicekapellmeister,* cargo este último al que accedió Leopoldo. El *Konzertmeister* era, desde 1762, Johann Michael Haydn (1737-1806), hermano de Franz Joseph Haydn (1732-1809).

Capítulo III

EL PRIMER GRAN VIAJE POR EUROPA: 1763-1766

Decía que él era el rey de ese reino

En la primavera de 1763, Leopoldo consiguió del arzobispo Sigismund Schrattenbach permiso para ausentarse de Salzburgo sin perder su puesto ni su sueldo. Seguramente para un príncipe de la época esto no sólo no suponía un grave contratiempo, sino que era incluso un motivo de prestigio y una oportunidad para relacionarse con otros personajes poderosos; recordemos antecedentes como los de Rubens o Velázquez, artistas al servicio de grandes señores para los cuales, además de sus cometidos artísticos, realizaban tareas de representación y de información, algo fundamental en todas las épocas, pero que antes de lo que algunos llaman *globalización* tenía otros medios de producirse distintos a los que tenemos en nuestros días.

Esta vez, Leopoldo decidió comprar un carromato propio. También les acompañaba su criado, Sebastián Winter. Sin duda, Leopoldo tenía pensado hacer un viaje bastante más largo que los anteriores, y de hecho así fue, pues duró desde el 9 de junio de 1763 hasta el 29 de noviembre de 1766.

> *Dado que los viajes, tal como los hacíamos, le llevaban a distintos países, él, mientras íbamos de un sitio a otro, se inventó un reino, al que llamaba reino de Rücken. Decía que él era el rey de ese reino, y nuestro criado, que sabía dibujar un poco, tuvo que hacer un mapa para el que él le dictó los nombres de las ciudades, ferias y pueblos*[27].

Los anuncios y notas de prensa revelan que cada vez se dio mayor importancia en este viaje a la faceta creativa de Wolfgang; a partir del segundo año de esta gira se incluía siempre al menos una pieza compuesta por él.

El primer lugar que visitaron fue Munich, adonde llegaron el 12 de junio por la tarde, y donde ya habían actuado en enero de 1762;

pero antes de llegar a Munich, el día 10, en Innstadt, habían tenido un pequeño percance, la rotura de una rueda:

Nos dijeron que nos devolverían el carromato hoy por la mañana temprano; ¡pero sí! ¡Demonios! Eso quiere decir: quedaos aquí esta noche. Lo último es que, para entretenernos, nos hemos ido hasta el órgano y le he enseñado el pedal al pequeño Wolfgang. Ha superado en seguida la prueba: ha retirado el banquillo y ha preambulado de pie, pisando además el pedal, como si lo hubiera estado ensayando durante meses. Fue una sorpresa y un nuevo don de Dios que algunos sólo reciben después de muchos esfuerzos[28].

Leopoldo, como vemos, repite una y otra vez que la gran disposición del niño para la música es un don del Cielo; andando el tiempo, a Wolfgang le costará mucho desembarazarse de lo que ahora se presentaba como un elogio: la idea de que él no necesitaba hacer ningún esfuerzo para conseguir, en la música, lo que a los demás les costaba un gran trabajo.

El día 13 fueron recibidos por Maximiliano en su palacio de Nymfenburgo, y Wolfgang mostró la habilidad que había adquirido con el violín; Nannerl no tocó en esa ocasión.

Desde Munich, donde actuaron un par de veces ante el duque Clemens de Baviera y conocieron al violinista Luigi Tomasini (1741-1808), se desplazaron a Augsburgo, la localidad natal de Leopoldo. Frente a lo que él esperaba, no tuvieron éxito en esta ciudad; dieron tres conciertos, a los que apenas asistieron unos cuantos espectadores, luteranos, para mayor escarnio. En Augsburgo realizaron varias visitas a antiguas amistades de Leopoldo, se encontraron con el editor Jacobo Lotter y con el violinista Pietro Nardini (1692-1770), y compraron al fabricante Andreas Stein (1728-1792), discípulo del organero Andreas Silbermann (1678-1734), un clavicordio que les acompañó durante el resto del viaje.

El 6 de julio salieron de Augsburgo, y esa misma noche llegaron a Ulm, ciudad donde aún dominaba el estilo gótico, lo que desagradó profundamente a Leopoldo, un hombre completamente identificado con el Barroco decorativo de la segunda mitad del siglo XVIII:

Ulm es un lugar horrible, antiguo y construido sin gusto. Imaginad las casas, donde todas las vigas del armazón están a la vista y donde se puede ver también la separación de cada piso, y estas vigas, para colmo, están todas pintarrajeadas, y los huecos entre ellas están o bien blanqueados o bien cada ladrillo está pintado con el fin de que la armadura resalte mejor[29].

Pronto descubriría Leopoldo que las siguientes ciudades que fueron visitando también seguían siendo ciudades medievales:

Westerstetten, Geisligen, Göppingen, Plochingen y hasta Stuttgart son como Ulm[30].

Leopoldo pretendía encontrar en Stuttgart al duque Karl Eugen de Würtenberg, pero fueron informados de que estaba cazando en Ludwigsburgo, por lo que se dirigieron de inmediato hacia allí:

Me decidí inmediatamente a ir a Ludwigsburgo, por Cannstadt, en lugar de ir a Stuttgart, para encontrar al príncipe[31].

Llegaron a Ludwigsburgo el día 9...

... Pero no pude hablar antes del 10 por la mañana con el maestro de capilla Jomelli y el intendente general Poelnitz, para los cuales llevaba cartas de recomendación del conde Von Wollfegg; pero hube de constatar que no había nada que hacer. Tomasini, que había llegado quince días antes que nosotros, no consiguió hacerse oír. Y como he comprendido perfectamente, el duque tiene la costumbre de hacer esperar mucho a las personas antes de escucharlas y de hacerles esperar todavía más antes de recompensarlas. Ahora comprendo que todo esto ha sido obra de Jomelli, que hace todo lo posible para cerrar a los alemanes el acceso a la corte y no introducir en ella más que italianos[32].

Leopoldo quizá centró en exceso su frustración en la persona de Nicola Jomelli —o Jommelli— (1714-1774), pero lo cierto es que este músico italiano no debía de ser muy ortodoxo en sus procedimientos: incluso llegó a sospecharse de él como implicado en el asesinato de su rival en Roma, el español Domingo Terradellas (1713-1751). Y en cuanto a que pretería a los compositores alemanes en beneficio de los italianos, un indicio de ello es el propio comentario, elogioso, pero envenenado, que hizo sobre el pequeño Mozart:

Es sorprendente, y casi increíble, que un niño alemán pueda tener tanto talento musical, tanto fuego y espíritu.

Se trata de otra de las constantes no sólo en la vida de Mozart, sino en los hombres más avanzados de su época: desde los inicios de la Edad Moderna, y de un modo muy especial en esta segunda mitad del siglo XVIII, esto es, en los últimos años del Barroco y durante el Neoclasicismo, se produjo una verdadera *italomanía* (es una época de grandes manías, como lo seguirán siendo los tiempos siguientes). Los italianos, a fin de cuentas, eran los más directos herederos de la cultura clásica, siquiera por inmediatez geográfica. No sólo los músicos italianos, sino los arquitectos, los pintores, los escultores, los orfebres, los artistas italianos en general, y los escritores, podían ejercer, y ejercían, una especie de dictadura estética. Un personaje tan representativo de estos momentos como era Goethe, sentiría una singular debilidad por la península Itálica. Paralelamente, como le ocurrió a Leopoldo en Ulm, los intelectuales del momento denostarán lo medieval (entonces denominado genérica y despectivamente *gótico,* es decir, lo propio de los godos, un arte bárbaro, supuestamente antagónico del mundo clásico). Pero, en muy pocos años, se aceleró el cambio en las mentalidades que venía gestándose desde hacía varios decenios, y surgirá el Romanticismo, y con él las *nacionalmanías,* los nacionalismos decimonónicos, en los que aún hoy nos encontramos. Los más avanzados hombres del Neoclasicismo, aquellos que, también por edad, lleguen al Romanticismo, se convertirán en los máximos representantes de este movimiento, y volverán sus ojos hacia lo medieval. Goethe descubriría, incluso unos años antes de que Wolfgang pasase por Estrasburgo, y ante su catedral, que lo *gótico,* si era lo propio de los godos, era lo alemán, lo germánico; y al cabo, dejará las cosas en su sitio: Italia será para él, y no es poco, *el país donde florece el limonero.*

Una vez en el Palatinado, llegaron los Mozart a la residencia veraniega del elector Karl Theodor, en Schweitzingen, cerca de Mannheim. Karl Theodor, a diferencia de Karl Eugen, les recibió inmediatamente. En su referencia sobre la velada en que participaron, cabe destacar el elogio que hizo Leopoldo de la celebrada orquesta de Mannheim, así como que de tal elogio formasen parte razones morales, sobre las características personales de sus músicos:

Ayer hubo aquí una academia, a causa de nosotros. Es la segunda academia que tiene lugar el mes de mayo. Ha durado desde las cinco de la tarde hasta las nueve. He tenido el placer de oír, al mismo tiempo que a destacados cantantes, a un extraordinario flautista, el señor Wendling; la orquesta es sin ninguna duda la mejor de Alemania; está compuesta por jóvenes, pero de excelentes costumbres, ni jugadores, ni bebedores, ni libertinos o desaliñados; de tal modo que toda su conducta es tan estimable como su trabajo[33].

A continuación pasaron por Heidelberg y Mainz (Maguncia), y llegaron a Francfort el 12 de agosto; aquí dieron un primer recital el día 18:

El 18 de agosto tuvo lugar nuestro primer concierto aquí. Ha estado muy bien [...]. Todo el mundo ha quedado impresionado. Que Dios, en su infinita bondad, continúe dándonos salud, y otras ciudades podrán maravillarse también. Wolfgang es de una vivacidad extraordinaria, pero también un poco travieso. Nannerl no sufre en absoluto a causa de su hermano, teniendo en cuenta que, cuando ella toca, todo el mundo habla de ella y admira su velocidad[34].

Pero, aunque Leopoldo lo negase, Nannerl, que por pura razón cronológica había sido niña prodigio antes que Wolferl, sí estaba sufriendo, a sus doce años recién cumplidos. Cada vez más se admiraban en Wolferl sus dotes creativas; Nannerl, en consecuencia, debía demostrar su dominio técnico como clavecinista.

En esta importante ciudad, Francfort, dieron otros tres recitales; para el último de ellos, Leopoldo hizo insertar un anuncio en la prensa, seguramente redactado por él mismo:

La admiración que despierta en las almas de todos los oyentes la habilidad, nunca vista ni oída en grado semejante, de los dos hijos del Kapellmeister[35] *del príncipe arzobispo de Salzburgo, señor Leopoldo Mozart, ha tenido como consecuencia una triple repetición del concierto, que en principio debía darse una sola vez.*

Esta admiración universal, unida al deseo expreso de muchos grandes entendidos y aficionados de nuestra ciudad, es la causa de que hoy, martes 30 de agosto, a las seis de la tarde, en la sala Scharf, tenga lugar un último concierto, que esta vez será irrevocablemente el último. En este concierto actuarán la niña, que tiene doce años de edad, y el niño, de siete. No solamente ambos tocarán conciertos en el clave y el pianoforte: la niña también tocará los fragmentos más difíciles de los más grandes maestros; el niño ejecutará un concierto con el violín; acompañará las sinfonías; se cubrirán con un paño las teclas del piano, y por encima de este paño el niño tocará tan perfectamente como si tuviera las teclas ante sus ojos; conocerá también, sin el menor error, a distancia todos los sonidos que se produzcan, solos o en acordes, sobre un piano o sobre cualquier otro instrumento imaginable, incluidos campanas, vidrios, cajas de música, etc. En fin, improvisará libremente todo el tiempo que quieran oírles y todos los sonidos que les propongan, aun los más difíciles, no solamente sobre el piano, sino también sobre un órgano, a fin de demostrar que conoce también el modo de tocarlo, que es completamente diferente al modo de tocar el piano. El precio de la entrada será de un pequeño thaler por persona. Pueden conseguirse los billetes en el albergue del León de Oro.

En uno de estos recitales formaba parte del público Johann Wolfgang Goethe, que tenía entonces catorce años, siete más que Wolfgang. Muchos años después, en 1830, lo recordaría así:

Le vi; un niño de siete años que dio un concierto, durante un viaje. Yo mismo tenía alrededor de catorce años, y recuerdo perfectamente a este hombrecito con su peluca y su espada.

El 1 de septiembre salieron de Francfort y se dirigieron a Maguncia; tras dar un recital en esta ciudad, se desplazaron a Coblenza. Después bajaron por el Rhin hasta Bonn y Colonia, a la que llegaron el 28 de septiembre, y donde Leopoldo manifestó su espanto por *la sucia catedral* gótica.

El 30 de septiembre llegaron a Aquisgrán, donde residía la hermana de Federico II de Prusia, la princesa Amelia:

Hemos estado con la princesa Amelia, hermana del rey de Prusia; pero no tiene dinero. Si los besos con que ha cubierto a mis hijos, sobre todo a Wolfgang, hubieran sido hermosos luises de oro, me habría considerado afortunado. Pero, desgraciadamente, ni el posadero ni el postillón se contentan con besos[36].

En octubre pasaron por diversas ciudades renanas y de la actual Bélgica: Lieja, Tirlemont y Lovaina. El 4 de octubre llegaron a Bruselas, capital de los Países Bajos austríacos. Su gobernador era entonces el príncipe Carlos de Lorena, hermano del emperador Francisco I. El príncipe Carlos dijo que quería escuchar a los niños, lo que les obligó a permanecer tres semanas sin poder actuar, en tanto el príncipe no hacía *más que cazar, zampar y beber.* Y, lo que era mucho peor: *y finalmente, no tiene un céntimo.*

Tras dar por fin su concierto ante el príncipe Carlos, salieron el día 15 de noviembre hacia París, donde llegaron el día 18. Avanzado el siglo XIX, habría dos grandes capitales culturales en Occidente: Viena y París; pero a finales del XVIII París tenía la primacía. Allí se alojaron en casa del embajador de Baviera, el conde Van Eick, casado con una hermana del conde Arco, de Salzburgo.

Pero fue un enciclopedista, el barón Friedrich Melchior Grimm (1723-1807), su principal apoyo:

Mi gran amigo, por medio del cual obtengo todo aquí, el señor Grimm, es un sabio y un gran filántropo. Ninguna de las cartas de recomendación que había recibido antes para París me había servido de nada. ¡Ni siquiera la del embajador francés en Viena! Ni la del embajador imperial en París, ni todas las cartas de recomendación del ministro en Bruselas, el conde de Cobenzl. Ni las del príncipe Conti, la duquesa de Aiguillon, y todos los demás, con los que podría formar una verdadera letanía. El señor Grimm, para el que había obtenido una recomendación escrita de una dama comerciante de Francfort, es el único que ha hecho algo por nosotros[37].

Grimm había terciado, junto con Jean-Jacques Rousseau, en la *querella de los bufones* de 1751-1753, a favor de la música italiana; por lo demás, fue uno de los principales pensadores de la Europa del momento y, a pesar de ser alemán, un muy destacado representante de la cultura francesa.

En esos momentos, Grimm estaba al servicio del duque de Orleáns, e introdujo a los Mozart en los ambientes intelectuales de París, así como en la corte de Versalles, donde Wolferl y Nannerl se exhibieron varias veces. Grimm escribió, en su *Correspondencia literaria*, una reseña sobre uno de los recitales de Wolfgang, en la que detallaba con qué soltura interpretaba a primera vista piezas dificultosas y su habilidad para transportarlas sobre la marcha a otras tonalidades, así como otras destrezas que revelaban una gran facilidad para la armonía y para la improvisación:

1 de diciembre de 1763: Los verdaderos prodigios son demasiado raros para que olvidemos señalarlos cuando tenemos ocasión de conocer uno. Un maestro de capilla de Salzburgo, llamado Mozart, acaba de llegar aquí con dos niños de aspecto muy agradable. Su hija, de once años[38]*, toca el clave del modo más brillante; ejecuta las piezas más difíciles con una precisión asombrosa. Su hermano, que cumplirá siete años el próximo mes de enero*[39]*, es un fenómeno tan extraordinario que nos cuesta creer lo que estamos viendo y oyendo. Es poco para este niño ejecutar con la mayor perfección los fragmentos más difíciles, con sus pequeñas manos que apenas alcanzan la sexta; lo que es increíble es verle tocar de memoria durante una hora seguida, y luego abandonarse a la inspiración de su genio y a un montón de ideas encantadoras que él sabe hacer suceder las unas a las otras con gusto y sin confusión.*

El maestro de capilla más consumado no sabría ser más profundo que él en la ciencia de la armonía y de las modulaciones, las cuales sabe conducir por los caminos menos conocidos, pero siempre exactos. Tiene un dominio muy grande del teclado, sobre el que extienden un paño, y toca sobre este paño con la misma rapidez y la misma precisión.

La reseña continúa describiendo las proezas que protagonizaba Wolfgang, para terminar del siguiente modo:

No desespero de que este niño me haga perder la cabeza si le escucho con frecuencia; me hace comprender que es difícil garantizarse contra la locura viendo tales prodigios.

No me extraña en absoluto que San Pablo perdiera la razón después de su extraña visión. Los hijos del señor Mozart han despertado la admiración de todos los que los han visto. El emperador y la emperatriz los han colmado de bondades; han recibido la misma acogida en la corte de Munich y en la corte de Mannheim.

El padre se propone ir de aquí a Inglaterra y conducir a continuación a sus hijos por la parte inferior de Alemania.

Ya en este primer viaje de Mozart a París, su ambiente no pareció satisfacerles demasiado; muy en especial les irritaba la costumbre de que el público hablase mientras se interpretaba la música. Esta actitud por parte de los oyentes no era nada extraña, pues la música, como las demás artes, siempre había tenido un sentido utilitario, de modo que, por ejemplo, no podemos imaginarnos que un músico se sintiese molesto tocando en el Prado de San Jerónimo de Madrid o en el Prater de Viena, mientras paseaban los caballeros más destacados de la ciudad, porque éstos no se detuviesen a escuchar su recital en silencio y sin toser. La actitud de los Mozart sobre este asunto nos revela, de nuevo, que algo estaba cambiando en la concepción que de sí mismos tenían los artistas. Wolfgang muy pronto comenzó a manifestar que sólo quería tocar para personas que realmente apreciasen lo que estaba interpretando.

También entablaron relación con diversos músicos, como los clavecinistas y compositores Johann Gottfried Eckard (1734-1809) y Johann Schobert (1720-1767), que a su vez les facilitaron el contacto con los músicos de París. Schobert se caracterizaba por un sistema de composición que imitaba en el clave la sonoridad de la orquesta, lo que subrayaba alternando pasajes rápidos, llenos de abundantes y efectistas arpegios, con otros suaves y sencillos. Esta forma de escribir, que se adecuaba perfectamente al nuevo instrumento que estaba desarrollándose desde no muchos años antes, el pianoforte, debió de causar impresión en Wolfgang, que utilizaría un movimiento de una sonata de Schobert, la op. 17, n.º 2, en un concierto para piano, el K 39, compuesto en 1767.

En diciembre debieron de hacer una primera visita a Versalles, pues Leopoldo escribió a Haguenauer que habían conocido a la Pompadour; pero parece que en esta ocasión aún no fueron presentados a la familia real, sobre la que Leopoldo no hizo en esta carta ningún comentario:

Madame Pompadour es aún una hermosa mujer [...]. Tiene en el rostro, y sobre todo en los ojos, algo de una emperatriz romana [...]. Está llena de orgullo y es ella la que regenta todo aquí.

Sobre este primer contacto de los Mozart con Madame Pompadour refirió Nissen una muy interesante anécdota, reveladora de la antagónica mentalidad de sus dos protagonistas, y especialmente significativa tratándose de un niño; da la sensación de que Wolfgang no hizo sino exteriorizar algo que posiblemente habría oído más de una vez a su propio padre en casa:

La primera vez que Wolfgang tocó ante la marquesa de Pompadour, el niño, espontáneamente y como hacía siempre, se dispuso a besarla. Ésta hizo un gesto para impedírselo, y Wolfgang, ofendido, dijo:
¿Quién es ella para negarse a besarme? ¡La misma emperatriz me ha besado!

A finales del mismo mes de diciembre, fueron recibidos por la familia real en Versalles:

Hemos llegado a Versalles la noche de Navidad, y hemos asistido en la capilla real a las tres santas misas de la noche... En Versalles he oído buena y mala música. Todo lo que era para voces solas, y que debía parecerse a un aria, era vacío, helado y miserable, es decir, muy francés. Sin embargo, los coros son buenos, incluso excelentes. Por eso he ido todos los días a la misa del rey en la capilla real, para oír los coros en los motetes que se cantan en todos los oficios[40].

El 1 de enero de 1764 fueron invitados a un banquete en el que se encontraban los reyes y los delfines (*delfín* era el nombre que recibían los primogénitos de los reyes): Luis (hijo de Luis XV y padre de Luis XVI) y su esposa, María Josefa de Sajonia, así como las infantas:

Wolfgang estaba al lado de la reina para hablarle constantemente, divertirle, besarle las manos y comer todas las golosinas que ella le daba. La reina habla el alemán tan bien como nosotros, pero el rey no entiende ni palabra. Por eso ella le traducía lo que decía nuestro intrépido Wolfgang. Por mi parte, yo me mantenía cerca del rey, mientras que mi hija y mi mujer estaban cerca del delfín y de madame Adelhaïde[41].

En la misma carta daba cuenta Leopoldo de cómo era el París que habían encontrado; una descripción que, salvando las distancias, nos recordará el París posterior a la guerra de 1914, pues es el París de casi siempre:

Las consecuencias de la guerra son visibles en todas partes; saltan a la vista. Los señores están acribillados de deudas; alrededor de un centenar de personas se reparten las grandes fortunas: algunos grandes banqueros y algunos generosos terratenientes. [...] No encontraréis fácilmente un lugar que esté tan lleno de miserables y de lisiados como París. Apenas entráis en una iglesia, o dais algunos pasos en la calle, viene hacia vosotros, con la mano tendida, un ciego, un paralítico, un cojo o un hombre cubierto de harapos. O bien veis a un desgraciado al que los cerdos le devoraron la mano siendo niño. Las personas así son multitud, y yo estoy asqueado.

Esta imagen contrasta con el poco realista ambiente de Versalles, que era, sin embargo, en el que necesitaban triunfar los Mozart.

Durante este viaje compuso Wolfgang (no parece descabellado pensar que todavía asistido por su padre) sus primeras sonatas para piano y violín, KV 6 a 9. La primera sonata, KV 6, la había compuesto en Salzburgo, la 7 fue compuesta entre Salzburgo y París, y las 8 y 9 en el mismo París. Las 6 y 7 fueron dedicadas a madame Victoire, hija de Luis XV, y las 8 y 9 a madame de Tessé, una ama de compañía. Las cuatro sonatas, que según Leopoldo fueron muy aplaudidas por los compositores alemanes residentes en París, fueron publicadas en esta ciudad. Esta primera edición de obras de Mozart vio la luz pública algo después de salir la familia de París.

Los señores Schobert, Eckard, Le Grand y Hoochbrucker nos han traído sus sonatas grabadas, y han honrado a nuestros hijos. En este momento se están grabando cuatro sonatas del señor Wolfgang Mozart. ¡Imaginad el ruido que estas sonatas van a hacer en el mundo, cuando se lea junto al título que son obra de un niño de siete años y los incrédulos sean invitados a comprobarlo por ellos mismos! Por otra parte, esta prueba ya se ha realizado muchas veces: nuestro Wolfgang pide a cualquiera que escriba un minueto o lo que sea, y él, acto seguido, sin tocar el clave, escribe un bajo sobre esta música y, si lo desean, una segunda parte para el violín. Pronto oiréis hablar de estas sonatas; hay un andante de un gusto muy particular. Y en verdad, puedo decir que Dios realiza todos los días nuevos prodigios en este niño. Antes de que regresemos a nuestra casa (si Dios lo permite), estará en condiciones de ofrecer sus servicios a la corte. Acompaña, realizando el bajo en los conciertos públicos, y sabe también trasponer a primera vista las melodías acompañándolas. Ponen constantemente delante de él piezas italianas, francesas, que descifra a simple vista [...][42].

También hay en esta carta elogios para la pequeña Nannerl:

En cuanto a la niña, toca las piezas más difíciles que ahora tenemos, de Schobert, de Eckard, etc., y las piezas de Eckard son con mucho las más difíciles. Toca con una increíble precisión, hasta tal punto que el miserable Schobert no puede esconder su envidia y hace el ridículo ante el señor Eckard, que es un hombre honrado, y ante otras muchas personas.

En febrero de 1764 Wolfgang estuvo enfermo de amigdalitis. A comienzos de marzo ofrecerán las sonatas, en Versalles, a madame Victoire:

Dentro de tres o cuatro semanas como máximo sucederán cosas importantes. Hemos sembrado bien; esperamos ahora una buena cosecha. [...] Yo podría tener por lo menos veinte luises de oro más si mis hijos no hubieran estado algunos días en casa[43].

Pero hay algo que interesa muy especialmente a Leopoldo:

Ahora somos conocidos por todos los embajadores de las potencias extranjeras aquí[44].

El 10 de abril salieron de París en dirección a Londres. En Calais vieron el mar por primera vez. Lo que más impresionó a Nannerl fue que el mar *avanza y se retira*. Paul Valéry expresaría magistralmente esta misma sensación muchos años después: *La mer, la mer, toujours recommencée...*

Llegaron a Londres el 23 de abril. Muy pronto fueron recibidos por la familia real:

El 27 de abril hemos estado desde las seis hasta las nueve con el rey y la reina en St. James in Queens Palace. [...] Pero no hemos recibido más que 24 guineas [...]. La bondad con la que tanto S.M. el rey como S.M. la reina nos han recibido es indescriptible. En resumen, la manera como el rey y la reina nos han tratado, y la acti-

tud amistosa de la corte hacia nosotros, nos hacían olvidar que eran el rey y la reina de Inglaterra [...]. En las diversas cortes por las que hemos pasado han dado pruebas de mucha cortesía hacia nosotros, pero la forma en que hemos sido tratados aquí sobrepasa a todas[45].

Unas semanas después, el 19 de mayo, volvieron a ser recibidos por la corte:

No había nadie más que los dos hermanos del rey y el hermano de la reina. Al marcharnos recibimos 24 guineas[46].

El rey pidió a Wolfgang que interpretase a primera vista piezas de Wagenseil, Johann Christian Bach, Abel y Händel...

Ha tocado también en el órgano del rey, y lo ha hecho tan bien que ya le consideran aquí mejor organista que clavecinista. Acompañó a continuación a la reina, que cantó un aria, y acompañó también un solo para un tañedor de flauta travesera[47].

En esta misma carta, Leopoldo comunicó a Haguenauer que Wolfgang pensaba componer una ópera:

Ahora tiene una ópera en la cabeza, que le gustaría que fuese interpretada por jóvenes salzburgueses, y tengo que enumerarle todos los jóvenes que podría reclutar para su orquesta[48].

Georg Friedrich Händel (1685-1759), el gran contemporáneo de Johann Sebastian Bach (1685-1750), y alemán como él, había fallecido cinco años antes, y había sido enterrado en la abadía de Westminster como una gran gloria nacional inglesa. Su música seguía siendo un punto de referencia fundamental en la Inglaterra de la época, y allí la descubrió Wolfgang.

En Londres, además, conoció personalmente a Johann Christian Bach (1735-1782), el más pequeño de los hijos de Bach, y uno de los músicos más prestigiosos en esos momentos. Antes de trasladarse a Londres y convertirse en el *Bach de Londres,* había permanecido largas temporadas en Italia y había sido conocido como el *Bach de Milán*. En Bolonia había sido discípulo del padre Martini, que también sería profesor de Wolfgang seis años después. Así, además de ser alemán como Händel, J. C. Bach estaba muy embebido en el estilo italiano, que contribuyó a difundir en Inglaterra.

Nissen refirió de este modo uno de los encuentros de Wolfgang con Johann Christian:

Johann Christian Bach, profesor de la reina, ha sentado al pequeño Mozart sobre sus rodillas y ha tocado algunos compases; después el niño ha continuado, y así, jugando, han ejecutado una sonata entera con una precisión maravillosa.

Otro importante músico alemán con el que entabló contacto en Londres fue Karl Friedrich Abel (1723-1787). Había sido alumno de Johann Sebastian Bach, y luego fue amigo de Johann Christian; como él, era un buen conocedor de la música italiana. Hacía cinco años que se había establecido en Londres. Él y Johann Christian habían organizado, desde 1763, los *Conciertos Abel-Bach,* que se celebraban por medio de un sistema de suscripción semanal.

Los reyes de Inglaterra seguían mostrando deferencias hacia los Mozart:

Hemos ido todos *los días a pasear a St. James Park. El rey y la reina han pasado un día con su carruaje y, aunque no llevábamos nuestros vestidos de recepción en la corte, nos han reconocido en seguida y nos han saludado. Pero el rey, además, ha abierto la portezuela cuando ha pasado cerca de nosotros y, riendo, nos ha saludado de nuevo con un gesto de la cabeza, pero sobre todo a nuestro «Master Wolfgang»* [49].

A finales de mayo Wolfgang volvió a estar enfermo, durante una semana. En junio dieron varios conciertos que les reportaron importantes beneficios económicos, y en julio fue Leopoldo quien cayó enfermo.

Pasaron casi todo el verano en Chelsea, a orillas del Támesis, donde Wolfgang, a falta de un piano en el que hacer sus ejercicios diarios, se centró en la composición; así lo referiría Nannerl años después:

Wolfgang, privado del piano, ha compuesto su primera sinfonía con todos los instrumentos, y en particular con las trompetas y los platillos.

A la vez estaba trabajando en la elaboración de unas sonatas para clave y violín (o piano y violín o flauta), las K 10 a 15, que se publicarían en otoño de ese año como...

Seis sonatas para clave que pueden tocarse con acompañamiento de violín o de flauta travesera. Muy humildemente dedicadas a su majestad Carlota, reina de Gran Bretaña. Compuestas por J. G. Wolfgang Mozart, de ocho años de edad. Obra III. London. Printed for the Author and sold at his lodgings, at Mar Williamson, in Thrift Street. Soho.

En Londres comenzó Wolfgang un nuevo *Nottenbook*, en el que Leopoldo consignó lo siguiente: *Di Wolfgango Mozart a Londra, 1764,* y en el que Wolfgang escribió pronto veinticinco piezas breves para clave.

El 25 de octubre dieron otro concierto en la corte. Los meses siguientes permanecieron relativamente inactivos, pero al menos sirvieron para que Wolfgang enriqueciera su formación musical. El 26 de enero se estrenó una ópera de Johann Christian Bach: *Adriano in Sira,* en la que participaron los *castrati* Tenducci y Manzuoli; este último iniciaría a Wolfgang en la técnica del *bel canto*. Fruto de este aprendizaje sería, de ese mismo año, el aria para tenor *Va, dal furor portata,* KV 21, primer contacto de Wolfgang con el mundo escénico, pues estaba destinada a formar parte de una ópera que por esas fechas se estaba representando en Londres, en el King's Theatre, integrada por fragmentos compuestos por diversos compositores. Su intérprete sería el tenor Ciprandi, toda vez que Manzuoli ya se había marchado de Londres hacia Viena. En todo caso, todo indica que terminó por ser interpretada en los recitales de los Mozart que tuvieron lugar en Londres entre febrero y mayo de 1765. Además de ésta, Wolfgang compuso en Londres otras catorce arias al modo italiano, según consta en el catálogo que elaboró Leopoldo con las obras que iba componiendo su hijo; pero estas otras arias se han perdido.

Quizá venga al caso recordar en este momento una anécdota relacionada con otra aria de este tipo. Como un prodigio que era, Wolfgang llamó especialmente la atención de diversos científicos del momento; Daines Barrington le sometió en Londres a diversas pruebas, y en uno de sus informes nos encontramos con un Wolferl que, además de desplegar una vez más sus dotes para el histrionismo, se deja arrastrar por la fuerza de su propia música:

Le rogué que compusiera un aria de furor, como para la ópera. El niño echó una vez más una mirada circular y, muy ladino, empezó una especie de recitativo, preludio a un aria de furor [...] y el niño, al llegar a la mitad del aria, se excitó de tal modo que golpeó el teclado como un poseso, y de cuando en cuando se levantaba de su silla. Había elegido como motivo de improvisación la palabra «perdido».

El interés de Daines Barrington no era tanto científico como jurídico: este juez británico dudaba de la veracidad del *caso Mozart;* solicitó a la colegiata de Salzburgo que le informase sobre la fecha de bautismo de Wolfgang, y él mismo quiso comprobar si tenía las dotes musicales que se le atribuían, tras lo cual remitió un informe a la Real Sociedad de Londres, en el que escribió, entre otras cosas:

Cuando dejó París vino a Inglaterra, donde ha vivido más de un año. Durante este tiempo he sido testigo del extraordinario talento de este joven artista y músico. Le he oído en conciertos públicos y en casa de su padre, donde he pasado un largo rato a solas con él; por todo ello os envío este relato, por sorprendente e increíble que parezca.

Barrington hizo una relación de las habilidades de Wolfgang como intérprete (a pesar de que *sus pequeños dedos apenas podían hacer quinta sobre el teclado),* su capacidad para tocar a primera vista, para la composición, incluso para el canto; tengamos en cuenta que los niños, incluso los más preparados y de mejor voz, tienden a desafinar cuando cantan:

Su voz tenía el timbre débil del niño, pero cantaba de manera magistral e inigualable. Su padre, que había tomado la voz grave en el dúo, desentonó una o dos veces en su parte, aunque ésta no era más difícil que la voz alta. El niño mostró entonces un poco de contrariedad, indicó con el dedo las faltas y volvió a poner a su padre en el buen camino. No solamente ejecutó su parte vocal del dúo de forma impecable, con un gusto y una precisión perfectos, sino también la parte de los dos violines, allí donde eran necesarios y producían un excelente efecto.

Y señala Barrington cuáles fueron los motivos que le llevaron a poner a prueba a Wolfgang:

Habiendo sido yo mismo testigo de estas cosas extraordinarias, debo confesar que no podía evitar la sospecha de que el padre no confesaba la edad del niño. No obstante, su aspecto era realmente el de un niño, y todos sus actos eran los de un niño de su edad. Por ejemplo, en un momento en que preludiaba delante de mí, llegó un gato al que él quería mucho; abandonó el cémbalo y transcurrió bastante tiempo antes de que regresara. Algunas veces, a caballo sobre un bastón, caracoleaba a través de la habitación.

Constaté que la mayoría de los músicos ingleses tenían la misma opinión que yo sobre su edad. Pensaban que era imposible que un niño tan pequeño pudiera superar a maestros consagrados. A causa de esto he recogido las mejores informaciones posibles en el entorno de los artistas alemanes que se encontraban en Londres. No me han dicho nada nuevo, sino que el niño había nacido en Salzburgo, hasta que un día, por mediación de S. Ex. el conde Haslang, he podido conseguir un extracto del registro de la iglesia de esta ciudad.

Todavía en Londres, en la primavera de 1765, escribió Wolfgang cuarenta y tres composiciones breves para piano, incluidas por primera vez en la edición del Köchel de 1964 como 15a a 15ss. Refiriéndose a estas piezas hizo H. Abert una crítica bastante desfavorable; pero con ella no hacía sino refrendar la autenticidad del *fenómeno Mozart*:

La opinión de que Mozart había alcanzado ya el más alto magisterio compositivo queda manifiestamente contradicha por esta colección [...]. Son también frecuentes los errores de composición, sobre todo cuando Mozart debe resolver complicados problemas armónicos y contrapuntísticos. Éste era todavía el lado débil de su técnica. Tampoco la invención melódica es siempre de un alto nivel.

En Londres apareció la primera sinfonía de Mozart, la KV 16, compuesta entre fines de 1764 y comienzos de 1765; hemos visto cómo Nannerl se refirió a la realización de esta composición *con todos los instrumentos,* que habría surgido aprovechando la coyuntura de no disponer en ese momento de piano. Se percibe en ella la influencia de Johann Christian Bach y de Carl Friedrich Abel, pero presenta ya muchas características típicamente mozartianas. Los detractores de Mozart han podido interpretar esto último no como un mérito, sino más bien al contrario: revelaría que Mozart estaba (como todos los músicos de su época) muy sometido a determinadas reglas un tanto mecánicas. Esto es evidente: ni él ni nadie habría podido tener tan dilatada producción de no ser por esta razón; pero debemos señalar que la originalidad no era entonces, como en cambio parece serlo en nuestros días, el principal, hoy a veces único, bagaje de un artista. Pero, además, en modo alguno está ausente de la obra de Mozart; quizá la grandeza de un músico como Mozart estribe en haber sido capaz de imprimir unas características muy personales a una obra tan extensa y sujeta a las reglas académicas como la suya.

Muy en especial, se ha subrayado la presencia en el segundo movimiento de esta primera sinfonía de un tema que volvería a utilizar en el último movimiento de su última sinfonía, la 41: *mi b-fa-la b-sol,* secuencia que utilizó en otras ocasiones (por ejemplo, en la sinfonía n.º 33). Son muy característicos de Mozart ciertos «latiguillos» o «tics» que se repiten en diversas obras; pero esta coincidencia entre la primera y la última sinfonías ha dado que hablar a algunos analistas de su obra, especialmente a quienes han recargado las tintas en la imagen de un Mozart supuestamente esotérico, como si se tratase de un paréntesis que se abre con la primera y se cierra con la última de sus sinfonías.

También en Londres compuso la sinfonía n.º 4, KV 19; en realidad es la segunda: las KV 17 y 18 aparecieron en la primera edición del catálogo de Köchel, pero pronto fueron retiradas de él por considerarse apócrifas. Como en la primera sinfonía, Mozart se muestra aquí muy influido por Abel y Johann Christian Bach.

Según la correspondencia remitida por Leopoldo a Lorenz Haguenauer, recibieron diversas propuestas para permanecer en Inglaterra, pero las rechazó. No conocemos los motivos exactos por los que Leopoldo lo hizo así; independientemente de sus compromisos en Salzburgo (que podrían haberse incumplido sin mayores problemas), cabe pensar que para un católico tan convencido como era él, no dejaba de resultar violenta la idea de vivir en un país contrario a la Iglesia romana. Tal vez, en relación con ello, se sintiese más seguro en el continente, donde contaba con que siempre encontraría algún religioso o antiguo religioso que le apoyase. Sin descartar que, pese a lo que a menudo se ha dicho, no fuese una especie de ave rapaz deseoso de obtener de cualquier modo dinero y prestigio a costa de sus hijos, sino un buen padre que quería alcanzar para ellos la mejor forma de vida posible, lo que seguramente incluiría que esto ocurriese cerca de Salzburgo, su ciudad. Todo parece sugerir que, al menos en un primer momento, Leopoldo no pensaba tanto en conseguir un buen puesto para Wolfgang como en que todos pudiesen admirar sus dotes excepcionales; pero una cosa estaba relacionada con la otra.

El 24 de julio de 1765 salieron los Mozart de Londres, de regreso al continente; pero permanecieron unos días invitados por un noble en su mansión campestre de Canterbury. La intención de Leopoldo era trasladarse a Milán y Venecia antes de volver a Salzburgo, pero el embajador holandés en Londres le convenció para que se dirigiesen a Holanda, donde la hermana del príncipe de Orange, la princesa de Weilburg, deseaba escuchar a Wolfgang.

El 1 de agosto embarcaron en Dover, y en tres horas y media estaban de nuevo en Calais, donde conocieron a la duquesa de Motmorency y al príncipe de Croy. Pronto llegaron a Dunkerque. En Lille debieron permanecer más de cuatro semanas, pues cayeron enfermos primero Wolfgang y luego Leopoldo. A primeros de septiembre estaban en Gante, donde Wolfgang tocó en el órgano de la iglesia de los bernardinos. En la catedral de Amberes, Leopoldo, gran admirador de la pintura flamenca barroca, se extasió ante el *Descendimiento de la cruz* de Rubens. Tras pasar por Moerdijk y Rotterdam, llegaron a La Haya el 11 de septiembre. Esta vez le tocó a Nannerl caer enferma:

Mi hija no estaba con nosotros; ahora es ella la que está enferma: tiene una fuerte bronquitis, la enfermedad es ahora nuestro sino. Cuando esté mejor, volveremos a ver al príncipe de Orange y a la princesa de Weilburg, y al duque de Wolfenbuttel[50].

Pero había contraído el tifus, y llegó a recibir la extremaunción el 21 de octubre:

El médico tenía muy pocas esperanzas. Mi pobre hija se daba perfecta cuenta de su debilidad y del peligro en que se encontraba. La obligué a resignarse con la voluntad de Dios [...]. Le hice administrar los santos sacramentos. Quien quiera que hubiera oído las conversaciones que tuvimos los tres, mi mujer, mi hija y yo, muchas tardes, mientras en la habitación de al lado Wolfgang se ocupaba de la música, no habría podido evitar echarse a llorar. Mi mujer y yo persuadimos a la niña de la vanidad de este mundo y de la felicidad que es para un niño morir joven [...]. En su delirio hablaba unas veces en inglés y otras veces en francés o en alemán, y de forma tal, que a pesar de nuestra tristeza nos veíamos obligados a reír[51].

Nannerl empezó a recuperarse a primeros de noviembre, pero un par de semanas después, el 15 de noviembre, fue Wolfgang quien cayó enfermo, probablemente también de tifus; durante ocho días permaneció en estado febril, pronunciando sin parar frases incoherentes, como antes lo había hecho Nannerl. El 30 de noviembre estaba muy grave; comenzó a mejorar a primeros de diciembre, aunque aún permanecería en cama un par de semanas más.

Ahora puedo deciros que estamos todos bien [...] pero Wolfgang está irreconocible; no tiene más que la piel y los huesos[52].

Algunos autores han destacado que el número de misas que Leopoldo pidió a Haguenauer que mandase decir en las iglesias de Salzburgo por la curación de Wolferl, fue superior al de las que encargó por la curación de Nannerl, y que esto sería un indicio más del egoísta interés crematístico de Leopoldo. Pero, si fuera cierto que encargó más misas para el niño, e independientemente de que pudieran existir otros motivos para ello, no podríamos esperar otra cosa, en esa época, de cualquier otro padre; por muy diversas razones, se solía considerar mucha mayor desgracia la muerte de un hijo varón que la de una hija.

A pesar de que Wolfgang aún se encontraba débil, a finales de enero de 1766 reanudaron las actuaciones. Durante su estancia en La Haya compuso diversas obras encargadas para los festejos en honor de Guillermo de Orange, destacando entre ellas el famoso *Galimathias musicum,* un *quodlibet,* forma musical bastante arcaica para la época, consistente en la recopilación de una serie de melodías que se interpretan juntas, bien sea sucesivamente, o superponiéndose, de un modo un tanto similar a la fuga o el canon, y todo ello como un divertimento, una broma festiva, una *burla,* que es lo que significa la palabra francesa. El *quodlibet* comenzó a extenderse ya en el siglo XV, sobre todo como forma coral, pero en los ambientes cortesanos de finales del siglo XVIII este tipo de composiciones causaban furor. Recordemos que éste era precisamente el territorio que dominaba Leopoldo, cuyo espíritu (y cuya mano) puede percibirse detrás de esta obra.

Desde La Haya se dirigieron hacia Amsterdam. El anuncio que Leopoldo hizo insertar en los periódicos ponía especial énfasis en la faceta de Wolfgang como compositor, además de contener alguna pequeña mentirijilla, como la de seguir presentándose Leopoldo como maestro de capilla, siendo sólo vicemaestro, o la de quitarle a Wolfgang un año de edad:

El señor Mozart, maestro de capilla de música del príncipe arzobispo de Salzburgo, tendrá el honor de dar, el miércoles 29 de enero de 1766, un gran concierto, en la sala del Picadero, en Amsterdam, en el cual su hijo, de ocho años y once meses de edad, y su hija, de catorce años de edad, ejecutarán conciertos sobre el clavicémbalo. Todas las oberturas serán creación de este joven compositor que, sin rival en el mundo, ha sido la admiración de las cortes de Viena, Versalles y Londres. Los aficionados podrán, a voluntad, presentarle cualquier música: él ejecutará todo a libro abierto. El precio por persona es de 2 fl. [...].

En Amsterdam conocieron al oboísta Fischer, el trompa Spandau y el director de la música del príncipe de Orange, Graf.

A primeros de marzo regresaron a La Haya, donde participaron en las fiestas por la mayoría de edad, y consecuente instauración como magistrado supremo, de Guillermo V de Orange; en esas fiestas, Wolfgang desempeñó un papel importante.

El pequeño ha sido obligado además a escribir algo para el concierto del príncipe, y algunas tonadas para la princesa; os envío todo esto y al mismo tiempo dos series de variaciones. Wolfgang ha tenido que componer la primera a partir de una canción elegida para la instalación del príncipe, y ha escrito la otra apresuradamente sobre una melodía que todo el mundo en Holanda tiene costumbre de cantar, tocar y silbar. Son dos pequeñas cosas sin importancia [53].

Salieron a mediados de abril y, pasando por Utrecht, Rotterdam, Amberes, Bruselas, Valenciennes y Cambrai, llegaron a París el 10 de mayo. Allí, Grimm les había preparado alojamiento en la calle Traversière, hoy llamada de Molière.

Fueron recibidos dos veces en Versalles, en el *Palais Royal,* donde la hija del duque de Orleáns interpretó un pequeño rondó de Wolfgang. Volvieron a ser recibidos por varios nobles parisienses, así como reanudaron sus contactos con músicos alemanes y conocieron a otros, entre los que cabe destacar a Raupach, Honnauer, Becke y Cannabich.

Si no fuera músico, tal vez no sería más que un niño corriente

El 9 de julio salieron de París; madame de Epinay, amiga de Grimm, escribió a Voltaire para avisarle de la llegada de los Mozart a Ginebra. Por su parte, Grimm escribió en su periódico, el 15 de julio, un elogioso artículo de despedida, en el que entre otras cosas decía:

Se podría estar hablando mucho tiempo de este fenómeno singular. Es además una de las criaturas más amables que podamos ver, poniendo en todo lo que dice y hace el espíritu y el alma con la gracia y con el garbo propios de su edad. Nos asegura también con su alegría contra el temor de que un fruto tan precoz no caiga antes de su madurez. Si estos niños viven, no se quedarán en Salzburgo; pronto los soberanos se los disputarán entre ellos. El padre es no sólo un hábil músico, sino un hombre de sentido común, y de un gran espíritu, y no he visto jamás en un hombre de su profesión tantos méritos reunidos.

Como vemos, también Grimm tenía sus reservas sobre que estos niños pudiesen llegar a la madurez. Otro dato de interés es cómo le llamaba la atención que un músico pudiese tener una cultura tan amplia como la que tenía Leopoldo.

Antes de llegar a Ginebra, permanecieron quince días en Dijon, capital de la Borgoña; después estuvieron cuatro semanas en Lyon, y por fin llegaron a Ginebra, donde se quedaron tres semanas, aunque no lograron entrevistarse con Voltaire, como pretendían. Ginebra se encontraba en plena efervescencia política, entre quienes defendían los intereses de los poderosos burgueses y quienes seguían las propuestas de Jean-Jacques Rousseau. El 26 de septiembre escribiría Voltaire a madame de Epinay, disculpándose por no haber recibido a los Mozart:

Vuestro pequeño Mozart, señora, ha elegido mal el momento para traer la armonía al templo de la Discordia. Sabéis que resido a dos leguas de Ginebra; no salgo nunca. Estaba enfermo cuando este fenómeno ha brillado sobre el negro horizonte de Ginebra. Finalmente ha partido, con gran pesar de mi parte, sin que haya podido verle.

Los Mozart no se lo perdonarían nunca; Voltaire falleció al tiempo que Ana María Mozart, en 1778, y Wolfgang, en la misma carta en que debería haber comunicado a Leopoldo el fallecimiento de su madre (en ella sólo se atrevió a anunciarle que se encontraba muy enferma) le diría: *Voltaire ha reventado, por decirlo así, como un perro, como un animal.*

El duque de Würtenberg los reclamó desde la cercana ciudad de Lausana, donde dieron un recital a finales de septiembre. En esta ciudad los dos niños fueron estudiados por el científico Simon André Tissot, médico especialista del sistema nervioso y descubridor de una terapia contra la viruela. Entre otras observaciones, hizo las siguientes sobre Wolfgang:

Nació con un oído exquisito y con un organismo dispuesto a que la música le afectara profundamente; hijo de un padre que es un gran músico, y hermano menor de una hermana cuya manera de tocar reclama una parte de nuestra admiración, los primeros sonidos que oyó fueron sonidos armoniosos [...]. La sensibilidad y la precisión de oído son de tal finura en el joven Mozart que las notas equivocadas, ásperas o demasiado fuertes le llenan los ojos de lágrimas. Su imaginación es tan musical como su oído, pues es consciente en todo momento de una multiplicidad de sonidos [...]. Este niño tan joven tiene una manera de ser muy natural, es encantador, tiene otros conocimientos además de los musicales; con todo, si no fuera músico, tal vez no sería más que un niño corriente [...].

Esta misma idea la expresaría años después su hermana, María Ana, de otro modo:

Durante una ejecución musical, se irritaba ante el más pequeño ruido. Mientras duraba la música era todo música; en cuanto cesaba volvíamos a ver al niño.

El mismo Tissot escribió un elogioso artículo sobre Wolfgang, con connotaciones prerrománticas, en un periódico de Lausana:

[...] Se encuentra en todas sus piezas e incluso en sus fantasías ese carácter de fuerza que es el símbolo del genio, esa variedad que anuncia el fuego de la imaginación, ese atractivo que demuestra un gusto seguro [...][54].

Tras ocho días en Berna, los Mozart pasaron dos semanas en Zurich, donde entablaron amistad con el poeta y pintor Salomón Gessner (1730-1788), y donde participaron en un concierto de la Musikgesellschaft.

En Winterthur permanecieron cuatro días; después pasaron por Schaffhausen y Donaueschingen, donde eran esperados ávidamente: su fama les precedía. En esta localidad estuvieron doce días, y conocieron al maestro de capilla Martelli.

En Biberach, Wolfgang participó en algo que era muy frecuente, una especie de concurso o duelo entre virtuosos: rivalizó, como intérprete de órgano, con un joven dos años mayor que él, Sixtus Bachman, que se convertiría en uno de los mejores organistas alemanes; los peritos determinaron que ambos tenían la misma valía.

Después de pasar por Ulm, Gunzbourg, Dillingen y Augsburgo, llegaron a Munich el 8 de noviembre; allí se presentaron, por tercera vez, ante el príncipe Maximiliano. Pero inmediatamente Wolfgang volvió a caer enfermo; como le ocurrió al volver de Salzburgo tras padecer la escarlatina en Viena, sufrió una fiebre reumática, que le tuvo diez días postrado.

¿Quién sabe lo que nos espera en Salzburgo?

Leopoldo tenía sus dudas sobre cuál sería la situación de la familia tras el regreso. Habían permanecido mucho tiempo acogidos por los personajes más poderosos de Europa, y ahora tenían que enfrentarse a la realidad provinciana de Salzburgo:

¿Quién sabe lo que nos espera a nuestro regreso a Salzburgo? Quizá nos reciban de tal manera que volveremos a tomar nuestro

camino en sentido inverso y nos marcharemos. Por lo menos, si Dios quiere, traigo a mis hijos a su país natal; ¿qué más se puede pedir? Además, no tengo obligaciones hacia nadie. [...][55].

Muy interesante esta referencia, hecha por Leopoldo: *no tengo obligaciones hacia nadie*. Podría haberlo dicho Wolfgang unos años después, replicando al propio Leopoldo. Quedémonos con esta imagen de un Leopoldo Mozart amante de la libertad, pero no de una libertad en abstracto, sino práctica, de su propia libertad; nos servirá para comprender mejor a Wolfgang más adelante.

Regresaron a Salzburgo el 29 o el 30 de noviembre. Cuando salieron de esta ciudad, Wolfgang tenía siete años y medio, y Nannerl doce; ahora tenían, respectivamente, casi once y quince años.

Segismundo von Schrattenbach, lejos de castigar a Leopoldo, le recibió calurosamente, y los Mozart volvieron a instalarse en la casa que tenían alquilada a Haguenauer, en la *Getreidegasse*.

Los siguientes meses, Leopoldo siguió apuntalando la formación de Wolfgang, haciéndole profundizar en el conocimiento del contrapunto y de las diversas formas musicales, así como analizar la obra de distintos autores: Emanuel Bach, Händel, Hasse, Eberlin...

Otro músico cuya obra estudió Wolfgang en estos momentos fue Johann Joseph Fux (1600-1742); su *Gradus ad Parnassum* fue estudiado por varias generaciones de músicos, y sería agriamente criticado por Beethoven, por su arcaísmo.

En estos momentos se sitúa una leyenda, poco verosímil, procedente del juez Daines Barrington, según la cual el arzobispo Schrattenbach habría sometido a prueba a Wolfgang, encerrándole durante ocho días para que compusiese la música sobre un texto que para ello le habría dado. Lo que más nos interesa de esta cuestión es que existían en el ambiente dudas sobre el papel realmente desempeñado por Leopoldo en las obras que se ofrecían como de Wolfgang. Esta leyenda se ha relacionado con el encargo por parte de Schrattenbach de la composición de una parte, la primera, de un oratorio sacro, *Die Schuldigkeit des ersten Gebotes (El cumplimiento del primer mandamiento)*, KV 35. Wolfgang trabajó en este encargo entre diciembre de 1766 y marzo de 1767. Las otras dos partes del oratorio fueron realizadas respectivamente por Michael Haydn, maestro de conciertos de la corte (la segunda parte) y por Anton Gaëtan Adlgasser (1729-1777), compositor de cámara y organista de la corte (la tercera). Fue estrenado el 12 de marzo de 1767.

En abril de 1767 escribió Wolfgang su primer concierto para piano (la forma musical que había desarrollado Johann Christian Bach), el

KV 37, al que se refería el propio autor como un *pastiche,* pues está integrado por fragmentos de sonatas de otros autores, característica que comparten los siguientes tres conciertos, KV 39 a 41; se trata de ejercicios para familiarizarse con esta forma musical y con las reglas compositivas de los autores utilizados; ya dijimos que para el K 39 utilizó una parte de una sonata de Schobert.

Del mismo momento es *Apollo et Hyacinthus,* KV 38, un entreacto escénico, en latín, basado en las *Metamorfosis* de Ovidio. Hemos mencionado la importancia que los jesuitas tuvieron en la vida de Wolfgang, como consecuencia de la relación de Leopoldo con ellos. Los jesuitas habían introducido la tradición de hacer representar por los alumnos de sus centros breves representaciones escénicas, a fin de curso; los temas eran de carácter moral, generalmente procedentes de la Biblia, y su autor solía ser el profesor de poesía antigua. Entre los diversos actos se intercalaban estos intermedios escénicos, que, como en este caso, solían situarse en el mundo clásico. Así, en 1767, en la Universidad de Salzburgo, a la que había pertenecido Leopoldo, se representó la tragedia *Clementia Croesi,* y se encargó a Wolfgang la composición de este entreacto, que no debió de ser considerado por él como una obra muy comprometida, que requiriese excesiva atención.

Mientras tanto, Leopoldo seguía preparando nuevos viajes, para lo cual fue vendiendo muchos de los objetos que les habían sido regalados en los anteriores. En septiembre volvió a conseguir permiso del arzobispo Sigismund Schrattenbach para ausentarse de Salzburgo durante otros seis meses sin dejar de percibir su sueldo de *Vicekapellmeister,* y de nuevo salió toda la familia, el 11 de septiembre, en dirección a Viena, adonde llegaron alrededor del 16. Fue con ocasión de las bodas de María Josefa, hija de la emperatriz María Teresa, con Fernando, rey de Nápoles. El emperador Francisco I había fallecido en agosto de 1764, durante la estancia de los Mozart en Inglaterra; su mujer, María Teresa, y su hijo y sucesor, José II, mantuvieron una política de mayor austeridad en la casa imperial; austeridad que se vería puesta entre paréntesis durante las fiestas por estas bodas. Sin embargo, Viena padeció en esos momentos una de tantas epidemias de viruela, que alcanzó a María Josefa, la prometida de Fernando, la cual murió el 15 de octubre.

Muerta María Josefa, se acordó casar a Fernando de Nápoles, tan pronto pasasen los lutos, con otra hija de María Teresa, María Carolina. Fueron muchos quienes abandonaron Viena huyendo de la viruela, y entre ellos algunos músicos que se encontraban en esta ciudad para servir en las malogradas bodas; Leopoldo era uno de los que proyectaban marcharse, pero José II hizo llegar a los músicos el aviso de que si se iban de la ciudad, probablemente no volvería a recibirles para las fiestas por las bodas con María Carolina. Leopoldo accedió a permanecer en Viena, pero tras resultar gravemente afectada por la enfermedad la archiduquesa Isabel (que como consecuencia resultaría con la cara deformada, tras lo que ingresaría en un convento en Innsbruck), Leopoldo no se lo pensó más y se marcharon el 26 de octubre.

Se dirigieron hacia Olmutz, en Moravia; pero el día 28 se manifestó en Wolfgang la temida viruela, y un mes después en Nannerl. Inicialmente estuvieron alojados en un húmedo hotel, pero al enterarse de ello el conde Leopold Anton von Podstatzky, hermano de un canónigo de la catedral de Salzburgo, los alojó en una casa de su propiedad.

Tras la convalecencia de los dos niños, el 23 de diciembre salieron de Olmutz en dirección a Viena, pero permanecieron en Brunn durante las Navidades, en casa del conde Anton von Schrattenbach, hermano del arzobispo de Salzburgo.

De Brunn salieron el día 9 de enero de 1768, y llegaron a Viena el día 10. El 19 de enero fueron recibidos por María Teresa y el resto de la familia imperial.

El día 27, Wolfgang cumplió doce años. Si en algún momento anterior podía haberle perjudicado su poca edad en cuanto a la aceptación de sus dotes como compositor, ahora le comenzaba a perjudicar ir dejando de ser niño. A sus doce años ya no llamaba tanto la atención como intérprete del clave, y todavía no se le consideraba un virtuoso del instrumento, por más que hubiese perfeccionado esta faceta. En cuanto a su condición de compositor, aún no se había desarrollado lo suficiente como para permitirle destacar en Viena, ciudad en la que en esa época estaban triunfando compositores de la categoría de Christoph Willibald von Gluck (1714-1787) y el gran Franz Joseph Haydn (1732-1809).

Leopoldo escribió a Haguenauer una carta reservada en la que le explicaba cuál era, a su modo de ver, la situación de la música escénica en Viena, totalmente dominada por el *Arte de la Comedia (Arlequín* es en alemán *Hanswurst):*

Los vieneses, en general, no tienen ningún deseo de conocer lo que es serio y razonable; ignoran incluso lo que esto quiere decir. Quieren comedias fáciles, danzas, farsas, hechicerías; Hanswurst, Lipperl y Bernardon. Es bien sabido, y este teatro lo demuestra diariamente. Un señor cubierto de condecoraciones aplaudirá con en-

tusiasmo escuchando estas Hanswurstadas, y reirá hasta quedar sin aliento, mientras que en la escena más seria y el pasaje más hermoso seguirá hablando con una dama o con las personas que le rodean. Ésta es la razón principal de nuestro escaso éxito.

A nuestra llegada no pudimos hacer otra cosa más que esperar a ser introducidos en la corte. Su Majestad la emperatriz no practica ya la música en sus salones, no va a la ópera ni a la comedia, y su genero de vida está ahora tan alejado del mundo que es inútil escribirle. Ella nos envía al emperador, pero éste siente un horror inveterado por todo lo que puede ser motivo de gasto [...][56].

Leopoldo se lamentaba del resultado económico de la entrevista mantenida con la familia imperial:

Después de contar a la emperatriz lo que nos había ocurrido en Olmutz y cómo habíamos regresado, recibimos citación indicando día y hora en que debíamos presentarnos. Pero, ¿de qué sirve esta gentileza extraordinaria, esta afabilidad indescriptible? ¿Cuál es el resultado? Nada, salvo una medalla que es bonita, pero de tan escaso valor que nunca podré venderla. Después de esto la emperatriz lo ha remitido al emperador, y éste lo ha anotado en el libro del olvido; cree que ya ha cumplido con el honor que nos ha hecho hablando con nosotros[57].

Además, se sentía perseguido por los músicos vieneses:

He sabido que todos los compositores y clavecinistas de Viena se oponen por todos los medios a la realización de nuestro proyecto. Todos excepto uno, Wagenseil; pero está enfermo en su casa: no puede hacer nada para ayudarnos.

La principal máxima de esta gente es evitar escrupulosamente cualquier ocasión de encontrarse con nosotros y de reconocer la pericia de Wolfgang; ¿por qué? Para poder, ante las numerosas preguntas que se les hace sobre Wolfgang, responder que nunca lo han oído, que es imposible que lo que cuentan sea cierto, que es una superchería, una arlequinada, que le dan a tocar música que ya conoce y que de todas maneras las composiciones no son suyas[58].

Y he aquí el plan que, para contrarrestar todas estas zancadillas, había concebido:

[...] Para convencer al público de lo que es en realidad, he tomado la decisión de intentar una cosa extraordinaria: que debe escribir una ópera para el teatro. ¿Y sabéis cuál es el rumor que se ha

extendido entre los compositores? ¡Qué! ¡Hoy es un Gluck y mañana será un niño de doce años el que se sentará ante el clave y dirigirá su ópera! ¡Sí!, ¡así será!, ¡contra todos los envidiosos! He conseguido poner a Gluck de nuestra parte, de manera que, aunque no esté de corazón con nosotros, no lo dejará ver, porque nuestros protectores son también los suyos. Para asegurarme también con los actores, que son habitualmente los que provocan más molestias al compositor, yo mismo he entablado conversaciones con ellos, y uno de ellos va a ponerme al corriente de todas las artimañas. Pero, a decir verdad, es el emperador mismo el que ha sugerido la idea de que el pequeño Wolfgang escribiera una ópera. Por dos veces ha preguntado a Wolfgang si le gustaría componer una ópera y dirigirla él mismo. Naturalmente respondió que sí, pero el emperador ya no puede decir nada más, porque las óperas pertenecen a Affligio [...]. No me importa estar sin dinero, ya que hoy o mañana lo tendré de nuevo. Quien no se arriesga no consigue nada. Debe quedar clara la cosa. O marcha bien o se deshace. ¿Qué mejor para ello que el teatro?
[...] ¿Qué decís de todo esto? ¿Es que la gloria de haber escrito una ópera para Viena no es el mejor medio de adquirir crédito, no sólo para Alemania, sino también para Italia?[59].

No era la primera vez que Wolfgang se planteaba componer una ópera; hemos visto que cuatro años antes, en Londres, ya tenía esa intención. Era la culminación de un compositor de valía.

Como consecuencia de la política de austeridad iniciada por María Teresa y José II tras la muerte del emperador Francisco I, el teatro de la corte había sido arrendado; su gerente era Giuseppe Maratti, *Pepe il Cadetto* o *Conde Affligio,* que antes de ser empresario teatral fue, entre otros oficios, actor, militar y aventurero, y amigo de Casanova. Affligio firmó con Mozart un contrato por la cantidad de cien ducados, para componer la música de una ópera bufa, *La finta semplice* (*La ingenua fingida,* KV 51) con libreto de M. Coltellini, basado en la obra homónima de Carlo Goldoni.

No corrían buenos tiempos para la lírica en Viena; el cierre del teatro imperial había producido un rápido deterioro en las condiciones de vida de los músicos y cantantes relacionados con la ópera, pero además todos los elementos parecían confabularse para impedir el estreno. Muy en especial se produjo una actitud de rechazo por parte de los artistas que iban a participar en la representación, que no parecían muy dispuestos a dejarse dirigir por un niño de doce años. También los compositores vieneses, entre los cuales, a pesar de lo entonces manifestado por Leopoldo, parece que se encontraba el propio Gluck, obstruyeron cuanto les fue posible el proyecto; tal vez a ello se debiese el injustificable retraso del libretista en la elaboración de su parte. Incluso se hizo correr la voz de que era Leopoldo quien estaba componiendo la música; por ello, Leopoldo intentó demostrar que Wolfgang era capaz de improvisar la música adecuada para varios textos de Metastasio.

A lo largo de esta historia nos encontraremos a menudo con Pietro Antonio Trapassi, *el abate Metastasio* (1698-1782), que llegó a Viena en 1730, al ser nombrado por el emperador Carlos VI *poeta cesáreo*. En esta ciudad se dedicó a escribir exclusivamente libretos de óperas y de cantatas; los músicos que deseaban alcanzar o mantener una buena posición en la corte se disputaban sus textos. Su amistad le fue muy útil a Franz Joseph Haydn.

En definitiva, como escribió Leopoldo, los principales problemas se debieron a que se consideraba poco decoroso que se encargase una ópera a un niño de doce años. Lo cual no era algo baladí en la Europa de la Edad Moderna: todo respondía a un orden establecido por Dios, que no podía ser quebrantado sin graves consecuencias. Era preciso mantener el decoro, la adecuación, en todo momento, en cualquier circunstancia. Un niño interpretando minuetos con los ojos vendados era una rareza tolerable, una manifestación del insondable poder divino; pero ese mismo niño componiendo y dirigiendo una ópera era algo completamente inadecuado, indecoroso, podría considerarse incluso como una ofensa a Dios. Sobre todo si la ópera respondía a un encargo, y ello suponía que no se hubiese hecho a alguno de los músicos habitualmente beneficiados por el favor imperial; estos últimos, lógicamente, tenían que mostrarse indignadísimos.

Leopoldo terminó enfrentándose con Affligio, que aún no les había pagado los cien ducados prometidos, y que le amenazó con hacer que silbaran la obra en el estreno. Éste sufrió varios retrasos, para terminar suspendiéndose; la ópera se estrenaría el 1 de mayo de 1769 en Salzburgo, con muy gran éxito.

¿Debería pudrirme en Salzburgo?

No son palabras de Wolfgang unos años después, sino de Leopoldo en estos momentos. Segismundo von Schrattenbach le hizo saber que dejaría de percibir su sueldo de *Vicekapellmeister* en tanto durase su ausencia, aunque sin perder su cargo. No puede acusarse a Schrattenbach de impaciente, pues los Mozart habían salido seis meses antes, el 11 de septiembre de 1767, y no parecía que tuviesen la menor intención de regresar. Era necesario tomar una decisión complicada, y Leopoldo, a pesar de su enojo, pareció incluso sentirse aliviado por el hecho de dejar de percibir un sueldo que no se estaba mereciendo, y con libertad para poder seguir viajando:

A decir verdad, me alegro de esta decisión, que me aclara la perspectiva de un viaje a Italia; viaje que, bien mirado, ya no puede retrasarse más, y para el que tengo recomendaciones del mismo emperador para Nápoles, Florencia y todos los estados austríacos. ¿Debería pudrirme en Salzburgo, esperando siempre en vano una situación mejor para que, al ser Wolfgang mayor, nos hubiéramos visto mis hijos y yo en la calle? ¿O hasta que yo ya no sea capaz de viajar, o hasta que crezca Wolfgang y sus méritos no causen ya admiración? ¿Es que no debe mi hijo, después de este primer ensayo en la ópera de Viena, proseguir activamente su camino por esta nueva vía que se le ofrece?[60].

Estas reflexiones son de extraordinario interés, pocos años después, Wolfgang empleará los mismos argumentos, las mismas palabras, para apartarse de la corte del sucesor de Schrattenbach, Colloredo, salir de Salzburgo e incluso distanciarse del control de su padre. Leopoldo era perfectamente consciente de que jugaban contra el tiempo, de que en no muchos meses Wolfgang dejaría de ser una rareza, y que para entonces debería haber conseguido ser aceptado como un buen compositor. Si sus viajes no habían sido un éxito comercial, al menos habrían de servir como trampolín para el futuro. Leopoldo, además, había arriesgado mucho: había renunciado a su propio triunfo personal (por el que podría haber seguido luchando, y para el que no se encontraba en una mala posición de partida) y había centrado todas sus energías en la carrera de su hijo, en cuya capacidad tenía plena confianza. Leopoldo tenía en estos momentos cuarenta y ocho años, y desde los cuarenta había consagrado su vida a la carrera de sus hijos, especialmente de Wolfgang. Unos años muy críticos en la vida de un ser humano.

Los meses siguientes, en Viena, siguieron dominados por la composición de *La finta semplice,* que fue terminada durante el verano, aunque el proyecto no acababa de ponerse en marcha:

Por lo que se refiere a nuestra estancia en Viena, estamos muy descontentos. En realidad, sólo nuestro honor nos impide volver inmediatamente a Salzburgo. Todo Viena diría entonces que Wolfgang no había sido capaz de terminar la ópera, o que era tan mala que resultaba imposible montarla, que no es él quien la ha hecho, sino su padre el que la ha escrito. ¿Podemos esperar con tranquilidad que se extiendan estas calumnias por todo el país?

[...] Su Majestad había pedido a Wolfgang que escribiera una ópera y que si era posible la dirigiera desde el cémbalo; después su majestad ha notificado a Affligio que debía pagarnos 100 ducados en concepto de honorarios.

La ópera debía estar escrita, en principio, para Pascua. El primero en poner obstáculos ha sido el poeta, aplazando indefinidamente las modificaciones necesarias que están un poco por todas partes. [...].

La ópera fue entonces aplazada hasta Pentecostés, y a continuación hasta el regreso del emperador después de su viaje a Hungría. En este momento fue cuando todos quedaron desenmascarados. Mientras tanto, todos los compositores, con Gluck al frente, habían hecho todo lo posible por oponerse al éxito de esta ópera. Alborotaron a los cantantes, influyeron en la orquesta y todos los medios fueron buenos para impedir que se montara. [...] La orquesta no quería dejarse dirigir por un muchacho, etc., y varias cosas más por el estilo. Además, unos declaraban que la música no valía nada, otros que no tenía relación con las palabras, que no seguía nunca la prosodia y que el chico no sabía italiano.

Cien veces he deseado hacer mis maletas y marcharme de aquí. Si se hubiera tratado de una ópera seria, seguramente nos habríamos ido en seguida y habríamos depositado la obra de Wolfgang a los pies de nuestro bondadoso príncipe. Pero se trata de una ópera bufa y, como tal, reclama las características particulares de las obras bufas; es forzoso que salvemos nuestro honor, cueste lo que cueste.

Su alta y graciosa excelencia no tiene a su servicio ni mentirosos, ni charlatanes, ni impostores que con el permiso de su excelencia podrían irse a otros lugares para engañar a la gente echando humo delante de sus ojos. ¡Pero no! No hay más que hombres honestos que, por el honor de su excelencia y de su patria, dan a conocer al mundo un milagro nacido en Salzburgo. Si yo hago todo esto, es para mayor gloria de Dios Todopoderoso; si no lo hiciera sería la más ingrata de todas las criaturas. Y debo mostrar este milagro al mundo, justamente ahora, puesto que hoy día se tiende a ridiculizar y a impugnar todos los milagros. Es necesario persuadir al mundo. Y no ha sido una de mis menores victorias, ni de mis menores alegrías, haber oído a un volteriano decirme: «Ahora he conocido un milagro, y es el primero»[61].

El volteriano al que se refiere Leopoldo era Grimm. Pero, volterianos o no, no todos están dispuestos a aceptar el *milagro Wolfgang:*

Pero porque este milagro, siendo tan visible, es irrefutable, quieren ahogarlo. ¡No quieren glorificar a Dios! [62].

En septiembre los Mozart seguían en Viena, y la ópera continuaba sin representarse:

Sobre la ópera de Wolfgang no puedo deciros nada más que esto: que todo el infierno musical se ha desencadenado para que no se pueda reconocer el talento del niño. Ahora no puedo apresurar la representación, pues la conspiración ha llegado a un punto que si la ópera se representa, será saboteada y fracasará [63].

En Viena trabaron conocimiento con el doctor Franz Antón Mesmer (1734-1815), otro antiguo alumno de los jesuitas, que como Leopoldo había estudiado Teología, en la Universidad de Ingoldstadt, y luego estudió medicina en Viena, donde realizó una tesis titulada *Dissertatio physico-medica de planetarum influxu,* sobre la supuesta influencia de los planetas en la salud; más tarde desarrollaría algunas de las ideas ya apuntadas en ese trabajo, centrándose no ya en el magnetismo de los cuerpos celestes, sino en el magnetismo animal, e inventó un método de curación por medio de imanes que, si tal vez no era todo lo riguroso que hoy exigiríamos a la ciencia médica, al menos sirvió para hacerle extraordinariamente famoso, dando lugar a... la *Mesmermanía.* Sus teorías y sus prácticas, efectivamente, unidas a otras características personales, le permitieron acceder a importantes centros de poder, antes de verse obligado a huir, sucesivamente y por diversos motivos, de Viena, París y otras localidades suizas, alemanas y austríacas; murió olvidado en Meersburgo, Suabia.

Antón Mesmer era masón, como su hermano Joseph, como tantísimos personajes poderosos de la época, o que aspiraban al poder, incluidos obispos, militares, reyes, escritores, músicos, comerciantes... Además, debía en buena parte su posición a su matrimonio con Ana María von Posch, viuda mucho mayor que él y poseedora de una gran fortuna. Cuando los Mozart le conocieron, aún no se había hecho tan famoso como se haría unos años después, pero ya era un personaje poderoso.

Los Mesmer vivían en un palacete de la *Landstrasse* vienesa; tenían un inmenso jardín de tipo versallesco, en el que organizaban veladas literarias y musicales, y disponían de un teatrillo en el que hacían representar tragedias, comedias y escenas musicales. Mesmer no podía desperdiciar la oportunidad de mostrar al pequeño Mozart en su jardín privado, y le encargó un *singspiel, Bastián y Bastiana* (KV 50), que fue escrito entre agosto y septiembre de 1768 y estrenado el 1 de octubre de ese año. El *singspiel* es una forma escénica característica de Alemania, breve, en la que se alternan partes recitadas y partes cantadas, algo similar a la opereta vienesa o a la zarzuela española; o mejor, a la tonadilla escénica, que estaba muy en boga en España en esos mismos momentos. El libreto de *Bastián y Bastiana,* realizado por F. W. Weiskern, estaba basado en una parodia, de bastante éxito por esos días, escrita por Madame Favart sobre una comedia pastoril de Jean-Jacques Rousseau (1712-1778): *Le devin du village* (*El adivino de aldea,* 1752).

Nos interesa señalar la confluencia de varios elementos muy característicos de esta época: el mesmerismo y los propios elementos mágicos que hay en el argumento del *singspiel,* nos ponen en contacto con el inmenso auge en estos momentos, junto con las ciencias empíricas, de otras seudociencias, defendidas unas veces con buena fe, otras por ignorancia y otras muchas con ánimo de engañar. No es nuestra intención hacerlo aquí, pero sería posible extenderse mucho sobre estas cuestiones, pues cada una de ellas tiene connotaciones muy amplias; señalemos, no obstante, como ejemplo de lo dicho, una verdadera *Egiptomanía* del momento, relacionada a su vez con la concepción ilustrada de que la sociedad del Antiguo Egipto había alcanzado un grado de desarrollo y civilización muy superior al de cualquier otra cultura de cualquier otro tiempo. Por otro lado, la astrología se confunde con la astronomía; la influencia de los astros, con los nuevos descubrimientos sobre la electricidad; en las tardes de invierno se organizan en los salones burgueses divertidas veladas en las que se intenta contactar con personas fallecidas, y de muchos de aquellos polvos proceden los lodos ocultistas de nuestros días; muchas de las teorías esotéricas, por no decir prácticamente todas, que se defienden hoy acaloradamente en los medios de difusión por quienes han hecho de ello un holgado *modus vivendi,* no son sino divulgaciones, ni siquiera muy rigurosas, de escritos, tampoco de por sí demasiado estrictos, de aquella época. La propia imagen de Mozart, como lo ha sido la de Leonardo da Vinci y otros grandes personajes, se ha visto a menudo manipulada en esta dirección, como si se tratase de un mago o un enviado de algún planeta lejano de, por supuesto, civilización muy superior a la nuestra. Para mayor abundamiento, en su biografía confluirán (lo veremos más adelante) otros elementos, sobre todo su destacada vinculación con la masonería a partir de cierto momento avanzado de su vida. Todo este halo de misterio y esoterismo ha resultado muy útil para hacer negocios con Mozart en nuestros días.

Otro elemento con el que nos encontramos en esta velada en el jardín de los Mesmer, y que también está muy presente en la obra de Wolfgang, como lo estaba en la de su padre, es lo que podríamos llamar *ruralmanía* o *pastorilmanía*. El tópico literario que podríamos representar, entre otras muchas obras, con el *Menosprecio de corte y alabanza de aldea* (Valladolid, 1539), de Antonio de Guevara, procedente del mundo clásico, recorre toda la Edad Moderna y alcanza su momento culminante durante la Ilustración, relacionado con ideas como la del *buen salvaje* de Rousseau; recordemos cómo don Alonso Quijano decide en un momento dado dejar de ser el caballero andante (o *paseante) Don Quijote* para convertirse en el pastor *Quijotiz*. En la misma corriente habría que situar los *villancicos* (de *villano)* del renacimiento castellano. Recordemos también, en la época de Mozart, la construcción en Versalles, este mismo año de 1768, del *Petit Trianon,* por sugerencia de Madame Pompadour, y, sobre todo, de la *aldea de la reina,* construida junto a él en 1783 para María Antonieta. En este ambiente mental, músicos como Leopoldo Mozart, pero también como el propio Wolfgang; escritores, pintores, escultores, arquitectos, recrearán o a menudo inventarán un estilo rústico, un lenguaje rústico, una forma de construir rústica, una música rústica o *popular*. Leopoldo utilizará en algunas de sus composiciones instrumentos y danzas del pasado, de origen cortesano, pero que se mantenían vivos en la tradición de las aldeas, como las propias vestiduras de los aldeanos, como muchas coplas y decires. De todo esto, pocos años después, el nacionalismo decimonónico sabría hacer uso y abuso para cimentar sus intereses; en realidad estamos hablando de un proceso, el del desarrollo del Estado nacionalista, que ya se estaba desencadenando con claridad. Los positivistas se encargarán con admirable denuedo de llevar al máximo grado esta importante tarea, inventando la ciencia del folclore, de la que en estos años finales del siglo XVIII van apareciendo interesantes precedentes.

Otro de los jesuitas que ayudaron a los Mozart fue Ignaz Parhammer, confesor del emperador Francisco I. Parhammer encargó a Wolfgang, en otoño de 1768, la composición de una misa y un concierto para trompeta, para la consagración de la iglesia de la Compañía. Se trata del ofertorio *Veni Sancte Spiritus,* KV 139 (en el primer catálogo de Köchel se consideraba algo posterior), y el concierto para trompeta consignado en el Köchel de 1964 como K 47c, que se encuentra perdido, y que no figuraba en el primer Köchel. La iglesia fue inaugurada el 7 de diciembre de 1768; los intérpretes de ambas obras fueron huérfanos del orfanato de Rennweg, del que era rector Parhammer. El propio Mozart dirigió el concierto, sobre el que reseñó el periódico *Wiener Zeitung:*

Toda la música interpretada por el coro de huerfanitos ha sido compuesta para esta ocasión por el niño de doce años Mozart, de todos conocido por su excepcional talento.

Leopoldo hizo los siguientes comentarios sobre la función:

Wolfgang ha compuesto para esta fiesta una misa solemne, un ofertorio y un concierto de trompeta que será interpretado por uno de los pequeños pensionistas. Probablemente dirigirá él mismo todo esto[64].

[...] La misa que Wolfgang ha hecho cantar el 7 de diciembre en el convento del P. Parhammer, en presencia de toda la corte imperial, y en la que él mismo ha llevado el compás, nos ha devuelto la estima que nuestros calumniadores trataban de perder impidiendo la ópera[65].

Parhammer realizó otros diversos encargos a Wolfgang, especialmente de tipo religioso. La *Missa brevis,* K 49, se consideró durante muchos años la que compuso Wolfgang para la inauguración de la iglesia de los jesuitas, pero hoy sabemos que fue compuesta para el convento vienés de Santa Úrsula.

En Viena, Wolfgang tuvo contacto con la música de autores como Gluck y Nicolo Vicenzo Piccinni (1728-1800), y los más avanzados que ellos Joseph Haydn, Karl Ditters (1739-1799), Leopold Hoffman (1730-1793), Juan Bautista Wanhal (1739-1813) o Florián Gassmann (1729-1774). También estableció relación con miembros de la nobleza, como el príncipe Kaunitz, el duque de Braganza, el conde Dietrichstein, la señora Von Guttenberg, el barón Gerard von Swieten, o su hijo, en cuya casa conoció Wolfgang al abate Metastasio y al músico Johann Adolf Hasse (1699-1783), que unos meses después sería uno de los principales valedores de Wolfgang cuando viajasen a Italia.

El 5 de enero de 1769 estaban de regreso en Salzburgo; el permiso que había obtenido Leopoldo del arzobispo era por seis meses, pero ya llevaba dieciséis, y además reclamaba que se le pagase el sueldo de todos esos meses, aduciendo que se había entretenido en Viena forzado por la necesidad de defender el honor de su hijo. Esto es importante, pues indirectamente nos revela que Leopoldo consideraba que defender el honor de Wolfgang era tanto como defender la imagen del propio arzobispo, lo que permite entender mejor que éste hubiese sido tan benevolente con ellos. Pero en esta ocasión Leopoldo se había excedido, y el arzobispo se negó a pagarle el tiempo que había permanecido de más en Viena; sólo accedió a reintegrarle en la plantilla a partir del momento de su regreso.

En esta época, una parte importante de la formación de Wolfgang consistió en la lectura de obras literarias: Fenelón, Gellert, Gessner, Weisse... Se ha dicho que no era un gran lector, porque no aparecen apenas referencias literarias en sus cartas; tampoco aparecen en las de Leopoldo, del que, sin embargo, nos consta que era un gran aficionado a la literatura. Es posible (no podemos afirmarlo con seguridad) que Wolfgang no fuese un gran lector, pero hay testimonios que indican que, como mínimo, leía habitualmente, y también los hay de que en los salones, en los que se encontraba con numerosos intelectuales, sabía estar a la altura de las conversaciones. Es también evidente, como veremos más adelante, que supo implicarse en determinadas corrientes ideológicas de su época, y que influyó o intervino decisivamente en la elaboración de algunos libretos de sus óperas, precisamente aquellos que tenían más carga ideológica.

Como ya hemos adelantado, el 1 de mayo de 1769, debido a la benevolencia del arzobispo Schrattenbach, y con motivo de su onomástica, se estrenó en Salzburgo *La finta semplice,* que no había podido ser estrenada en Viena.

Entre las obras compuestas por Mozart en Salzburgo durante 1769 cabe destacar la *Dominicus Messe,* o misa *del Pater Dominicus,* KV 66, compuesta con motivo de la celebración por Gaetan Haguenauer de su primera misa, el 15 de octubre. Gaetan, doce años mayor que Wolfgang, era hijo del amigo y casero de los Mozart; adoptó como nombre de religión el de *Dominicus,* padre Doménico. En esta misa Mozart se aparta de la severa tradición compositiva salzburguesa, para relacionarse con el estilo de A. Hasse, más grandioso y ornamental. Abert consideraba esta misa como *el primero y durable hito estilístico en la producción religiosa de Mozart*. Por su parte, Gavezotti destacó en ella la presencia de elementos operísticos. La obra fue dirigida por el propio Mozart, y tuvo tal éxito que la ceremonia se prolongó durante varias horas, con la interpretación de otras obras suyas; se convirtió en una verdadera fiesta de la música, de la música de Mozart.

Aunque no hay constancia cierta de ello, es muy posible que también en estos meses se representase en Salzburgo *Bastián y Bastiana,* pues este año Wolfgang realizó varias correcciones en la obra.

A la vista de su probada capacidad como compositor, en noviembre fue nombrado por Schrattenbach *Hofkonzertmeister,* maestro de conciertos de la corte, cargo que no implicaba ningún salario fijo.

Capítulo IV

EL PAÍS DONDE FLORECE EL LIMONERO. LOS VIAJES POR ITALIA: 1767-1773

Wolfgang en Alemania, Amadeo en Italia. De Mozartini

Unos meses después, Leopoldo consiguió un nuevo permiso para realizar el tan anhelado viaje por Italia, que había estado preparando minuciosamente desde el mismo regreso a Salzburgo. Además obtuvo del arzobispo una ayuda de ciento veinte ducados. En esta ocasión serian de mucha utilidad los contactos que habían realizado en Viena: como ya hemos anticipado, Hasse sería uno de los valedores de Wolfgang; así, escribió una carta a un conocido suyo de Venecia, Ortes, en la que le decía lo siguiente:

He conocido aquí a cierto señor Mozart, Kapellmaister del obispo de Salzburgo, hombre de gran espíritu y que conoce bien el mundo. Tiene una hija y un hijo. La primera toca muy bien el piano, y el hijo, que no debe de tener más de doce o trece años, es ya compositor y director de orquesta.

Estos niños están muy bien educados. El niño es además muy guapo, vivo, amable y se comporta tan gentilmente en todo que no se puede evitar quererle. Una cosa es cierta: si sigue así, con el tiempo será un prodigio, siempre que el padre no le halague demasiado ni le mime con sus alabanzas: éste es el único peligro que temo[66].

Es interesante este dato: Hasse temía, sin duda fundadamente, que la personalidad de Leopoldo, y el control que ejercía sobre el niño, podrían terminar por perjudicarle.

El 11 de diciembre salieron de Salzburgo el padre y el hijo; Ana María y Nannerl permanecieron en casa, muy posiblemente porque no disponían de suficientes recursos para viajar todos juntos, pero también porque Leopoldo había decidido centrarse en la carrera de Wolfgang como compositor, en detrimento de la faceta de ambos niños como intérpretes. La gran perjudicada será Nannerl, que permanecerá prácticamente toda su vida anclada en Salzburgo; de soltera contribuirá a las cargas familiares impartiendo lecciones de música, si bien su dominio del teclado podría haberle permitido realizar una gran carrera como virtuosa. De todos modos, ya lo hemos comentado, los intérpretes no siempre eran en aquellos momentos tan valorados como pueden serlo en nuestros días. Pero también Nannerl tenía dotes creativas; precisamente para otras dos virtuosas, María Teresa Paradies y madame Jeunehomme, compondría más adelante algunos conciertos.

Por otra parte, que a Leopoldo lo que le interesaba no era enriquecerse, sino fundamentalmente la preparación de su hijo, el reconocimiento público de su condición de buen músico y procurarle una buena posición para el futuro, podemos deducirlo de numerosos testimonios; uno de ellos, lo que escribió a Ana María el 26 de enero de 1770:

Puedes deducir de esto que no estamos haciendo fortuna en Italia. Me conformo con cubrir los gastos de viaje; hasta ahora lo he conseguido. Porque, aunque sólo seamos dos personas, te aseguro que los gastos de viaje no son pequeños[67].

Antes de pasar a Italia, Wolfgang escribió una carta, su primera carta (o al menos la primera que conservamos de él), a una joven desconocida a la que tal vez quería impresionar, o quizá simplemente darle un pequeño tirón de orejas intelectual:

Os ruego que me excuséis si me tomo la libertad de escribiros estas líneas, pero como dijisteis ayer que entendíais todo y que incluso podía escribiros en latín si quería, no he podido resistir el placer de escribiros aquí alguna palabra latina.
[...] Cuperen scire, de qua causa, a quam plurimis adolescentibus otium (usque) adeo a estimatur, ut ipsi se, nec verbis, nec verberibus, ab hoc sinant abduci.

Poco después, en una carta de Leopoldo a Ana María, Wolfgang añadió lo siguiente:

Queridísima mamá:
Tengo el corazón lleno de puro placer, porque en este viaje me divierto mucho, porque hace mucho calor en el coche y porque nuestro cochero es un simpático mozo que cuando el camino lo permite corre mucho. Mi papá ya le habrá descrito a mi mamá el viaje; la razón por la que escribo a mi mamá es para demostrarle que conozco mis deberes y que sigo siendo, con el más profundo respeto, su hijo fiel[68].

Así mismo, añadió otro mensaje para Nannerl, escrito todo él en italiano: *Carissima sorella mia...*

... hemos llegado a Wörgel, gracias a Dios, felicísimamente; si debo confesar la verdad, debo deciros que es muy alegre viajar, y que no hace ningún frío, y que en nuestro carruaje se está tan caliente como en una habitación. ¿Cómo vas con tu dolor de garganta? ¿No ha venido el mismo día que nos marchamos nuestro señor Seccatore?[69]. *Si ves al señor de Schiedenhofen dile que canto siempre: Tralaliera, Tralaliera, y que no será necesario poner azucarillos en la sopa, ahora que yo no estoy en Salzburgo. En Lover comimos y dormimos en casa del señor de Helmreich, que es prefecto allí. Su mujer es una buena señora; es la hermana del señor Moll. Ella me da hambre, tengo muchas ganas de comer. Que te vaya bien entre tanto. Adiós*[70].

En Innsbruck se alojaron en casa de un canónigo de Salzburgo, el conde Joseph Spaur; dieron un recital en casa del conde Königl y salieron de la ciudad el 19 de diciembre, entrando en la península itálica por el puerto de Brennero, en dirección a Milán.

Llegaron el 22 de diciembre a Bolzano; pasaron por Trento, y el día de Navidad entraron en Rovereto, donde fueron invitados a comer en casa del magistrado Cristani (antiguo alumno de Leopoldo); allí se encontraron con el conde Settimo Lodron.

Tras un recital en Rovereto, en el que Wolfgang fue acogido con entusiasmo, llegaron el 28 de diciembre a Verona, entonces perteneciente a la República de Venecia.

La tradición operística de Verona es antigua, como la de Milán; en esa ciudad asistieron padre e hijo a la representación de una ópera de Pietro Alessandri Guglielmi (1728-1804). En una carta a su hermana, en la que pasa del alemán al italiano y al francés, Wolfgang le hace relación de una mascarada:

[...] En este momento todo el mundo se disfraza, y lo que resulta muy cómodo es que, cuando uno lleva la máscara encima del sombrero, se tiene el privilegio de no retirarlo para responder a los saludos que te dirigen. Aquí no llaman a nadie por su nombre; siempre dicen: ¡Servittore umilissimo, señor Máscara, Cospetto di Bacco, pedo de fuego![71].

Su estancia en Verona fue comentada en la *Gaceta de Verona*, en un extenso artículo en el que se le denominaba *Señor Amadeus Mozart:*

Nuestra ciudad no puede dejar de proclamar las admirables facultades musicales que posee el niño alemán señor Amadeus

Mozart, de apenas trece años de edad y maestro de capilla del arzobispo de Salzburgo[72].

En realidad estaba a punto de cumplir quince años y, como sabemos, no era maestro de capilla (ni siquiera su padre lo era), sino maestro de conciertos.

[...] Sometido a las pruebas más difíciles, ha superado todo con una increíble facilidad, provocando la admiración general, sobre todo de los aficionados a la música [...].

Esta última referencia, quizá inconsciente, a *los aficionados a la música,* nos indica que sus dotes como verdadero buen músico, algo que sólo apreciaban los aficionados a la música, eran consideradas únicamente como un valor añadido; lo esencial seguía siendo su corta edad, su condición de rareza, de *prodigio.* Entre los entendidos, como se refirió en la misma gaceta, se encontraba el recaudador general de tributos de Venecia, Pietro Lugiati...

[...] Quien, después de haberse obsequiado a sí mismo y a otros con el virtuosismo del muchacho, quiso inmortalizarle sobre un lienzo para conservar un recuerdo eterno de él. Esto no es una idea nueva. Porque cuando hizo con su padre un viaje a través de Europa, despertó por todas partes tal admiración, desde la tierna edad de siete años, que han conservado su retrato en Viena y en París, donde también están los retratos de toda la familia, en Holanda y en Londres, donde expusieron su retrato en el famoso British Museum, con una inscripción que conmemora su asombrosa habilidad a la edad de ocho años.

Tradicionalmente se ha mantenido que este retrato de Mozart con catorce años fue realizado por Giambettino Cignaroli (1706-1770), pero hoy se piensa que el verdadero autor fue Saverio dalla Rosa (1745-1821), sobrino y discípulo suyo.

Sin duda, Leopoldo se sentiría orgulloso de que algunos nobles, además de desear contemplar a Wolfgang e incluso escuchar su música, deseasen conservar su retrato. Pero nosotros podemos interpretarlo en cierto modo como un caramelo envenenado. Son numerosos los ejemplos conservados de retratos de músicos, pero no era lo habitual, y además eran músicos consagrados, de sobrado prestigio, o que ocupaban determinados cargos públicos en instituciones que conservaban sus retratos, como es, por ejemplo, el caso del famoso retrato de Johann Sebastian Bach realizado por Elias

Gottlob Haussmann en 1746, cuatro años antes de morir el gran maestro, o el que el mismo pintor había realizado de Gottfried Reiche en 1727. Éste de Mozart es más bien uno entre tantísimos cuadros que en la Edad Moderna dan testimonio de rarezas perecederas: mujeres barbudas, bufones, rinocerontes, animales y frutos exóticos, cabezas de ciervos capturados por los personajes poderosos... Así lo confirma la exposición de uno de estos retratos de Mozart en el British Museum, y sobre todo la inscripción de ese retrato, explicando por qué se había realizado: porque la habilidad de Mozart a los ocho años era asombrosa; porque era un *prodigio*. En el retrato de Saverio dalla Rosa se resaltan todas cuantas características puedan contribuir a dejar claro que se trata de una rareza: Wolfgang aparece como un anciano de catorce años, un hombrecillo imberbe, de aspecto enfermizo; un niño, pero responsable y consciente de lo que se trae entre manos. Pero en realidad era, sobre todo, un niño. Mozart, no insistiremos lo suficiente sobre ello, tendrá que luchar mucho por ser aceptado no como un niño prodigio, sino como un verdadero músico; pero también había tenido que luchar por ser considerado como un niño, solamente un niño. Quizá por eso seguiría siéndolo toda su vida.

El día siguiente, 10 de enero, salieron de Verona y llegaron a Mantua; la complicada historia de estos territorios, disputados entre los Habbsburgo, los monarcas franceses y el propio Papado, dio lugar a que estas ciudades, hoy italianas, estuvieran pasando continuamente de ser territorio alemán (que no austríaco todavía) a ser territorio italiano. Verona pertenecía a Venecia, pero Mantua, adonde llegaron ese mismo día, estaba entonces vinculada con Alemania.

Nada más llegar a Mantua, asistieron a la representación de una ópera de Hasse, *Demetrio,* que comentaría Wolfgang a su hermana en una carta escrita en Milán el 26 de enero, la víspera del cumpleaños de Wolferl. En ella también le decía que acababa de terminar de componer un aria, precisamente para el *Demetrio: Misero tu non sei* (KV 73a, no conservada), cuyo texto le escribe (en italiano):

No eres desdichado: / manifiestas tu dolor / y, ya que no diste amor, / encuentras piedad al menos. / Yo en cambio soy muy desgraciada / y en secreto engaño / amo, no espero, callo / y mi ídolo no lo sabe.

Haciendo juegos de palabras, y posiblemente ironizando contra los nobles que le rodeaban durante los últimos días, Wolfgang firmó esta carta como *Wolfgang de Mozart, señor de Hochental* [del Alto Valle], *amigo de la Zahlausens* [Casa de Empeño]. También sobre esto existía una tradición antañona; por ejemplo, Cervantes (permítasenos volver a recurrir a él y a su más importante obra, recordemos que publicada —la primera parte— en 1605) formó el nombre de su *alter ego,* el ficticio autor de *El Quijote,* por medio de un anagrama que esta firma de Mozart nos trae a la memoria: *Cide Hamete Benengeli,* esto es: *Señor Hambriento, Beneficiado en Genio Literario.*

El día 12 fueron recibidos por diversas personalidades mantuanas, relacionadas directamente con Leopoldo o con Salzburgo: el príncipe de Taxis y el conde Franz Eugen von Arco. El día 16 dio Wolfgang un recital en la Academia Real Filarmónica, del que se haría eco la *Gaceta de Mantua* unos días después:

> *[...] Durante los pocos días que ha pasado aquí, nuestros músicos y nuestros maestros afirman que este joven parece nacido únicamente para confundir a los hombres experimentados en música; opinión que es absolutamente compartida por un ilustre sabio de Verona, que al escribir al secretario de nuestra Academia Filarmónica para recomendarle a este señor Wolfgang, decía que es un prodigio de la Naturaleza, lo mismo que Terracine ha sido creado para humillar a los matemáticos y Corilla para avergonzar a los poetas.*

En París, en 1762, había sido comparado con el *niño de Lübeck;* ahora lo era con Terracine y con Maddalena Morelli, *Corilla* (1728-1800), famosa por sus dotes de improvisación al versificar.

Tras pasar por Cremona, donde asistieron a la representación de otra ópera de Hasse, *La clemenza di Tito* (tema sobre el que el propio Wolfgang escribirá, en 1791, su última ópera), llegaron el 23 de enero a Milán, capital entonces de la Lombardía austríaca.

El gobernador general de Lombardía era entonces el conde Karl von Firmian, sobrino del arzobispo Anton von Firmian, bajo cuyo mandato había conseguido Leopoldo, en 1743, su plaza como violinista en la capilla del arzobispo de Salzburgo. Este conde les alojó en su propio palacio, concediéndoles tres habitaciones y un criado a su servicio.

En esos momentos se estaba representando en Milán una ópera de Jomelli, *Didone abbandonata,* y la siguiente ópera iba a ser *Cesare in Egitto,* de Nicolás Piccinni (1728-1800), a cuyo ensayo general asistirán Wolfgang y Leopoldo. También conocerán al gran sinfonista Giambattista Sammartini (1700-1/1775), maestro de capilla del convento de Santa María Magdalena, que había sido maestro de Gluck entre 1737 y 1741, y que ejercerá gran influencia en Wolfgang. Leopoldo escribirá a Ana María:

El conde Firmian está mucho mejor, y por primera vez, el 7 de febrero, nos ha invitado a cenar. Después de la cena, Su Excelencia dio a Wolfgang los nueve volúmenes de las obras de Metastasio; la de Turín es una de las más bellas ediciones, está muy bien encuadernada. [...] Sería muy largo contarte con todo detalle cómo Wolfgang, en presencia del maestro Sammartini y de un grupo de personas muy hábiles, fue sometido a diversas pruebas y asombró a todo el mundo[73].

La tradición nos presenta a Sammartini levantándose para aplaudir y besar a Wolfgang después de haber tocado, lo que es muy probable que ocurriese.

En la misma carta, Wolfgang añadirá una posdata, en la que dice:

[...] Beso las manos de mamá y envío a mi hermana un besito grande como un grano de viruela. Y sigo siendo el mismo; pero, ¿quién?... el mismo Hanswurst.

Wolfgang en Alemania, Amadeo en Italia. De Mozartini[74].

Ya nos hemos encontrado con esta versión alemana de Arlequín, *Hanswurst,* en la carta de Leopoldo del 30 de enero de 1768, en la que éste criticaba la afición de los vieneses por lo que él llamaba *hanswurstadas;* pero, por el contrario, Wolfgang no sólo no critica el *Arte de la Comedia,* sino que se proclama *Hanswurst* él mismo; lo cual, además de cuadrar bien con su carácter, resulta especialmente interesante para entender mejor el personaje de *Papageno* en *La Flauta Mágica,* compuesta el último año de su vida; podría tener mucho del propio Wolfgang, de cómo se veía a sí mismo o de cómo quería ser visto.

Por otra parte, es la primera ocasión en que Wolfgang hace referencia documentalmente, y lo hace bromeando sobre ello, a la conveniencia de cambiar la versión alemana de uno de sus nombres, Teophilus (Gottlieb), por la italiana, Amadeo. Es posible que ya en Francia comenzaran a plantearse la conveniencia de utilizar la versión francesa, *Amadé.*

Uno de los muchos datos que nos hablan de la sensibilidad de Wolfgang lo encontramos en la carta de Leopoldo a Ana María el martes de carnaval:

La desgracia del señor Basily nos ha afectado profundamente, sobre todo a Wolfgang, que ha llorado mucho; ya sabes lo sensible que es.

El 13 de marzo, Leopoldo informaba a su mujer de que se iba a encargar a Wolfgang una ópera; el 24 de marzo se lo confirmó:

El contrato se ha firmado en casa del conde Firmian [...]. La ópera comenzará en las fiestas de Navidad. [...] La prima y la seconda donna son la signora Gabrielli y su hermana; el tenor es el signor Ettore, actualmente il cavaliere Ettore, porque posee cierta condecoración. [...] Es posible que Manzuoli cante. La signora Gabrielli es conocida en toda Italia como una loca terriblemente orgullosa, que derrocha todo su dinero y hace las cosas más extravagantes. La veremos sin duda en Roma o en Nápoles; viene de Palermo. Le rendiremos los honores de una reina y le colmaremos de elogios. Es la única manera de caerle en gracia[75].

Camino de Bolonia, el 15 de marzo por la noche, en una hospedería de Lodi, Wolfgang compuso o terminó de componer su primer cuarteto para cuerda, KV 80. A menudo se ha considerado esta obra como la consagración del tránsito, en la historia de la música, de la forma *divertimento* al cuarteto de cuerda, culminando el camino iniciado por Sammartini, Tartini o Boccherini. Integrado inicialmente por sólo tres movimientos, Mozart terminó por añadirle un rondó.

El 19 de marzo llegaron a Parma, donde permanecieron unos días y donde fueron invitados a cenar por la cantante Lucrezia Agujari, *la Bastardella*.

El 24 de marzo llegaron a Bolonia, la segunda ciudad más importante de los Estados Pontificios, después de la propia Roma. Allí pasaron seis días, en los que trabaron amistad con el padre Giambattista Martini (1706-1784), de quien ya dijimos que había sido maestro de Johann Christian Bach, entre otros muchos discípulos:

En el concierto del conde Pallavicini había más de 150 personas [...]. El cardenal y lo mejor de la nobleza estaban invitados. El famoso Martini estaba también invitado y, aunque no va nunca a un concierto, no ha querido faltar. [...] Sobre todo Wolfgang es aún más apreciado aquí que en otras ciudades de Italia, porque ésta es la ciudad natal y la residencia de numerosos compositores, artistas y sabios. Aquí es donde se le ha puesto más duramente a prueba, y esto no hace más que acrecentar su reputación en toda Italia, pues el padre Martini, que es el ídolo de todos los italianos, habla con total admiración de Wolfgang y de las numerosas pruebas que ha dado de su talento. Hemos visitado dos veces al padre Martini y las dos veces Wolfgang ha compuesto una fuga de la que el sacerdote le había proporcionado simplemente en unas notas el dux y la guida[76].

Desde Bolonia se dirigieron hacia la capital de la Toscana, Florencia. El ducado de la Toscana estaba gobernado por Leopoldo, segundo hijo de María Teresa, que en 1790 se convertiría en el emperador Leopoldo II. En Florencia se encontraron con el violinista Nardini, así como volvieron a ver al *castrati* Manzuoli, al que propusieron que participase en la ópera que Wolfgang debía componer para Milán.

En casa de la en esos momentos muy famosa poetisa Maddalena Morelli, *Corilla,* con la que hemos visto que había sido comparado Wolfgang en la *Gaceta de Mantua,* conocieron al virtuoso violinista Thomas Lindley, alumno de Nardini; Lindley tenía la misma edad que Wolfgang, y se hicieron muy amigos.

El 7 de abril salieron de Florencia y, pasando por Siena, Orvieto y Viterbo, llegaron a Roma el día 11. Vieron muy pronto al Papa, que estaba celebrando la ceremonia de servir la mesa de los pobres:

Muchos tomaron a Wolfgang por un caballero alemán, otros por un príncipe, y mi criado se cuidó mucho de sacarles de su error. Pensaban que yo era el preceptor de Wolfgang. Fuimos a la mesa de los cardenales, y allí Wolfgang se encontró de pronto entre las sillas de dos cardenales; uno de ellos era el cardenal Pallavicini [...][77].

En esta misma carta refiere Leopoldo la celebérrima anécdota del *Miserere* de Allegri. La Capilla Sixtina gozaba, entre otros privilegios, del de ser el único lugar en el que podía interpretarse un *Miserere* a cuatro y cinco voces, con un final a nueve voces, de Gregorio Allegri (1582-1652), e incluso existía una bula de excomunión contra quienes sacasen fuera la partitura, completa o en parte. Wolfgang escuchó la obra el Viernes Santo, y tras esta única audición pudo reproducirla de memoria en todas sus partes. Después dio a conocer su transcripción a un representante pontificio, que no salía de su asombro. No sólo no fue excomulgado, sino que tres meses después (aunque sin duda es exagerado afirmar, como a veces se ha hecho, que sólo fue por este motivo) Wolfgang llegaría a ser nombrado por el Papa Clemente XIV (el mismo que decretará, en 1773, la suspensión de la Compañía de Jesús) caballero de la Espuela de Oro:

Habrás oído ya hablar del Miserere *de Roma, tan famoso, y que está considerado de tal valor que está expresamente prohibido, bajo pena de excomunión, a los músicos de la Capilla Sixtina sacar una partitura fuera de la capilla, copiarla o comunicarla a cualquiera. Sin embargo, nosotros la poseemos ya; Wolfgang la ha escrito, y la pensábamos enviar a Salzburgo en esta carta [...] pero la llevare-*

mos nosotros mismos a casa, porque no queremos dejar este secreto de Roma en otras manos, para no incurrir directa o indirectamente en las penas eclesiásticas [78].

En esta carta Wolfgang añadió una posdata, en la que decía:

Vemos pasar por las calles a las más hermosas flores del mundo. Es papá el que me lo dice a cada instante [79]. *Soy un loco, es un hecho bien conocido [...]. He tenido el honor de besar el pie de San Pedro en San Pedro, pero como tengo la desgracia de ser muy pequeño, me han alzado, a mí, a vuestro viejo bromista Wolfgang Mozart, hasta él* [80].

El 2 de mayo, Leopoldo comunicaba a Ana María que Wolfgang seguía tocando el violín, pero no en público, y que cantaba, pero sólo cuando le daban la letra. Y añadió: *Ha crecido poco.* Como para ratificar esta afirmación, el propio Wolfgang dirá en la posdata:

Tengo, gracias a Dios, buena salud. Beso las manos de mamá, y también la nariz, el cuello, la boca y el rostro de mi hermana y, ¡oh, qué mala es mi pluma!, el culo también, si está limpio [81].

En Roma permanecieron hasta el 8 de mayo; no había sido un mes demasiado fructífero en cuanto a contactos con músicos, aunque sí con personajes de la nobleza. Ese día salieron hacia Nápoles, adonde llegaron alrededor del 15 de mayo, tras pasar por Capua.

Al rey Fernando de Nápoles le habían conocido en Viena en 1767, cuando fue a casarse con María Josefa de Austria, que, como sabemos, falleció en tal ocasión, debido a una epidemia de viruela, por lo que terminó casándose a Fernando con María Carolina, hermana de María Josefa.

En mayo escribió Wolfgang una carta dirigida a Nannerl, en la que le decía, entre otras cosas:

Los minuetos del señor Haydn te los mandaré cuando tenga más tiempo; el primero ya te lo mandé [...]. Te doy las gracias por haberme mandado esos libros de aritmética, y te ruego que si alguna vez quieres que tenga dolor de cabeza me mandes más de esos ejemplos. Perdona que te escriba tan mal, pero la razón es que tengo un poco de dolor de cabeza. [...] Escríbeme cómo le va al señor Canari. ¿Sigue cantando? ¿Sigue silbando? ¿Sabes por qué pienso en el Canari? Porque en nuestro vestíbulo hay uno, que hace el mismo estrépito que el nuestro. [...] Ayer nos pusimos por primera vez nuestros trajes, estábamos bellos como los ángeles, pero me temo que no llevaremos ninguna otra cosa bella a casa [82].

Wolfgang era una persona de gran sensibilidad y, como tal, muy amante de los animales. No será la única ocasión en que muestre su cariño por el *señor Canari,* el canario, o por la perrita que tenían los Mozart. En otro fragmento de la misma carta, pero escrito en un momento posterior, añade:

El 30 empezará la ópera que ha compuesto Jomelo. Hemos visto a la reina y al rey en la misa bajo los portici de la capilla de la corte, y hemos visto también el Fesufius [Vesubio]. *Nápoles es bello, pero tan superpoblado como Viena y París y Londres. En lo impertinente de la gente no sé si Nápoles no supera a Londres, ya que aquí la gente del pueblo, los* laceroni, *tienen su propio gobernador, que recibe del rey todos los meses 25 ducados de plata sólo para mantener el orden entre ellos* [83].

Pero Wolfgang no podía aguantar mucho con este tono tan serio, e inmediatamente rematará la carta de este modo:

Acude con diligencia al Mirabel a las letanías y escucha el Regina Coeli *o el* Salve Regina, *y duerme sanamente, y que no tengas malos sueños. Al señor Von Shidhofen mis atroces recuerdos, tralalá, tralalá, y dile que tiene que aprender a tocar en el piano el minueto del* Repetidor *para que no se olvide de obrar; que obre pronto, para que obre en mí la alegría de que pueda acompañarle a obrar. Que obren mis recuerdos para todos los demás buenos amigos y amigas, y que tú obres bien, y que no obres hasta morir, a fin de que puedas obrar en otra carta y yo pueda obrar luego en otra, y obremos así los dos sucesivamente hasta que hayamos obrado algo. Sin embargo, quiero seguir obrando hasta no poder obrar más, y quedarme obrando entre tanto* [84].

La impresión de Wolfgang sobre Fernando no fue muy buena, al contrario de la que le produjo su casi paisana la reina:

El rey es un maleducado, como todos los napolitanos. Todo el tiempo que ha durado la ópera ha permanecido sobre un taburete, para parecer más alto que la reina. Ésta es bella y graciosa; me ha saludado al menos seis veces en el paseo del Muelle, y siempre muy amablemente [85].

Como era habitual, la presencia de Wolfgang fue disputada por las grandes familias napolitanas. Sin embargo, no todos se entusiasmaron con él; por ejemplo, el abate Fernando Galiani, que se encontraba exiliado en Nápoles (donde fallecerá en 1787) por su vinculación con los enciclopedistas, escribirá esto a su amiga madame d'Epinay:

Creo haberos escrito que el pequeño Mozart está aquí, y que ahora es menos milagroso; aunque sea siempre el mismo milagro, pero no será jamás sino un milagro nada más [86].

Un milagro nada más; he aquí alguien que dice creer en los milagros, pero no parecen afectarle demasiado. La que podríamos llamar «maldición» de Mozart aparece nítida en esta reflexión: le costará mucho hacerse valorar como algo más que un milagro, un hecho prodigioso, un capricho divino... y *nada más.*

Wolfgang recibió otra propuesta de componer una ópera, pero no la aceptó, debido a sus compromisos con Milán.

Aún permanecieron un par de semanas en Nápoles, dedicándose a visitar, entre otros lugares, Herculano y Pompeya:

La belleza de los lugares, su fertilidad, su animación y tantas cosas magníficas me hacen abandonar Nápoles con pena. Pero, por el contrario, la mugre, la multitud de mendigos, el pueblo abominable, el pueblo pagano, la mala educación de los niños, la increíble depravación que se encuentra hasta en la iglesia, me hacen más fácil la separación de este magnífico lugar [87].

De nuevo en Roma, el día 4 de julio Leopoldo pudo anunciar a su mujer y a su hija:

Mañana vamos a conocer una noticia que os llenará de asombro: el cardenal Pallavicini ha recibido del Papa la orden de entregar a Wolfgang la cruz de una orden y un diploma. No habléis todavía mucho de ello; ¿será verdad? Te escribiré sobre esto el sábado. Últimamente estuvimos con el cardenal, y éste le dijo a Wolfgang en varias ocasiones «Signore Cavaliere»; todos creíamos que era una broma.

P.S.: Wolfgang ha crecido a ojos vistas en Nápoles [88].

El sábado, efectivamente, Leopoldo podía confirmar que su hijo había sido nombrado caballero de la orden de la Espuela de Oro; en la posdata Wolfgang escribió unas líneas a su hermana, en las que alababa su habilidad como compositora:

Estoy muy sorprendido por lo bien que sabes componer. En una palabra, tu lied es hermoso. Escribe de cuando en cuando algo. Envíame pronto los otros seis minuetos de Haydn [89].

Y tras esta mención a los minuetos de Michael Haydn, termina con una frase en francés, en la que hace una muy simple referencia a la concesión de la orden que tanto estaba paladeando Leopoldo y de la que, al contrario que haría Wolfgang, tanta ostentación había hecho Gluck desde que él también había sido nombrado caballero de la misma orden:

Mlle., j'ai l'honneur d'être votre très humble serviteur et frère chevalier de Mozart. Addio [90].

Tras ser recibidos el 8 de julio por el Papa, dejaron Roma el día 10. Pasando por Pesaro, Firmini, Forli e Imola, regresaron a Bolonia el 20 de julio. En esta ciudad se hospedaron en la casa campestre del conde Pallavicini, donde pasarían el resto del verano, cinco semanas en total.

En Bolonia le fue entregado a Wolfgang el libreto de *Mitrídates, re di Ponto,* basado en un texto de Racine reelaborado por el abate Parini y situado en el mundo grecorromano. El autor del libreto era V. A. Cigna-Santi. Sobre el mismo asunto ya había compuesto otra música años antes Q. Gasparini.

Ese verano de descanso, Wolfgang siguió acumulando interesantes experiencias:

También yo estoy vivo todavía y, por cierto, muy contento; hoy he tenido ganas de montar en burro, porque en Italia es costumbre, y por eso he pensado que tenía que probarlo también. Tenemos el honor de tratar aquí con cierto dominico que es tenido por santo; yo, la verdad, no me lo creo del todo, porque a menudo se toma para desayunar una taza de chocolate, e inmediatamente después un buen vaso de fuerte vino español, y yo mismo he tenido el honor de comer con este santo, que bebió valientemente vino con la comida y, para terminar, todo un vaso lleno de vino fuerte, dos buenas tajadas de melón, melocotones, peras, cinco tazas de café, todo un plato lleno de pájaros, dos platos llenos de leche con limones [...] y, encima, por la tarde aún toma merienda [91].

Lo que más nos llama la atención en este párrafo es cómo pululaban por las ciudades de la época personajes que conseguían captar la atención de los cortesanos y de los ciudadanos de a pie mostrando las más diversas habilidades, como es el caso de este *dominico que es tenido por santo,* que muy posiblemente gozase de fama de tener poderes taumatúrgicos, pero que, como insinúa Wolfgang, no era sino un pícaro. Y, sobre todo, queremos destacar que el propio

Wolfgang tenía acceso, como una rareza que también era él mismo, una rareza famosa, una rareza de buen tono, al privilegio de compartir mesa con él.

En relación con los minuetos de Michael Haydn que le estaba enviando Nannerl, comentará lo siguiente:

Los seis minuetos de Michael Haydn me gustan más que los doce primeros. Hemos tenido que tocarlos con frecuencia para la condesa Pallavicini, y nos gustaría poder introducir en Italia el estilo alemán de los minuetos, teniendo en cuenta que sus minuetos duran tanto como una sinfonía entera[92].

Il signore Cavaliere Filarmónico

Especialmente importante fue para Wolfgang la relación con el padre Martini, con quien volvieron a encontrarse en Bolonia. Martini acababa de publicar los dos primeros volúmenes de su *Historia de la Música,* de los que ofreció un ejemplar a los Mozart, recibiendo a su vez la *Escuela de violín* de Leopoldo. Pero, sobre todo, *el semidiós italiano* (como le llamará Wolfgang, que siempre manifestó por él una profunda admiración) mantuvo con los dos Mozart muy interesantes conversaciones, y preparó al muchacho en el difícil aprendizaje del contrapunto y la fuga. Además, fue su mentor ante la Academia Filarmónica de Bolonia, en la cual ingresó el 9 de octubre; tenía sólo catorce años y le estaba cambiando la voz en esos momentos. Así describió Leopoldo el examen de ingreso:

La Academia Filarmónica acaba de recibir unánimemente a Wolfgang en su sociedad, y le ha entregado el diploma de académico filarmónico. Esto ha ocurrido después de todas las formalidades al uso y tras un examen previo. El 9 de octubre, a las cuatro de la tarde, Wolfgang ha comparecido en la sala de la Academia. Allí el Princeps Academiae y los dos censores, que son ambos maestros de capilla, le dieron, en presencia de todos los socios, una antífona sacada de un antifonario, sobre la que tuvo que construir cuatro voces; y todo esto en una habitación vecina, adonde el Pedellus le condujo y encerró. Cuando hubo terminado, los censores, los maestros de capilla y los compositores examinaron su composición; después se procedió a la votación, que se hizo por medio de bolas negras y blancas. Como todas las bolas eran blancas, le llamaron. Todos se pusieron a aplaudir a su entrada y se apresura-

ron a felicitarle cuando el Princeps Academiae anunció en nombre de la sociedad que estaba admitido en su seno. Él dio las gracias, y el acto terminó[93].

Leopoldo hace hincapié en que Wolfgang realizó su ejercicio en sólo media hora:

Todo el mundo se asombró de que hubiera empleado tan poco tiempo para escribir su fragmento, porque ha habido muchos que han tardado tres horas para componer sobre una antífona de tres líneas.

Además se mostraba especialmente encantado, porque...

Esto le hace tanto más honor por el hecho de que la Academia sea centenaria y contar en su seno, además del padre Martini, con numerosos hombres ilustres de Italia y de otras naciones.

Con todo, pese al encendido relato de Leopoldo, en el acta oficial de tal ceremonia tan sólo se consignó lo siguiente:

En menos de una hora el señor Mozart ha realizado su ensayo, que, atendiendo a las circunstancias particulares, ha sido considerado suficiente.

En Bolonia, bajo la supervisión de Martini, compuso Wolfgang en estos momentos los cuatro *Cánones enigmáticos,* KV 73r, que eran la ilustración musical de unas viñetas, con frases en latín, de las *Églogas* de Virgilio, las cuales aparecían en la *Historia de la Música* del padre Martini.

Comenzada en Bolonia antes de salir para Milán, y terminada a su vuelta de esta ciudad, la sinfonía n.º 10, K 74, pudo haber sido concebida originalmente como obertura para el *Mitrídates,* pues responde al modelo de la obertura italiana. Por otra parte, en el *finale* nos encontramos con algo muy frecuente en los músicos de la época, también en Mozart: la fascinación por las culturas exóticas, concretamente lo que podríamos llamar *turcomanía:* aparece un fragmento de música *a la turca*. Mozart incluirá referencias a este tipo de música, por ejemplo, en *El rapto del serrallo,* el concierto para violín K 219, el rondó *a la turca* de la sonata para piano K 331, o en algunas de sus marchas militares. Precisamente se encuentra en la música militar turca el origen de las bandas militares que tan ampliamente se desarrollarán en el siglo XIX, con sus característicos instrumentos de percusión (bombo, platillos, triángulo...), y de las que proceden las bandas civiles, de tanta importancia hasta nuestros días, tanto por la difusión de las más importantes páginas sinfónicas, como, sobre todo, por ser continuadoras de la muy importante tradición de la interpretación de música al aire libre, propia de las ciudades europeas y americanas.

Unos días después de la admisión en la Academia Filarmónica, salieron de Bolonia hacia Milán, adonde llegaron el 18 de octubre; según su contrato para la elaboración de la ópera, debían estar en esta ciudad el día 1 de noviembre. Tanto Leopoldo como Wolfgang estaban muy preocupados con esta ópera, hasta el punto de que Leopoldo solicitó a su esposa y a su hija que pidiesen a los amigos de la familia que enviasen bromas a Wolfgang, para que éste se encontrase a gusto:

Si nuestros buenos amigos insertaran de vez en cuando algunas bromas en tus cartas, harían una buena acción, pues Wolfgang está ahora dedicado a cosas serias, que le han vuelto demasiado taciturno. Soy dichoso cuando cae en sus manos algo divertido[94].

El montaje de un espectáculo teatral, y especialmente de tipo musical, suele no ser una balsa de aceite, y en esa época, además, las comunicaciones no eran tan rápidas como hoy: era muy fácil que alguno de los intérpretes llegase tarde no ya a los ensayos, sino a la ciudad donde iban a tener lugar las representaciones, o que no llegase. En el caso del *Mitrídates,* entre otros problemas, la tardanza del primer cantante retrasó los ensayos. Como ocurriera un par de años antes en Viena con *La finta semplice,* Leopoldo estaba convencido de que existía una confabulación contra Wolfgang; así se lo manifestó al padre Martini:

La ópera de mi hijo ha recibido una acogida de lo más favorable, a pesar de todas las intrigas organizadas por nuestros enemigos y por los envidiosos que, sin haber oído una nota, hacían correr el rumor de que era una música grosera, bárbara, sin forma y sin profundidad, imposible de ser tocada por una orquesta. Esto llegó a tal extremo que media ciudad de Milán esperaba escuchar una chapuza el día del estreno. [...] Nuestros enemigos no renunciaron a denigrar la ópera de mi hijo hasta que el primer ensayo con instrumentos hizo callar a estos habladores, que no han osado después decir una sola palabra[95].

Por fin pudieron comenzar los ensayos el día 12 de diciembre, y la ópera *Mitrídates, rey del Ponto* (KV 87) se estrenó el día 26 en el teatro regio ducal de Milán, con gran éxito. Leopoldo, feliz, lo comunicará así a Salzburgo:

¡Alabado sea Dios! La primera representación de la ópera ha tenido lugar el día 26 con total éxito, y se han producido dos cosas que jamás se habían visto en Milán. Primero, contrariamente a la costumbre, desde la primera noche se ha bisado un aria de la prima donna, cuando jamás se hace repetir a los cantantes en un estreno; en segundo lugar, casi todas las arias, excepto quizá algunas de la última parte, provocaron aplausos y gritos de ¡Viva el maestro!, ¡viva il maestrino!

[...] Todo el mundo en Italia recibe un nombre distinto: Hasse se llama el Sajón, Galuppi se llama Buranello; ¡y bien!, llaman a nuestro hijo il signore Cavaliere Filarmónico [96].

El día 12 de enero de 1771, Wolfgang fue nombrado por la Academia Filarmónica de Verona *Cancilliere dell'Academia*. El día 14 se trasladaron a Turín, donde pasaron quince días descansando. De vuelta en Milán, y como consecuencia del éxito del *Mitrídates*, Wolfgang recibió el encargo de componer otra ópera para el año siguiente, *Lucio Silla*.

A comienzos de febrero salieron de Milán, y hacia el día 10 llegaron a Venecia, donde fueron acogidos por un amigo de Haguenauer, Giovanni Wider. También contactaron con un amigo de Hasse, el abate Giovanni Ortes, quien les facilitó el acceso a la aristocracia veneciana, la cual ovacionó a Wolfgang al terminar el recital que para ella dio el día 5 de marzo.

Hasse, recordémoslo, había escrito a Ortes una carta, en 1769, en la que le decía sobre Mozart:

Una cosa es cierta: si sigue así, con el tiempo será un prodigio, siempre que el padre no le halague demasiado ni le mime con sus alabanzas: éste es el único peligro que temo [97].

Ahora, en la misma línea, le dijo lo siguiente:

El joven Mozart es ciertamente un prodigio para su edad, y yo le quiero de verdad infinitamente. El padre, por lo poco que le conozco, es un eterno descontento [...]. Adora a su hijo y hace todo lo posible para complacerle. Pero tengo tan buena opinión de las buenas inclinaciones naturales del chico, que espero que, pese a la adoración del padre, no se dejará malear y será un hombre honesto [98].

El día 12 de marzo salieron de Venecia; pasaron un día en Padua, donde Wolfgang recibió el encargo de componer un oratorio, *Betulia Liberata*. El día 14 salieron de Padua y llegaron a Vicenza. El 16 llegaron a Verona, donde fueron recibidos por Lugiati, y donde Leopoldo fue informado de que María Teresa de Austria iba a encargar a Wolfgang la composición de una serenata teatral para las bodas de su hijo, el archiduque Fernando (un año y medio mayor que Wolfgang), con María Beatriz de Módena, que tendrían lugar en Milán el 15 de octubre siguiente; esta serenata será *Ascanio in Alba,* KV 111.

Así terminó este primer viaje por Italia, de quince meses de duración. Con unos cuantos encargos importantes bajo el brazo, llegaron a Salzburgo el 28 de marzo.

En los cuatro meses que pasó en Salzburgo antes de regresar a Italia, compuso Wolfgang nueve sinfonías: las KV 114, 124, 161, 128, 129, 130, 132, 133 y 134; en ellas se funden la sinfonía vienesa y el estilo italiano.

Otra de las obras compuestas en esta temporada fue la *Betulia liberata,* KV 118, acción sacra u oratorio que, como acabamos de decir, le había sido encargado a Wolfgang en Padua cuando iban de regreso a Salzburgo, para la cuaresma de 1772. Se refiere a la historia de Judit y Holofernes, sitiador éste de Betulia, y libertadora aquélla de la ciudad. El texto era, una vez más, de Metastasio, que había emprendido la empresa de devolver la pureza del Antiguo Testamento a los oratorios, muy apartados de ella en los últimos tiempos barrocos.

Así mismo, compuso tres sonatas de iglesia y diversas obras de carácter religioso, en función de su cargo como *Konzertmaister* del arzobispo.

Corro el riesgo de escribirte, en vez de palabras, toda un aria

El 13 de agosto, Leopoldo y Wolfgang volvieron a ponerse en marcha camino de Italia, iniciando otro viaje que duraría cuatro meses: finalizaría el 16 de diciembre de ese año de 1771. El motivo era el compromiso adquirido por Wolfgang de componer el *Ascanio in Alba.*

El día 21 de agosto llegaron a Milán. En los cuatro meses pasados en Salzburgo, Wolfgang había conocido a alguna amiga de Nannerl, por la que se mostraba muy interesado en las cartas que dirigió a su hermana durante el viaje, como en ésta:

Lo que me has prometido, ya sabes qué, ¡ay querida!, cúmplelo sin falta, te lo ruego. Te quedaré totalmente reconocido; ¿la princesa ha tenido recientemente seguidillas o...? Por lo demás no sé nada nuevo; escríbeme tú algo nuevo. [...] Ahora estoy resoplando nada más que de calor. Me desabrocho el chaleco. Addio, que te vaya bien [99].

O en esta otra:

Queridísima hermana: Espero que hayas estado en casa de la señora que tú sabes. Te ruego que si la ves la saludes de mi parte [100].

Mientras trabajaba frenéticamente, Wolfgang tuvo la oportunidad de desarrollar una faceta muy *mozartiana*, la mímica, que practicó con el hijo de sus huéspedes, sordomudo:

Mi única diversión es conversar por signos con el mudo, pues lo hago a la perfección [101].

Además, en la misma carta, pide a su hermana que haga algo por él:

Te renuevo mi petición, aunque no tenga mucho que hacer; tú me comprendes de sobra.

Ciertamente no tenía nada que hacer, pues la joven por la que Wolfgang estaba tan interesado, estaba a punto de casarse. Pese a tal fracaso, o más bien como consecuencia de él, Wolfgang sacó el as que tenía guardado en la manga y volvió a intentarlo (siempre a distancia) con otra joven, la hermana de Joseph von Mölk, el cual por su parte estaba enamorado de Nannerl:

Di a la señorita Von Mölk que me alegro de volver a Salzburgo para poder recibir de nuevo, para los minuetos, un presente parecido al que hemos recibido en su Academia; ella lo entenderá [102].

Unos días antes había recibido un nuevo encargo procedente de Venecia: una ópera para el carnaval de 1773, lo que implicaba que debería encontrarse en esta ciudad a partir del 30 de noviembre de 1772, fecha para la que ya tenía el compromiso de estar en Milán; por ello, tras intentar en vano solucionar esta incompatibilidad, debieron desistir de realizar la ópera de Venecia, de la que se encargaría J. G. Naumann (1741-1801).

El libretista del *Ascanio in Alba* fue Giuseppe Parini (1729-1799), sacerdote que había sido preceptor de los poderosos condes de Serbelloni, hasta que la condesa abofeteó a una sirviente que era hija de Gianbattista Sammartini, momento en que Parini se despidió de esa casa.

Los ensayos de la serenata teatral comenzaron el 28 de septiembre, y se realizaron sin incidentes, en gran medida debido al apoyo del *castrati* Manzuoli. El 15 de octubre comenzaron las fiestas por las bodas del archiduque Fernando de Milán con María Beatriz de Módena; el 16 se estrenó una ópera de Hasse que se estaba ensayando a la vez que el *Ascanio* de Wolfgang: *Ruggiero*. El 17 tuvieron lugar las bodas, y por la noche se estrenó el *Ascanio in Alba* en el teatro regio ducal, con tan gran éxito que la representación se repitió el día 19, y ello pese a que se había dispuesto la interrupción de las fiestas los días 18, 19 y 20 por ser el aniversario de la muerte del emperador.

El éxito de Wolfgang eclipsó la ópera de Hasse; la propia María Teresa, desde Viena, preguntó a su hijo por la obra de este último:

Escríbeme diciendo cómo has encontrado la ópera. ¿Qué ha dicho el público? Aquí dicen que la música no ha gustado. Si es cierto, me daría mucha pena por el viejo Hasse [103].

Animado por este éxito, y sospechando que a pesar de él el arzobispo de Salzburgo no estaría dispuesto, llegada la circunstancia, a conceder a Wolfgang el cargo de *Kapellmeister*, Leopoldo pidió al archiduque Fernando que tomase a su servicio, como compositor, a Wolfgang. Fernando planteó esta cuestión a la reina María Teresa, que lo desaconsejó, refiriéndose despectivamente a los músicos (no sólo a los Mozart) como *esa gente que va por el mundo como mendigos:*

No veo por qué tenéis necesidad de un compositor o de personas inútiles. Pero si esto os complace, no quiero impedíroslo. Os aconsejo que no carguéis con gentes inútiles, pues no necesitáis esta clase de personas a vuestro servicio. Envilecen la calidad del servicio estas personas que recorren el mundo como pordioseros. Además, tienen numerosa familia.

La *numerosa familia* a que, con cierto deje despectivo, hace referencia esta reina que aún tenía once hijos vivos, estaba constituida por Leopoldo, su mujer y los dos hijos. Cabe pensar que, además de estar enojada por el fracaso de su músico favorito, el viejo Hasse, frente a Wolfgang, la reina estaría aconsejada por alguno de sus músicos cortesanos, que, además de intrigar cuanto pudiesen, le ofrecerían fidelidad y estabilidad, más que la calidad que ya podía percibirse en Wolfgang. Además, también debió de pesar en contra de Wolfgang el planteamiento de su carrera por parte de Leopoldo, como si fueran poco menos que feriantes, siempre trasladándose de un lado a otro. Tal vez algún personaje cercano al arzobispo de Salzburgo hiciese hincapié en esta característica, que les mantenía alejados del cumplimiento de sus deberes en la corte arzobispal. En cualquier caso, Mozart fue recompensado, una vez más, con un reloj, bien es cierto que en oro y diamantes, y con un camafeo de la emperatriz.

Todavía en Milán, Wolfgang transmite a su madre y a su hermana una imagen que sin duda debió de impresionarle, a pesar de ser muy frecuente en las ciudades de la Edad Moderna, especialmente en el siglo XVIII; las diferencias entre unos lugares y otros, cuando las había, eran meramente de tipo técnico:

He visto ahorcar a cuatro pícaros en la plaza del Duomo. Aquí ahorcan lo mismo que en Lyón [104].

El día 16 de diciembre de 1771 llegaron a Salzburgo, el mismo día en que falleció el arzobispo Sigismund Schrattenbach.

Entre enero y marzo, Wolfgang estuvo gravemente enfermo, aunque no sabemos en qué consistió su enfermedad. En cualquier caso, los siguientes parece que fueron unos meses muy inactivos como compositor.

La elección de nuevo arzobispo se vio retrasada hasta marzo; el día 14, tras realizarse bastantes votaciones, resultó elegido el conde Hieronymus Colloredo (1732-1812), hasta ese momento obispo de Gurk, e hijo de Rodolfo José Colloredo, príncipe del Sacro Imperio desde 1763, en cuya casa, como mencionamos en su momento, actuó Wolfgang cuando viajó a Viena en 1762. Un hermano de Hieronymus, Joseph, era responsable de la artillería austríaca; posiblemente esta clara vinculación de la familia Colloredo con los Habsburgo hizo que se mirase a Hieronymus con desconfianza y que fuesen necesarias tantas votaciones, pues podía comprometer la independencia de Salzburgo, como de hecho lo hizo, pues bajo su mandato se convirtió en una ciudad dependiente de Viena y, por tanto, de los Austrias.

Schrattenbach y Colloredo eran dos personalidades muy diferentes; Schrattenbach era más paternalista y bondadoso, también más conservador; en particular, en lo que se refiere a la música, había seguido prefiriendo la polifonía tradicional alemana, basada en el coral protestante que tanta trascendencia tuvo durante el Barroco. Colloredo tenía un carácter más agresivo, pero era un personaje mucho más comprometido con la «modernidad», con la Ilustración; no le importaba exhibir en su estudio retratos de Voltaire y de Rousseau, y prefería a los músicos italianos antes que a los alemanes. Así, a la vez que rechazó la solicitud de Leopoldo de ser ascendido a *Kapellmeister*, a Wolfgang, más relacionado con la música italiana, le nombró *Konzertmeister* el 15 de agosto de 1772. Para el cargo de *Kapellmeister*, Colloredo optó por un italiano, Domenico Fischietti, que ya tuvo ese puesto en Dresde; e incluso un año después, el anterior *Kapellmeister* de Salzburgo, Lolli, volvería a ocupar su puesto junto con Fischietti.

Para los festejos por la coronación de Colloredo el 29 de abril de 1772, compuso Wolfgang otra serenata teatral: *El sueño de Escipión,* KV 126, con texto de Metastasio basado en Cicerón, en el que se ensalzaba la figura de Colloredo, equiparándole con el personaje clásico. Este tema ya había servido para elogiar a otros personajes en los últimos veinte años; la misma versión de Metastasio ya había sido puesta en música por G. Bonno, y también se habían ocupado de este asunto Galuppi, Gluck, Hasse, Jomelli, Piccinni y Sarti. Además de ser un texto conveniente para la adulación cortesana, ofrecía otro interés a los artistas de esta época: el de representar el estado de sueño, que Mozart refleja en esta obra al modo italiano, por medio de una suave música de flautas.

En la corte de Colloredo se interpretaba habitualmente música de Sammartini y de Johann Christian Bach (recordemos que este último, antes de ser llamado *el Bach de Londres,* fue conocido como *el Bach de Milán);* lo cierto es que, en cualquier caso, con Colloredo la actividad musical en Salzburgo se vio impulsada, y Wolfgang compondrá en estos momentos diversas obras debidas a este impulso, como las sinfonías 16 a 21, KV 128 a 132, o los divertimentos KV 136 a 138.

Ese mismo verano, un viajero y erudito en temas musicales, Charles Burney (1726-1814), envió un corresponsal suyo a Salzburgo para conocer el ambiente musical de la ciudad, y basándose en su informe elaboró una nota en la que, tras ensalzar el papel de Colloredo como protector de la música, así como su condición de violinista aficionado él mismo, se extiende sobre las consabidas habilidades de Wolfgang; pero concluye del siguiente modo:

[...] La hermana ha alcanzado ya la cima de su talento, que no es excepcional; en cuanto al hermano, el corresponsal me asegura que «por lo que puede juzgar de la música de orquesta de su creación que ha oído, su caso ofrece un nuevo ejemplo de esta verdad: que el fruto precoz es cosa más rara que excelente».

¿Podemos percibir detrás de esta opinión la influencia del entorno de Colloredo? No podemos afirmarlo, pero puede hacérnoslo pensar el hecho de que se trate de un artículo especialmente elogioso hacia el arzobispo.

Como ya sabemos, por el contrato firmado en Milán el año anterior (en vida de Schrattenbach), los Mozart se habían comprometido a regresar a esa ciudad para estrenar una nueva ópera encargada a Wolfgang, *Lucio Silla* (KV 135). Así, el día 24 de octubre de 1772 comenzaron, de nuevo solos padre e hijo, su tercer viaje italiano, que se prolongaría cinco meses, hasta el 13 de marzo de 1773.

El 4 de noviembre llegaron a Milán; allí se encontraron con que Metastasio había realizado numerosas correcciones en el texto del *Lucio Silla*. Se le había pedido que revisara el original, de Giovanni de Gamerra, ambientado, como *El sueño de Escipión*, en la antigüedad romana. Esto obligó a Wolfgang a realizar inesperadas modificaciones en los recitativos que ya tenía elaborados. Después fue componiendo las arias según fueron llegando los diversos cantantes, y el 18 de diciembre ya tenía concluida la ópera. Mozart había trabajado muy duro:

En este momento todas mis ideas van siempre y solamente hacia mi ópera y corro el riesgo de escribirte, en vez de palabras, toda un aria [...]. Mis mejores deseos para nuestra bella Nandl y para el canario: estos dos son, contigo, los más candorosos de nuestra casa[105].

La *bella Nandl* era la perrita de los Mozart. A menudo nos resultan incomprensibles muchas de las bromas de Wolfgang; frecuentemente juega con las palabras como juega con los sonidos. No es una exageración por su parte decir que podría terminar por confundir las palabras con los sonidos. No podemos sino intuir el sentido musical que puede tener algo muy frecuente en él cuando bromea: la repetición machacona de alguna expresión; por ejemplo, el mismo día en que terminó la ópera, víspera del ensayo general, escribió a Nannerl:

Espero que te encuentres bien, mi querida hermana. Cuando recibas esta carta, mi querida hermana, esta misma tarde, mi querida hermana, mi ópera estará in scena. Piensa en mí, mi querida hermana, e imagina, mi querida hermana, que la ves y oyes también, mi querida hermana. [...].

El empresario, el signor Castiglioni, me ha pedido que no se lo diga a nadie, porque de lo contrario todo el mundo vendría, y no queremos eso. Por tanto, hija mía, te ruego que no hables de ello a nadie, hija mía, para evitar que acuda mucha gente, hija mía.

Approposito, ¿sabes ya la historia que ha ocurrido aquí? Entonces te la cuento. Hoy hemos salido de casa del conde Firmian para volver a la nuestra, y cuando estábamos en la calle hemos abierto la puerta de nuestra casa y, ¿qué crees que ha sucedido? ¡Hemos entrado! [...][106].

Entre los intérpretes de la ópera se encontraban, como protagonistas, la virtuosa De Amicis y el prestigioso *castrati* Venanzio Rauzzini; el primer tenor, Morgnoni, tenía poca experiencia, por lo que Wolfgang se centró en los otros dos solistas. Al estreno asistieron el archiduque Fernando y su esposa, que llegaron con tres horas de retraso. Mayor contrariedad supuso el hecho de que Morgnoni cayese enfermo y hubiese de ser sustituido improvisadamente por un cantante que no tenía ninguna experiencia teatral:

[...] El primer tenor, al que hemos contratado por necesidad, es el cantante de una iglesia de Lodi, que no ha participado jamás en una representación teatral, y que sólo en dos ocasiones ha sido tenor en Lodi; además de esto, había sido contratado ocho días antes del estreno. Y como durante su primera aria la prima donna debe esperar una violenta cólera del tenor, este último ha puesto un ardor tan exagerado que parecía querer darle una bofetada o arrancarle la nariz de un puñetazo, y todo el público ha empezado a reír. La pobre signora, en el ardor de su canto, no ha comprendido por qué reía el público y se ha quedado sorprendida [...][107].

Pero la representación, pese a todo, fue un gran éxito, y durante los carnavales de 1773 la ópera fue representada en veintiséis ocasiones. No obstante, Wolfgang no recibió nuevos encargos operísticos para Milán.

Durante este tercer viaje italiano Mozart compuso, entre otras obras, los seis cuartetos llamados *milaneses,* KV 155 a 160. Según le dice a Nannerl en su carta del 28 de octubre de 1772, el primero de ellos, el 155, fue compuesto, *para combatir el aburrimiento,* en Bolzano, *este corral de vacas.* No tanto éste como los otros cinco cuartetos reflejan ya características muy próximas al romanticismo; Ballola y Parrenti se refirieron a ellos como *el clímax de un adolescente Sturm und Drang mozartiano.* En cuanto a sus aspectos formales, todos constan de sólo tres movimientos, como era habitual en Italia.

También podemos destacar de este momento el motete *Exultate iubilate,* KV 165, compuesto a la vez que *Lucio Silla* y estrenado en los

Teatinos de Milán en el mes de enero de 1773; Wolfgang lo escribió para el *castrati* Rauzzini, por cuya voz sentía gran admiración. Era un uso extendido entre los compositores el de obsequiar a los cantantes más afamados con piezas para su lucimiento personal, que ellos incorporaban inmediatamente a su repertorio para interpretarlas en los salones y jardines de los grandes personajes. Lo cierto es que, como en el caso de este motete, no siempre es adecuada su interpretación por parte de una soprano, pues son piezas realizadas muy a la medida de un determinado cantante, en este caso de un *castrati,* con características vocales no idénticas a las de las sopranos.

Leopoldo, antes de regresar a Salzburgo, y a la vista de que en Milán, pese al éxito de la ópera, no tenían ya nada que hacer, intentará conseguir algún beneficio, encargo o puesto para Wolfgang en Florencia, donde contaban con las simpatías del gran duque Leopoldo; durante los meses de enero y febrero esperaron en vano una respuesta positiva del gran duque. Por fin dejaron Milán a comienzos de marzo y llegaron a Salzburgo el día 13.

Capítulo V

EL VIAJE HACIA EL HASTÍO: 1773 a 1775

Volveremos, siempre, demasiado pronto

A sus diecisiete años, Wolfgang había vivido ya la mitad de su vida. Con su regreso a Salzburgo comenzó para él un período de casi cuatro años en que apenas salió de su ciudad natal, salvo algún corto viaje a Viena y a Munich. Fue, por tanto, y desde que tenía siete años, el período más largo de permanencia en Salzburgo, pero también aquel en que más limitado se sintió.

Por estas fechas, poco antes o poco después del tercer viaje a Italia, los Mozart se trasladaron de vivienda; dejaron la casa de Haguenauer por otra mayor en la Markatplatz, la casa del maestro de danza; sería el último domicilio de Wolfgang en Salzburgo, y también de Leopoldo, quien fallecerá aquí en 1787.

Tras su regreso a Salzburgo, Wolfgang compuso cuatro sinfonías, conocidas como *salzburguesas:* las n.º 22 (K 162), 23 (K 181), 26 (K 184) y 27 (K 199); la distancia numérica en el catálogo de Köchel se debe a que en la primera edición se consideraban de momentos distintos. Es posible que respondiesen a algún encargo realizado en Italia, o que tal vez Wolfgang esperaba que le fuese realizado; en todo caso, manifiestan la influencia de la música italiana.

También escribió, entre otras obras, algún divertimento para instrumentos de viento (los K 166, 186, 187) y la misa *In honorem Ssmae. Trinitatis,* K 67, para la catedral de Salzburgo; esto es, para Colloredo.

En julio de 1773 el arzobispo salió de Salzburgo para tomar las aguas, y dejó libertad a sus músicos durante dos meses; Leopoldo y Wolfgang se dirigieron a Viena, donde no habían estado desde cinco años antes. Posiblemente, Leopoldo tenía en mente la posibilidad de llegar a sustituir, él o Wolfgang, a Florián Gassmann (1729-1774), *Kapellmeister* de la corte vienesa, que se encontraba enfermo (moriría en enero del año siguiente), o al menos conseguir alguna plaza en esa capilla.

En Viena volvieron a encontrarse con Franz Mesmer y con su sobrino Joseph, responsable de la enseñanza del profesorado, como director que era de las escuelas normales de los estados imperiales.

Ambos eran miembros de la masonería. En casa de los Mesmer conocieron los Mozart al barón Tobías Philip von Gebler, funcionario de los Habsburgo y amigo del poeta alemán Lessing. El propio Gebler era escritor aficionado, y había escrito un drama, *Thamos, rey de Egipto,* para el que se había compuesto una música que no le agradaba, por lo que pidió a Wolfgang que compusiera otra. Mozart aceptó el proyecto y trabajó en él a su regreso a Salzburgo, pero no lo concluyó hasta 1779. Lo que más nos interesa ahora es saber que, a partir de ese momento, Mozart se sintió muy atraído por otra de las manías del momento, de la que ya hemos hecho mención: la *egiptomanía.* El antiguo Egipto, ya lo hemos comentado, era presentado por bastantes intelectuales del momento como modelo de monarquía absoluta ilustrada, y de paso se relacionaba con supuestos conocimientos ocultos, esotéricos, lo que convenía bien con la militancia masónica de muchos de tales intelectuales.

Gebler era uno de ellos, y muy destacado, pues llegó a ser gran maestre de la logia de la Gran Alianza, de Viena. Antes que a Mozart, Gebler le había encargado la música a Gluck, también masón, quien apenas la comenzó, y luego a J. T. Sattler, cuyo trabajo no agradó a Gebler. La primera obra de Mozart vinculada con la masonería había sido el lied *An die Freude (A la Alegría),* KV 53, compuesto en agosto o noviembre de 1768 en Viena, cuando tenía doce años, para la hija de otro miembro de la masonería, Joseph Wolff, el médico que les había curado de viruela a él y a Nannerl durante la epidemia que les mantuvo confinados en Olmutz. Con este médico volvería a encontrarse Wolfgang en París, en 1778. El *Thamos* también proporcionó a Mozart la oportunidad de tomar contacto con el drama musical, en el que se alternan los diálogos con la música incidental.

La vida musical vienesa estaba dominada por la figura de Franz Joseph Haydn, renovador de la sinfonía e impulsor de otra gran forma musical, el cuarteto para cuerda. Pero también trabajaban en Viena compositores especializados en música escénica, tanto seria, como era el caso de Gluck y Hasse, como bufa (Pasquale Anfossi, Nicolo Piccinni). Tras su experiencia italiana, el contacto con esta ciudad fue fundamental en la trayectoria de Mozart, que ya nunca se apartará de este entorno musical.

Con el inmediato referente de Haydn, que estaba publicando sus cuartetos *del Sol,* en este verano vienés compuso Mozart seis nuevos cuartetos, los llamados *vieneses,* KV 168 a 173, que muestran un gran avance en la madurez del compositor, así como un mayor interés por la expresión.

Otra obra compuesta en estos momentos fue la serenata n.º 3, KV 185, *Final-Musik* o *Andretter-Musik*, que al parecer le había sido encargada para la boda de Thaddäus Andretter, hijo de un importante personaje salzburgués, Ernst Andretter, consejero militar del arzobispo. Sin embargo, existen algunas dudas sobre su auténtico destino, pues si bien Leopoldo denominó esta obra como *Andretter-Musik*, también se refirió a ella como *Final-Musik*, y además fue estrenada en agosto, lo que, unido al propio carácter de la obra, parece indicar que podría tratarse de una obra para un festival académico de fin de curso.

La emperatriz María Teresa les recibió a las tres semanas de su estancia en Viena; pero, pese a intentarlo, no consiguieron un puesto para Wolfgang en la corte imperial.

En su carta del 21 de agosto, Wolfgang se despedía del siguiente modo:

Oidda. Gnagflow Trazom. Neiw red 12 tsugua 3771.

Es decir: *Addio. Wolfgang Mozart. Wien der 21 august 1773.* Los juegos de palabras, las bromas lingüísticas, la utilización de claves conocidas sólo por sus destinatarios, son algo habitual en Wolfgang; toda la familia Mozart, de hecho, compartía un código cifrado para transmitirse mensajes en sus cartas, en una época en que la correspondencia podía ser todo menos inviolable. Mozart llegará a menudo a jugar con la disposición de las líneas, intercalando en el texto líneas dispuestas normalmente con otras escritas boca abajo. Estas mismas características podrán encontrarse también en su propia música. Sin duda ésa es la gran facultad de Wolfgang, la clave de su facilidad para componer: su extrema habilidad para jugar con el lenguaje, tanto oral y escrito (e incluso, ya lo vimos, mímico) como, desde luego, el musical.

El 30 de septiembre Wolfgang y Leopoldo ya se encontraban en Salzburgo. Allí permanecería Wolfgang hasta el 6 de diciembre de 1774.

En diciembre de 1773 compuso su verdadero primer concierto para piano, el n.º 5, K 175, pues los anteriores (a pesar de consignarse en el Köchel como número 5, había siete anteriores a él) no eran sino reelaboraciones de sonatas de diversos compositores. Se trata de una obra compuesta para sí mismo, para ampliar su repertorio como concertista; Mozart siempre lo tuvo entre sus preferidos, y, efectivamente, supuso un gran paso adelante en su faceta de compositor, sobre todo por la magnífica interrelación (o *concertación)* entre el solista y la orquesta.

En los mismos momentos (finales de 1773 y comienzos de 1774), además de terminar el *Thamos, rey de Egipto,* KV 345, escribió su primer quinteto de cuerda, K 174, y las sinfonías n.º 25, 28 y 29 (K 183, 200 y 201). Las representaciones del *Thamos,* primero en Presburgo en 1773, y después en Salzburgo en 1776, pasaron sin pena ni gloria; en 1779 Mozart la rehízo, recuperando algunos fragmentos y añadiéndo otros, pero tampoco así obtuvo éxito. Como veremos en su momento, incluso volvería a utilizar más tarde dos de sus coros, convirtiéndolos en himnos espirituales.

El 21 de enero de 1774 falleció el *Kapellmeister* vienés Florián Gassman, que fue sucedido por Giuseppe Bonno (1710-1788), cerrándose así la posibilidad de que fuese Wolfgang quien accediese a ese puesto. Con todo, los Mozart continuaron manteniendo una excelente relación con la familia Bonno, a la que habían conocido en Viena el año anterior.

Como *Konzertmeister* de la corte de Salzburgo, Wolfgang escribió en los meses siguientes tanto obras de carácter religioso (las dos *Missas brevis,* K 192 y 194; el *Dixit Dominus y Magnificat,* K 193; las *Litanieae Lauretanae B.M.V.* o (de Beata Maria Virgine), K 109, o las *Letanías Loretanas,* K 195), como obras de carácter festivo (minuetos, danzas, la serenata *Final-Musik,* K 203).

En otoño recibió el encargo, por parte del príncipe elector, Maximiliano III de Baviera, de componer una ópera bufa para el carnaval de Munich. Así, algo más de seis años después de escribir *La finta semplice (La ingenua fingida),* compuso Wolfgang *La finta giardiniera (La jardinera fingida),* entre septiembre de 1774 y enero de 1775. El libreto era de Calzabigi, que realizó también algunos para Gluck. Era un tema de moda: con música de Pasquale Anfosi (1727-1797) acababa de triunfar en Roma.

El 6 de diciembre de 1774, y como consecuencia de este encargo, salieron de nuevo padre e hijo de Salzburgo en dirección a Munich, adonde llegaron el día 7 o el 8, siendo hospedados por el canónigo Pernat. Inmediatamente conocieron al intendente de música y espectáculos de la corte muniquense, el conde de Seeau.

El día 16 de diciembre escribirá Wolfgang a su madre y a su hermana lo siguiente:

¡Me duelen las muelas!
Johannes Chrysostomus Wolfgangus Amadeus Sigismondus Mozartus. Mariae Annae Mozartae, matri et sorori, ac amicis omnibus, praesertimque pulchris virginibus, gratiosisque freillibus.

Y el 28 de diciembre escribirá a su hermana, que estaba a punto de trasladarse a Munich para asistir al estreno de la ópera:

Te lo ruego; antes de tu marcha no olvides cumplir la promesa que me has hecho, es decir, hacer una visita a quien tú sabes. Tengo mis razones. Te lo suplico, preséntale mis mejores sentimientos, pero de la forma más enérgica y más tierna [...] sí, no debo preocuparme, sí, conozco a mi hermana, y la ternura es justamente su fuerte; estoy seguro de que hará todo lo posible para darme esa alegría [...].

Dos días después, el 30 de diciembre, insistirá sobre este asunto:

A la joven señorita Mizerl, en todo lo posible, te lo ruego, dile que no debe dudar de mi amor. Está siempre presente ante mis ojos, con su maravilloso desaliño. He visto aquí muchas jóvenes encantadoras, pero no he visto una belleza igual.

Esta señorita Mizerl podría ser la hija de cierto maestro de danza, aunque también podría estar aludiendo Wolfgang a la propietaria de la nueva vivienda de los Mozart, y las referencias a su belleza no ser sino una broma muy mozartiana.

El 5 de enero de 1775 llegó Nannerl a Munich, acompañada de una amiga de Salzburgo, la señora Von Robinig; la madre, Ana María, se quedó en Salzburgo. Se intentó que asistiese el propio Colloredo, pero no fue posible; la culpa tal vez no fue tanto del arzobispo como de los sucesivos retrasos del estreno, pues iba a celebrarse el 29 de diciembre, pero se aplazó, primero hasta el día 5 de enero de 1775 y luego hasta el día 13, en que por fin tuvo lugar, en el antiguo teatro de la corte (el *Salvatortheater*). El día siguiente al del estreno escribió Wolfgang a su madre, refiriéndole algunos detalles:

¡Alabado sea Dios! Mi ópera fue puesta en escena ayer, 13, y resultó tan bien que me es imposible describirle a mi mamá el alboroto. En primer lugar, el teatro entero estaba tan absolutamente lleno que mucha gente tuvo que volverse. Después de cada aria se produjo siempre un terrible tumulto de aplausos y gritos de «¡Viva, Maestro!» Su alteza la Electora, y la viuda, que estaban frente a mí, me dijeron también «bravo» cuando la ópera terminó; en el tiempo en que se hace el silencio, hasta que empieza el ballet, no hubo más que aplausos y gritos de «¡Bravo!»; tan pronto cesaban volvían a empezar, y así sucesivamente [108].

Y termina esta carta diciéndole:

En cuanto a nuestro regreso, no puede ser tan pronto, y mamá no sabe que se debe sufrir un poco. Volveremos, siempre, demasiado pronto [109].

Esta idea comenzaba a ser una obsesión para Wolfgang: el regreso a Salzburgo siempre será demasiado pronto. No quiere volver a Salzburgo; cada vez siente más desapego por su ciudad natal.

La ópera fue del agrado de Maximiliano, pero la mayoría de las críticas musicales del momento, si bien coincidieron en alabarla, ponían en duda que su autor pudiese convertirse andando el tiempo en un gran compositor. No obstante, también hubo críticos que le defendieron; así, en la *Deutsche Chronik (Crónica alemana)* de 1775, de C. D. Schubart, pianista y crítico que asistió al estreno, se puede leer lo siguiente:

> *He escuchado una ópera del maravilloso genio de Mozart. Lleva por título* La jardinera fingida. *Por doquier relampaguean las llamas del genio, pero no es el fuego de un altar silencioso, sosegado, que se eleva al cielo entre nubes de incienso. Si Mozart no es una planta cultivada en invernadero, se convertirá en uno de los más grandes compositores de la Historia.*

Pero, ¿qué quería decir Schubart con la expresión *una planta cultivada en invernadero?* Una planta criada de un modo artificial, engañosamente madura, poco consistente, poco resistente. Y la sospecha de que Wolfgang era un producto artificial seguramente se debía a que había quienes pensaban que era fruto de los cuidados de Leopoldo; que la propia ópera recién estrenada le debía demasiado a Leopoldo.

La finta giardiniera sólo se representó tres veces en Munich, debido a la enfermedad de la protagonista; posteriormente fue muy reformada, y representada en alemán con el título de *Die verställte Gärtnerin,* por la compañía de J. H. Boehm.

Wolfgang no desaprovechó la menor oportunidad de divertirse en cuantos bailes y saraos le fue posible, y formó parte él mismo de los espectáculos del carnaval, participando en un torneo musical frente a un músico y militar, el oficial de dragones Ignaz von Beecké. Los comentaristas del acontecimiento, como era frecuente cuando se referían a Wolfgang, insistieron en su facilidad de lectura a primera vista, más que en su destreza interpretativa.

El 3 de marzo se representó por última vez *La finta giardiniera;* Leopoldo podrá suspirar: *¡Dios sea loado; el carnaval ha terminado!* El 6 de marzo salieron de Munich hacia Salzburgo, adonde llegaron el día siguiente. Allí permanecería Wolfgang hasta septiembre de 1777, cuando presentó a Colloredo su dimisión como *Konzertmeister.*

Poco después de regresar a Salzburgo, compuso Wolfgang el primero de una serie de cinco conciertos para violín (KV 207, 211, 216, 218 y 219), elaborados entre abril y diciembre de 1775; en ellos se evidencian las influencias de músicos alemanes, franceses e italianos, pero, especialmente en los tres últimos, consigue Mozart alcanzar un alto grado de expresividad.

En marzo de 1775 le fue encargada (y sería el último encargo para las representaciones de la corte salzburguesa) una composición escénica, con motivo de una breve estancia, que tendría lugar en abril, del archiduque Maximiliano Franz, futuro príncipe elector de Colonia, e hijo menor de la emperatriz María Teresa, que venía de visitar en Versalles a su hermana María Antonieta. Colloredo encargó a su *Kapellmeister*, Domenico Fischietti, una serenata dramática, y a Wolfgang, su *Konzertmeister*, una fiesta o drama teatral, menos importante, de tipo pastoril, *Il re pastore* (K 208). La obra fue representada en el palacio de Colloredo el día 23 de abril; por tanto, Mozart dispuso de poco tiempo para componerla. El libreto, de Metastasio, había sido puesto en música anteriormente por el *Konzertmeister* de la corte en Viena, Giuseppe Bonno, así como por Galuppi, Gluck, Hasse, Jomelli, Piccinni y Sarti.

El 30 de septiembre de 1775 el arzobispo Colloredo ordenó el cierre del teatro estatal, aduciendo que no era rentable. Esta medida fue muy impopular, pues en todas las épocas, hasta el desarrollo primero del cinematógrafo y luego de los actuales medios de radiodifusión, el teatro fue el principal entretenimiento de los habitantes de la vieja Europa, era una parte muy importante de la vida cotidiana de cualquier ciudad. Ante las numerosas protestas, Colloredo abrió seis semanas después un nuevo teatro cerca de su palacio en Mirabel (o *Mirambell*) y permitió que las compañías ambulantes realizasen representaciones escénicas. Pero ese cierre fue decisivo para limitar el desarrollo de Wolfgang como compositor de óperas, de modo que tuvo que centrarse, mientras permaneció al servicio del arzobispo, en la composición, básicamente, de obras de carácter religioso, como las *sonatas da chiesa;* en total compondría, durante su estancia en Salzburgo entre 1767 y 1780, diecisiete de estas sonatas. La sonata *da chiesa* se introdujo en esta época en la liturgia, por influencia italiana; se trataba de una pieza (instrumental, como indica su nombre) en un solo movimiento, interpretada entre la Epístola y el Evangelio.

Ya hemos mencionado los cinco conciertos para violín que escribió Mozart en 1775, cuando tenía diecinueve años. En octubre compuso el n.º 4, KV 218, *Strassburger-Konzert,* que junto al n.º 5, KV 219, es uno de los más interpretados. El sobrenombre, que tiene el número 4, de *Concierto de Estrasburgo, debido a Leopoldo,* podría responder a la aparición en su último movimiento de una canción popular que tal vez escuchasen en aquella ciudad; pero en los últimos tiempos se viene considerando que tal nombre realmente se refiere al número 3, KV 216. El número 5, KV 219, se conoce como *Türkisch;* ya lo mencionamos cuando hablamos del carácter exótico, *a la turca,* de algunas obras de Mozart, como *El rapto del serrallo, Lucio Silla,* etcétera: en este caso el sobrenombre se debe al rondó final, que contiene un popular pasaje que es una desenfrenada *czarda* húngara.

De diciembre de 1775 es el nocturno n.º 8, KV 286, para cuatro orquestas; un magnífico ejemplo de música al aire libre, compuesto posiblemente para una fiesta aristocrática de fin de año. Paumgartner señala en esta obra cómo los *suaves efectos de eco evocan un sereno romanticismo;* pero lo cierto es que tanto la concepción de cuatro grupos orquestales, como los propios efectos de eco, tenían muy abundantes antecedentes en la música al aire libre, no ya del siglo XVIII, sino de comienzos del XVII, e incluso del siglo XVI. Apenas se ha concedido importancia a la música al aire libre, y estamos encontrándonos con un Mozart que, como cualquier otro músico cortesano (y el adjetivo *cortesano* es más bien algo redundante cuando hablamos de la Edad Moderna), debía componer mucha música de estas características. Algo tan barroco (y que a Paumgartner le parecía tan romántico) como la disposición de diversos grupos sonoros que se contestan entre sí (la tan llevada y traída *policoralidad),* técnica utilizada en el interior de las iglesias y en la música escénica, encuentra su máxima razón de ser en la música al aire libre. No queremos sustraernos a la tentación de ilustrar estas consideraciones con un ejemplo español, porque también existe el falso tópico de que la música en España iba muy a la zaga de la de otros países (más adelante veremos a Mozart, en su carta escrita el 2 de octubre de 1777 desde Munich, lanzar la bravata de estar dispuesto a enfrentarse a los compositores de *Italia y Francia, Alemania, Inglaterra y España.)* Una relación de las fiestas celebradas en Madrid el 15 de noviembre de 1609 con motivo de la beatificación de Ignacio de Loyola, el fundador de la Compañía de Jesús, hace esta descripción:

> *Esta misma noche al anochecer repicaron todas las campanas de todas las iglesias y monasterios de frailes y monjas, que en esta corte son muchas, y fue extraordinario el ruido [...]. Estaban repartidos cincuenta trompetas y ministriles en nueve torres de las parroquias y ocho plazas y cantones de esta villa de manera que en diecisiete partes distintas había en cada estancia un juego de trompetas y ministriles concertados, que en tocando los unos correspondían los otros, y así todos juntos con buena proporción* [110].

Por no extendernos más sobre esta cuestión, tan sólo mencionemos que buena parte de la música de Bach, de Händel y de tantos otros autores barrocos, debe mucho precisamente a esta música que a menudo tiene marcado carácter o influencia militar, en una época en que lo civil, lo religioso y lo militar formaban un todo difícilmente disociable.

Capítulo VI

EL VIAJE HACIA LA SOLEDAD: 1776 a 1778

Vivimos en este mundo para esforzarnos siempre en aprender

El año 1776 íntegro lo pasó Wolfgang en Salzburgo, y se dedicó fundamentalmente a componer música religiosa (incluidas tres misas cortas), así como música instrumental para los festejos de los aristócratas salzburgueses: música de baile, serenatas y divertimentos. Para la condesa Antonia von Lodron (hermana de Colloredo y esposa del mariscal Ernst Lodron) y sus dos hijas compuso el concierto para tres pianos, KV 242. Así dice la dedicatoria autógrafa de Mozart:

Concierto dedicado al incomparable mérito de Su Excelencia la señora condesa Lodron, nacida condesa d'Arco, y de sus hijas las señoritas condesas Aloisia y Giuseppa.

Nos hemos encontrado ya con la familia Arco: recordemos que en París, en noviembre de 1763, se alojaron los Mozart en casa del embajador de Baviera, que estaba casado con una salzburguesa de esta familia. Dado que la hija pequeña no podía tocar como su madre y su hermana, Wolfgang le confió un papel insignificante, por lo que en una elaboración posterior suprimió este piano.

En abril compuso, para la condesa Lützow, esposa del comandante de la ciudadela de Salzburgo, su concierto n.º 8 para piano, K 246.

De este año son también la marcha *Haffner,* KV 249, y la serenata *Haffner,* KV 250; ambas fueron compuestas para las fastuosas bodas de Elisabeth Haffner, hija de un acaudalado burgomaestre de Salzburgo y hermana de otro rico comerciante, Sigmund Haffner, amigo de la familia Mozart, para el cual compondrá Wolfgang en 1782 la sinfonía *Haffner,* KV 385.

En septiembre de este año de 1776 escribió una carta a quien había sido su profesor en Bolonia seis años antes, el padre Martini. Es significativa, pues revela una tendencia al desánimo en los Mozart, no sólo en Leopoldo, sino también en el aparentemente mucho más alegre Wolfgang; en ella manifestaba su desilusión por el poco aprecio que se hacía de su música en Salzburgo. También está muy en consonancia con los sectores más avanzados de la cultura de su época la confianza en el progreso científico:

Vivimos en este mundo para esforzarnos siempre en aprender, para iluminarnos los unos a los otros intercambiando ideas, y para tratar de ir siempre más lejos avanzando en las ciencias y en el arte.

[...] Vivo en un país donde la música tiene escasísima fortuna, aunque, además de quienes nos han abandonado, tengamos todavía magníficos profesores y en particular compositores de gran casta, saber y gusto. En el teatro la cosa va mal, por falta de cantantes. No tenemos castrados, y no podremos tenerlos fácilmente porque quieren estar bien pagados y la generosidad no es nuestro fuerte.

Por lo que a mí respecta, me divierto escribiendo música para la corte y para la Iglesia; todavía tenemos aquí dos magníficos contrapuntistas, a saber, el señor Haydn y el señor Adlgasser. Mi padre es maestro de capilla en la catedral, lo que me permite escribir para la Iglesia tanto como quiero [111].

Especialmente patética parece la siguiente queja sobre la posición de Leopoldo en la corte de Salzburgo:

Mi padre lleva ya treinta y seis años al servicio de esta corte, y sabe que este arzobispo no puede ni quiere ver gente de edad avanzada; por eso no pone demasiado interés en su trabajo, y se ha dedicado a la literatura, que por lo demás ya era antes su estudio favorito [112].

Por otra parte, Wolfgang sabía que en Salzburgo no podría hacer grandes progresos como compositor, y que aún le quedaba mucho por aprender. Por dos veces se lamenta en esta carta de no estar más cerca del padre Martini, que podría orientarle tanto en los aspectos musicales como en los personales, en una época decisiva en la vida de Wolfgang:

¡Oh! ¡Cuántas veces he deseado vivir más cerca de vos para poder conversar con vuestra reverendísima paternidad!

[...] ¡Ah! ¿Por qué, querido padre y maestro, estamos tan alejados el uno del otro? ¡Cuántas cosas tengo que deciros! [113].

A menudo es difícil, en estos años, determinar hasta qué punto los pensamientos de Wolfgang son exclusivamente suyos o están inspirados por su padre. No creemos que a Leopoldo le pudiese parecer mal que su hijo se dirigiese en tales términos a una personalidad como el padre Martini; podría incluso, muy posiblemente lo hizo, haberle dictado él mismo muchas de estas expresiones. Pero, en todo caso, se avenía bien con la situación personal de Wolfgang: tenía veinte años, una edad en que muchos de sus contemporáneos ya tenían una vida independiente; podría incluso haber tenido ya un par de hijos. Pero su verdadero maestro, podemos decir sin exageración que su único maestro, había sido y seguiría siendo su padre, Leopoldo. No era extraño que Wolfgang necesitase otro maestro, otro confidente.

Por su parte, el padre Martini responderá así a esta carta:

Al mismo tiempo que vuestra amable carta he recibido los motetes. Los he examinado con placer, de principio a fin, y debo deciros con toda franqueza que me han gustado mucho, pues he encontrado en ellos todo lo que distingue a la música moderna, es decir: buena armonía, modulaciones muy maduradas, un movimiento de los violines excelentemente apropiado, una fusión natural de las voces y una elaboración muy apreciable. Celebro particularmente constatar que, desde el día que tuve la satisfacción, en Bolonia, de escucharos sobre el clave, habéis hecho grandes progresos en la composición. Pero debéis continuar ejercitandoos sin descanso [...] [114].

Incluso Mozart, para llegar a convertirse en un verdadero compositor, en un buen músico, debía continuar ejercitándose sin descanso; también él, como cualquier otro profesional de la música, tenía que someterse a la férrea disciplina cotidiana de unos estudios sacrificados donde los haya.

En enero de 1777 compuso su concierto para piano n.º 9 en mi bemol, KV 271, *Jeunehomme-Konzert,* para la pianista francesa Jeunehomme, con motivo de su visita a Salzburgo. Había sido comenzado en diciembre de 1776, y en él, posiblemente por estar destinado a ser interpretado por una afamada concertista, Wolfgang se esmeró especialmente, de modo que algunos críticos consideran esta obra como un hito en el proceso de evolución de Mozart.

También de estos días es el divertimento n.º 14 para instrumentos de viento, *Tafelmusik,* KV 270. Si lo destacamos aquí entre otros muchos divertimentos compuestos por Mozart, es fundamentalmente por ese sobrenombre: *Música de mesa*. Estas composiciones eran requeridas por los personajes poderosos para amenizar sus banquetes y fiestas; los divertimentos para instrumentos de cuerda acompañaban situaciones de carácter privado, íntimo; los instrumentos de viento son más sonoros y son ideales para la música al aire libre, de ahí que también su propia música suela ser menos trascendente (tampoco lo es mucho en los divertimentos para cuerda) y más vinculada con lo popular, con la tradición de interpretar música al aire libre que procede de los ministriles, músicos que, no lo olvidemos, aún trabajaban en las cortes europeas y americanas en estos años finales del siglo XVIII. Era una obra para ser interpretada en el palacio Mirambell de Colloredo.

Al mismo carácter responden los divertimentos n.º 15, KV 287, *Lodronische Nachtmusik n.º 2,* y n.º 16, KV 289, compuestos respectivamente en febrero y en junio de 1777. El K 287 fue dedicado a la condesa Lodron, posiblemente para su onomástica. El n.º 15 está compuesto para cuarteto de cuerda y dos trompas; fue estrenado el 1 de febrero, y el propio Wolfgang interpretó la parte del primer violín, de gran dificultad. Pese a algunos elementos de cierto patetismo, predomina en él el carácter jocoso.

En febrero de 1777 Leopoldo y Wolfgang ya habían comenzado a preparar un nuevo viaje: Leopoldo se puso en contacto con diversas personas de Alemania, Francia e Italia, que podrían serles de utilidad, y a comienzos de marzo realizó su primera solicitud de licencia temporal al arzobispo Colloredo, para él y para Wolfgang; pero Colloredo ni siquiera contestó esta petición. En junio, Leopoldo volvió a realizar la solicitud, a la que esta vez respondió Colloredo denegándola, para lo que adujo que el emperador José II iba a pasar por Salzburgo de regreso tras visitar a su hermana María Antonieta en Versalles, como había hecho Maxilimiano un par de años antes.

Cuando terminó el paso de José II por Salzburgo, Leopoldo hizo una nueva petición, que Colloredo volvió a denegar: no permitiría que Leopoldo abandonase su puesto; sin embargo, estaba dispuesto a que Wolfgang saliera solo. Esta postura es sin duda reveladora de que había algo que ya parecía evidente: a sus veintiún años, y a ojos de muchos de sus contemporáneos, Wolfgang no necesitaba seguir bajo la capa protectora de su padre, por lo que no parecía justificado que ambos se ausentasen de la corte. Ya no se trataba de un niño *prodigio* que recorría Europa cogido de la mano de su padre. Los Mozart habían permanecido encerrados en una burbuja en la que sólo era posible entrar momentáneamente, y sin dejar demasiada huella. Pero el mundo externo era muy distinto, y Colloredo, consciente o inconscientemente, le importase de verdad o no, parecía dispuesto a hacérselo entender.

En agosto compuso Wolfgang el recitativo y aria *Ah, lo previdi! / Ah, t'invola agli occhi miei,* KV 272, con texto procedente de la *Andrómeda,* a la que con anterioridad había puesto música Pasiello. Se la dedicó a la soprano checa Josefa Duschek (de soltera Hambacher), con la que desde esos momentos mantuvo siempre una gran amistad personal. Ella y su marido, el pianista praguense Franz Duschek, habían ido ese verano a Salzburgo para visitar a unos parientes.

El contacto con estos artistas extranjeros posiblemente fue el reactivo que terminó de decidir a Wolfgang a abandonar la vida provinciana de Salzburgo, a sus veintiún años. Fue así como escribió a Colloredo refiriéndole que, tras consultarlo con su padre, ambos estaban de acuerdo en que debía abandonar la ciudad. El 1 de agosto envió su dimisión al arzobispo, y la justificó, entre otros argumentos tras los que podemos adivinar las sugerencias de Leopoldo, así:

¡Muy gracioso príncipe soberano y señor! Los padres se esfuerzan en poder dar a sus hijos el medio de poder ganar su pan por ellos mismos, y eso se lo deben a su propia utilidad y a la del Estado. Cuanto más talento reciben estos niños de Dios, más obligados están a hacer buen uso de él para mejorar su propia situación y la de sus padres, y proveer a su propio progreso y a su porvenir.

El Evangelio nos enseña que hay que utilizar el talento. Estoy, pues, obligado delante de Dios, en conciencia, a demostrar según mis fuerzas mi agradecimiento a mi padre, que ha empleado sin descanso todas sus horas en mi educación, y a aligerar según mis fuerzas las cargas que pesan sobre él, y ocuparme de mí mismo y de mi hermana. Y me resultaría muy penoso pensar que ella ha pasado tantas horas al piano sin obtener un beneficio útil.

Con esta última referencia a Nannerl, hacían Leopoldo y Wolfgang público reconocimiento a sus sacrificios, pues no sólo había interrumpido su propia carrera como intérprete en beneficio de la formación de Wolfgang, sino que, impartiendo clases, había contribuido al mantenimiento de la familia; Leopoldo se lo recordará a Wolfgang una y otra vez cuando empiecen los momentos difíciles entre ellos.

Cuatro semanas tardó Colloredo en contestar la petición de Wolfgang; lo hizo con un decreto del 28 de agosto:

Por la Cámara de Cuentas, con la presente:

En el nombre del Evangelio; el padre y el hijo tienen mi autorización para ir a buscar fortuna en otra parte.

Colloredo despidió a Leopoldo y a Wolfgang, a los dos. Pero unos días más tarde volvió a admitir a Leopoldo, manteniendo a Wolfgang apartado del servicio de la corte. Poco después de la salida de Wolfgang de Salzburgo, Leopoldo refirió así la conversación que tuvo lugar entre Firmian y Colloredo:

«Tenemos una persona menos en la música», dijo el arzobispo; Firmian respondió: «Vuestra alteza ha perdido un gran virtuoso.» «Por qué?» «Es el clavecinista más grande que he oído en mi vida. Ha realizado grandes servicios a vuestra alteza como violinista y es un buen compositor.» El arzobispo no pudo responder ni una palabra [115].

A Colloredo, aparentemente, no le gustaba la música de Mozart; ya hemos visto que prefería a los músicos italianos. Leopoldo escribirá al padre Martini lamentándose de la situación de Wolfgang en la corte salzburguesa:

Hace cinco años que mi hijo sirve a nuestro príncipe por unos honorarios de miseria, con la esperanza de que poco a poco serían reconocidos sus esfuerzos y su consumado saber, unidos a su gran diligencia y a su enorme celo; ¡pero estábamos equivocados! No os infligiré una larga descripción de la forma de pensar y de actuar de nuestro príncipe; me basta con decir que no ha sentido ninguna vergüenza al afirmar que mi hijo no sabe nada, que debería ir al conservatorio de Nápoles para estudiar música [116].

Tenía que formarse en Nápoles si quería saber realmente algo de música; eso es lo que pensaba Colloredo. Sin embargo, su empeño en retenerle en la corte podría responder a muy diversas razones: una de ellas que sí apreciase su música; otra que, sin gustarle demasiado, no dejase de considerarlo un lujo que convenía conservar, aunque no hasta el extremo de darle cargos de excesiva responsabilidad en su capilla. En realidad, no tenemos suficiente información sobre los entresijos de la relación de los Mozart con Colloredo y, sobre todo, con los personajes de su entorno. Cabe suponer que en todo este asunto no faltarían envidias y malquerencias cortesanas.

Así pasó esta triste jornada

En este viaje, por tanto, no le acompañó su padre. Pero, ¿esta circunstancia fue inevitable? Leopoldo podría haber seguido los pasos de su hijo y abandonar la corte de Colloredo, pero a sus cincuenta y seis años tampoco podía arriesgarse a comenzar una nueva vida de futuro incierto. Esto nos indica que su confianza en las posibilidades de triunfo de su hijo no era absoluta. Por otra parte, debía pensar que, al menos, si Wolfgang no conseguía nada mejor, más adelante podría interceder por él ante Colloredo.

De todos modos, tenemos razones suficientes para sospechar que la divergencia de criterios entre padre e hijo era ya bastante acentuada: los motivos por los que Leopoldo pensaba que Salzburgo no era el mejor lugar para Wolfgang eran que podría conseguir una posición mucho mejor en otra corte: Viena, París o muchas de las ciudades por las que habían pasado en años anteriores. Las razones de Wolfgang, sin embargo, eran otras: quería salir de Salzburgo, de esa ciudad de pensamiento único, que había expulsado a los protestantes pocos años antes, porque se sentía asfixiado en ella, limitado como ser humano y en su afán de progresar como artista.

En cualquier caso, Wolfgang esta vez fue acompañado sólo por su madre. Por estas razones, como es lógico, es el período del que se conserva más abundante correspondencia entre Wolfgang y Leopoldo. Se pusieron en marcha el 23 de septiembre; detrás de ellos, asomados a la ventana, se quedaron Leopoldo y Nannerl, que estaba llorando:

Después de vuestra marcha, totalmente destrozado, subí la escalera y me dejé caer en una silla. Había hecho todo lo posible, en el momento de la separación, por no hacer vuestra despedida aún más dolorosa, y en mi confusión me olvidé de dar mi bendición a mi hijo. Corrí a la ventana y os la di a los dos, pero ya no vimos a nadie en las puertas de la ciudad, y creímos que ya las habíais traspasado hacía tiempo, y estuve mucho rato sin pensar nada.

Nannerl lloraba, y tuve que esforzarme en consolarla como pude. Se quejaba de dolores de cabeza y de estómago. Le puse un pañuelo en la frente, la acosté y cerré los postigos. Pimperl[117] *se quedó a su lado, muy triste. Fui a mi habitación, recé mis oraciones matinales y me acosté en la cama. Eran las ocho y media, tomé un libro, recuperé un poco la calma y me adormecí. El perro vino, me despertó y me indicó que debía ir con él; comprendí entonces que debía de ser cerca del mediodía y que tenía que bajar. Me levanté, cogí mi abrigo, encontré a Nannerl profundamente dormida y vi en el reloj de pared que eran las doce y media. Desperté a Nannerl y le hice comer algo. Nannerl no tenía ningún apetito y no quería comer; se volvió a acostar, y yo pasé mi tiempo después de la marcha del señor Bullinger*[118] *rezando y leyendo en la cama. Por la noche Nannerl estaba mucho mejor; tenía hambre. Jugamos a las cartas; después comimos algo en mi habitación, y después de cenar jugamos aún dos o tres partidas. Luego nos fuimos a acostar encomen-*

dándonos a Dios. Así pasó esta triste jornada, como no hubiera creído jamás llegar a vivirla en mi vida [119].

Por su parte, ese mismo día 23 de septiembre, desde Wasserburgo, se nos revela un Wolfgang que por primera vez parece consciente de haber dejado de ser un niño, y está dichoso por ello; entre otras cosas, le dice a su padre: *Soy otro papá...*

Vivimos come i Principi, no nos falta más que papá; bueno, Dios lo quiere así, todo irá bien. Confío en que papá estará pronto levantado, y tan contento como yo; yo me las arreglo muy bien; soy otro papá: me cuido de todo; también me he ofrecido en seguida a pagar a los postillones, porque la verdad es que sé tratar con esos sujetos mejor que mamá.

Frente al abatimiento de Leopoldo, Wolfgang le desea...

[...] Que se ría mucho y esté contento, y piense todo el tiempo, con alegría, lo mismo que pensamos nosotros, que el Muftí H. C. es un miserable, pero Dios es compasivo, misericordioso y generoso.

Además descubrimos una pequeña debilidad de Wolfgang:

[...] Abrazo a mi hermana Canaglie tantas veces como ya he tomado hoy tabaco.

El *Muftí H. C.* era el arzobispo Hieronymus von Colloredo, a quien Wolfgang suele referirse como *Muftí* o *Gran Muftí*. Leopoldo, siempre prudente, aconseja a Wolfgang...

[...] Te lo suplico, querido Wolfgang, no escribas esas cosas respecto al Muftí. Piensa que yo sigo aquí, y que una carta similar podría perderse y caer en otras manos [120].

El 24 de septiembre llegaron a Munich, donde permanecieron hasta el 11 de octubre. Desde Munich añadió Ana María, como hacía a menudo, unas líneas suyas a una carta de Wolfgang; en ellas se nos muestra, como su hijo, que tanto se parecía físicamente a ella, como una persona sencilla, con un sentido del humor muy mozartiano y, como todos los miembros de la familia, amante de los animales:

A Pimperl le beso en su lengüita; ya me habrá olvidado. Nannerl estará bien emperifollada, puesto que tiene dos doncellas. Escríbenos con detalle todo lo nuevo que pasa en Salzburgo. Mañana se representa una opereta alemana; iremos a verla, pues hay mucho alboroto porque dicen que es muy bonita. Mando cariñosos saludos para Thresel; que no se le haga largo el tiempo hasta que vuelva, y que saque a Bimpes a la calle a menudo. También mando saludos a los pájaros. Me es imposible escribir mucho, porque la pluma es un desastre, y no soy capaz de escribir con la dorada, así que os beso a los dos muchos millones mil veces; que viváis juntos y con buena salud. Rezo por vosotros a diario. Adiós.

María Anna Mozartin [121]

Un privilegiado, Pimperl; a él y a Constanza *(Stanzerl)* les dedicará Wolfgang, en 1783, un canon burlesco, el K 441d, *Vom Pimperl und vom Stanzerl,* del que sólo se conserva un fragmento.

En la carta que escribió a Leopoldo el 2 de octubre, Wolfgang le refiere que ha visitado tres veces al conde de Salern, e incluso ha comido en su casa:

En casa del conde de Salern toqué los tres días muchas cosas de memoria, luego las dos casaciones para la condesa, y la música final con el rondó para terminar, también de memoria. No puede imaginarse lo contento que estaba el conde de Salern; la verdad es que entiende la musica, porque decía siempre «bravo» cuando otros caballeros toman una pulgarada de tabaco, estornudan, carraspean o empiezan una conversación.

En esta carta continúa mostrándose enconado contra el elector Colloredo; no conocemos el contenido de las conversaciones que pudieran tener Leopoldo o Wolfgang con el arzobispo o con su entorno, pero todo parece indicar que debió de menospreciar públicamente la capacidad de Wolfgang como compositor. Además, sus palabras revelan su conciencia de que hacía tiempo que había dejado de ser un niño, y que no quería ser contemplado como una rareza, sino como un verdadero músico, un buen compositor con tanta o mayor madurez que cualquier otro:

[...] Le dije que sólo deseaba que el príncipe elector estuviera allí, para que pudiera escuchar algo; no sabe nada de mí, no sabe lo que soy capaz de hacer, porque los señores creen a cualquiera y no quieren comprobar nada. Lo cierto es que siempre es así. Yo me remito a una prueba, que haga venir a todos los compositores de Munich, también puede escribir a algunos de Italia y Francia, Alemania, Inglaterra y España; yo me atrevo a componer, componer, con cualquiera.

Esta última repetición del verbo *componer* revela que ésa era la verdadera preocupación de Wolfgang: quería ser considerado como un buen compositor, más que como un intérprete aventajado.

Pero Maximiliano tampoco consideraba que Wolfgang estuviese aún suficientemente preparado. El obispo de Chiemse, príncipe Zeil, le refirió la conversación que había tenido con el príncipe elector, intercediendo por Wolfgang; Maximiliano no quiso que Wolfgang entrase a su servicio, aduciendo lo siguiente:

Ahora es demasiado pronto. Debe partir, viajar por Italia, hacerse famoso. No le niego nada, pero por el momento es todavía demasiado pronto [122].

Tampoco tuvo éxito el obispo de Chiemsee en sus gestiones ante la princesa electora. Wolfgang se estaba encontrando con la misma barrera que le separó de Colloredo. Sólo podía hacer el siguiente comentario:

Todos estos grandes señores sienten una admiración realmente excesiva por Italia [123].

Por eso cuando, el día siguiente, se encontró Wolfgang con Maximiliano, hizo especial hincapié en sus méritos «italianos»:

—He estado ya tres veces en Italia, he escrito tres óperas; soy miembro de la Academia de Bolonia, y para entrar he tenido que pasar un examen que muchos maestros consumados tardan en hacer cuatro o cinco horas, y yo lo terminé en una hora sólo. Es una prueba de que estoy capacitado para servir en cualquier corte [124].

Pero Maximiliano no le dejó continuar:

—Sí, querido muchacho, pero verdaderamente no hay ninguna vacante; lo siento. ¡Si hubiera al menos una vacante!
—Puedo asegurar a vuestra alteza que haría honor a Munich.
—Lo siento, no puede ser; realmente no hay vacantes [125].

Si alguna vez Wolfgang pensó que había vencido a Colloredo, pudo comprobar bien pronto que no es fácil enfrentarse a los poderosos. Independientemente de que Maximiliano fuese o no sincero en las razones de su rechazo a Wolfgang, no podemos sino sospechar que algo tenía que ver en ello el arzobispo de Salzburgo.

Todavía en Munich, surgirá un proyecto que pareció interesar a Wolfgang aún más que el de entrar al servicio del príncipe elector:

Quisiera hacer un contrato con el conde de Seeau: realizar cada año cuatro óperas alemanas, unas bufas, otras serias. En cada una tendría para mi beneficio los ingresos de una noche, según la costumbre que aquí hay. [...] Desde que he oído el singspiel *alemán, me he sentido lleno de un ardiente deseo de componer. [...] Es una buena traducción de una ópera cuya música es de Piccinni, se llama* La Pescatrice. *Aquí no tienen todavía piezas originales; desean dar pronto una ópera alemana seria, y quisieran que fuese yo quien la compusiera* [126].

Mozart se consideraba capaz de ser él quien renovase la ópera alemana, de modo que no se siguiera dependiendo de Italia:

¡Tengo un deseo inexplicable de escribir de nuevo una ópera! [...] Soy más feliz cuando tengo algo que componer. Es mi única alegría y mi pasión [...]. ¡Que pueda tan sólo oír hablar de una ópera, que pueda estar en el teatro y oír cantar! ¡Oh, sólo con pensarlo estoy fuera de mí! [127].

Sin embargo, seguía considerando la otra posibilidad que se le ofrecía: trasladarse a Italia. En un hospital de Munich se encontró con Misliweczek, al que había conocido precisamente en Italia:

¡Os lo ruego —repetía—, id a Italia; es lo que ahora está más honrado y estimado! Y verdaderamente tenía razón; si reflexiono seriamente, en ningún país he recibido tantos honores. En ninguna parte he sido tan valorado como en Italia, y particularmente en Nápoles, donde disfruto de tanto crédito [128].

Misliweczek estaba muy enfermo; según la opinión general, ello era consecuencia de su conducta disipada; pero a Wolfgang esto no le importaba:

¿Y qué? ¿Podría yo estar enterado de que un excelente amigo se encuentra en el mismo rincón del mundo que yo, sin ir a verle, sin hablarle? ¡Imposible! [...] Cuando estuvimos cerca nos tomamos de la mano con mucho afecto, y me dijo: «¡Ved qué desgraciado soy!» Estas palabras y su aspecto, que papá conoce bien por las descripciones que le han hecho, me conmovieron tanto, que le respondí casi llorando: «Mi querido amigo, lo lamento de verdad, con todo mi corazón» [129].

Wolfgang estaba muy afectado por este encuentro; al día siguiente envió una nota a Misliweczek, en la que le decía que...

Me era imposible volver a verle, que no había podido comer ni dormir, y que había estado todo el día como sonámbulo, porque le tenía constantemente ante mis ojos, etc., cosas todas tan ciertas como la luz del sol.

Al mediodía del 11 de octubre salieron Wolfgang y su madre de Munich, y esa misma tarde llegaron a Augsburgo, la ciudad natal de Leopoldo, donde permanecieron otro par de semanas.

Además de visitar a sus parientes, entre los cuales se encontraba el burgomaestre Langemantl, al que él llamaba, en italiano, *Longotabaro (Largo abrigo),* conoció a diversos notables locales. El ambiente de Augsburgo le recordaba tanto el de Salzburgo, que tres días después de haber llegado a la ciudad estaba deseando marcharse.

En Augsburgo, además, conoció Wolfgang a Johann Andreas Stein (1728-1792), uno de los principales constructores de pianofortes, el nuevo instrumento que tan poco había gustado a Johann Sebastian Bach y a cuyo desarrollo, además de los hijos del propio Bach, contribuirían tanto Stein como Mozart, cada uno por medio de su especialidad. El 17 de octubre escribió a Leopoldo:

Tengo que empezar ahora en seguida con el piano forte de Stein. Antes de haber visto nada del trabajo de Stein prefería sobre todo los pianos de Spätt; ahora, sin embargo, tengo que dar preferencia a los de Stein, porque amortiguan mucho mejor aún que los de Regensburg. [...] La verdad es que soy amante de los instrumentos que no ponen a prueba a quien los toca, y que son duraderos; sus pianos [los de Stein] *son también realmente duraderos.*

En la misma carta refiere a su padre que había comido en casa de Gassner, en la que compartió mesa también con el maestro de capilla de Augsburgo, Gerbl, del que señala su condición de antiguo jesuita. A continuación dice:

He tocado ya aquí y en Munich mis seis sonatas, muy a menudo de memoria. La 50, en sol, la he tocado en el distinguido concierto de una posada de aldeanos.

Cansado, interrumpe la redacción de la carta, pero promete continuar al día siguiente escribiendo sobre el órgano de Stein, y dice que *para el final me dejaré a su hijita.* Efectivamente, cumplió su promesa (de seguir escribiendo), y así, podemos leer en la misma carta lo siguiente:

Cuando le dije al señor Stein que me gustaría mucho tocar en su órgano, porque el órgano era mi pasión, se asombró mucho y me dijo: ¡Cómo! ¿Un hombre como usted, un pianista tan grande, quiere tocar un instrumento donde no hay douceur, ni expresión, ni piano, ni forte, sino que siempre es lo mismo?» «Todo eso no importa nada; el órgano es, sin embargo, a mis ojos y oídos el rey de todos los instrumentos.»

Nos parece de gran interés este párrafo, por cuanto revela, por una parte, la posición de Stein, en consonancia con la expresividad que pedían los nuevos tiempos en que se estaba fraguando el mundo contemporáneo, lo que hoy llamamos *Romanticismo,* para el que el nuevo instrumento sería mucho más adecuado que el clavecín y el órgano; pero, aparentemente, Wolfgang mantiene en esos momentos otra postura, que en cierto modo parece más relacionada con las viejas concepciones musicales: no le importan tanto la expresividad ni el *douceur,* sino la música en sí misma, jugar con las diferentes sonoridades. No obstante, Wolfgang podía permitirse conjugar todas las inquietudes, el dominio técnico y el sentimiento. Le dijo a Stein:

—¿Qué cree usted, señor Stein, que voy a corretear por encima del órgano?
—Ay, usted es muy distinto.
Llegamos al coro, empecé a preludiar, y se rió ya; luego una fuga:
—No me extraña —dijo— *que le guste tocar el órgano, cuando se toca así.*

En casa de Stein, Wolfgang fue presentado al círculo de *los patricios,* descendientes de los más poderosos burgueses del Renacimiento, aunque ellos mismos sólo podían ofrecer como carta de presentación el poder económico de sus antepasados. Entre estos personajillos se encontraba el hijo del burgomaestre Langemantl, petimetre entre los petimetres, que una noche, durante una cena, se burló de la cruz de la orden de la Espuela de Oro que llevaba Wolfgang, algo inusual en él, pero a lo que se sintió obligado para ser considerado con cierto respeto, y también por el prestigio de su propio padre en su ciudad natal. Tras aguantar estoicamente una larga secuencia de sandeces, Wolfgang terminó por exclamar:

Es verdaderamente curioso [...]; me resultaría mucho más fácil obtener todas las condecoraciones que vos también podáis conseguir, que a vos mismo llegar a ser lo que yo soy, aunque volvierais a nacer de nuevo.

Y se despidió informándoles de que se marcharía de Augsburgo al día siguiente:

¡Aquí son todos un hatajo de miserables! Mientras tanto, ¡adiós! Y me fui.

[...] A esto le llamo yo burlarse del mundo y de las personas. ¡Cuánto lamento haber venido! En mi vida hubiera creído que en Augsburgo, la villa natal de mi padre, sufriría su hijo tal afrenta [130].

Todavía asistió Wolfgang al concierto para los patricios al que se había comprometido, pero a Stein le costó esfuerzo convencerle para que lo hiciera. Sin embargo, Wolfgang no desaprovechó la oportunidad de decirles a tales patricios lo siguiente:

Si no hubiera sido por el señor Stein, ciertamente no habría venido. Y a decir verdad, he acudido tan sólo para que no se burlen de ustedes, señores augsburgueses, en los demás países, cuando diga que he pasado ocho días en la villa natal de mi padre sin que hayan hecho el menor esfuerzo por escucharme [131].

Impagable escena la que describe Wolfgang. Pero este Wolfgang que se atreve a llamar a los miembros de la nobleza por sus verdaderos nombres, se confunde con el *Wolferl* que por fortuna nunca dejará de ser, y termina cerrando así esta carta:

En el concierto del círculo había gran cantidad de nobles: la duquesa de Arschbörnel [132], *la condesa Brunzgern* [133] *y también la princesa Riechzumtreck* [134] *con sus dos hijas, que están casadas con los príncipes Mussbauch von Sauschwanz* [135]. *¡Adiós! ¡Asegura el bien a todos! Beso cien mil veces las manos de papá, beso también a mi hermana la Canalla con la ternura de un oso, y soy vuestro obediente hijo.*

No todo fueron momentos desagradables en Augsburgo; además de la relación con Stein, en esta ciudad tuvo Wolfgang la dicha de conocer a su prima Maria Anna Thekla, *Bäsle,* un par de años más joven que él, con la que hizo varios viajes por los alrededores:

Nuestra prima es bella, inteligente, amable, razonable y alegre; esto se debe a que ha frecuentado el mundo; ha pasado algún tiempo en Munich [136]. *Es cierto que nos divertimos mucho, ya que posee una mente muy aguda y observadora. Juntos nos burlamos de la gente; ¡qué gran placer!* [137].

El 22 de octubre dio un último concierto en Augsburgo; significativamente, aunque se encontraba en la ciudad el que fue su valedor en París trece años antes, el barón Friedrich-Melchior von Grimm, que en esos momentos era embajador de Sajonia-Gotha, no hizo nada por ver a Wolfgang, que se había convertido de la noche a la mañana en un personaje incómodo, de aquellos con quienes no es conveniente ser visto cuando se quiere seguir manteniendo buenas relaciones con los poderosos.

Wolfgang, a diferencia de su padre, y a pesar de todos sus viajes y sus contactos con tantos personajes interesantes, había crecido en un ambiente cerrado, integrado básicamente por su familia y la música. Los elogios de los demás, pero también su propia inteligencia y su sensibilidad, le hacían ser consciente de su propia valía, pero no había aprendido algo fundamental en un mundo en el que las posibilidades de ascenso y de reconocimiento social no dependen sólo, ni siquiera fundamentalmente, de la valía de cada ser humano, sino de las relaciones de padrinazgo, del sometimiento a los poderosos, de la temerosa discreción, de la hipocresía. Wolfgang era un gran músico, pero era demasiado honesto intelectualmente, como para ser un buen relaciones públicas de sí mismo. Amaba la música y la libertad por encima de todas las cosas. Esto último podía hacerle peligroso para muchos personajes.

Por fin, el 26 de octubre salieron Wolfgang y su madre de Augsburgo, en dirección a Mannheim. Leopoldo (el sentido del humor en la familia Mozart no era, ni mucho menos, privilegio exclusivo de Wolfgang) haría pintar una diana para una sociedad de tiro con arco de Salzburgo, a la que pertenecían padre e hijo, pues era una de sus aficiones favoritas:

La diana resultaba encantadora. Una joven augsburguesa estaba en pie a la derecha, y presentaba con una mano a un hombre calzado con botas de viaje y un ramo de flores de despedida, mientras que con la otra mano sostenía una larga tira de tela con la que se enjugaba las lágrimas. El joven tenía también en su mano un paño del mismo tamaño, mientras con la otra mano sostenía el sombrero. La diana estaba en el centro del sombrero, pues resultaba más visible en ese lugar que en el ramo de flores. Encima estaba escrito:

Adiós, mi joven prima. Adiós, mi amable primo.
Os deseo buen viaje, buen tiempo, buena salud.
Hemos pasado quince días felices.
Esto es lo que hace tan triste la despedida.
¡Destino execrable! ¡Ah!, apenas os he visto aparecer,
¡y ya partís!
¿Quién podría dejar de llorar?[138].

De camino a Mannheim pasaron unos días en la residencia en Hohenaltheim del príncipe Ernst von Oettigen-Wallerstein, a quien Wolfgang había conocido en Nápoles en 1770. El príncipe mantenía una orquesta que estaba a cargo del capitán Ignaz von Beecké, pianista con el que había competido Wolfgang en los carnavales muniquenses de 1775, y con el que se había encontrado en otras ocasiones.

No soy poeta. No soy pintor. No soy bailarín. Soy músico

El 30 de octubre, víspera de San Wolfgang, llegaron a Mannheim. Unos días antes, Leopoldo le había enviado a su hijo una carta de felicitación por su santo, en la que entre otras cosas le decía:

Tú me conoces bien, no soy un pedante, ni un mal padre, y mucho menos un tartufo. Por todo ello no puedes dejar de escuchar un ruego de tu padre: ¡ocúpate de tu alma! No seas un motivo de angustia en la hora de mi muerte; que yo no tenga en ese instante difícil que reprocharme el haber descuidado la salud de tu alma [139].

Esta repentina preocupación de Leopoldo por la salud del alma de su hijo no puede ser casual; él mismo le había visto «carnavalear» un par de años antes, y no cabe duda de que sus parientes augsburgueses mantendrían a Leopoldo informado de su comportamiento, y debieron de recargar las tintas en cuantos aspectos más heterodoxos de Wolfgang pudieron destacar.

Pero Wolfgang intentó tranquilizar a su padre inmediatamente, aunque la firma (Wolferl, siempre Wolferl) debería prevenirle sobre hasta qué punto eran serios sus propósitos:

Agradezco muy respetuosamente a papá sus buenos deseos. ¡Que no viva con inquietud! Tengo siempre a Dios ante mis ojos. Reconozco también su amor, su compasión y su misericordia para con sus criaturas. [...] Podéis estar seguro de que voy a esforzarme en seguir con exactitud las recomendaciones y consejos que habéis tenido la bondad de darme.

Wolfgang y Amadeus Mozartich [140]

El elector de Mannheim, Karl Theodore, mantenía una orquesta con unos quince músicos, considerada la mejor de Alemania; Leopoldo veía con buenos ojos la posibilidad de que Wolfgang fuese nombrado *Kapellmeister* de esa corte. Y Wolfgang en seguida estableció contacto con Johann Christian Cannabich, director de la orquesta, con el que congenió inmediatamente.

Hoy he ido con el señor Danner a casa del señor Cannabich. Ha sido muy amable. He tocado alguna cosa en su piano, que es excelente. Hemos ido a continuación, con él, al ensayo de la orquesta. Creí que no iba a poder contener la risa cuando me presentaron a esos señores. Algunos, que ya me conocían de nombre, estuvieron muy educados y atentos, pero los otros, que no sabían nada de mí, me han mirado con los ojos muy abiertos, de forma verdaderamente risible. Se imaginaban que, como soy pequeño y joven, no puede haber en mí nada grande y maduro. ¡Bien pronto van a darse cuenta!

[...] Ahora debo dejaros, porque voy a escribir a mi prima. Beso las manos de papá y abrazo deprisa, pero fuerte, a mi querida hermana.

Johannes Chrystostomus Sigismondus Wolfgang Gottlieb Mozart.
Hoy es mi santo. Éste[141] *es mi nombre de la confirmación.*
El 27 de enero es mi cumpleaños[142].

Una hija de Cannabich, Rosa, de diez años, se convirtió en alumna de piano de Wolfgang, y para ella compuso una sonata de piano, la KV 309, en cuyo segundo movimiento quiso Mozart trazar un retrato musical de la niña:

[...] Toqué luego, improvisándola, una magnífica sonata en do[143].

Todos los días voy a casa de Cannabich. Hoy mamá también ha venido conmigo. Ahora es un hombre muy diferente al que era antes; también ésta es la opinión de toda la orquesta. Está muy bien dispuesto hacia mí. Tiene una hija que toca muy bien el piano. Con objeto de convertirme en su verdadero amigo, en este momento trabajo en una sonata para su hija. Ya está terminada, excepto el rondó. En cuanto estuvieron terminados el primer allegro y el andante, se los llevé y toqué yo mismo[144].

Y unas semanas después describirá así a la niña:

Tiene un carácter muy reposado y juicioso para su edad; es seria, habla poco, pero ese poco lo habla con garbo y gentileza. Ayer me dio otra indescriptible satisfacción: ha ejecutado a la perfección mi sonata. [...] Sabéis que, desde mi segundo día aquí, había terminado todo el primer allegro, cuando todavía no había visto a la señorita Cannabich más que una sola vez... El joven Danner me preguntó entonces cómo tenía razón de escribir el andante. «Quiero escribirlo según el carácter de la señorita Rosa.» [...] Y es esto: así es el andante, así es ella [145].

Wolfgang se encontraba muy dichoso en ese ambiente. El día 8 de noviembre escribió lo siguiente a Leopoldo:

Hoy, inmediatamente después de comer, hacia las dos, fui con Cannabich a casa del flautista Wendling. Todo se desarrolló con la mayor cortesía. La hija [...] toca el piano de una forma realmente bonita. Después toqué yo; hoy estaba de un humor tan extraordinario que no puedo describirlo. No toqué más que de memoria y tres duetti con violín que no había visto en toda mi vida y cuyo autor nunca había oído nombrar. Todos estaban tan contentos que tuve que besar a las señoras; en el caso de la hija no me resultó nada penoso, porque no es ningún chucho.

Y continúa:

¡Queridísimo papá!
No sé escribir poéticamente, no soy poeta. No sé distribuir las locuciones de forma tan artística que arrojen luces y sombras, no soy pintor. Ni siquiera puedo expresar mis sentimientos e ideas mediante gestos y mediante pantomima, no soy bailarín. Sin embargo, puedo hacerlo con notas, soy músico. Y mañana en casa de Cannabich tocaré en el piano toda una felicitación tanto por el santo de usted como por su cumpleaños; por hoy sólo puedo desearle de todo corazón, mon trés cher pére, *lo que le deseo todos los días, mañana y noche: salud, larga vida y humor alegre. Confío también en que estará ahora menos disgustado que cuando yo estaba aún en Salzburgo; porque tengo que reconocer que yo era la única causa, me trataban mal; no lo merecía. Usted también tomó partido naturalmente, pero demasiado; ya ve, ésa fue también la razón mayor y más importante de que me marchase apresuradamente de Salzburgo; confío también en que mi deseo se haya cumplido. Ahora tengo que terminar con una felicitación musical: le deseo que pueda vivir tantos años como años se necesitan para no poder hacer ya nada nuevo en la música. [...].*

Entre los muchos contactos que hizo Wolfgang en Mannheim se encontraba el padre Vogler, el *Vicekapellmeister,* que había sido jesuita (la Compañía acababa de ser disuelta por Roma en 1773, aunque sus antiguos miembros mantuvieron incólumes sus relaciones entre ellos, así como su inmensa influencia social), también caballero de la Espuela de Oro, bien relacionado con los personajes de la corte y mal considerado por los músicos, opinión a la que inmediatamente se sumó Wolfgang. Vogler le manifestó el desprecio que sentía por Johann Christian Bach, algo que Wolfgang nunca le perdonaría.

Tampoco le gustó la música de Vogler. Al contrario que una misa que tuvo ocasión de conocer, compuesta casi treinta años antes por Ignaz Hozlbauer.

Bajo la protección del elector Karl Theodor, influido por el enciclopedismo, Mannheim vivía una época de esplendor en todas las artes. Casi todos los príncipes alemanes del momento habían comenzado a estar acusadamente influenciados por el arte y el pensamiento franceses, pero algunos de ellos, como Karl Theodor, sintieron la conveniencia de favorecer la versión alemana del Siglo de las Luces, que terminaría desembocando, en no mucho tiempo, en el nacionalismo alemán; en estos años 70 se estaba abriendo paso con gran fuerza el movimiento conocido como *Sturm und Drang* [146], del que surgiría (o en el que surgiría) el Romanticismo alemán. Karl Theodor había fundado en 1775 la *Sociedad palatina alemana para la defensa de la lengua y la literatura nacionales,* y en 1777 se había inaugurado en Mannheim un teatro donde se interpretarían algunas de las obras fundamentales de la cultura alemana de esos años. Allí se representó ese mismo año una ópera alemana, *Günther von Schwarzburg,* con libreto de Anton Klein y música de Holzbauer, que se había estrenado un par de años antes.

Wolfgang asistió a una representación de esta ópera a los pocos días de llegar a Mannheim; hablaría así de ella a su padre:

Hay aquí un teatro nacional que está siempre abierto, como en Munich. Se dan algunas óperas alemanas, pero los cantantes son lamentables. Sobre la ópera seré muy breve: la música de Holzbauer es excelente; la poesía no es digna de una música semejante. Lo que me maravilla es que un hombre de la edad de Holzbauer posea todavía tanta inspiración; es verdaderamente increíble el fuego que hay en esta música [147].

El 6 de noviembre Wolfgang actuó ante el príncipe Karl Theodor, que dio muestras de su admiración por la forma de tocar de Wolfgang:

Hablé con el príncipe como con un buen amigo: es un señor muy gracioso y muy bueno. Me dijo: «He oído decir que habéis escrito una ópera para Munich.» «Sí, alteza, y me encomiendo a la gran bondad de vuestra alteza; mi mayor deseo sería escribir aquí una ópera; os ruego que no me olvideis del todo; también puedo, y doy gracias a Dios por ello, escribirla en alemán» y sonreí; «se puede hacer fácilmente» [148].

De nuevo vemos a Wolfgang mucho más ilusionado con la idea de recibir el encargo de una ópera que con la de conseguir un cargo como músico de corte. Leopoldo preferiría, en cambio, una buena posición estable, al abrigo de un personaje lo más poderoso posible. Sin embargo, escribirá lo siguiente a Wolfgang:

Mi querido hijo:
Si tú eres feliz, nosotros lo somos también; tu madre, tu hermana y yo. Es lo que espero del favor divino por medio de la confianza que tengo en tu conducta razonable [149].

Da la sensación, empero, de que la confianza de Leopoldo en lo razonable de la conducta de Wolfgang no era absoluta, ni siquiera demasiado grande. Además, no es posible vivir de proyectos; ni siquiera Wolfgang podía ignorarlo:

Ayer tuve que ir con Cannabich a casa del intendente conde de Savioli, para recoger mi recompensa. Es exactamente lo que me había imaginado, nada de dinero: un bonito reloj de oro. Hubiera preferido, con mucho, diez carolinas antes que un reloj valorado en veinte carolinas con su cadena y sus emblemas. En los viajes se necesita dinero. Y ahora no os disgustéis: tengo ya cinco relojes. Es mi intención hacer un segundo bolsillo en uno de mis calzones, y si tengo que presentarme delante de algún gran señor, llevaré dos relojes con el fin de desanimar a cualquiera que tenga la idea de regalarme otro reloj [150].

Malas noticias, pues, para Leopoldo. Antes eran espadas, ahora relojes. Tantos sacrificios no parecían tener otra finalidad, así lo quería el Destino, que la de convertir a Wolfgang en anticuario. No era ésa la mejor información que podía recibir Leopoldo desde Mannheim; pero Wolferl, el eterno Wolferl, siempre podía ir aún más lejos, y sólo un día después, en perfecta sintonía con uno de los aspectos de la cultura germánica, la mejor tradición goliárdica, perpetró la siguiente misiva:

Yo, Johannes Chrysostomus Amadeus Wolfgang Sigismondus Mozart, me acuso de haber vuelto a casa, anteayer y ayer, y otras muchas veces, a medianoche, y de haber (en compañía de Cannabich, de su mujer y de su hija, de los señores Schatzmeister,

Ramm y Lang), algunas veces, sin formalidad pero deliberadamente, haber hecho versos sobre toda clase de porquerías y sobre todo de cagadas y lamidas de culo, de pensamiento y de palabra (pero no de hecho). Pero no me hubiera conducido de esta manera, tan dejada de la mano de Dios, si la instigadora del complot, la que tiene por nombre Lisel[151]*, no me hubiese animado e incitado. Y debo reconocer que he sentido con ello un gran placer. Reconozco desde lo más profundo de mi corazón todas estas faltas y pecados, y con la esperanza de tener que reconocerlos muchas veces tomo la firme resolución de seguir con la misma vida culpable que he emprendido. Por todo ello, pido la santa absolución, si puede darse fácilmente. Si no, me es igual, porque continuaré lo mismo, ya que el juego seguirá a pesar de todo.* Lusus enim suum habet ambitum [152]*, como canta el bienaventurado Meissner*[153]*, cap. 9, p. 24, y también San Ascenditor, patrono del potaje de café caliente, de la limonada enmohecida, de la leche de almendras sin almendras, y especialmente del helado de fresas lleno de carámbanos; pues conociéndose él mismo muy bien, era un gran amante de las cosas heladas*[154].

La felicidad sólo existe, pura y simplemente, en la imaginación

No eran éstas, no, las mejores noticias que desde Mannheim podía recibir el buen Leopoldo, quien todavía, unos días después, tendría que leer lo siguiente:

Le escribiré en cuanto pueda sentirme en paz. Pero hasta ese día, no es el caso. Porque en cuanto descubro, ya sea una certeza o una posibilidad, que tengo que abandonar el lugar donde me encuentro, entonces no conozco una sola hora de paz; y aunque ahora tengo una ligera esperanza, no estaré en paz mientras no sepa a qué atenerme. Y ahora llega el oráculo: creo que será el medio o el fin; para mí es lo mismo, pues la cuestión es simplemente saber si soy yo el que traga la caca o será papá quien la deguste[155].

No podemos descartar que entre el padre y el hijo existiese una complicidad de lenguaje y de bromas, que hiciera estas expresiones más tolerables de lo que puedan parecernos. En todo caso, revelan con claridad que existía una radical oposición entre los planteamientos de uno y otro. Incluso, tal vez sólo subliminalmente, Wolfgang parece deslizar cierto reproche al plantear que la vida nómada le perturba; a él, que ha pasado una buena parte de su vida siendo llevado y traído por los caminos de Europa. Leopoldo, desde luego, estaba empezando a cansarse:

¡Por el amor de Dios! ¡Es urgente que obtengáis dinero!

[...] A propósito de la academia: ¿Quién tocaba? ¿Quién cantaba? ¿Quién ha soplado y silbado? ¿De qué música se trataba? ¡Ni una palabra! ¡Sois una extraña persona! [156].

Los días siguientes, Leopoldo reforzó su contraofensiva:

Un viaje no es una broma. No has comprendido todavía que hay que tener la cabeza en otros pensamientos que no sean chanzas de locos. Hay que estar atentos a prevenir mil cosas distintas; de lo contrario, se cae en el desastre, sin dinero; y cuando no hay dinero, vemos que no tenemos ningún amigo. Los tienes cuando das cien lecciones gratuitas, cuando compones sonatas, también cuando haces cochinadas en lugar de cosas serias por las noches, desde las diez hasta la medianoche. ¿Solicitas un préstamo de dinero?; entonces todas las bromas cesan y los rostros que eran risueños se tornan inmediatamente serios. [...] Podías haber dedicado algunos momentos durante las noches a escribir a tu padre, que siempre ha estado tan pendiente de ti, en lugar de enviarle un pastiche increíble, escrito deprisa y corriendo. Podías, al menos, enviarme un resumen regular y confidencial de vuestros gastos de viaje, del dinero que os queda, del próximo viaje que vais a emprender, de tus proyectos en Mannheim, etcétera, y pedirme consejo en todo lo que te concierna. Espero que reflexionarás sobre todo esto, pues seguro que, finalmente, ¿sobre quién recaerán todas tus zozobras?, sobre tu pobre y viejo padre [157].

Y en la siguiente carta continuaba la reprimenda:

El objeto principal del viaje era, y debe ser, encontrar una colocación, o al menos reunir algún dinero. Hasta el momento vuestro viaje no ha tenido nada que ver con lo uno ni con lo otro, al menos que yo sepa.

[...] Nos encontramos en la ruina y, sin embargo, ni una palabra sobre vuestros planes. Me exprimo el cerebro a fuerza de pensar, y me destrozo los ojos a fuerza de escribir. Querría organizar las cosas con antelación, y tú actúas como si esto no fueran más que bagatelas. Te mantienes indiferente, atas mis manos cuando trato de ayudarte y aconsejarte, pues no me dices una palabra de vuestro proyecto de viaje [158].

Wolfgang respondió así:

Mi muy querido padre:

He recibido esta mañana vuestra carta del 24, a través de la cual comprendo bien que no aceptaríais nunca ni la dicha ni la desgracia, si alguna vez, cualquiera de las dos, cayera sobre nuestros hombros. Hasta la fecha los cuatro, tal como somos, no hemos sido nunca felices ni infelices, y por ello doy gracias a Dios. Nos hace usted a los dos muchos reproches, sin que lo merezcamos. No hacemos ningún gasto que no sea completamente necesario [...]. De que hayamos estado tanto tiempo en Munich no tiene nadie la culpa más que yo; y si hubiera estado solo, sin duda me hubiera quedado en Munich.

[...] No soy un inconsciente, sólo estoy dispuesto a todo, y por tanto puedo esperar, y soportarlo todo con paciencia, siempre que no padezcan con ello mi honor y el buen nombre de Mozart. Bueno, lo que tenga que ser, que sea; sólo le ruego de antemano que no se alegre ni se entristezca antes de tiempo. Que sea lo que Dios quiera. Todo está bien mientras haya salud; la felicidad sólo existe, pura y simplemente, en la imaginación [159].

Para Ana María tampoco estaba resultando muy agradable este viaje:

Hoy, día 7, Wolfgang come con el señor Wendling y yo estoy sola en casa, como casi siempre, con un frío terrible, que incluso cuando hay un fuego, en cuanto se apaga se queda la habitación de nuevo tan fría como antes. Y no lo encendemos nunca por la noche. Un fuego tan pequeño cuesta 12 kreutzers, entonces sólo lo enciendo por la mañana, al levantarnos, y un poco por la tarde, pero durante todo el día tengo que soportar el frío y apenas puedo sostener la pluma para escribir, tan helada estoy [160].

En realidad estaba rindiendo cuentas a Leopoldo; le está diciendo que no hacían gastos inútiles, y que no estaban haciendo un viaje de placer:

No hemos ido a ninguna fiesta; solamente a una representación de gala, pues la entrada es muy cara, cuesta 45 kreutzers por persona en la platea y un florín las peores localidades. Hay que llegar pronto para tener buen sitio, y hemos renunciado. Además, la entrada no es libre para nadie; todo el mundo debe pagar, tanto los de la música como los del teatro [161].

Unas semanas antes, Wolfgang había escrito a Leopoldo lo siguiente sobre una representación operística a la que asistieron:

Mamá estaba en la platea; había llegado a la sala a las cuatro y media para conseguir un sitio. Yo no fui hasta las seis y media, pues tengo acceso a todos los palcos, ¡soy bastante conocido! Esa noche estuve en el palco de la familia Branca [162].

Wolfgang tenía veintiún años, casi veintidós; a falta de evidencias, y sólo con los indicios de que disponemos, podemos aventurar muy diversas hipótesis sobre cuál era la relación que mantenía en estos momentos no ya con su padre, sino también con su madre. El mero hecho de que Ana María le acompañase parece revelar una actitud protectora, no exenta de cierta desconfianza por parte de sus padres; tampoco cabe descartar que en el fondo se quisiera seguir manteniendo en Wolfgang la imagen de un niño, que necesitaba la compañía de su padre o de su madre. Éste es quizá, ya lo hemos visto, y lo seguiremos viendo, uno de los aspectos más significativos de la personalidad de Wolfgang, alguien que lucha por dejar de ser considerado un niño, pero que nunca dejará de serlo del todo; alguien que lucha por desarrollar su personalidad individual fuera de esa burbuja familiar, pero que a la vez está demasiado vinculado a ella como para poder nunca, ni siquiera desearlo completamente nunca, romper con ella del todo.

El 10 de diciembre, Wolfgang recibió por fin noticias sobre sus pretensiones de trabajar al servicio del príncipe elector; desafortunadamente, la respuesta de Karl Theodor, como en Munich la de Maximiliano, fue que no estaba dispuesto a aceptarle. Además, había tardado varias semanas en responder. En el enfrentamiento entre Colloredo y Wolfgang, entre el poder y la imaginación, seguía venciendo, una vez más, el poder.

Wolfgang decidió entonces pasar lo más crudo del invierno en Mannheim, para desplazarse a París en febrero o marzo; formaba parte de su plan, además, que su madre regresase en ese momento a Salzburgo, y que a París le acompañasen Wendling y Ramm. En Mannheim sobrevivirían con las lecciones que daría Wolfgang a las hijas de Wendling y Cannabich a cambio de alojamiento y comida, así como con algunos encargos que le llegarán de la mano de alguno de sus amigos, concretamente tres conciertos y dos cuartetos para flauta para *el holandés de las Indias,* como llamaba Wolfgang al señor De Jean.

En Munich, entre tanto, el elector de Baviera, Maximiliano III, morirá el 30 de diciembre, a los pocos días de haberse contagiado de viruela; en ese momento, su primo Karl Theodor se hizo proclamar sucesor de Maximiliano como elector de Baviera, y se trasladó a Munich, llevándose consigo a la mayoría de los músicos de Mannheim.

El 20 de diciembre, Wolfgang felicitó el año nuevo a su padre; entre otras cosas, le refirió todas las tareas que realizaba a lo largo de un día normal, desde las ocho...

Antes de las 8 no podemos levantarnos, porque en nuestra habitación, por estar en planta baja, no se hace de día hasta las 8 y 1/2.

... hasta la noche:

A las 6 voy a casa de Cannabich y enseño a mademoiselle Rose; allí me quedo a cenar; entonces se conversa o se toca; pero a menudo yo saco un libro del bolsillo y leo, como solía hacer en Salzburgo [163].

La carta estaba discurriendo en muy buenos términos; pero Wolfgang no pudo evitar un reproche respecto a la última que le había enviado su padre:

He escrito que su última carta me alegró; es cierto; sólo una cosa me ha molestado un poco, la pregunta de si no habré olvidado confesarme. No tengo nada que decir, pero permítame un solo ruego, y es que ¡no piense tan mal de mí! Me gusta la alegría, pero esté seguro de que a pesar de todo puedo tener seriedad. Desde que salí de Salzburgo, y en Salzburgo mismo, he encontrado personas cuyas palabras y acciones me hubieran avergonzado si fueran mías, aunque eran 10, 20 y 30 años mayores que yo [164].

Por cierto, que no tenemos mucha información sobre el Wolfgang lector; ya sabemos que una de las aficiones de su padre era la literatura, y tal vez incluso le gustase escribir; pero las cartas de ambos no abundan en referencias literarias. Por eso, de ser veraz, la mención a que siempre llevaba un libro en el bolsillo y aprovechaba para leer cualquier momento, o al menos las sobremesas, es muy interesante.

En Salzburgo, Leopoldo realizó las semanas siguientes una frenética actividad, enviando cartas a todos aquellos que pudiesen ser de alguna utilidad para Wolfgang en París o en cualquier otro lugar; el propio Wolfgang se lo había pedido, pero no con tanto énfasis como el que en cambio puso en la siguiente petición:

Sé de forma totalmente segura que el emperador tiene intención de hacer montar en Viena una ópera alemana y que busca un joven maestro de capilla que hable alemán, que tenga genio y que sea ca-

paz de aportar a los ojos del mundo algo nuevo e importante. Benda, de Gotha, es el candidato, pero Schweitzer también querría conseguir el puesto. [...] Os lo ruego, escribid a todos nuestros buenos amigos de Viena indicándoles que estoy en condiciones de hacerlo, para que el emperador me deje hacer una prueba con una ópera. Lo que él haga después me es indiferente; pero os lo suplico, empezad pronto estas gestiones, antes de que se me adelante alguien [165].

Nosotros, pobres gentes del pueblo, estamos obligados a tomar una esposa a la que amemos y que nos ame

Por medio de otro señor holandés, De la Potrie, Wolfgang fue invitado a visitar la casa, y alojarse en ella, de la princesa de Orange, en Kircheim-Boland, a unas horas de viaje de Mannheim. La princesa era hermana de Guillermo V, magistrado supremo de los Países Bajos; a este hecho se debía la abundancia de personalidades holandesas en Mannheim. Para rendirla pleitesía, Wolfgang hizo copiar cuatro arias:

La copia de las arias no me costará mucho; la ha hecho un tal señor Weber. Va a acompañarme allí. Tiene una hija que canta muy bien; su voz es bella y pura. Tiene apenas quince años [166]. *[...] Su padre es un alemán muy respetable; educa muy bien a sus hijos, y ésta es la razón por la que la niña se encuentra asediada aquí. Tiene seis hijos: cinco hijas y un hijo. [...] Ella canta magníficamente mi aria para la De Amicis, la que tiene unos pasajes tan difíciles; la cantará así en Kircheim-Boland* [167].

Así aparece en la vida de Wolfgang la familia Weber y, de un modo muy especial, la señorita Aloysia Weber. Franz Fridolin Weber (1733-1779), el padre, había sido notario y abandonó sus cargos públicos para dedicarse a tocar el contrabajo en Mannheim; además, trabajaba como apuntador y copista para poder mantener a su familia, compuesta por su mujer, María Cecilia Cordula Stamm (1727-1793), con la que se había casado en 1756, y las hijas de ambos. Los datos que facilita Wolfgang sobre el número de hijos de los Weber, no parecen correctos; que sepamos, en esos momentos sólo vivían cuatro hijas y un hijo: las hijas, de mayor a menor, eran: Maria Josepha (1758-1819), Maria Aloysia (1760-1839), Maria Constanza Caecilia Josepha Johanna Aloisia (1762-1842) y Maria Sofía (1763-1846). Aún vivía el segundo de todos los hijos, Johann Nepomuk (1759-1779), y habían fallecido Ferdinand Joseph (1765-1768) y Johann Baptist Anton (1769-1771). Un hermano de Fridolin Weber,

Franz Anton von Weber (1734-1812), sería padre de otro gran músico: Karl Maria von Weber (1786-1826), primo carnal, por tanto, de Constanza y sus hermanas.

El viaje a Kircheim-Boland tuvo lugar entre el 23 de enero y el 2 de febrero. Además de Fridolin y Aloysia Weber, también les acompañaba Ana María Mozart. Fueron unos momentos muy dichosos para Wolfgang, que el 27 de enero había cumplido veintidós años.

El día 4 de febrero, Wolfgang escribió una extensa carta a Leopoldo, dándole detalles sobre el viaje a Kircheim-Boland:

[...] Por la noche fuimos a la corte, era sábado; allí cantó mademoiselle Weber tres arias. De su canto sólo diré una palabra: ¡extraordinario! Ya os he hablado de sus méritos en una de mis anteriores cartas; pero no podré terminar esta carta sin escribir más sobre ella, porque sólo ahora la he conocido verdaderamente y ahora veo todas sus virtudes.

Al día siguiente, lunes, hubo de nuevo música, y también el martes y el miércoles. Mademoiselle Weber ha cantado en total trece veces, y tocado dos veces el piano, porque no toca nada mal; lo que más me maravilla es que pueda leer partituras tan bien; figúrese, tocó mis difíciles sonatas, lentamente pero sin fallar una sola nota, prima vista. A fe mía que prefiero oír mis sonatas por ella que por Vogler.

En la misma carta expuso a Leopoldo unas muy importantes modificaciones respecto al plan para viajar a París que le había expuesto un par de meses antes: el 10 de diciembre le había dicho que iría a París con Wendling y Ramm; pero ahora había cambiado de opinión, y sabía a qué tipo de argumentos podía ser más sensible su padre, para hacerle compartir su decisión:

Mamá y yo hemos hablado de ello, y estamos de acuerdo al pensar que decididamente la manera de vivir de los Wendling no nos acaba de gustar. Wendling, desde luego, es un hombre honrado y bondadoso, pero, desgraciadamente, él y toda su familia carecen de religión. Además de esto, el hecho de que su hija fuera amante del príncipe habla por sí solo. En cuanto a Ramm, no es un mal hombre, pero es un auténtico libertino. Yo me conozco bien, y sé que soy demasiado religioso, y por tanto incapaz de hacer nada que no pueda proclamar delante del mundo entero. Pero ahora, la idea de encontrarme durante todo el viaje en compañía de personas cuya manera de pensar es totalmente distinta a la mía (y a la de todas las gentes de honor) me espanta realmente. [...] Amigos que no tienen ninguna religión no son amigos duraderos.

Después de este insospechado arrebato de místico moralismo cristiano por parte de Wolfgang, expone cuál pensaba que era la solución adecuada para tan graves impedimentos:

Mi idea es la siguiente: termino aquí cómodamente la música para el señor De Jean y cobro mis 200 florines. Puedo quedarme aquí tanto tiempo como quiera; ni la comida ni el alojamiento me cuestan nada. Mientras tanto, el señor Weber se esforzará en que lo contraten a la vez que a mí para dar conciertos. Así viajaremos juntos; si viajo con él es lo mismo que si viajara con usted, por eso me gusta tanto, porque, prescindiendo del aspecto exterior, se parece exactamente a usted, y tiene exactamente su carácter y su forma de pensar. Si mi madre no fuera, como ya sabéis, tan perezosa para escribir, os escribiría las mismas cosas. Tengo que confesar que viajé con él muy a gusto, estábamos alegres y de buen humor; oía hablar a un hombre que habla como usted, no tenía que preocuparme de nada, lo roto me lo encontraba cosido; en pocas palabras, estaba atendido como un príncipe.

Es difícil poder precisar si Wolfgang era realmente tan ingenuo como para pensar que con estos argumentos podría convencer a Leopoldo, o si se trataba de un estupendo ejemplo de maquiavelismo; pero, en cualquiera de los dos casos, su corazón le obliga a ser sincero, a revelar, consciente o inconscientemente, cuáles eran sus verdaderos sentimientos:

Quiero tanto a esa desgraciada familia que no deseo otra cosa que poderlos hacer felices, y quizá pueda hacerlo. Mi consejo es que deberían ir a Italia, por eso quisiera pedirle también que, cuanto antes mejor, escriba a nuestro querido amigo Lugiati, y se informara de cuánto y de qué es lo más que se paga a una prima donna en Verona —cuanto más, mejor; bajar se puede siempre—, y quizá se podría conseguir también la Ascenza en Venecia. De su canto respondo con la vida, porque sin duda me hará honor. [...] Si esto ocurre, nosotros, Mr. Weber, sus dos hijas y yo tendremos el honor de visitar de pasada a mi querido papá y a mi querida hermana durante una quincena. Mi hermana encontrará en mademoiselle Weber una amiga y una camarada, porque es famosa, como mi hermana en Salzburgo, por su buena conducta, su padre como el mío, y toda su familia como la Mozart. Naturalmente hay envidiosos, como entre nosotros, pero cuando se trata de eso, no tienen más remedio que decir la verdad; la honradez se impone a la larga.

Aloysia es como Nannerl; Fridolin, como Leopoldo; la familia Weber entera, como la Mozart. Es muy significativo este parangón, que evidencia cómo Wolfgang era incapaz, por la educación recibida de manos de Leopoldo, y por su forma de vida hasta entonces, de concebir otro modelo familiar distinto del suyo propio; la burbuja familiar sigue aprisionando a Wolfgang, e incluso seguirá aprisionándole, en cierto modo, hasta sus últimos días, cuando ya no vivan su padre ni su madre y se encuentre distanciado de Nannerl.

[...] Os lo ruego, haced todo lo posible para que vayamos a Italia. Ya conocéis mi deseo más profundo: escribir óperas.

[...] Creo que iremos a Suiza, quizá también a Holanda. [...] Si nos detenemos mucho en un lugar, la otra hija, es decir, la hija mayor, será muy útil: podremos tener nuestra propia casa, pues es muy buena cocinera. A propósito, no os debéis asombrar por el hecho de que de 77 florines no me queden más que 42. Esto se debe sobre todo a la alegría que experimentan encontrándose juntas personas honestas y bien pensantes. No he hecho nada que no hayan hecho los demás: he pagado la mitad de los gastos. Pero para los próximos viajes he sido preciso: sólo pagaré mi parte.

Wolfgang estaba enamorado de Aloysia. Y en tal estado, se sentía obligado a prevenir a su padre: había hecho, y seguiría intentando hacer, todo lo posible por ser aceptado, siquiera como un humilde músico, en los ambientes cortesanos; pero cuando estime conveniente contraer matrimonio, a diferencia de lo que es el fundamento principal de las familias poderosas, esto es, el matrimonio de conveniencia, él se casará por amor. Los más poderosos clanes familiares, en Occidente y desde los tiempos de la antigua Roma, basan su poder, en muy gran medida, en el establecimiento de vínculos familiares entre ellos; ésta es una de las premisas de un sistema basado en la antigua institución del *pater familias,* que pervive pujante aún en nuestros días, y de la que quizá el más evidente exponente sea la mafia italiana, pero que, más silenciosa y discretamente, aparece una y otra vez en los estratos económicamente más favorecidos y, por supuesto, entre los miembros de la nobleza, grupo social que precisamente tiene como único fundamento la herencia familiar. Para ellos no es necesario el amor a la hora de casarse: el amor podrá buscarse, en cualquier caso, y así se suele aceptar tácitamente, fuera del matrimonio. Pero Mozart no era noble; era sólo un músico, e ironiza:

Las personas nobles no deben casarse ni siguiendo sus gustos, ni por amor, sino solamente por el interés y obediencia a todo tipo de consideraciones anexas; no sería propio de tan altas personas seguir amando a su esposa después de que han cumplido sus deberes y les han dado un heredero. Pero nosotros, pobres gentes del pueblo, no solamente estamos obligados a tomar una esposa a la que amemos y que nos ame; también nos arrogamos el derecho: podemos y queremos tomar una que sea así, ya que no somos ni nobles, ni de alta cuna, ni gentileshombres, ni ricos, sino de baja extracción, mala y pobre, y no tenemos por consiguiente ninguna necesidad de una mujer rica. Nuestra riqueza termina en nosotros, porque la tenemos en la cabeza, y ésta ningún hombre nos la puede quitar, a menos que nos corte la cabeza, y en este caso ya no tendríamos necesidad de nada [168].

En cuanto no se confía en mí, dejo de confiar en mí mismo

Como era previsible, a Leopoldo no le debió agradar mucho ni poco que su hijo le dijese que viajar con Fridolin Weber era como viajar con él, ni que pensase en volver a Italia con los Weber. Para colmo, Ana María, a escondidas de su hijo, aprovechando una ausencia de éste, añadió a esa carta de Wolfgang un post scríptum, en el que advertía a su marido:

Habrás podido ver por esta carta que cuando Wolfgang hace nuevas amistades, en seguida quiere darles su vida y sus bienes.
[...] Nunca me ha gustado para él el trato con los Wendling y los Ramm, pero no quise hacer ninguna objeción porque no me habría creído. Ahora bien, desde que ha conocido a los Weber ha cambiado de opinión; en una palabra, prefiere estar con ellos más que conmigo. De cuando en cuando le hago alguna reflexión sobre lo que no le conviene, pero no le gusta [169].

En consecuencia, Leopoldo contestó a Wolfgang con una larga carta en la que le decía, entre otras cosas, lo siguiente:

Mi querido hijo:
He leído tu carta del día 4 con tanto estupor como recelo. [...] Hasta ahora, gracias a Dios, me encuentro bien. Tan sólo esta carta en la que no reconozco a mi hijo, si no es por su habitual defecto de confiar desde las primeras palabras que le dirigen, de dejarse llevar, con su buen corazón en la mano, por las lisonjas del primero que se acerca a él, de dejarse guiar a derecha y a izquierda por las proposiciones sin fundamento y poco reflexivas de no importa quién,

de marchar en contra de sus intereses y de su propia gloria, e incluso en contra de las necesidades de sus padres; y todo esto para complacer los deseos de unos extraños.

[...] ¡Oh, Dios grande y bueno, los momentos felices han pasado para mí! Ha pasado el tiempo en que tú, siendo niño, y también más tarde un joven muchacho, no te acostabas nunca sin haber cantado, en pie sobre tu silla, Oragnia figata fa [170], *besándome repetidamente y terminando por la punta de la nariz. Me decías entonces: «Cuando seas viejo, te tendré protegido del aire en un tarro de cristal, para tenerte siempre cerca de mí y seguir venerándote.»*

[...] Tu viaje tenía dos objetivos: encontrar un trabajo estable y bien remunerado o, si esto no era posible, presentarte a un centro importante donde hubiera mucho dinero que ganar. En ambos casos el propósito final era sostener a tus padres y ayudar a tu hermana a seguir su camino, pero antes que nada obtener para ti gloria y honor en el mundo, tal como te ha sucedido ya durante tu infancia y en tus años de adolescente. Y ahora no depende más que de ti el poder alcanzar unas metas tan altas que ningún músico haya conseguido jamás. Esto se lo debes al extraordinario talento que Dios te ha dado, en su extraordinaria bondad. Depende de tu cordura y de tu forma de vivir que seas un vulgar músico olvidado del mundo o que seas un célebre kapellmeister *cuyo nombre estará escrito en el libro de la posteridad, o bien que, como uno más del rebaño, engañado por una mujer, mueras en un hospital, rodeado de niños miserables, o que, en fin, como buen cristiano, vivas en la gloria y el honor con la familia a tu alrededor, desahogadamente y gozando de la consideración general.*

[...] Has llenado de alabanzas a la señorita Cannabich, has querido hacer su retrato en la sonata; en resumen, era tu favorita. En seguida has conocido a los Wendling; él fue entonces para ti el amigo más honesto; y para qué voy a repetirte todo lo que sucedió a continuación. Después, bruscamente, entras en contacto con la familia Weber; olvidas todo lo anterior. Ahora son los Weber la verdadera familia cristiana, y la hija se convierte en el personaje principal de la tragedia que se representa entre tu familia y tú. E inmediatamente, todo lo que has vislumbrado confusamente, con tu buen corazón abierto a todos, pero sin ninguna reflexión, te parece de pronto lógico y perfectamente realizable [171].

Quizá sea éste un buen momento para volver a recordar lo que el trompeta Andreas Schachtner afirmaba de Wolfgang cuando era niño: *Me preguntaba diez veces al día si le quería; y si bromeando le respondía que no, las lágrimas brillaban en seguida en sus ojos.*

[...] Y para terminar, ¿viajarías de aquí para allá con unos extraños? No; después de pensarlo no lo harás, y para convencerte de tu precipitación, he aquí todavía otra razón: debes saber que ahora, en los tiempos que corren, ningún hombre razonable pensaría en semejante aventura, cuando por todo el mundo, y sin que se sepa dónde, puede estallar una guerra, ya que por todas partes los ejércitos están a la expectativa.

¿En Suiza? ¿En Holanda? No hay un alma en todo el verano, y en invierno reciben, en Berna y en Zurich, lo justo para no morir de hambre. En cuanto a Holanda, tiene otras cosas en qué pensar antes que en la música. ¿Dónde estaría tu gloria? Es una empresa para los mediocres, para los compositores a medias, para los artistas de poca monta, para los Schwindl, Zappa y compañía. Cítame un solo compositor que acepte envilecerse de esta manera. ¡Ve a París, y cuanto antes! Busca el apoyo de los grandes. [...] La gloria y la fama, el renombre de un artista, se proyectan desde París hasta el mundo entero[172].

Por todo el mundo, y sin que se sepa dónde, puede estallar una guerra. No parece que contra sus efectos pudiera ser suficiente protección la madre o el padre de uno; pero, en todo caso, nos parece muy importante esta frase por cuanto confirma, una vez más, que los europeos de estos años eran conscientes de vivir momentos de cambios radicales, que les afectaban en su vida cotidiana y que les condicionaban a la hora de tomar decisiones personales. También es muy interesante la apreciación de que París era ya el centro de la cultura europea. La carta terminaba con las siguientes líneas, inapelables:

Nannerl ha llorado mucho durante estos dos días. Addio: Mamá irá a París con Wolfgang, para que se presente como es debido.

Por su parte, Wolfgang contestó a su padre de este modo:

Ya suponía que no haría usted otra cosa que desaprobar el viaje [...][173].

Pero no se enfrentó con su padre; le dio la razón:

[...] En nuestras circunstancias actuales [...] nunca tuve la intención de hacerlo [el viaje], *pero había dado mi palabra de honor*

de escribírselo. El señor Weber no sabe cuál es nuestra situación; desde luego, no se la cuento a nadie; deseo estar en tales circunstancias que no tenga que pensar en nadie, de forma que todos estuviéramos bien [174]*; me olvidé en ese arrebato de la imposibilidad actual del asunto [...].*

La contestación de Wolfgang es muy reveladora de las tensiones que en él, a sus veintidós años recién cumplidos, suponía la fiscalización de sus actos y pensamientos por parte de su padre, así como el peso de que se le siguiese recordando como un niño prodigio:

Las razones por las que no he ido a París ya las conocéis por mis dos últimas cartas. No obstante, hubiera partido si la opinión de mi madre no hubiera sido también contraria a ese proyecto. En cuanto no se confía en mí, dejo de confiar en mí mismo. Los tiempos en que de pie en un sillón cantaba la Oragnia figata fà, *y le besaba al terminar la punta de la nariz, han pasado, sin duda; pero, ¿ha disminuido por eso mi respeto, amor y obediencia hacia usted?*

Pero, efectivamente, ya habían pasado los tiempos de la *Oragnia figata fà*, y Leopoldo debería aceptarlo. Este primer viaje de Wolfgang sin él supondría, por muy diversas razones, su ruptura con muchos vínculos que le mantenían fuertemente aprisionado en su infancia. Incluso se quejó contra las ataduras que le imponía su propia ciudad natal:

[...] Salzburgo, en donde le quitan a uno la costumbre de contradecir.

Leopoldo había sido informado de un hecho que, como sabemos, era un rasgo peculiar de la conducta de Wolfgang: siempre tuvo una acentuada tendencia a jugar con el lenguaje, pero cada vez era más habitual en él la utilización de expresiones groseras y escatológicas con determinadas personas, especialmente con su hermana y, sobre todo, con su prima María Tecla. Las cartas que dirige a Bäsle en esta época son, en tal sentido, sorprendentes: Mozart se muestra en ellas como un niño travieso, maleducado; nos da la sensación de verle, a sus veintidós años, pegando saltos sobre los sillones y las camas cuando se dirige a su prima (en su momento le encontraremos, con más de treinta años, pegando realmente saltos sobre las mesas). Sin duda, se trataba de una válvula de escape; este asunto ha dado mucho juego a los psicoanalistas. Su padre le reprochó que se comportase así, y Wolfgang se encontraba ante ello sin argumentos:

Lo que escribe usted tan mordazmente en relación con mi alegre conversación con la hija de su hermano me ofende mucho; sin embargo, como las cosas no son así, no tengo nada que responder.

Wolfgang se permitió, incluso, añadir unas líneas detrás de su firma, como había hecho su padre en su última carta, al decirle que Nannerl estaba llorando mucho:

Beso a mi hermana con todo mi corazón; y no debe llorar por cualquier cosa. Si no, por mi vida que no volveré jamás.

Entre la carta de Leopoldo del día 12 de febrero, y ésta de Wolfgang del día 18, Leopoldo envió otra el 16:

¡Hijo mío!, en todas tus cosas te muestras apasionado e impetuoso. Ha cambiado mucho tu carácter desde tu infancia y tu adolescencia. Cuando no eras más que un niño, eras más serio que pueril, y cuando te sentabas al piano o te ocupabas en algo relacionado con la música, nadie se hubiera permitido la más pequeña broma contigo. Tu rostro demostraba tanta concentración que muchas personas muy entendidas, en diversos países, testigos de la prematura manifestación de tu talento, y de la expresión grave y pensativa de tus rasgos, llegaron a inquietarse por la duración de tu vida. Pero ahora, por lo que parece, estás siempre dispuesto a responder a no importa quién en tono de broma, a la primera incitación; ése es el primer paso hacia la familiaridad, y no debemos buscar ésta si queremos ser respetados en el mundo. Cuando alguien tiene buen corazón, está sin duda acostumbrado a dar rienda suelta a su espontaneidad y a sus impulsos, pero esto es un error[175].

La guerra de cartas se intensifica. El día 23, padre e hijo se escriben respectivamente: Wolfgang a Leopoldo...

Os lo ruego, creed de mí todo lo que queráis, pero nada malo. Hay personas que creen que es imposible amar a una joven pobre sin tener malas intenciones. Maîtresse es una bonita palabra, pero en alemán a eso se le llama una puta. ¡Realmente bonito! ¡Yo no soy un Brunetti, no soy un Misliweczek! Soy un Mozart, un joven y bien pensante Mozart[176].

... Y Leopoldo a Wolfgang:

Dios te ha dado un excelente discernimiento; dos defectos te impiden utilizarlo con eficacia: tienes demasiado orgullo y amor pro-

pio, y también te muestras en seguida demasiado familiar con la gente, abres tu corazón a cualquiera; en resumen, queriendo ser libre y natural, caes en un exceso de intimidad[177].

Pero el colmo para Leopoldo fue la noticia de que De Jean no había pagado a Wolfgang los doscientos florines prometidos:

¡Lo sospechaba! [...] Dices que habrías podido tener alumnos, pero que, no habiéndolos encontrado alguna vez en sus casas, no has vuelto más. Prefieres dar lecciones por nada; ¡sí, lo prefieres! Y prefieres también abandonar a tu anciano padre en la miseria. Para ti supone demasiado esfuerzo por un buen salario. Te parece mejor que tu viejo padre de cincuenta y ocho años corra tras un miserable sueldo para poder alcanzar, con gran esfuerzo y sudor, al sustento propio y de su hija, y pueda ayudarte, incluso con lo poco que le queda, en lugar de pagar sus deudas, mientras tú, en todo este tiempo, te ocupas en dar lecciones gratuitas a una jovencita. [...] Debes empezar a darte a conocer en el piano, cosechando el favor de las personas importantes; luego podrás dar a la estampa algo bajo suscripción, lo que renta algo más que componer seis cuartetos para un caballero italiano, recibiendo en compensación algún ducado o tal vez una petaca de tres ducados [...]. Incluso la gente que no te conoce debería ver en ti a un hombre de genio. En cambio, a los aduladores que te elevan a las estrellas para poder servirse de ti, sí estás dispuesto a abrirles el corazón con la mayor ligereza y a creer en ellos como en el Evangelio. [...] Es para ver si te cazan para lo que se meten por medio las mujeres. Como no opongas resistencia, serás infeliz toda tu vida. [...] Hay millones de hombres que no han recibido de Dios los talentos que tú has recibido. ¡Qué responsabilidad! Qué desgracia que un talento tan grande se pueda desperdiciar. [...] Tu madre te acompañará, pues, a París, y a ella le debes confiar todo de viva voz, y a mí por carta. Con el próximo correo os mandaré toda la información, junto con las direcciones y cartas para Diderot, D'Alembert, etc. Debo concluir ya. La Nanerl y yo os mandamos mil abrazos[178].

En definitiva, Leopoldo seguía tratando a Wolfgang como un niño y le impuso la compañía de su madre en el viaje a París. Además, quiso dejar claro que todos los miembros de la familia estaban embarcados en la misma empresa, cuyo epicentro radicaba en unos dones que Wolfgang había recibido graciosamente de Dios, y que entre todos habían recogido y cuidado con esmero.

El 26 de febrero, Leopoldo envió a Wolfgang diversas arias que le había pedido para Aloysia (lo que demuestra que la actitud de

Leopoldo tampoco era de irracional enfrentamiento); pero subrayó su sacrificio al hacerlo:

Tengo el honor de remitir cinco arias y de pagar la copia de tres de ellas, lo mismo que los portes hasta Augsburgo, y, por Dios, no tengo dinero; me parezco al pobre Lázaro: ¡está mi ropa tan llena de agujeros, que huyo si alguien viene por la mañana! [179].

A esta carta contestó Wolfgang una semana antes de salir, él y su madre, en dirección a París:

Después de Dios, inmediatamente papá: ése era de niño mi lema o axioma, y sigo ateniéndome hoy a él.

[...] Ahora, sin embargo, tengo que decirle que me sentí espantado, y se me llenaron de lágrimas los ojos cuando leí en su última carta que tiene usted que andar tan mal vestido. ¡Queridísimo papá!, sin duda no es culpa mía, eso lo sabe usted. Ahorramos aquí todo lo que podemos: la comida y el alojamiento, la leña y la luz no nos han costado aquí nada, lo que es muy de agradecer. En vestido ya sabe usted que en lugares extraños no se puede ir mal, hay que tener siempre cierta apariencia. Ahora tengo todas mis esperanzas puestas en París, porque los príncipes alemanes son todos tacaños. Trabajaré con todas mis fuerzas para tener pronto el placer de ayudarle a salir de sus tristes circunstancias actuales [180].

En la misma carta, Wolfgang le daba noticia de los preparativos del viaje a París. Entre otras cosas, le dijo que tenían en venta el carruaje que habían comprado quince años antes, pero nadie lo quería comprar.

Unos días antes, el 24 de febrero, Wolfgang había retomado un aria que había escrito para un tenor, Anton Raaf, y volvió a elaborarla para dedicársela a Aloysia: *Para la bella y pura voz de mademoiselle Weber*. Se trata del aria para soprano *Non so donde viene,* KV 294, que el día 12 de marzo cantó Aloysia, acompañada por una pequeña orquesta, en casa de Cannabich. El texto original, de Metastasio, trataba del extraño afecto que el rey Clístenes sentía por un desconocido que era en realidad su hijo, al que creía muerto; pero Mozart lo retocó hábilmente para transmitir a Aloysia lo que sentía por ella:

Non so donde viene
quel tenero affetto
quel moto che ignoto
mi sento nel petto [181].

En París hay una porquería indescriptible

Madre e hijo salieron el día 14 de marzo de Mannheim, y llegaron a París el día 23; una vez más nos encontramos con una de las dos facetas predominantes en Mozart, dos aspectos aparentemente antagónicos, pero que en realidad están íntimamente vinculados, interpenetrándose, y que, sin duda, no dejan de percibirse en su música: frente a una innegable alegría vital, son frecuentes en él los momentos de melancolía, en este caso claramente justificada porque iba a enfrentarse con una ciudad grande y extraña, donde tendría incluso problemas con el idioma. También se estaba enfrentando a su propia madurez; se encontraba en un momento crucial de su existencia. Además, le entristecía distanciarse de Aloysia:

Ayer lunes 23 por la tarde a las 4 llegamos felizmente, gracias a Dios; por consiguiente, hemos estado nueve días y medio de viaje. Pensamos que no podríamos soportarlo, en mi vida me he aburrido tanto. Puede imaginarse fácilmente lo que es marcharse de Mannheim, dejando tantos amigos buenos y queridos, y tener que vivir luego durante diez días y medio no sólo sin esos buenos amigos, sino sin nadie, sin una sola persona con la que poder tratar o conversar [182].

Mozart, como todos los músicos profesionales que han existido hasta hoy, y a pesar de sus roces con su padre sobre estos aspectos, vivía, antes que *para* la música, *por* la música, aunque sea difícil separar ambos aspectos en personas que necesariamente deben dedicar la mayor parte del día a su profesión, lo que sería absolutamente insoportable de no sentir un gran amor hacia ella. Pero no debemos olvidar esta premisa fundamental cuando hablamos no ya de Mozart, sino de cualquier artista profesional. La música era su oficio, el que esmeradamente le había enseñado Leopoldo para que pudiera ganarse la vida con él. Así pues, presionado o no por su padre, en París buscaba el triunfo, que era lo mismo que una buena colocación:

Tengo muchos buenos amigos en Mannheim, y personas distinguidas, de posibles, que desearían mucho tenerme allí; ahora bien, donde paguen bien, allí estaré [183].

Mozart paladeaba su condición de profesional, estaba luchando por ser considerado como tal, no como una rareza que le debía todo a la gracia del Cielo; en ello estaba en juego su propia dignidad humana.

Todavía en Mannheim, en febrero, había escrito para el viejo tenor Anton Raaf el aria que le había prometido, en el lugar de la que había dedicado a Aloysia; se trata del aria *Il cor dolente e afflitto*, KV 295. Sobre este asunto, Wolfgang refirió lo siguiente en su carta del 28 de febrero:

Ayer fui a ver a Raaf y le llevé un aria que he compuesto para él estos días [...]. A Raaf le gustó enormemente. A un hombre como él hay que tratarlo de manera especial. Escogí expresamente esta letra porque sabía que él conocía ya otra aria con el mismo texto; así cantará la mía con mayor facilidad y placer. Le rogué que me dijera francamente si le gustaba o no, y si creía que se adaptaba a su voz, añadiéndole que siempre podía modificarla. «Por Dios —me contestó—, esta aria hay que dejarla exactamente como está; imposible encontrar algo más bello. Le ruego, con todo, que la abrevie un poco, pues ya no estoy en condiciones de aguantar tantas notas.» «Claro, con mucho gusto —contesté—. Todo lo que quiera. La he hecho precisamente un poco larga porque siempre es más fácil quitar que añadir.» Cuando acabó de cantar la segunda parte se quitó las gafas y, mirándome con ojos abiertos como platos, me dijo: «¡Qué preciosidad! ¡Qué segunda parte más bonita!» Y la cantó tres veces. En el momento de la despedida me dio las gracias de todo corazón y yo le aseguré que cortaría el aria de manera que pudiera cantarla con más deleite. Me gusta que un aria se adapte perfectamente a un cantante, como un traje a la medida.

Cuánto debe hacernos reflexionar este fragmento. Mozart siente verdadero placer en compararse con un sastre, con un artesano. Estamos tan acostumbrados en los últimos tiempos a consentir actitudes absolutamente injustificables, por parte de muchas personas que se autodenominan *artistas,* sin siquiera haber tenido la mínima sensibilidad que les haya hecho comprender que primero deberían haberse molestado en prepararse mínimamente para ello, ciudadanos que sin ningún fundamento se sienten y proclaman señalados entre los demás por azares del Destino o por la gracia divina, que a menudo hemos interpretado la relación de los artistas de otros tiempos con la sociedad a la que pertenecían como una obsesiva lucha por distinguirse como intelectuales, creativos, originales; por desmarcarse de quienes a los ojos de la crítica imperante en nuestros días no fueron capaces de superar el peldaño de simples artesanos para convertirse en artistas. Pero Mozart sí era un verdadero artista; se había preparado para ello, y seguía haciéndolo. Por esa razón, no necesitaba marcar distancias con los artesanos.

A menudo se ha criticado en Mozart y, con él en los músicos del Barroco y del Clasicismo, que hiciese una música perfectamente predecible, sometida a rigurosas reglas académicas, mecánicas. Stravinsky lo dijo de Vivaldi, en pleno momento de *Vivaldimanía* (es bueno combatir las manías, sobre todo las colectivas): que había compuesto cientos de veces el mismo concierto; podría haber dicho también algo parecido sobre Mozart. Prokofiev realizó magistral y humorísticamente una cariñosa crítica al Clasicismo (más bien a los más intolerantes academicistas de su propia época) componiendo su *Sinfonía clásica*. Pero podría hacerse el mismo reproche a los músicos de cualquier otra época, incluido el Romanticismo y las vanguardias; quizá ya estemos en condiciones de ir subrayando hasta qué punto se parecen entre sí los experimentos supuestamente más personalísimos de nuestra propia época, cómo se parece una *instalación* a otra *instalación,* una *performance* a otra *performance*. Vivimos unos momentos, que tal vez estén ya durando demasiado, de *originalmanía*. Pero no puede esperarse que ningún artista, ni siquiera Mozart, pueda producir, todos los días, a todas horas, obras totalmente originales, clara y radicalmente distintas de las de otros artistas y de su propia obra precedente. Tampoco los artistas pueden ni deben imponer un lenguaje desconocido y totalmente impredecible a sus destinatarios; eso sería la definitiva identidad entre arte y demencia. Cada época tiene su lenguaje, y no sólo sería una impertinente grosería, sino una mentecatez, por parte de un profesional del arte (hoy funcionan, demasiado a menudo, y en determinados ambientes sociales, otros parámetros), que un artista ofreciese a sus clientes algo que en modo alguno podrían entender, algo por lo que no podrían, aunque lo deseasen, sentirse interesados. Lo cual no excluye que, dentro de cada época, haya personalidades claramente identificables: Velázquez y unos pocos más podían pintar como Velázquez, entre los muchos centenares, miles de pintores que vivían de la pintura en los mismos momentos. Mozart, Haydn y no muchos más músicos eran capaces de hacer algunas de las cosas que hicieron Mozart y Haydn. Es preciso entender esto cuando se juzga el arte de otros tiempos. Y gracias a las innovaciones que poco a poco fueron introduciendo los más destacados artistas, siempre embebidos en sus respectivos entornos culturales y en su propia situación histórica, se fue produciendo un desarrollo (no en el sentido de *progreso)* en el arte, hasta llegar a nuestra propia época, estrechamente interrelacionado con los cambios sociales de cada época. Pero sería absurdo interpretar esta evolución en un sentido darviniano: nada debe ni puede hacernos pensar que el arte de nuestra época sea más avanzado, más perfecto que el de cualquier otra época. Tampoco nada nos puede hacer pensar que nuestra época sea el mejor momento de la Historia, que el siglo XIX fuese mejor que el XVIII y éste que el XVII. Es muy posible incluso que, en contra de lo que mantiene el darwinismo, ni siquiera sean realmente más avanzados los propios organismos vivos; lo importante (e inevitable) es la mejor adaptación posible al medio existente en cada momento. Pero parémonos aquí.

En todo caso, y por expresar nuestra opinión gráfica y sencillamente: los ordenadores nunca podrán hacer arte por sí mismos, porque niegan el principio de incertidumbre, característica que, desde luego, no comparten con Mozart; independientemente de que a muchos les resulte entretenido dividir, calculadora en mano, las partituras de Mozart en múltiplos de dos. No, ningún programa informático podrá nunca sustituir a Mozart; todo lo más, con alguno de ellos se podría llegar a conseguir toscas imitaciones de su música.

Pero no nos apartemos demasiado del propio Mozart. *Donde paguen bien, allí estaré*. Sabe que es bueno en su oficio, y quiere que esto se le reconozca: aspira a vivir lo mejor posible trabajando como músico. Pero no está obsesionado por enriquecerse, y lo que valora sobre todo es la buena o mala disposición de los demás, los detalles de buena humanidad, la amistad, los afectos. En esta misma carta del día 24 de marzo manifiesta a su padre:

> *[...] He de reconocer que los Weber, a pesar de su pobreza y falta de medios, y aunque no he hecho tanto por ellos* [como por los Cannabich], *se han mostrado mucho más agradecidos. Porque madame y Mr. Cannabich no me han dicho palabra, por no hablar de darme algún pequeño recuerdo, aunque sólo fuera una bagatela, sólo para mostrarme su buena disposición; pero nada de nada, y ni siquiera me han dado las gracias, cuando por su hija he perdido tanto tiempo y me he esforzado tanto [...].*

Y vuelve a recordar a los Weber:

> *La Weberin por amabilidad ha hecho dos pares de puños de filet, y me los ha regalado como recuerdo y como pequeña muestra de reconocimiento. Él me ha copiado por nada lo que he necesitado y me ha dado papel pautado; y me ha regalado las comedias de Molière, porque ha sabido que no las había leído aún [...]. El día anterior a mi marcha quisieron tenerme aún para cenar, pero como yo tenía que quedarme en casa, no pudo ser. Sin embargo, tuve que dedicarles aún dos horas hasta la cena. No dejaron de darme las gracias, y sólo deseaban poder demostrarme su reconocimiento.*

Cuando me fui, lloraron todos. Le ruego que me perdone, pero se me llenan los ojos de lágrimas cuando pienso en ello. Él bajó conmigo la escalera, se quedó de pie en el umbral hasta que yo doblé la esquina, y me gritó aún: Addieu!

Wolfgang, qué duda cabe, llegó a París predispuesto contra la ciudad. En su carta del 1 de mayo, tras dar noticia a su padre de la presencia en París de otro «niño con padre» *(el pequeño violonchelista Zygmontofoscky y su mal padre están aquí),* le refirió cómo Grimm le había dado una carta de recomendación para la señora duquesa de Bourbon, que se encontraba en un convento, al que fue a visitarla. El fragmento es extenso, pero es revelador de las condiciones en que trabajaban para los grandes señores Mozart y los demás músicos en el París inmediatamente anterior a la Revolución:

[...] Tuve que esperar media hora en una gran habitación helada, sin calefacción y en la que no había chimenea. Finalmente vino D. Chabot, con la mayor cortesía, y me rogó que tuviera indulgencia con el piano, ya que ninguno de los suyos estaba bien; que lo intentase. Yo dije: Me gustaría de todo corazón tocar algo, pero ahora es imposible, porque no me siento los dedos de frío; y le rogué que me condujera por lo menos a una habitación donde hubiera una chimenea encendida. «O, oui monsieur, vous avez raison», ésa fue toda la respuesta. Entonces se sentó y comenzó a dibujar durante una hora entera en compañía de otros señores, que se sentaban en círculo en torno a una gran mesa. Entonces tuve el honor de esperar una hora entera. Las ventanas y las puertas estaban abiertas, tenía frío no sólo en las manos, sino en todo el cuerpo y los pies; y la cabeza empezó también a dolerme en seguida; así se produjo un altum silentium, *y yo no sabía qué hacer tanto tiempo, de miedo, dolor de cabeza y aburrimiento. A menudo pensé para mí: si no fuera por Mr. Grimm me marcharía otra vez ahora mismo. Finalmente, para ser breve, toqué en aquel miserablemente lamentable pianfort. Lo que, sin embargo, fue lo más enojoso fue que madame y todos los caballeros no dejaron de dibujar ni un instante, sino que continuaron sin pausa, y por tanto tuve que tocar para las sillas, la mesa y las paredes. En aquellas condiciones tan poco apropiadas perdí la paciencia. Así, comencé las variaciones Fischer; toqué la mitad y me puse en pie. Entonces se produjeron un montón de elogios. Yo, sin embargo, dije lo que había que decir, a saber, que con aquel piano no podía hacerme honor a mí mismo y preferiría mucho más elegir otro día en que hubiera un piano mejor. Sin embargo, ella no cedió; tuve que esperar aún media hora hasta que llegó su señor. Él, sin*

embargo, se sentó a mi lado y me escuchó con atención; y yo, yo me olvidé entonces de todo el frío y dolor de cabeza, y toqué a pesar del lamentable piano como, como toco cuando estoy de buen humor. Dadme el mejor piano de Europa, pero con personas como oyentes que no comprendan nada, o que no quieran comprender, y que no sientan conmigo lo que toco, y perderé toda alegría.

El París de 1778 seguía siendo una ciudad insalubre. Uno de los mayores problemas de las ciudades contemporáneas, las grandes ciudades del siglo XIX (y también de las de la Edad Moderna), fue el de la higiene; y dentro de este apartado, los residuos: dos elementos fundamentales del París decimonónico son las cloacas y el cementerio del Père Lachaise; ambos pueden ser visitados hoy en día, y conviene hacerlo (es difícil olvidar ambas visitas, por distintos motivos). En 1778, en París, como en cualquier otra ciudad de la Edad Moderna, los desperdicios que no podían ser aprovechados se arrojaban a las calles, donde sólo una parte de ellos eran recogidos; otra gran cantidad iban a parar al río. Bien es verdad que prácticamente todos los residuos eran orgánicos, y se podían aprovechar, o terminaban por descomponerse. En cuanto a los cadáveres, aún se solían enterrar en las iglesias, conventos y hospitales, o en su entorno, dentro de las ciudades, lo que era una costumbre ciertamente insana, por lo que estaban empezando a aparecer disposiciones para construir grandes cementerios en las afueras. Además, París había sido un lugar muy poblado desde la Edad Antigua, y ahora lo era mucho más que nunca. Así describió Wolfgang sus impresiones sobre esta gran ciudad:

Me escribe usted que debo hacer mis visitas; pero eso no es posible: a pie todo está demasiado lejos, o demasiado embarrado, porque en París hay una porquería indescriptible, y viajar en coche se tiene el honor de gastar de 4 a 5 libras diarias, y para nada [...].

Para nada, sí, porque...

[...] La gente no hace más que cumplidos, y eso es todo. Quedan conmigo para tal o cual día; entonces toco y dicen: O, c'est un prodige, c'est inconcevable, c'est étonnant, *y con eso,* addieu.

Mozart, en el París once años anterior a la Revolución, a sus veintidós años, sigue sintiéndose contemplado sólo como un prodigio, una curiosa extravagancia. *Y con eso, adiós.*

Por eso, no es extraña su opinión sobre los habitantes de París:

En general París ha cambiado mucho. Los franceses no tienen ni de lejos tanta politesse *como hace quince años; bordean claramente la grosería y son horriblemente descorteses.*

[...] Si éste fuera un lugar donde la gente tuviera oídos, corazón para sentir y entendiera sólo un poco de musique, y tuviera gusto, me reiría de buena gana de todas esas cosas, pero así estoy nada más que entre animales y bestias en lo que a la musique se refiere. Cómo podría ser de otro modo; la verdad es que tampoco son distintos en todas sus acciones, sentimientos y pasiones; no hay en el mundo un lugar como París, no crea que exagero cuando hablo de las condiciones de la musique aquí. [...].

Pero estoy aquí, tengo que aguantar, y eso por amor a usted.

Y concluye con una sutil, pero claramente identificable, referencia evangélica, como si dijera: *Padre, aparta de mí este cáliz*, jugando con ambigüedad a identificar a Dios Padre con Leopoldo padre *(después de Dios, papá...)*:

Daré las gracias a Dios todopoderoso si salgo con el gusto incólume [...]; por lo demás, su voluntad se hará tanto en el cielo como en la tierra. Sin embargo, le ruego, queridísimo papá, que entre tanto se esfuerce para que pronto pueda ver Italia, a fin de que con ello pueda resucitar. Deme esa alegría, se lo ruego.

Wolfgang, el alegre Mozart, ya lo hemos visto unas cuantas veces, padecía muchos momentos de tristeza; en París fueron muy frecuentes:

Estoy, a Dios gracias, bastante bien. Y sin embargo, a veces no encuentro en las cosas ningún sentido. ¿Hace frío? ¿Hace calor? No siento alegría por nada. Lo que me reanima por encima de todo y mantiene mi buen humor es el pensamiento de que vosotros, mi querido padre y mi querida hermana, os encontráis bien, que yo soy un honrado alemán y que, si no siempre puedo hablar, al menos puedo pensar como quiero[184].

Entre los numerosos contactos de Wolfgang en París (durante el viaje desde Mannheim memorizó una lista de cincuenta nombres de personajes con los que tendría que entrevistarse), había bastantes vinculados con la masonería. Entre ellos, especialmente, un grupo de músicos, entre los que se encontraban Giovanni Giuseppe Cambini (1746-1825) y Francisco José Gossec (1734-1829); este último había fundado en 1770 los *Concerts des Amateurs,* que más adelante pasarían a llamarse *Conciertos de la Logia Olímpica.*

Una de las primeras obras compuestas por Mozart en París, concretamente en abril de 1778, fue el célebre *Concierto para flauta, arpa y orquesta,* KV 299. Le fue encargado para unos aristócratas: el duque de Guines, que había sido embajador de Francia en Inglaterra y era flautista aficionado, y su hija, que tenía fama de buena arpista:

Creo haberle dicho ya que el duque de Guines toca espléndidamente la flauta, mientras que su hija es una magnífica arpista; tiene un gran talento y, sobre todo, una memoria fuera de serie; toca todas las piezas sin mirar la partitura, y conoce más de doscientas[185].

Como exigía el encargo, se trata de una galante composición que podría, por sí sola, ilustrar musicalmente lo que suele llamarse *Rococó,* ese Barroco tardío francés y de Centroeuropa, de la época de Luis XV, por más que no fuese el tipo de música predilecta de Mozart.

También se le encargó que iniciara a la arpista en el campo de la composición; pero ésta era la opinión que el maestro tenía al respecto sobre su discípula:

Escribe usted que desde hace tiempo no sabe nada de mi alumna de composición; ya lo creo. ¿Qué podría escribirles al respecto? No es una persona que pueda componer; todo esfuerzo resulta vano. En primer lugar, es radicalmente tonta y luego radicalmente perezosa[186].

Es revelador el interés de Leopoldo por la aristocrática alumna; seguramente, a sus ojos hubiese sido un buen partido para Wolfgang. Pero, a los ojos de éste, además de ser tonta y perezosa, tenía en su contra ser hija de un personaje especialmente mezquino:

[...] Lo que me paga el duque lo paga aquí cualquiera; imagínese, el duque de Guines, a cuya casa iba todos los días, y tenía que estar dos horas, me hizo dar veinticuatro lecciones, cuando siempre se paga después de la duodécima. Se fue a la Campagne (volvió diez días más tarde sin decirme nada); si no hubiese preguntado yo mismo por curiosidad, todavía no sabría que estaba aquí. Y finalmente la institutriz sacó una bolsa y me dijo: perdone que por esta vez le pague sólo doce lecciones, porque no tengo suficiente dinero. ¡Eso es noble! [...] Así pues, quiso pagarme una hora por dos horas, y eso por égard [conmiseración], *porque hace ya cuatro meses que tiene un concierto mío para flauta y arpa, que todavía no me ha pagado*[187].

Entre mayo y junio de 1778 compuso Mozart su sinfonía n.º 31, *París* o *Parisina*, KV 297, que fue estrenada en los *Concerts Spirituels* organizados por Jean Le Gros, y supuso el mayor (en realidad único) éxito de Mozart en París. Mozart, que tenía en muy poca consideración la capacidad del público parisiense, quiso realizar una obra que pudiera agradar fácilmente, y lo consiguió; con tal finalidad, hizo una nueva versión del movimiento lento, por indicación de Le Gros:

Dice que hay demasiada modulación y que es demasiado largo, pero esto ha obedecido al hecho de que los oyentes se han olvidado de aplaudir igual de fuerte y de largo que a los otros dos movimientos.

Wolfgang relató así los pormenores del estreno de esta sinfonía:

Tuve que componer una sinfonía para abrir el Concert Spirituel. Fue interpretada con todo aplauso el día de Corpus Christi. También, por lo que he oído, ha aparecido una noticia al respecto en el Couriere de L'Europe*; así pues, ha gustado excepcionalmente. Durante el ensayo tuve mucho miedo, porque en mi vida he oído nada peor; no puede imaginarse cómo por dos veces seguidas destrozaron y rascaron la sinfonía. Tuve realmente mucho miedo. Me hubiera gustado ensayarla otra vez, pero no había ya tiempo. Así pues, tuve que irme a la cama con el corazón temeroso y con el ánimo descontento y colérico. Al día siguiente había decidido absolutamente no ir al concierto; sin embargo, por la tarde hacía buen tiempo, y me decidí finalmente, con el propósito de que si salía tan mal como en el ensayo me dirigiría sin falta a la orquesta y le quitaría al señor Lahousé, primer violín, el violín de la mano y dirigiría yo mismo. Pedí a Dios la gracia de que saliera bien, ya que todo es para su mayor honor y gloria, y Ecce* [188]*, la sinfonía comenzó. Raff estaba de pie a mi lado, y ya en mitad del primer allegro había un pasaje que yo sabía muy bien que tenía que gustar; todos los oyentes se sintieron arrebatados, y se produjo un gran aplauso; pero como sabía, cuando lo compuse, el efecto que haría, lo puse al final otra vez, y comenzó otra vez da capo [...]. De forma que los oyentes, como yo esperaba, hicieron chist durante el piano, y entonces vino en seguida el forte; oír el forte y empezar a aplaudir fue una sola cosa. Así pues, lleno de alegría me fui después de la sinfonía al Palais Royale, me comí un buen helado, recé el rosario que había prometido, y me fui a casa. Como siempre, me gusta estar sobre todo en casa, y siempre me gustará estar sobre todo en casa, o en casa* *de algún buen alemán auténtico y sincero, que cuando es soltero vive solo como un buen cristiano, y cuando está casado ama a su mujer y educa bien a sus hijos*[189].

Mozart quería aquí mostrarse ante su padre como un buen cristiano, amante de la familia, hogareño. Realmente, no tenemos motivos para sospechar que no fuese sincero, películas aparte; más bien los tenemos para pensar que Wolfgang era realmente muy hogareño, aunque no desdeñase sumarse a una buena juerga, cuando se le presentaba la oportunidad de ello. En esos momentos en que estaba escribiendo tenía, más que nunca, motivos para sentir añoranza por el hogar familiar, así como se estaba comenzando a plantear la conveniencia de formar el suyo propio.

De este verano de 1778 son las cinco sonatas para piano llamadas *Parisinas,* KV 310 y 330 a 333. En la n.º 1, KV 310 (hoy catalogada como 300d), se ha destacado su elevado contenido dramático. Especialmente popular es la n.º 3, KV 331, *Marcha turca,* que debe su sobrenombre al último movimiento, el celebérrimo rondó *a la turca.* De nuevo nos encontramos con la *turcomanía,* especialmente vigente en París; Mozart consigue reproducir con el piano no sólo los ritmos característicos de la música militar otomana, sino sus exuberantes sonoridades, que tanta y tan trascendental influencia tendrían en las bandas militares y civiles (y también en la evolución de la orquesta sinfónica) de Europa a lo largo del siglo XIX: tambores, platillos, triángulo, campanillas...

Éste ha sido el día más triste de mi vida

Tengo que darle una noticia muy desagradable y triste...

Así comenzaba Wolfgang la carta en la que refirió a su padre cómo había sido el estreno de la sinfonía *París,* y cómo después fue a comerse un helado y rezar un rosario. Esta carta la estaba escribiendo el día 3 de julio de 1778, por la noche.

... mi querida madre está muy enferma.

Pero no se atreve a decirle la verdad: Ana María había muerto hacía pocas horas, sobre las diez de la mañana. Wolfgang no sabe cómo decírselo a su padre, consciente, además, de que Leopoldo está atravesando una crisis depresiva. Pero es que él mismo parece no querer aceptarlo:

[...] No digo que mi madre vaya a morir y tenga que morir, que se haya perdido toda esperanza; puede ponerse sana y buena, pero sólo si Dios lo quiere. Después de haber rezado a Dios con todas mis fuerzas por la salud y la vida de mi querida madre, me hago con gusto esas reflexiones y consuelos, ya que me encuentro tranquilo y consolado.

E inmediatamente comienza a hablar, con la mayor naturalidad, de sus actividades en París. Y da esta noticia a su padre:

Ahora le voy a dar una noticia que quizá sepa ya, y es que el ateo y archibribón de Voltaire ha reventado, por decirlo así, como un perro, como un animal, ¡ésa es su recompensa!

Puede sorprendernos oír en Mozart un comentario tan extremadamente duro, mucho más propio de algún viejo noble anclado en sus ancestrales prebendas; sobre todo cuando tiene presente el cadáver de su propia madre. Lo cierto es que los Mozart nunca perdonaron a Voltaire que no les recibiese cuando estuvieron en Ginebra en 1766; pero, además, tal vez Wolfgang quisiese subrayar, para darse consuelo a sí mismo, la diferencia con la muerte de Ana María.

A continuación, a las dos de la madrugada del día 4 (aunque la fechó también el día 3), dirigió otra carta, reservada, al abate Joseph Bullinger, de Salzburgo:

¡Aflíjase conmigo, amigo mío! Éste ha sido el día más triste de mi vida. Estoy escribiendo a las 2 de la noche. Tengo que decirle que mi madre, mi querida madre, ¡no existe ya! [...] Él me la había dado, y podía quitármela también. Imagínese todas las inquietudes, miedos y preocupaciones que he tenido que soportar estos quince días. Murió sin estar consciente. Se extinguió como una luz.

[...] Le ruego, querido amigo, que cuide por mí de mi padre, y le dé valor para que no lo tome demasiado a pecho y duramente cuando oiga lo peor. Le encomiendo también a mi hermana de todo corazón; vaya usted en seguida a verlos, se lo ruego. No les diga todavía que ella ha muerto, sino prepárelos sólo para ello... Haga usted lo que quiera, recurra a todo, pero haga que yo pueda estar tranquilo y no tenga que esperar ninguna desgracia más. Cuide por mí de mi querido padre y de mi querida hermana. Déme en seguida respuesta, se lo ruego.

El día 12 de julio, Leopoldo había empezado una carta felicitando a su esposa por su santo:

Como no quiero faltar el día de tu santo, te escribo hoy, esposa querida, aunque sé que mi carta te llegará demasiado pronto. Te deseo una vez más toda la felicidad posible.

Pero el día 13 recibió la carta que Wolfgang le había escrito el día 3, y continuó escribiendo en la suya, dirigiéndose ya a su hijo:

Puedes imaginar lo que tu hermana y yo hemos sentido en lo más profundo de nuestros corazones. Llorábamos tanto que apenas podíamos leer tu carta. ¡Y qué decir de tu hermana! ¡Dios misericordioso, que se haga tu santa voluntad!

Mi querido hijo, a pesar de que conoces mi sumisión a los designios de la voluntad divina, no te asombrarás si te digo que las lágrimas me impiden escribir.

¿Qué puedo decirte para terminar? Nada más que esto; pues en el momento mismo que recibas esta carta o bien ella estará muerta, o estará salvada, porque tú escribes el día 3 y hoy ya estamos a 13.

[...] ¡Pero no! [...] ¡Ella ya no está! Te esfuerzas demasiado en consolarme. No se pone tanto empeño si no es porque se ha perdido ya toda esperanza. [...]

Y un poco después continuará así:

Escribo lo que sigue a las cuatro de la tarde. Ahora sé [190] *que mi querida esposa está en el Cielo. Te escribo con los ojos llenos de lágrimas y con un sentimiento de sumisión total a la voluntad divina.*

[...] Escríbeme pronto. Dame todos los detalles. ¿Cuándo ha sido enterrada? ¿Dónde? ¡Gran Dios, la tumba de mi querida esposa debo ir a buscarla a París! [191].

Entre tanto, el día 9 de julio, por fin Wolfgang se atrevió a escribir a su padre lo siguiente:

Confío en que estará preparado para oír con firmeza una de las noticias más tristes y dolorosas (por mi última del 3 se habrá puesto en disposición de no oír nada bueno). Ese mismo día 3, a las 10 horas y 21 minutos, mi madre se durmió bienaventuradamente en el Señor. Sin embargo, mientras le escribía, ella se encontraba ya disfrutando de la paz celestial; todo había terminado ya; le escribí durante la noche.

[...] Podrán imaginarse fácilmente lo que yo he soportado y el valor y fortaleza que he necesitado para soportarlo con resignación todo, cada vez más penoso, cada vez peor; y sin embargo, Dios bon-

dadoso me ha concedido esa gracia; he experimentado suficiente dolor, he llorado lo suficiente; pero, ¿de qué servía?

[...] Al presenciar su muerte tan fácil y hermosa, imaginándome cómo en un instante era tan feliz (cuánto más feliz que nosotros es ahora), en ese instante deseé irme con ella.

Pero, una vez más, Wolfgang parece dar un sorprendente brinco, cambia radicalmente de acento, y de paso aprovecha para volver a pedir que se le deje salirse con la suya:

[...] Y pasemos a otras cosas, cada cosa a su tiempo.

[...] ¡Mis queridísimos dos!, cuidad vuestra salud; pensad que tenéis un hijo y un hermano que emplea todas sus fuerzas para haceros felices, sabiendo muy bien que un día, lo que sin duda le honra, no le negaréis sus deseos ni su contento, y también lo haréis todo para verlo feliz. ¡Oh!, entonces viviremos tan plácida, tan honrada, tan felizmente como es posible en este mundo [...].

Cada cosa a su tiempo. Está hablando del fallecimiento de su madre, y de repente pasa a hablar de asuntos cotidianos, como si tal cosa. Esto es muy propio de Wolfgang, esa caldera siempre a punto de estallar; como si se aburriera de ser una persona perfectamente ajustada a los parámetros que en la época podían considerarse correctos, de repente da un salto para subir a la Luna, y se esfuerza por demostrar que no lo es, que es un bufón, que es un ser libre, que puede ser lo que quiera ser. Allá los demás si no son capaces de entenderlo. Como en el siguiente testimonio de una escritora que le conoció en Viena, Karoline Pichler:

Estando yo sentada al piano tocando Non più andrai *de* Fígaro. *Mozart, que se encontraba en nuestra casa, se puso a mi espalda, pues mi ejecución debió de gustarle, porque tarareó la melodía y llevaba el compás sobre mis hombros. De pronto acercó una silla, me pidió que le permitiera seguir tocando la parte de los graves, y comenzó a improvisar variaciones tan maravillosas que toda la audiencia contuvo el aliento para escuchar a aquel Orfeo alemán. Luego, cansado de repente, se levantó de un salto y con un humor bufo se puso, como a veces hacía, a saltar por encima de las mesas y los asientos, a maullar como un gato y a dar cabriolas como un niño turbulento.*

Pero, significativamente, no existen en él rasgos de crueldad, de desprecio a los demás; ni siquiera los encontramos en sus bromas al trompa Leutgeb, pues se trataba de un juego que ambos aceptaban, con una persona de su absoluta confianza. Al contrario: Mozart se muestra continuamente como una persona generosa y de extrema sensibilidad, que parece querer negar, por medio de la burla, el dolor que siente en lo más profundo. Para él todo podía ser objeto de broma; pero, sobre todo, él mismo. Cualquier petimetre de la época, dentro de los más ortodoxos cánones de la etiqueta, haría mil esfuerzos por zaherir y dejar en ridículo sin ninguna piedad, y sin apenas mover más músculos que las aletas de la nariz, a cualquiera que se pusiese a su alcance en los más selectos salones de la alta sociedad, especialmente a los más débiles que él, con tal de recibir por ello el admirativo aplauso de unos cuantos petimetres como él. Incluso podía resultar de buen tono abofetear públicamente a un criado. Pero Mozart, que a veces nos da la sensación de tener algo de suicida, tenía una idea muy distinta de lo que era el buen gusto. Mozart, que en el momento descrito en la anterior anécdota ya había cumplido los treinta años, siente la imperiosa necesidad de destruir el ensueño del momento, el clima de admiración hacia él y su música que acaba de generar, subiéndose a una mesa y haciendo bufonadas. Pero esta muestra de inmensa generosidad, consistente en ofrecerse a sí mismo como payaso, necesariamente tenía que resultar intolerable para ciertas sensibilidades muy opuestas a la suya, que además solían ser personajes poderosos.

Su lema podría haber sido algo así como *es la risa lo importante*. Porque no sirve de nada llorar; así se lo dijo expresamente, en esa misma carta del 9 de julio, a su padre y a su hermana, refiriéndose a la muerte de su madre:

> *Me ha dolido mucho, he llorado; pero, ¿para qué? He tenido que consolarme. Haced como yo, querido padre, querida hermana. ¡Llorad! ¡Llorad a fondo! ¡Pero luego consolaos!* [192].

No sirve de nada llorar. Pero Wolfgang lloraba, a fondo y muy a menudo; quizá sea ésa la principal razón de su a menudo aparentemente contradictoria conducta.

Capítulo VII

EL VIAJE HACIA LA LIBERTAD: 1778 a 1781

Nadie tendría que obligar a nadie

En la misma carta se refirió Wolfgang a Michael Haydn, hermano de Franz Joseph y también magnífico compositor, pero que desafortunadamente cayó en la bebida, llegando a tal extremo que no podía cumplir sus compromisos; más adelante el propio Wolfgang, dando muestras de su carácter generoso, compondría en nombre de Michael algunas de las composiciones que éste tenía la obligación de realizar:

Con lo de la embriaguez de Haydn he tenido que reírme con ganas. Si yo hubiera estado allí, sin duda le habría dicho en voz baja al oido: Adlgasser [193]*, es una vergüenza que un hombre tan hábil, por su propia culpa se ponga en estado de incapacidad para hacer lo que debe, en una función en honor de Dios, estando allí el arzobispo y toda la corte, y toda la iglesia llena de gente. Es repulsivo. Ésa es también una de las principales razones que me hacen odioso Salzburgo, la musique grosera, desastrada y descuidada de la corte. Un hombre honesto, de buenos modales, no puede vivir allí; la verdad es que, en lugar de aceptar a los suyos ¡tiene que avergonzarse de ellos! Y además, y quizá por esa causa, la música no es amada entre nosotros, ni goza de ninguna consideración. ¡Si cultivaran la musique como en Mannheim!*

Esto era ya una obsesión para Wolfgang, que no hacía sino dar vueltas en torno a la misma idea: detesta Salzburgo. Ya lo hemos visto: tras conocer otros muchos lugares (y, especialmente, tras enamorarse en Mannheim) le parecía una ciudad anclada en el pasado, en la que un artista que estaba en el imparable camino de la Edad Contemporánea no podía sino sentirse agobiado:

En Salzburgo, en materia de musique, o en lo que sea —nadie tendría que obligar a nadie—, si tuviera que aceptarlo, tendría que tener las manos totalmente libres: el mayordomo mayor no tendría que decirme nada en cuestiones de musique, en nada de lo que a la musique se refiere, porque un caballero no puede ser maestro de capilla, pero un maestro de capilla sí caballero.

Magnífica declaración de principios, que nos muestra con contundencia que, si hubiera que personalizar en un solo músico, en un solo artista (tendencia con la que, no obstante, no estamos de acuerdo), la nueva consideración de sí mismos dentro de la sociedad, la rebeldía con el sistema estamental que quizá a los músicos, por su presencia habitual entre los personajes poderosos, seguía oprimiendo más que a otros artistas (y seguiría oprimiéndoles aún por muchos años, salvo destacadas excepciones), ese músico no sería tanto Beethoven como el propio Mozart. Más exactamente, nuestra opinión es que, en última instancia, el definitivo impulso hacia el mundo contemporáneo no lo protagonizaron tanto hombres de la generación de Beethoven como de la generación de Mozart, e incluso de Haydn. La fecha de la Revolución Francesa no es sino un símbolo cronológico; varias fechas varios años anteriores o posteriores a ella podrían ser igualmente significativas, si se trata de fijar fronteras en el calendario de la Historia.

Si los salzburgueses quieren tenerme, tendrán que satisfacerme y satisfacer todos mis deseos.

El ambiente de Salzburgo no podía satisfacer a alguien como Wolfgang; pero el París de 1778 tampoco. En el siguiente párrafo de la misma carta, además, volvemos a encontrarnos con rasgos de Mozart aparentemente contradictorios: pese a su carácter afable y su facilidad para relacionarse con los demás, a menudo se muestra sumamente individualista, incluso misántropo:

Los franceses son y siguen siendo unos asnos, no saben hacer nada: tienen que recurrir a los extranjeros. Con Piccini hablé en el Concert Espirituel; es muy cortés conmigo, y yo con él, cuando por casualidad nos encontramos; por lo demás no hago amistades, ni con él ni con otros compositores; me dedico a lo mío y ellos a lo suyo, y eso basta.

No debe sorprendernos esta francofobia: en París, Mozart se desenvolvía en ambientes aristocráticos, estaba rodeado de miembros de la nobleza, no sólo francesa, sino de los países aliados de Francia; personajes que en esos momentos eran posiblemente los más reaccionarios, los más anquilosados en el pasado y ajenos a la realidad de toda Europa, y aparentaban no tener nada mejor que hacer que inhalar tabaco rapé, consumir grandes dosis de chocolate y configurar absurdas posturas con los pies y los brazos mientras decían continuas necedades con pretensión de agudezas. No asumían que los tiempos del Rey Sol habían pasado definitivamente, y esta falta de contacto con la realidad terminaría llevándoles en muy poco tiempo al desastre. Mozart no se sentía cómodo en ese ambiente, hasta el punto de que llegó a escribir:

¡Si el maldito idioma francés no fuera tan infame para la música! Es algo lamentable; en comparación, el alemán es algo divino.

A nosotros, hispanoparlantes, no puede sino sorprendernos esta afirmación; es muy posible que nos parezca mucho más musical el idioma francés que el alemán; pero Mozart no habla de la musicalidad que puedan tener en sí mismos el francés y el alemán, sino de su mayor o menor adaptabilidad a la música, y en especial al tipo de música que se hacía en esos momentos. Es posible que conforme a los parámetros del Barroco final y del Neoclasicismo (o *Clasicismo,* término que todavía sigue utilizándose para referirse a la música del período que en las demás artes conocemos como *neoclásico),* una música que en Alemania estaba muy estrechamente relacionada con el coral luterano, el alemán se adaptase mucho mejor que el francés. Pero además, como en otras muchas ocasiones, volvemos aquí a encontrarnos a Mozart sumergido en la corriente del *Sturm und Drang,* en el que se estaba gestando el nacionalismo alemán.

Termina esta carta manifestando la siguiente opinión sobre dos afamados músicos, los hermanos Stamitz:

De los dos Stamitz sólo está aquí el menor; el mayor, el auténtico compositor Hafeneder, está en Londres. Se trata de dos lamentables emborronadores de notas, y jugadores, borrachos y puteros; no son gente para mí.

En su carta del 31 de julio nos encontramos de nuevo con un Wolfgang sumido en la tristeza:

[...] Recordé otra vez el fallecimiento de mi querida y santa madre, y otra vez se me apareció todo vívidamente; sin duda no lo olvidaré en toda mi vida. Usted sabe que en toda mi vida, aunque lo habría deseado, había visto morir a nadie, y la primera vez hubo de ser precisamente mi madre. Ese instante era el que más preocupación me causaba, y llorando pedí fortaleza; fui escuchado: la tuve.

[...] Ahora, a Dios gracias, estoy muy bien y muy sano. Sólo de cuando en cuando tengo ataques de melancolía, pero la mejor manera de librarme de ellos es mediante cartas, las que escribo o recibo.

Con más intensidad que nunca, Wolfgang se siente en la encrucijada; pero plantea la cuestión de un modo muy mozartiano: está deseando trasladarse a Mannheim, pero quiere hacer ver que está dispuesto a sacrificarse permaneciendo en París; hasta el extremo de que, de creerle, eran personas como Grimm quienes le estaban aconsejando que se fuera de París a Mannheim; al menos en el caso de Grimm, parece que sí era cierto:

Esté seguro de que en todos los asuntos, porque sé que también su felicidad y su satisfacción dependen de ello, pondré siempre toda mi confianza en usted, en mi amado padre, y mi mejor amigo [...]. Mr. Grimm me dijo recientemente: ¿Qué debo escribirle a su padre? ¿Qué partido tomará usted? ¿Se quedará aquí, o se irá a Mannheim? Realmente no pude contener la risa; ¿qué voy a hacer ahora en Mannheim? Si no hubiese venido a París... Pero ahora estoy aquí, y tengo que hacer cuanto pueda por salir adelante. Sí, dijo él, pero me cuesta trabajo creer que puedan irle bien las cosas. ¿Por qué? Veo aquí a muchos lamentables ignorantes que salen adelante, y ¿no habría de poder hacerlo yo con mi talento? Le aseguro que me gusta estar en Mannheim; me gustaría mucho tener un puesto allí, pero con honra y reputación; tengo que estar seguro de algo, antes de dar cualquier paso.

[...] Haré todo lo posible para salir adelante aquí con alumnos, y ganar tanto dinero como pueda; lo hago ahora con la dulce esperanza de que pronto se producirá un cambio, porque en eso no puedo engañarle, sino que he de confesar que me sentiré alegre cuando me marche de aquí; porque dar lecciones no es aquí ningún placer, hay que fatigarse bastante; y si no se toma a muchos, no se hace mucho dinero. No debe creerse que se trata de pereza, ¡no!; pero es algo que va totalmente en contra de mi genio, de mi forma de vida. Usted sabe que por decirlo así estoy sumergido en la musique, que me ocupo de ella todo el día, que me gusta especular, estudiar, reflexionar. Pues bien, por esta forma de vida me veo impedido para hacerlo.

Y pasa a hablar de su proyecto para componer una ópera, lo que considera un verdadero reto de carácter nacionalista (o *protonacionalista*):

[...] No puedo hacer otra cosa, tengo que componer una gran ópera o ninguna; si compongo una pequeña recibiré poco; porque aquí todo está tasado. Y si tiene la desgracia de no gustar a los estúpidos franceses, todo habrá acabado: no me encargarán que componga otras, habré ganado poco y mi honor habrá sufrido daño. Sin embargo, si compongo una gran ópera el pago será mayor, estaré haciendo algo que me alegra, tendré más esperanzas de lograr el éxito, porque en una gran obra se tienen más oportunidades de hacerse honor a sí mismo. Le aseguro que si me encargan que componga una ópera no tendré miedo; es verdad que este idioma lo ha hecho el Diablo, y comprendo todas las dificultades que todos los compositores han encontrado; perfectamente, pero a pesar de ello me siento en condiciones de superar esa dificultad tan bien como cualquier otro. O contraire, *cuando me imagino a menudo que todo está arreglado con mi ópera, siento un fuego en todo el cuerpo, y me tiemblan las manos y los pies de deseo de enseñar a los franceses a conocer, apreciar y temer a los alemanes. ¿Por qué no se encomienda a ningún francés una gran ópera? ¿Por qué tienen que ser extranjeros? [...] No empezaré ninguna pelea, pero si me provocan, sabré defenderme. Pero si todo se resuelve sin ningún duelo lo preferiría, porque no me gusta pelearme con enanos. ¡Dios haga que pronto se produzca algún cambio!*

Entre tanto, siguió trabajando en otras cosas. Las *Variaciones para piano*, KV 265, antes se consideraban elaboradas en 1776, pero hoy se consideran compuestas en este difícil verano parisiense de 1778, por lo que en la última edición del Köchel figuran como 300e. El tema elegido para desarrollar sobre él las variaciones es significativo, un tema infantil: *Ah, vous dirais-je, Maman,* el popular *Twinkle-Twinkle;* un tema que, entre otros autores, utilizaría también Joseph Haydn en su sinfonía *Sorpresa*.

El 27 de julio, en los mismos momentos en que Wolfgang afirmaba estar decidido a seguir viviendo en París, Grimm escribió a Leopoldo una sincera carta, cuya lectura debió de resultarle especialmente dolorosa. En ella decía lo siguiente de Wolfgang:

Es muy cándido, poco activo, muy fácil de atrapar, poco preocupado por los medios que le pueden conducir a la fortuna. Aquí, para abrirse camino hay que ser astuto, emprendedor, audaz. Querría para él, por su bien, la mitad de su talento y el doble de don de gentes, y entonces no estaría preocupado.

Por lo demás, sólo puede intentar aquí dos caminos: el primero es dar lecciones de clavecín, pero teniendo en cuenta que sólo se puede tener alumnos cuando se tiene mucha actividad y hasta palabrería, no sé si él tendrá bastante salud para resistir este oficio, pues es muy cansado recorrer los cuatro extremos de París y fatigarse hablando para enseñar. Y además este oficio no le gusta demasiado porque le impide escribir, que es lo que él prefiere por encima de todo. Podría dedicarse por entero a esto, pero en este país la mayoría del público no entiende de música. [...] El público en este momento está dividido ridículamente entre Piccinni y Gluck, y todas las opiniones que se oyen sobre música causan pena [...].

Ya veis, querido maestro, que en un país donde tantos músicos mediocres, y algunos hasta detestables, han hecho inmensas fortunas, temo mucho, mucho, que vuestro hijo no pueda salir airoso. [...] Es una pena que la muerte del elector de Baviera haya impedido a vuestro hijo haberse colocado en Mannheim.

[...] Lleva cuatro meses en París y está casi como al principio, habiendo gastado cerca de mil libras [...][194].

Por otra parte, como trasfondo de toda esta historia, desde que la hemos comenzado (y, por desgracia, poco habría cambiado que hubiera tenido lugar uno, dos o tres siglos antes; veinte, treinta o cien años después), está siempre presente uno de los Cuatro Jinetes del Apocalipsis, cuando no los cuatro a la vez. En una de las varias posdatas de la carta escrita por Wolfgang el 31 de julio, podemos leer:

Y ahora algo de la guerra. Sí, ¿qué? Desde que le escribí mi última al respecto, sólo he oído que el rey de Prusia tuvo que retroceder siete horas. Se dice que el general Wunsch ha sido capturado con 15.000 hombres, pero no lo creo, aunque deseo de todo corazón que le sacudan bien al prusiano; aquí en casa no puedo decir estas cosas.

Y para decirlas por carta, recurre al peculiar sistema de cifrado que utilizaban los Mozart, consistente en cambiar unas letras por otras. Esta larga carta termina con el sincero reconocimiento de que, a pesar de todo, Salzburgo tiene algunas cosas buenas:

En Salzburgo se está sin duda mejor que en Bohemia; por lo menos se tiene segura la cabeza.

Un día antes, en una carta dirigida a Fridolin Weber, había escrito una posdata para Aloysia:

Carissima amica: Espero que vuestra salud sea excelente. Os ruego que tengáis gran cuidado, ya que para mí es la cosa más preciosa que hay en este mundo. En cuanto a mí, gracias a Dios estoy bien de salud, pero no tengo cura. No tengo el corazón en paz, y no lo tendré hasta que no tenga el consuelo de saber que por fin sus méritos han sido reconocidos. Pero sólo seré completamente feliz el día que tenga la dicha de volver a veros y abrazaros con todo mi corazón. Esto es lo único que puedo desear. En este deseo y este sueño encuentro mi único consuelo [195].

Vivir bien y vivir felices son dos cosas distintas

Por estos días, el abate Bullinger, sin duda a petición de Leopoldo, intentó saber qué posibilidades existían de que Wolfgang regresase a Salzburgo. Y Wolfgang contestó lo siguiente:

¡Sabéis, querido amigo, cuán odioso me resulta Salzburgo!; no solamente por las injusticias que mi padre y yo hemos padecido, lo que ya sería suficiente para olvidar un lugar así, para arrancarlo completamente del pensamiento. Admitamos ahora que todo vaya bien, que todo se solucionase de tal forma que podamos vivir bien. Vivir bien y vivir felices son dos cosas distintas; ¡y la segunda cosa es algo que, sin brujería, no podré conseguir de una manera natural! Y esto no es posible ahora, porque en estos tiempos no hay brujas.

[...] En cualquier lugar que no fuera Salzburgo tendría la esperanza de vivir feliz y satisfecho. No me comprendáis mal y vayáis a creer que pienso que Salzburgo es demasiado pequeño para mí; en ese caso os engañaríais. Ya he expuesto a mi padre algunas de mis razones al respecto; por ahora, contentaos con ésta: ¡que Salzburgo no es un lugar para mi talento! Primero, las personas que se dedican a la música no disfrutan de ninguna consideración, y después no entienden nada. ¡No hay teatro, no hay ópera! [...]. Desde hace cinco o seis años la música en Salzburgo ha sido rica en elementos inútiles, superfluos, pero pobre en utilidad, y completamente desprovista de lo indispensable, como es el caso actualmente [...]. Hasta que no haya un cambio en este sentido no iré a Salzburgo; pero después iré, y regresaré tantas veces como se encuentre escrito: «V[olta] S[ubito] [196]» [197].

No es cualquier cosa lo que está diciendo aquí Mozart. La música en Salzburgo, tal como él la describe, es como los cuadros del mismo período, el arte llamado *Rococó*, el arte de los últimos años de la Edad Moderna: perifollo, *tortillas de angelotes;* enormes cuadros con temas banales, recargados de elementos superfluos: mucho follaje por todas partes, y en el centro, como único asunto del cuadro, un casto besito en la mejilla entre dos pastores, o una damisela columpiándose alegremente. Es el arte cortesano de esos años, el arte de unas cortes en plena decadencia, que viven de espaldas a la realidad, como consecuencia de lo cual se precipitarán inmediatamente las grandes revoluciones que caracterizarán lo que llamamos *Edad Contemporánea*. No debe interpretarse esto como una crítica negativa hacia los artistas de la época, que hacían, lo mejor que podían y sabían hacerlo, las obras que les demandaban los cortesanos de finales del XVIII; algunos de estos mismos artistas serán quienes protagonicen magistralmente, inmediatamente después, el primer Romanticismo artístico. Wolfgang, con su inteligencia, su sensibilidad y su intuición, lo percibió abrumadoramente (aunque la eliminación de elementos superfluos, de excesiva ornamentación, era algo consustancial con el Clasicismo). Pero cabría hacerle sólo un reparo: ¿esto únicamente ocurría en Salzburgo? ¿No era una constante en todas las cortes que él conocía? Quizá en algunas ciudades, como en Mannheim, fuera ya un poco distinto.

Unos días después escribirá a su padre:

Lo único, os lo digo como lo siento, lo único que me disgusta de Salzburgo, es que no se puede tener una relación conveniente con las personas, y que la música no goce de una mayor consideración; y también que el arzobispo no considere la valía de la gente que ha viajado, pues os aseguro que sin viajes, al menos para aquellos que se dedican a las letras y a las artes, ¡no eres nadie en realidad! Y también os aseguro que si el arzobispo no me permite hacer un viaje cada dos años, me será imposible aceptar el compromiso. Un hombre de talento mediocre seguirá siendo siempre mediocre, viaje o no viaje; pero un hombre de talento superior —lo que no puedo negar es mi caso— será malo si tiene que quedarse siempre en el mismo lugar. [...].

Sólo pido una cosa en Salzburgo, y es no tocar el violín como antes; no me veo violinista. Quiero dirigir y acompañar las canciones al piano. [...].

Mi querido padre, debo confesarlo, si no fuera por la alegría de volveros a ver a ambos, verdaderamente no podría decidirme a aceptar[198].

Una de las pocas alegrías que tuvo Wolfgang en París fue el reencuentro con Johann Christian Bach, que visitó la ciudad en agosto para firmar un contrato para la elaboración de una ópera francesa. Wolfgang, Johann Christian y el *castrati* Tenducci (a quien también había conocido en Londres) pasaron una semana en Saint-Germain, invitados por el mariscal de Noailles.

Ese mismo mes de agosto falleció en Salzburgo el *Kapellmeister* Lolli; unos meses antes, en diciembre de 1777, había fallecido el organista Cajetan Adlgasser. Leopoldo se apresuró a pedir para sí mismo a Colloredo la plaza de *Kapellmeister*, e hizo gestiones para estudiar las posibilidades que pudiera tener Wolfgang de conseguir la de organista. Convencido definitivamente de que su hijo no podría triunfar en otras cortes alemanas ni en París, se daría por satisfecho con conseguir que regresase a Salzburgo. La inútil empresa ya había costado demasiado cara:

Si tu madre hubiera regresado a Mannheim, no estaría muerta. Sin tus nuevas relaciones [199]*, no habrías decidido que no querías viajar con los Wendling. Me habrías participado antes tus proyectos, cuando todavía confiaba en tu razón y en tu virtud. Habrías llegado a París en un mejor momento [...] y mi pobre esposa estaría todavía en Salzburgo* [200].

Sin duda, Leopoldo estaba siendo muy cruel al culpar, directa o indirectamente, a Wolfgang de la muerte de su madre; hay que considerar, en su descargo, que debía de encontrarse muy afectado por este fallecimiento, y que, por lo que sabía de Wolfgang, no parecía estar respondiendo en modo alguno a las esperanzas puestas en él, y a los sacrificios realizados para conseguir su triunfo.

Unos días después, Leopoldo pudo anunciar a Wolfgang que Colloredo estaba dispuesto a aceptarle de nuevo en su corte:

Casi desesperaba de conseguirlo, pues dada la reciente dimisión, el orgullo herido del arzobispo no nos permitía esperar grandes favores. Sin embargo, gracias a mi perseverancia no solamente he conseguido que acepten tu candidatura y que el arzobispo nos haya otorgado todo a ti y a mí, sino que tu salario sea de 500 florines; sin embargo, se ha excusado por no poder nombrarte todavía Kapellmeister. [...] Ahora todo esto depende solamente de ti: si piensas que me preocupo porque es lo mejor para ti, y quieres salvarme la vida, o por el contrario prefieres verme muerto. He pensado en todo. El arzobispo ha dicho además que si quieres escribir una ópera te dejaría viajar. [...] En Salzburgo estás en el punto central entre Munich, Viena e Italia [201].

Leopoldo continuaba recargando las tintas sobre la supuesta responsabilidad de Wolfgang en la muerte de su madre; ahora le dice que de su decisión depende que él mismo, Leopoldo, viva o muera también. Por otra parte, con tal de que su hijo regrese a Salzburgo, está dispuesto a ceder incluso en lo que respecta a los Weber:

La señorita Weber interesa mucho al príncipe y a todo su entorno, y quieren escucharla. En ese caso, si las cosas se arreglasen, vivirán con nosotros. Me parece que el padre tiene poca cabeza, pero yo arreglaré las cosas para ellos, si quieren obedecerme [202].

Leopoldo seguía convencido de que Fridolin Weber no era un personaje recomendable; de ahí que aceptase ayudarles sólo si se atenían a las normas que él les impusiera; el *pater familias* seguiría siendo él, sin posibilidad de discusión.

Wolfgang no tenía más remedio que transigir; continuar en París, seguir solo por las cortes europeas, a la vista del escasísimo éxito obtenido, habría sido poco menos que un suicidio. Todavía no podía prescindir de la ayuda de su padre, ni tal vez lo desease del todo.

En Salzburgo no sé muy bien quién soy: soy todo, y a veces nada

Por fin, con tantas dilaciones como pudo, Wolfgang se vio prácticamente expulsado de París por Grimm, que le hizo tomar la primera diligencia (y la más barata posible) el día 26 de septiembre. Wolfgang ni siquiera se lo comunicó a tiempo a su padre, lo que justificó, no muy coherentemente, alegando que el barón Grimm le había informado mal sobre las diligencias que viajaban a Estrasburgo. Pero, además, la correspondencia que Wolfgang dirigió a Leopoldo en estos momentos se espació considerablemente, y no por exceso de trabajo, sino porque no se sentía animado para escribirle:

Le ruego que perdone que no escriba mucho, porque cuando no estoy en una ciudad donde me conozcan, no estoy nunca de buen humor; sin embargo, creo que si fuera aquí conocido me quedaría a gusto, ya que la ciudad es realmente charmant: casas bellas, calles anchas y bellas, y plazas soberbias. Sólo tengo que rogarle una cosa: que pueda disponer de un buen armario grande en mi habitación, para tener todas mis cosas conmigo. Si pudiera tener el pequeño pianito que tenían Fischieti y Rust en mi escritorio, me agradaría mucho, porque me hace más servicio que el pequeño Von Stein [203].

Eso es lo que pide Mozart a su padre para cuando vuelva a casa: un armario donde poder guardar sus propias cosas y un pequeño piano para hacer sus ejercicios diarios. Compartirá techo con su padre y su hermana, no piensa en abandonarles; pero reclama un mínimo de independencia, de respeto a su intimidad: un armario con sus cosas, todas sus cosas.

De mi música no le llevo muchas cosas nuevas, porque no he compuesto mucho. Los tres quartetti y el concierto de flauta para Mr. De Jean no los tengo, porque al irse a París lo metió en un cofre equivocado, y en consecuencia se quedaron en Mannheim [...]. Por consiguiente no llevaré nada terminado más que mis sonatas, ya que las oberturas y la sinfonía concertante me las ha comprado Le Gros; él cree que las tendrá para él sólo, pero no es cierto: todavía las tengo frescas en la cabeza y, tan pronto como llegue a casa, volveré a escribirlas [204].

¿Se trata de un caso de cínico engaño a Le Gros por parte de Mozart? Creemos que no; más bien entrevemos la defensa de sus derechos morales de autor. Era frecuente que algunos personajes pudientes encargasen a los músicos obras que luego hacían interpretar como si ellos mismos fuesen los autores; eso es lo que, lo adelantamos ya, ocurrió con la última obra de Mozart, el inacabado *Réquiem*. Parece tratarse, pues, de un juego *de pillo a pillo*. Lo mismo ocurría con De Jean: era un holandés adinerado (conocido como *el Indiano)*, aficionado a la música para flauta, y Mozart le conoció por medio de su amigo el flautista J. B. Wendling; por encargo de De Jean compuso, en efecto, los tres cuartetos con flauta K 285, 285a y 285b, así como los conciertos para flauta K 313 y 314 y el andante para flauta y orquesta K 315.

En la misma carta se interesó por las representaciones escénicas en Salzburgo:

Naturalmente, los comediantes de Munich estarán actuando ya: ¿gustan?, ¿va la gente a verlos? De las operetas, sin duda serán las primeras la Pescatrice [205] *de Piccini; o la* Contalina in corte [206] *de Sacchini. La primera cantante será la Kayserin [...]* [207].

Wolfgang permaneció unos días en Nancy, y el 10 de octubre llegó a Estrasburgo, donde estuvo tres semanas, hasta el 3 de noviembre. En Nancy recibió tres cartas de Leopoldo; dos de ellas habían llegado a París, desde donde le fueron remitidas a Estrasburgo, y la tercera le fue enviada directamente a Estrasburgo. En una de ellas, la del 24 de septiembre, Leopoldo le comunicó que Aloysia había sido aceptada por el conde de Seeau en la ópera alemana que se iba a establecer en Munich, y que cobraría seiscientos florines (cien más de los que cobrará el propio Wolfgang en Salzburgo). A la alegría por el triunfo de Aloysia, seguramente debió de enfrentarse la tristeza, porque esto significaba que no la tendría a su lado en Salzburgo. Así se lo comunicó a su padre, a la vez que le dio otra información interesante:

[...] Me he alegrado profundamente, como es lógico esperar de alguien que está tan interesado en todo lo que a ella se refiere. [...] Sin embargo, lo que yo más deseaba, que pudiera entrar al servicio de la corte de Salzburgo, ahora desgraciadamente no puedo esperarlo, pues el arzobispo no le pagará tanto como ella recibe ahí. Lo único que todavía es posible es que vaya alguna vez a Salzburgo a cantar una ópera. Antes de salir para Munich, su padre me ha escrito dándome esta noticia. Los pobres estaban muy angustiados por mí. Me creían muerto porque han estado todo un mes sin cartas mías, pues la penúltima se perdió, y estaban persuadidos de mi muerte, porque había corrido por Mannheim el rumor de que mi madre había muerto de una enfermedad contagiosa. Hasta han rezado por la salud de mi alma. La pobre muchacha ha ido todos los días a la iglesia de los Capuchinos. ¿Os hace esto reír? A mí no; me emociona, no puedo evitarlo [208].

Así pues, el argumento que, de todos los utilizados por su padre, más podía haberle convencido, esto es, la presencia de Aloysia en Salzburgo, se había desvanecido. Ya antes de esto le estaba resultando difícil aceptar el regreso a Salzburgo...

Reconoceréis que no es una gran alegría pasar por todo esto [209].

... pero ahora se desplaza a esa ciudad como si fuera arrastrando los pies:

Os aseguro que si no fuera por el placer de abrazaros pronto, ciertamente no volvería a Salzburgo; al margen de ese motivo hermoso y noble, creo que cometo la mayor locura del mundo, y que os conste que ésta es mi opinión personal, y no una opinión sugerida por otras personas.

[...] Debo confesaros, con toda libertad, que iría a Salzburgo mucho más contento sabiendo que no tendría que entrar al servicio de la corte. ¡Este pensamiento me resulta insoportable! Reflexionad so-

bre ello; poneos en mi lugar. En Salzburgo no sé muy bien quién soy: soy todo, y a veces nada. No pido tanto ni tan poco, solamente ser algo. ¡Pero que pueda ser realmente algo! [210].

De todos modos, si sabemos por qué no se estaba dando prisa en llegar a Salzburgo, no sabemos muy bien qué era lo que podía retenerle en Estrasburgo. El 26 de octubre escribió a su padre:

Todavía estoy aquí, como puede ver [...]. Sin embargo, mañana me iré.

Pero ni siquiera envió inmediatamente la carta. La continuó el 2 de noviembre:

El 31 de octubre, día de mi santo, me divertí unas horas, o mejor, divertí a los otros; atendiendo muchos ruegos del señor Frank, de Beyer, etc., volví a dar un concierto, que realmente después de pagar los gastos, que esta vez no fueron tan grandes, me reportó un louis d'or *¡ya ve lo que es Estrasburgo! Le he escrito más arriba que me marcharía el 27 o el 28, pero ha sido imposible, porque ha habido aquí de repente toda una inundación de agua que ha causado muchos daños, ya lo leerá en los periódicos [...]. Mañana saldré con la diligence, por Mannheim —no se asuste— [...]. Y ahora no me queda más que felicitarlo, queridísimo, amadísimo, por su próximo santo.*

¡Amadísimo padre! Le deseo de todo corazón todo lo que un hijo que aprecia realmente y quiere sinceramente a su querido padre puede desear. Doy gracias a Dios Todopoderoso que le ha permitido vivir otra vez ese día gozando de la mejor salud, y sólo le pido la gracia de que durante toda mi vida, todos los años, de los que le deseo viva muchos, pueda felicitarle. Por extraño, y quizá también ridículo, que pueda parecerle ese deseo, es sincero y bien intencionado, eso se lo aseguro [211].

Pero seguía en Estrasburgo:

¡Estrasburgo casi no puede prescindir de mí! No creería usted lo mucho que aquí me honran y lo querido que soy. La gente dice que todo en mí es tan noble, que soy tan reposado y cortés, y mi comportamiento es muy bueno. Todos me conocen: en cuanto oyeron mi nombre, los dos señores Silbermann y el señor Hepp, organista, vinieron en seguida a verme; también el señor maestro de capilla Richter, que ahora está muy moderado, en lugar de cuarenta botellas de vino se traga sólo unas veinte al día. He tocado en los dos

órganos mejores de aquí, de Silbermann, públicamente, en la iglesia luterana, en la iglesia Nueva, y en la iglesia de Santo Tomás. Si el cardenal, que estaba muy enfermo cuando llegué, hubiera muerto, habría obtenido un buen puesto, porque el señor Richter tiene setenta y ocho años [212].

Sin embargo, las noticias que proporciona Wolfgang sobre los cariños que despertaba en Estrasburgo son contradictorias; todo parece indicar que había un grupo de personas con las que se entendía a la perfección, pero no es del todo cierto que Estrasburgo no pudiese prescindir de él. El día 17 de octubre se había celebrado un recital suyo, con mucho éxito de público, pero ninguno económico: a Mozart, tras pagar los gastos de la organización, le quedaron sólo tres luises de oro, la misma cantidad que le reportó el concierto, con orquesta, que dio unos días después; pero en este último, el teatro estaba casi vacío. Esto no pareció importarle demasiado:

A fuerza de aplaudir me han hecho tanto daño en los oídos como si el teatro hubiera estado lleno. Todos quienes estaban allí han manifestado en alta voz y abiertamente su descontento por el comportamiento de sus conciudadanos; pero les he dicho a todos que si yo hubiera adivinado que vendrían tan pocos oyentes, gustosamente habría dado el concierto gratis, aunque sólo fuese por tener la satisfacción de ver el teatro lleno. Y el hecho es que hubiera preferido esto, porque, por mi honor, no hay nada más triste que una gran mesa de ochenta cubiertos con sólo tres personas para cenar. Y además, ¡hacía tanto frío!; pero ¡me he calentado bien! Para demostrar a los estrasburgueses que no me inquietaba en absoluto, he tocado mucho, mucho, por mi propio placer, sobre todo un concierto de más que no había ofrecido previamente; y al final he estado mucho tiempo improvisando [213].

Por fin llegó a Mannheim:

He llegado felizmente el día 6, sorprendiendo a todos mis buenos amigos de la manera más agradable. ¡A Dios gracias estoy otra vez en mi querido Mannheim! Le aseguro que si estuviera usted aquí diría lo mismo. [...] Desde que estoy aquí no he comido todavía en casa [214]*, porque literalmente todos se disputan mi persona. En una palabra, amo a Mannheim tanto como Mannheim me ama a mí. Y no sé, pero creo que es aquí donde encontraré una buena situación; aquí, no en Munich. En efecto, creo que el príncipe elector volverá a fijar su residencia en Mannheim, pues no podrá soportar por mucho tiempo las groserías de los bávaros* [215].

Wolfgang dijo esto, aunque los Weber no estaban en la ciudad: se encontraban en Munich, con la corte del príncipe elector.

En la misma carta dio noticia de lo que podría haber llegado a ser un importante jalón en su carrera compositiva: un concierto para piano y violín, el KV 315f, aunque sólo elaboró un fragmento, de cien compases. A su calidad técnica se añade la audacia de enfrentar el violín y el piano con la orquesta, algo de lo que sólo existía el precedente de J. K. Walhal, y que sólo emprendieron posteriormente G. B. Viotti y Mendelssohn:

Están creando también aquí una academia de aficionados, como en París, en que el señor Fränzl, violín, dirige, y estoy componiendo precisamente un concierto para piano y violín [216].

Sin duda, la parte del piano la habría de interpretar el propio Mozart. Este proyecto de *academia de* (y *para) aficionados* nos sitúa, como la de París con la que la compara, ante algo que se estaba desarrollando aceleradamente en estos momentos: las salas de conciertos a las que se asistía para escuchar música, algo a lo que nosotros estamos completamente acostumbrados, pero que no era todavía tan frecuente a finales del siglo XVIII; de aquí surgirán las sociedades filarmónicas del siglo XIX, algunas de las cuales podrán llegar a mantener una orquesta sinfónica. Además, el hecho de que esta obra estuviese siendo escrita para dicha academia nos explica el atrevimiento de Mozart al abordar un concierto para estos dos instrumentos, pues responde a un planteamiento más intelectual, más puramente musical que en otras obras compuestas por él. Pero el proyecto no llegó a concretarse, debido al traslado a Munich de la afamada orquesta de Mannheim, por lo que Mozart no siguió con la partitura, que implicaba un esfuerzo excesivo para una obra que posiblemente hubiese tenido que guardar para sí mismo.

Mozart se mostró también ilusionado por una nueva forma de utilizar la música en la escena, que había descubierto en Mannheim, y que se debía a Georg Benda (1722-1795), del que ya durante su primera estancia en Mannheim había presenciado una de sus obras, *Medea;* ahora acababa de estrenar *Ariadne a Naxos:*

La compañía de Seiler está aquí, a la que conocerá ya por su renombre; su director es el señor Dallberg; éste no me deja marchar hasta que haya compuesto para él un duodrama, y realmente no me lo he pensado mucho; porque siempre he deseado componer esa clase de dramas. No sé, cuando estuve aquí por primera vez, ¿le escribí algo sobre esa clase de piezas? [...]. Realmente, ¡nunca me ha sorprendido tanto nada, porque siempre me imaginé que algo así no me haría ningún efecto! Sin duda sabe que en ellas no se canta, sino que se declama, y la musique es como un recitado obligado. De cuando en cuando se habla también a la vez que suena la musique, lo que produce el efecto más extraordinario. [...] Habría que tratar de esa forma la mayoría de los recitados en la ópera, y sólo de cuando en cuando, cuando las palabras pudieran expresarse bien en música, cantar los recitados [217].

Como vemos, la novedad que tanto llamaba la atención y agradaba a Mozart es una técnica a la que nosotros estamos acostumbrados, muy parecida a la de las bandas sonoras cinematográficas: música sonando mientras los actores hablan. A Wolfgang, como a nosotros, le aburrían los recitativos, esa especie de híbrido forzado, que no es ni canto ni recitado. Pero que suene música a la vez que los actores hablan, a Mozart le *produce el efecto más extraordinario*.

La carta termina con una andanada contra Colloredo:

Le ruego, queridísimo padre, que saque partido de ese asunto en Salzburgo, y hable tanto y tan alto que el arzobispo crea que quizá no iré, y se decida a darme mejor salario, porque, ¿sabe?, no puedo pensar en ello con ánimo sereno. ¡El arzobispo no podría pagarme bastante por la esclavitud de Salzburgo! Como le digo, siento el mayor placer cuando pienso en hacerle a usted una visita, ¡pero nada más que disgusto y miedo cuando me veo otra vez en esa corte de los milagros! El arzobispo no debe empezar a hacerse conmigo el importante, como era su costumbre, ¡porque no es imposible que lo deje con un palmo de narices!, muy fácilmente [218].

Una semana después contestó Leopoldo:

Mi querido hijo:

Me encuentro en tal estado que no sé ni lo que escribo. Voy a desmayarme o a morir de consunción. [...] ¿Es que tengo que pasar por las angustias de la muerte? [...] ¿Esperas obtener una posición en Mannheim? ¿Posición? ¿Qué quiere decir eso? ¡No encontrarás una posición ni en Mannheim ni en ningún lugar del mundo! No quiero ni volver a oír la palabra «posición».

Si el príncipe elector se muriese hoy, el batallón de músicos que están en Munich y en Mannheim tendrían que correr a través de todo el mundo para ganarse el pan, ya que el duque de Zweibrücken [219] *tiene una orquesta de treinta y seis personas.*

Lo único que importa ahora es que vuelvas a Salzburgo. No quiero saber nada de los cuarenta luises de oro que «quizá» podrías ganar. Tu único deseo es hacerme desgraciado si quieres seguir con tus quimeras [220].

En esta carta, además, Leopoldo hizo a Wolfgang el análisis contable de su experiencia en solitario: salió de París con 165 florines; según su padre, en esos catorce meses Wolfgang habría conseguido un saldo negativo de 863 florines, que había tenido que pagar Leopoldo.

¡En resumen!, no quiero en absoluto endeudarme por tu culpa y vivir en la vergüenza, y aún menos dejar a tu pobre hermana en la miseria; no sabes el tiempo que Dios te permitirá vivir [221].

Pero había algo que a Leopoldo le dolía todavía mucho más que el nulo sentido de la economía que tenía Wolfgang: su completa independencia, no saber siquiera por dónde andaba:

Hoy, por primera vez después de dos meses, sé adónde escribirte. ¡En fin, hay que pagar las deudas! Este sentimiento hará que te pongas en camino [222].

Aún disparará Leopoldo otra andanada cuatro días después:

Mi querido hijo:
Deseo que esta carta no te encuentre ya en Mannheim, y espero que después de haber recibido mi carta del 19, si sigues en Mannheim, saldrás en el primer vehículo. [...] Estoy harto de tus proyectos [...] porque no puedes, o no quieres, reflexionar con calma [...]. Te entusiasmas en un momento y tomas por oro lo que no es más que un engañoso oropel. [...].
Deseo, si Dios lo permite, vivir aún muchos años y pagar mis deudas. Después podrás, si así lo quieres, darte con la cabeza contra un muro. ¡Pero no! ¡Tienes demasiado buen corazón! No tienes malicia. Sólo que actúas con ligereza; ¡esto pasará! [223].

Pero Wolfgang seguía en Mannheim a comienzos de diciembre, y hasta entonces no contestó a su padre; y cuando lo hizo, fue casi como si no lo hiciera:

¡Muy querido padre!
Os ruego me excuséis en dos puntos: el primero es por no haberos escrito desde hace tanto tiempo; el segundo es porque esta vez

tengo que ser muy breve. Si he tardado tanto en escribiros, la culpa no es de nadie, sino de vos mismo, por vuestra primera carta dirigida a Mannheim. Realmente, nunca hubiera imaginado que...; en fin, ¡silencio!, no quiero decir nada más sobre ello. Ya pertenece al pasado. Saldré el próximo miércoles día 9 [224].

Ni siquiera escribió ya a su hermana, a la que en este enfrentamiento percibía de parte de su padre. Wolfgang salió, efectivamente, el día 9, pero aún se retrasaría más su llegada a Salzburgo. Viajó, gratis, con el cortejo del prelado imperial de Kaiserheim, y tuvo que esperarle diez días en esta abadía, antes de seguir hacia Munich:

Este viaje sólo ha sido agradable a medias. No habría sido nada agradable, incluso habría sido fastidioso, si no estuviera tan acostumbrado, desde la infancia, a abandonar personas, países y ciudades [225].

Puestos a hacer reproches, también Wolfgang tenía los suyos. Pero no creemos que haya que exagerar excesivamente este enfrentamiento, ni llegar a conclusiones precipitadas; con toda la dureza que pueda tener a veces por ambas partes, no nos parece que pase de algo normal entre un padre de edad avanzada, acostumbrado al orden y sabedor de lo difícil que resulta hacer valer los propios méritos en una sociedad en la que predominan los privilegios de sangre, la adulación y la falta de escrúpulos, y un joven de veintidós años que aún no ha alcanzado la madurez de su personalidad ni una verdadera independencia, hipersensible y especialmente influenciable.

La abadía de Kaiserheim tiene carácter militar; a Wolfgang le llamó la atención, de un modo muy especial, la disciplina castrense; hoy quizá diríamos que sus impresiones tienen ciertos rasgos antimilitaristas:

Lo que me ha parecido más ridículo ha sido el feroz destacamento militar. ¿Puede saberse para qué sirve? Por la noche oigo constantemente gritar: «¿Quién va?» Y a cada golpe respondo cuidadosamente: «Sin novedad» [226].

Tengo un corazón demasiado sensible

El 24 de diciembre salió de la abadía, y llegó a Munich el día de Navidad. Unos días después escribirá a su padre:

Hoy no puedo hacer otra cosa que llorar. [...] Verdaderamente, tengo un corazón demasiado sensible [227].

Porque este *annus horribilis* tuvo además un final aún más trágico para Mozart. Aloysia Weber ya no le necesitaba; tenía más poder económico que él (que no tenía ninguno), y ese primer día en Munich, el día de Navidad, le trató con absoluto desprecio. Wolfgang estaba componiendo para ella un aria escénica: *Io non chiedo, eterni Dei* [228] (KV 316), que había comenzado en París:

Yo no pido, dioses eternos,
todo el cielo para mí sereno,
pero que consuele al menos mi duelo
algún rayo de piedad.

De este aria había hablado a Aloysia en una carta escrita también en París:

[...] Está medio terminada; si a usted le place como a mí, podré declararme feliz; entre tanto espero tener pronto la satisfacción de saber por usted misma la recepción que habrá tenido esta escena por su parte, naturalmente, pues como la he hecho solamente para usted, no deseo otra cosa que su alabanza. Mientras tanto, pues, no puedo decir otra cosa sino que, entre mis composiciones de este género, debo confesar que esta escena es la mejor que he hecho en mi vida [229].

Tras el cruel desengaño, aún tuvo fuerzas para terminar el aria, que le entregaría el día 8 de enero, justo antes de salir para Salzburgo. Pero ese triste día de la Navidad de 1778 sólo fue capaz de cantar otro tema para Aloysia, sentado al clave: *Dejo de buen grado a la joven que no me quiere*. Tras esta muestra de admirable entereza... se pasó el resto de la jornada llorando en casa de Becké, el flautista.

Quizá, en medio del aturdimiento por tantos avatares infortunados acumulados en tan poco tiempo, recordase las palabras de Leopoldo, escritas justo un mes antes:

Mi querido hijo, conoces muy poco del mundo; pero cuando estés de nuevo en casa, entonces recordarás mis cartas y todas mis profecías y mis previsiones sobre la ingratitud humana. [...].

Mi querido Wolfgang, sigo pensando que el señor Weber es como la mayoría de las personas de su clase, que se valen de su pobreza, y que en la fortuna ya no te conocen. Te halagaba porque te necesitaba; y nunca reconocerá que le has enseñado muchas cosas [230].

El día 8 de enero de 1779, a punto de salir de Munich para Salzburgo, aún escribió Wolfgang a Leopoldo:

Le aseguro, queridísimo padre, que sólo por usted me siento contento de regresar, y no por Salzburgo, ahora que su última carta me ha convencido de que me conoce mejor que antes [...]. Pero os juro por mi honor que no puedo soportar Salzburgo ni a sus habitantes (me refiero a los salzburgueses de nacimiento). Su lenguaje y su forma de vivir me resultan absolutamente insufribles.

Wolfgang, pese a todos los enfrentamientos, no era tan necio ni tan insensible como para no reconocer esta evidencia: que su familia, reducida ahora a Leopoldo y Nannerl, era su principal apoyo; siempre lo había sido y lo seguiría siendo. Y Wolfgang estaba pasando momentos muy difíciles; el desengaño amoroso había hecho que por fin estallasen tantas emociones negativas acumuladas, y estaba anímicamente desmoronado:

Mi escritura ha sido siempre realmente mala, vos lo sabéis, pues nunca he aprendido a escribir bien. Pero en toda mi vida he tenido una escritura peor que la de hoy, porque ya no puedo más... ¡En mi corazón sólo hay lugar para el llanto! Espero que me escribiréis pronto para consolarme [231].

A lo que Leopoldo contestó:

¡Mi querido hijo!
He quedado muy afectado por tu carta y la del señor Becke. Si tus lágrimas, tu pena y la inquietud de tu corazón se deben a que dudas de mi amor y de mi ternura, puedes dormir tranquilo. Veo que todavía no conoces bien a tu padre. [...] No tienes ningún motivo para dudar de mí, ni de tu hermana, ni para temer una mala acogida o una época desgraciada. [...] Me escribes indicando que debo consolarte, y yo te digo: ¡ven y consuélame tú! [232].

En la primera carta que escribió Wolfgang a Leopoldo en 1779, se preguntaba:

¿Qué quiere decir sueños alegres? No me burlo de los sueños, no hay un solo mortal sobre la faz de la tierra que no haya soñado alguna vez; pero, ¡sueños alegres! ¡Sueños tranquilos, refrescantes, dulces sueños! Éstos son los sueños que, si se realizasen, me harían menos penosa mi vida, que es más triste que dichosa [233].

Durante su estancia en la abadía de Kaisersheim, Wolfgang había escrito a su prima Ana María Tecla invitándola a encontrarse con él en Munich antes de fin de año:

[...] Me gustaría y me sería muy necesaria vuestra presencia, porque tendríais un importante papel que jugar. Podré entonces agasajaros, podré daros palmadas en el culo, besaros las manos, abrazaros, haceros cosquillas, pagaros hasta el menor detalle todo lo que os debo, dejar escapar un pedo sonoro y tal vez también dejar caer otra cosa [234].

Ya hemos advertido que el lenguaje utilizado por Wolfgang con su prima era cuando menos desenfadado; esta carta no es, con todo, el mejor ejemplo de ello, pues se muestra en ella bastante comedido para lo que era habitual en él; se sentía triste y poco locuaz. Pero, ¿cuál era ese papel tan importante que debía jugar Ana María Tecla? ¿Intuía Wolfgang cuál sería el recibimiento que dos días después le haría Aloysia? ¿Qué lugar ocupaba exactamente su prima en la vida de Mozart? Sin duda congeniaban perfectamente; pero, por otra parte, los excesos verbales de Wolfgang tal vez lo que indiquen es que en absoluto su relación pasaba de tales límites, como si fuesen dos niños; procaces, pero niños. Debemos tener en cuenta, además, que no era sólo Wolfgang (aunque sin duda nadie le superaba) quien utilizaba expresiones que hoy pueden parecernos malsonantes, y quien hacía bromas con el lenguaje en sus cartas; encontramos esta característica ocasionalmente en su propio padre, e incluso en su madre y su hermana. Debía de ser algo muy frecuente en amplias zonas de la Europa central, en el sur de Alemania y el norte de Italia, y cabe ponerlo en relación con el gusto por la astracanada, por la carnavalada, que aparece reflejado en el teatro, en multitud de pinturas y hasta en la música; no podemos evitar la evocación de nuevo de la nutrida literatura goliárdica existente ya en los tiempos medievales, y con precedentes incluso en el mundo grecorromano. De lo que no cabe duda es de que esta característica era especialmente intensa en Wolfgang, convirtiéndose en un marcado rasgo de su contradictorio y vitalista carácter, que podía en ocasiones resultar muy poco mesurado, transgresor, impetuoso... y otras justamente lo contrario. Lo hemos sugerido ya: a menudo Mozart da la sensación de ser una verdadera caldera a punto de estallar por su propia energía interior, y de necesitar peculiares válvulas de escape. A esa misma fuerza debemos lo prolífico de su obra, que surgía como un torrente desbordado. Pero, a la vez, Mozart sabía contenerse cuando lo estimaba oportuno; podía resultar extremadamente cortés, y siempre era amable, generoso, como su propia música.

Lo cierto es que Ana María Tecla acudió a Munich, y allí Wolfgang le propuso que le acompañase a Salzburgo. Con ello tal vez intentaba evitar encontrarse a solas con Leopoldo. Ana María accedió, y ella misma escribió a Leopoldo:

Muy querido tío:
Espero que os encontréis bien, lo mismo que mi prima. He tenido el honor de encontrar a vuestro hijo en Munich. Su deseo sería que yo fuese con él a Salzburgo. Pero todavía no sé si tendré el honor de poderos ver.

En la carta existe, al llegar a este punto, un dibujo emborronado, y a su lado escribió Wolfgang: *He aquí el retrato de mi prima; escribe en camisón.* Tras lo cual, Ana María Tecla continuó escribiendo:

Mi primo está loco, como veis. Deseo, querido tío, que tengáis buena salud. Mil recuerdos a mi prima.
Soy, señor, de todo corazón,
[Wolfgang añadió aún:] *Vuestro invariable cerdo.*

M. A. Mozartin [235]

Leopoldo aceptó la llegada de su sobrina, pero ordenó a Wolfgang que se pusiera en camino inmediatamente, en tanto que Ana María Tecla debería salir unos días después.

No puedo soportar a Salzburgo ni a sus habitantes

Así pues, llegó el momento, tantas veces pospuesto, de regresar a Salzburgo. Todavía escribiría Wolfgang a su padre una carta desde Munich; ya hemos leído un pequeño fragmento de ella:

Os juro por mi honor que no puedo soportar Salzburgo ni a sus habitantes (me refiero a los salzburgueses de nacimiento). Su lenguaje, su forma de vivir me resultan absolutamente insufribles. No imagináis lo que he padecido durante la visita que ha hecho aquí la señora Robinig. Hace mucho tiempo que no había hablado con una loca semejante, y para colmo de desgracias, este imbécil y cretino de Mosmayr [236] *estaba con ella* [237].

Wolfgang llegó a Salzburgo el 15 o el 16 de enero. Recordemos cómo terminaba la carta del 12 de noviembre anterior:

El arzobispo no debe empezar a hacerse conmigo el importante, como era su costumbre, ¡porque no es imposible que lo deje con un palmo de narices!, muy fácilmente [238].

Pero nada más llegar a Salzburgo, tuvo que presentar a Colloredo una instancia; ésta:

Salzburgo, enero de 1779.
A su señoría serenísima arzobispo de Salzburgo, etc. etc., la más humilde y obediente súplica de Wolgang Amadé Mozart, de un nombramiento clemente.
¡Señoría serenísima!: ¡Muy noble y reverendísimo príncipe del Sacro Imperio Romano! ¡Clementísimo príncipe soberano de este país!
¡Monseñor!:
Vuestra señoría serenísima, etc., me concedió la alta gracia de tomarme clementemente a vuestro alto servicio después de la muerte de Cajetan Adlgasser. Por la presente suplico de la forma más humilde ser nombrado clementemente vuestro organista de corte. Entre tanto, como en el caso de todos los demás altos favores y gracias, quedo con la más profunda humildad.
A vuestra señoría serenísima, mi clementísimo soberano y señor. Señor: del humildísimo y obedientísimo Wolfgang Amadé Mozart.

No es difícil imaginar una estruendosa pedorreta proferida por Wolfang tras terminar la última línea. El día 17 comenzó a trabajar para Colloredo con el cargo de *Hoforganist* (organista en la corte y la catedral) y *Konzertmeister* (no *Kapellmeister*, como pretendían él y su padre).

Como tal *Konzertmeister*, en este período salzburgués compondrá diversas obras religiosas, entre las que cabe destacar la *Misa de la Coronación,* K 317 (marzo de 1779), la *Misa áulica,* K 337 (marzo de 1780), el *Kirie,* K 323 (diciembre de 1779), las *Vísperas,* K 339 (1780) y el motete *Regina Coeli,* K 276 (otoño de 1779).

De este período en Salzburgo son también tres importantes sinfonías: la n.º 32, K 318 (abril de 1779), llamada *Sinfonía obertura* porque algunos comentaristas piensan que fue concebida inicialmente como obertura para el *singspiel* «*Zaida*»; la número 33, K 319, escrita en el verano de 1779, a la que añadiría en 1782 un minué; y la 34, K 338 (agosto de 1780). Para esta última también comenzó a escribir un minué, que abandonó por parecerle que las dimensiones de la sinfonía serían excesivas; pero, significativamente, terminaría por añadirle otro con ocasión de su interpretación en Viena; como vemos, Mozart seguía trabajando como un sastre, pensando en las características peculiares de los distintos destinatarios de sus composiciones. Entre otras obras más, en agosto de 1779 compuso la serenata *Postillón,* KV 320, inspirada en la trompa que utilizaban los postillones, es decir, los mozos que iban por delante de las postas o de las caravanas, para guiarlas por los caminos. Y en otoño del mismo año escribió la *Sinfonía concertante,* KV 364, para violín, viola y orquesta.

Sin embargo, él mismo consideraba que no estaba trabajando tanto como podía hacerlo. Algún alevín de artista de nuestros días quizá preferiría la imagen de un Mozart de juerga en juerga, siendo obsequiado de cuando en cuando con un arrebato de inspiración (ésa es la imagen que de él se da en la película *Amadeus);* pero lo cierto es que a Mozart, como a Picasso, como a todos los verdaderamente grandes artistas, la inspiración le solía encontrar trabajando. Un par de años después se referirá así a este período salzburgués:

Podéis estar seguro de que no me gusta la ociosidad, de que amo el trabajo. En Salzburgo, sí, es verdad que me costó mucho esfuerzo y que apenas podía realizarlo. ¿Por qué? Porque mi corazón no estaba contento. ¡Y vos mismo confesaréis que en Salzburgo, al menos para mí, no existe ningún entretenimiento! [...] ¡Ningún estímulo para mi talento! Si toco, o si se ejecuta algo compuesto por mí, es exactamente como si sólo me escuchasen la mesa y las sillas. ¡Si por lo menos hubiera un teatro que mereciera la pena! [239].

Ana María Tecla estuvo unas semanas en Salzburgo, y en abril se encontraba ya en Augsburgo; Wolfgang continuó manteniendo su peculiar correspondencia con ella, y entre el torrente de juegos de palabras, bromas, dibujos y poemas humorísticos que habitualmente le dirigía, se encuentran reiteradas preguntas sobre la compañía ambulante de Boehm:

¿Se ha marchado ya la compañía de Boehm? Dímelo, querida mía, por el amor del cielo. ¡Ah! Deben de estar en plenos ensayos, ¿no es así? Asegurádmelo, ¡os lo pido por lo más sagrado! Los dioses saben que soy sincero [240].

A falta de un teatro estable en Salzburgo, fueron compañías ambulantes, como la de Boehm, las que cubrieron la necesidad de representaciones escénicas de los salzburgueses. Boehm, como Wolfgang, estaba especialmente interesado en la renovación y el desarrollo del teatro alemán; inmediatamente congeniaron, y Wolfgang transformó para Boehm *La finta giardiniera* en un *singspiel* en alemán, consiguiendo en esta versión una considerable popularidad. También realizó para él una adaptación de *Thamos, rey de Egipto,* y recibió el encargo de componer un *singspiel* para la temporada 1780-1781: *Zaida,* o *El serrallo.*

Thamos había sido un fracaso cuando se compuso originalmente, en 1773, debido sobre todo a lo endeble del argumento escrito por Gebler. Había vuelto a fracasar en Salzburgo en 1776, y nuevamente lo hizo en esta versión de 1779. Boehm utilizó los fragmentos de *Thamos* compuestos en estos momentos por Mozart, para complementar otro drama, *Lamasa,* que fracasó primero en Salzburgo, luego en Francfort, y por último en Viena, en 1783. Como escribió Wolfgang sobre esta última representación:

Lamento no poder utilizar la música de Thamos. Esta pieza no ha gustado, y constituirá una de tantas piezas descartadas, destinadas a no representarse nunca. Sin embargo, deberían representarla, aunque sólo fuera por mi música sacra; pero será difícil que lo hagan. ¡Lástima! [241].

Pero no se resignó Mozart a desaprovechar por completo esta música: aún volvió a reutilizar esa *música sacra* a que se refería, concretamente dos de sus coros, el 1 y el 3, que convirtió en *himnos espirituales,* con texto alemán: *Preis dir! Gottheit* y *Ob fürchterlich tobend;* ambos fueron interpretados en 1790 en Praga, en la coronación de Leopoldo II, bajo la dirección de Antonio Salieri, y en presencia de Mozart. *Thamos* responde a la ya citada *Egiptomanía* del momento, y su posterior reconversión parcial en himnos espirituales nos permite adelantar otra de las características de la época, de la que volveremos a ocuparnos algo más en extenso: la que llamaremos *masonicomanía.*

Por otra parte, se perdió la mayor parte del libreto original; sólo las arias, de gran belleza y popularidad, conservan el texto alemán. En 1981, doscientos años después de su composición original, el escenógrafo Adam Pollock, para su representación en un ciclo de música en el claustro de Batignano, encargó nada menos que al magnífico (y mozartiano) escritor Italo Calvino la elaboración de un nuevo libreto, así como que relacionara entre sí las arias conservadas, dando a la obra coherencia dramática.

En cuanto al *singspiel «Zaida»,* KV 344, Wolfgang trabajó en él entre abril de 1779 y noviembre de 1780. Otra obra *a la turca.* El libreto le había sido propuesto por J. Andreas Schachtner, el trompeta amigo de la familia, que ya había realizado la traducción de *Bastián y Bastiana;* el argumento de *Zaida* estaba basado en *El serrallo o El encuentro inesperado,* de F. J. Sebastiani. Estaba previsto representarla en Viena, pero la obra quedó inconclusa, entre otros motivos porque Wolfgang estaba realizando también la ópera *Idomeneo,* que le había sido encargada en el verano de 1780 por el conde de Seeau, intendente teatral del elector Karl Theodor, para el siguiente carnaval de Munich.

Mozart sólo concluyó quince episodios del *singspiel,* que incluso quedó sin título. Estos fragmentos se encontraban entre los papeles de Mozart cuando murió, y en 1799 su viuda se los ofreció al editor André; éste hizo que se le añadiera la obertura y un final, y le puso por título el nombre de la protagonista principal, con que hoy le conocemos. Muchas, por no decir la mayoría, de las composiciones con sobrenombre, deben éste a los editores decimonónicos, que también eran a menudo aficionados a hacer retocar las composiciones, suprimir movimientos o añadir otros, atribuir obras de un autor a otro que estuviera más de moda en esos momentos, para así vender mejor la edición; encargar obras a músicos de poca fortuna para hacerlas pasar por obras de otros músicos y de otros períodos... Hasta el punto de que depurar las tropelías de estos comerciantes de la cultura ha sido (y sigue siendo) una de las principales y más características tareas de los musicólogos.

Como veremos poco después, unos meses más tarde, en 1781, Wolfgang comenzó la elaboración de *El rapto del serrallo,* con un argumento relacionado con el de *Zaida*.

En septiembre de 1780 llegó a Salzburgo la compañía de Emanuel Schikaneder (1751-1812), músico, actor y masón. La colaboración de Wolfgang con Schikaneder fue inmediata; la compañía representaba todas las semanas cuatro espectáculos distintos, y los Mozart gozaron de entrada libre a ellos, a cambio de las canciones que Wolfgang les compuso.

En estos momentos de 1780, de aparente calma familiar, fue realizado por Della Croce un célebre retrato familiar, impregnado de nostalgia. Puestos a subtitular, se nos ocurre que podríamos llamarle *Los Mozart o la tristeza*. Leopoldo, Wolferl y Nannerl, con la presencia, más allá de la muerte, de Ana María presidiendo la escena junto al dios de la música, Apolo. *Los Mozart o la música*. No es un buen cuadro desde el punto de vista técnico, pero transmite a la perfección, quizá porque era algo demasiado evidente, una gran sensación de tristeza, de melancolía, de algo que se mantenía por simple inercia. No es la imagen de una familia feliz; quizá, ya, ni siquiera de una familia realmente unida. Pero, con todo, Mozart no dejará nunca de ser Wolferl: bromea cruzando su mano sobre la de Nannerl, la cual parece contener una divertida sonrisa provocada por ese gesto; todo lo cual deja aún en un mayor aislamiento a Leopoldo.

Con la intención de permanecer fuera de Salzburgo seis semanas, el 5 de noviembre de 1780 Wolfgang salió hacia Munich, para estrenar *Idomeneo*. Fue el primer viaje que inició sin estar acompañado por ningún miembro de su familia; ya tenía la forzada experiencia del regreso desde París hasta Salzburgo. Los Weber no se encontraban en Munich: en septiembre del año anterior, Aloysia había conseguido un contrato en la ópera de Viena, y a esa ciudad se había trasladado toda la familia tras ella. Allí había fallecido, poco después de llegar, el padre, Fridolin. También falleció por ese tiempo la primera cantante de la ópera, y Aloysia la sustituyó inmediatamente como primera cantante y como esposa de su viudo, el actor Joseph Lange (1751-1831), estupendo pintor aficionado, con quien contrajo matrimonio el 31 de octubre de 1780.

Sí se encontró Wolfgang en Munich con algunos de sus amigos: los Wendling y los Cannabich, el flautista Becke y el tenor Raaf. El propio conde de Seeau, que se había mostrado muy distante con Wolfgang en 1777, ahora volvía a estar muy amable con él, e incluso le invitó a su casa. En aquella primera ocasión, tres años antes, Wolfgang acababa de enfrentarse a Colloredo y se había convertido en un verdadero proscrito, un personaje maldito; pero desde 1779 las aguas parecían haber vuelto a su cauce: Colloredo se había dignado readmitirle a su servicio, y volvían a abrírsele las puertas que se le habían cerrado anteriormente:

Casi me olvidaba de lo mejor: el pasado domingo el conde de Seeau me presentó en passant después del oficio a su alteza Elect. El Elector, que fue muy benevolente conmigo, me dijo: Me alegra volverlo a ver; y cuando yo dije que me esforzaría en conservar la aprobación de S.A.E., me dio una palmada en la espalda y me dijo: Oh, ¡de eso no tengo ninguna duda!, todo irá muy bien. À piano piano, si và lontano[242].

Incluso fue introducido por Cannabich en casa de la nueva favorita del príncipe elector, la condesa Baumgarten; la relación con esta cortesana fue considerada por Wolfgang como *la mejor y más útil para mí aquí*.

La tristeza de los Mozart, a la que, por mucho que luchó contra ella, nunca consiguió sustraerse por completo Wolfgang, era cada vez más intensa en Leopoldo, que había envejecido sin realizarse él mismo como el gran músico que seguramente habría podido llegar a ser, si se hubiese ocupado más de su propia carrera que de la de Wolfgang; y también debía de estar harto, él también, de Salzburgo. Wolfgang llegó a escribirle en estos momentos:

Os lo suplico, no me escribáis más cartas tan tristes, pues lo que necesito en estos momentos es un estado de ánimo que no se vea ensombrecido por nada; la cabeza fresca, y sentir alegría por el trabajo. Y esto es imposible cuando se está triste. ¡Bien sé cuánto merecéis esa tranquilidad de espíritu!; pero, ¿soy yo un obstáculo? No querría serlo, y ¡desgraciadamente lo soy! Sin embargo, si consigo mi objetivo y logro crearme una situación importante, tendréis que abandonar inmediatamente Salzburgo. Pensáis que esto no sucederá; pero si es así, no será por falta de aplicación o de esfuerzo por mi parte [243].

La emperatriz María Teresa falleció el día 29 de ese mes de noviembre; el luto que guardaron los teatros vieneses ese invierno fue la razón fundamental de que Mozart no terminase *Zaida*. Al respecto, escribió Wolfgang a Leopoldo unas líneas bastante frías en lo que se refiere al sentimiento por la muerte de la emperatriz:

Queridísimo padre: la muerte de la emperatriz no tiene la menor importancia para mi ópera [244] *[...]; el luto no durará más de seis semanas, y la ópera no se estrena hasta el 20 de enero. Le ruego mande sacudir y desempolvar bien mi vestido negro, y mandármelo con el próximo correo, pues la semana que viene comienza el luto oficial, y yo, que estoy siempre de un lado para otro, deberé también derramar alguna que otra lágrima* [245].

Y unos días después añadirá:

Un duelo demasiado largo no beneficia a los muertos tanto como perjudica a un gran número de vivos [246].

Ya nos hemos encontrado varias veces con esta aparente insensibilidad de Mozart hacia los muertos; lo hemos visto al referirse a la muerte de Voltaire, e incluso cuando murió su propia madre. Pero quizá tras ello lo que realmente se refleje sea su incuestionable amor a la vida, que parece llevarle a mirar para otro lado cuando se encuentra con la muerte, o al menos a procurar no plañir demasiado.

De todos modos, no queremos sustraernos a traer aquí a colación algo que quizá sea más que una coincidencia: ocho años más tarde (el 14 de diciembre de 1788), falleció el rey de España, Carlos III; y unos días después, el 7 de enero de 1789, un destacado artista de su corte, Francisco de Goya, escribió a su amigo Zapater lo siguiente, en relación con los lutos por el rey en Zaragoza y en Madrid:

Me leyó Yoldi tu carta y tuve un rato divertido, porque lo mismo nos sucede aquí con tantas gasas sin saber por qué. [...] Casi todos

Anónimo (atribuido a Pietro Antonio Lorenzoni): *Leopoldo Mozart.* Óleo sobre lienzo. Hacia 1765. Internationale Stiftung Mozarteum, Salzburg.

Anónimo (atribuido a Pietro Antonio Lorenzoni): *Ana María Mozart.* Óleo sobre lienzo. Hacia 1770. 86,3 x 66 cm. Internationale Stiftung Mozarteum, Salzburg.

Barthélemy Olivier, Michel (1712-1784): *Thé à l'anglaise au Salon des Quatre-Glaces au Temple.* Óleo sobre lienzo. París, 1766. 64 x 80 cm. Museo del Louvre, París.

Alphen, Eusebius Johann: Wolfgang y Nannerl ? Miniatura sobre marfil, h. 1765? Internationale Stiftung Mozarteum, Salzburg (Se considera un retrato idealizado, que no representa los rostros auténticos de los niños.)

Anónimo (atribuido a Pietro Antonio Lorenzoni): *La hermana, Nannerl, con vestido de gala.* Óleo sobre lienzo, h. 1763-1765. 83,1 x 64,8 cm. Internationale Stiftung Mozarteum, Salzburg.

Anónimo (atribuido a Pietro Antonio Lorenzoni): *Wolfgang Amadeus Mozart.* Óleo sobre lienzo, h. 1763-1765. 84,1 x 64,5 cm. Internationale Stiftung Mozarteum, Salzburg.

Louis Garrogis, Carmontelle (1717 - ?): *Wolfgang a los siete años, con Leopoldo y Nannerl.* Acuarela, 1764. Museo Carnavalet de la Ville. Museo Británico, Londres.

Gainsborough, Thomas (1727-1788): *Johann Christian Bach.* Óleo sobre lienzo. 1776. 75 x 62 cm. Civico Museo Bibliografico Musicale, Bologna.

Anónimo: *Giambattista Martini*

Rosa, Saverio dalla (1745-1821): *Mozart en Verona.* Óleo sobre lienzo. Verona, 1770. 70,5 x 57 cm. Lausanne, col. particular.

María Thekla Mozart ("Bäsle"): Autorretrato a lápiz.

Anónimo: *Mozart con la espuela de oro.* Óleo sobre lienzo. 1777. Bolonia, Civico Museo Bibliografico Musicale.

Johann Michael Greiter:
El arzobispoHieronymus Graf Colloredo.
Óleo sobre lienzo, 1775.

Johann Baptist von Lampi
(1775-1837): *Aloysia Weber.*
Óleo sobre lienzo, 1784. Colección particular.

Lange, Joseph (1751-1831):
Constanza Weber.
Óleo sobre lienzo. 1782. 32,3 x 24,8 cm.
Hunterian Museum and Art Gallery,
University of Glasgow.

Joseph Willibrod Mähler:
Antonio Salieri.
Óleo sobre lienzo. 56 x 44 cm.

Della Croce, Johann Nepomuk (1736-1819):
La familia Mozart en el invierno de 1780/1781.
Óleo sobre lienzo. 140,4 x 187,6 cm. Internationale Stiftung Mozarteum, Salzburgo.

Sinfonía nº 19, K 132 (1772). Manuscrito original.

Lange, Joseph (1751-1831): *Wolfgang Amadeus Mozart al piano (incompleto)*. Óleo sobre lienzo. Viena, 1782-83, 1784 o 1789. 34,3 x 29,5 cm. Internationale Stiftung Mozarteum, Salzburg.

Luigi Schiavonetti (1765-1810): *Franz Joseph Haydn*. Grabado basado en un óleo sobre lienzo de Ludwig Guttenbrunn. (h. 1750-h. 1815). H. 1770.

Pietro Bettilini: *Nancy Storace*. Grabado. 1788.

Johann Michael Haydn. Grabado basado en un óleo sobre lienzo anónimo.

Anónimo: *María Ana Mozart*, esposa de Berchtold zu Sonnenburg. 1785.

M. Pekino: *Lorenzo da Ponte.*
Grabado. Oesterreichische Nationalbibliothek.

Löschenkohl, Hieronymus:
Silueta de Mozart. 1785.
Esta silueta fue publicada en el Calendario nacional austríaco del año 1786/1787, y puede considerarse fidedigna.

Stock, Doris: *Wolfgang Amadeus Mozart.*
Dibujo a lápiz con punzón de plata, sobre cartón de marfil. Dresde, 1789. Biblioteca Musical de la casa Peters, Leipzig. Dresde, Sächsische Landesbibliothek.
El original se perdió en 1945.

Hans Hansen:
Karl Thomas y Franz Xaver Mozart.
H. 1798. 69,3 x 55,9 cm. Internationale Stiftung Mozarteum, Salzburgo.

La flauta mágica: Pamina descubre a Pamino (estampa, 1791).

Krafft, Barbara (1764-1825): *Mozart.*
Óleo sobre lienzo. Salzburgo, 1819. Viena, Sociedad de Amigos de la Música.
Este retrato fue encargado por Joseph Sonnleithner en 1819, y para su ejecución la propia Nannerl puso a disposición de Barbara Krafft tres cuadros que representaban bien a Mozart: el retrato familiar de Della Croce, otro desaparecido de Joseph Lange, y una miniatura; con todo lo cual consiguió captar la imagen real de Mozart, a gusto de quienes le conocieron.

vamos así, menos gasa, que yo no me he querido poner por lo lejos del parentesco.

Respecto a *Zaida,* Wolfgang comunicó a Leopoldo lo siguiente:

Por lo que se refiere al drama de Schachtner, no hay que pensar en ello por ahora, porque los teatros han suspendido las representaciones, y con el emperador no hay nada que hacer a este respecto. Quizá sea mejor así, porque de todas formas, la música no está terminada [247].

Por su parte, Leopoldo se sintió obligado a hacer a Wolfgang una muy interesante advertencia:

Recuerda que no debes trabajar sólo para los iniciados en la música, sino también para el gran público. Ya sabes que por cada diez entendidos hay cien ignorantes. No desdeñes la aprobación del pueblo, e intenta halagar sus grandes orejas [248].

Así le recordaba que, ante todo, era un profesional de la música y que debía vivir de ella. Una cuestión trascendental, ilustrativa, una vez más, de los cambios que en sólo un par de generaciones se produjeron en las mentalidades de los intelectuales europeos. La creatividad, la originalidad, que hoy es, demasiado a menudo, el único bagaje de demasiadas personas que viven del arte, para alguien como Leopoldo, representante en este sentido del mundo de la Edad Moderna, podía, en cambio, sin dejar de ser un gran valor, llegar a ser un inconveniente. Wolfgang estaba, en este aspecto, mucho más próximo que Leopoldo al artista de la Edad Contemporánea. Pero siempre podía ir un poco más allá, y contestó así a su padre:

Respecto a lo que llamamos «pueblo», no tengáis ninguna inquietud. En mi ópera hay música para toda clase de gente, sin exceptuar a los de grandes orejas [249].

Una anécdota muy representativa de un cierto aspecto de las relaciones sociales en la Edad Moderna se la relató Wolfgang a Leopoldo en los últimos días de ese año:

Ya sabrá que el buen castrato Marchesi, marquesius di Milano, ha sido envenenado en Nápoles ¡y cómo! Estaba enamorado de una duquesa, y el verdadero amante de ella se puso celoso y le envió tres o cuatro sujetos, que le dieron a elegir si quería beber de aquel vaso o prefería que lo asesinaran. Él eligió lo primero, porque era un pu-

silánime italianini, y así murió solo y dejó que sus señores asesinos vivieran en paz y armonía; yo por lo menos en mi habitación me hubiera llevado conmigo a algunos al otro mundo, si hubiera tenido que morir. ¡Lástima de cantante tan excelente! [250].

Los ensayos de *Idomeneo, rey de Creta* (K 366), comenzaron el 1 de diciembre. Entre los cantantes que participarían en la representación figuraban antiguos amigos, como el viejo tenor Anton Raaf (Idomeneo), Dorotea Wendling (Ilía) o Elisabeth Wendling (Electra). Poco después de comenzar los ensayos se extendió por Munich la fama de la ópera que estaba preparando Wolfgang, e inmediatamente llegó a Salzburgo; así se lo comunicó Leopoldo a su hijo:

En toda la ciudad no hay otro tema de conversación que el valor de tu ópera. El barón Lerbach es el primero que ha extendido el rumor; el canciller de la corte me ha dicho que le habían contado que la ópera había recibido extraordinarios y universales elogios. El segundo rumor lo ha provocado la carta de Becke a Fiala, que este último ha hecho leer por todas partes. Deseo que el tercer acto produzca el mismo efecto, y lo espero con tanta más certeza, porque en él predominan los sentimientos, y la voz misteriosa tiene que sorprender y hacer temblar. Espero que todo esto signifique: Finis coronat opus [251].

Raaf impuso a Mozart continuas modificaciones en las arias a él destinadas. La composición del tercer acto resultó especialmente laboriosa, y, dentro de él, aún más la del magnífico cuarteto:

Con el cuarteto he tenido muchos engorros; ha gustado a todos cuantos lo han escuchado al piano; sólo Raaf es del parecer de que no será de efecto. Ha dicho: no se puede explanar la voz, lo noto demasiado estrecho [...]. Entonces le he contestado: Queridísimo, si estuviera convencido de que en este cuarteto hay una sola nota que cambiar, lo haría en seguida. Pero es el hecho que de ningún otro pasaje de la ópera estoy tan satisfecho como de éste [...]. He hecho todo lo posible para servirle debidamente en sus arias [...], pero cuando se habla de tercetos y cuartetos, hay que dejar plena libertad al compositor.

De nuevo nos encontramos con el Mozart que corta las arias a la medida; pero con ciertos límites: los cantantes podían imponer sus condiciones en las partes que iban a cantar ellos solos, pues eran para su lucimiento personal; pero en los fragmentos colectivos era él, el autor, el que tomaba todas las decisiones. El párrafo anterior fue escrito el 27 de diciembre y el día 30 comunicó a su padre lo siguiente:

Anteayer hicimos un ensayo con recitados en casa de los Wendling, y ensayamos juntos el cuarteto; lo repetimos seis veces; ahora está bien por fin. [...] El tercer acto tendrá cuando menos tanto éxito como los dos primeros (creo que incluso infinitamente más), y se podrá decir con razón: Finis coronat opus [252].

En esta misma carta se contiene una referencia a su método de trabajo; es coincidente con otros testimonios:

Ahora tengo que terminar, pues estoy harto de escribir. Todo está ya compuesto, pero no está aún escrito [253].

A algunos comentaristas les ha sorprendido extraordinariamente el hecho de que en las partituras manuscritas de Mozart apenas existan enmiendas; se han comparado, por ejemplo, con los manuscritos de Beethoven, llenos de tachaduras y todo tipo de manchas. Ésta es una buena oportunidad para resaltar que la imagen de un músico con un lápiz entre los dientes, tanteando más o menos aleatoriamente las teclas de un piano, para de repente pegar un brinco y escribir en la partitura su hallazgo casual, ha sido muy frecuente en películas norteamericanas (o imitadoras de ellas) desde los años 40 o 50, pero tiene muy poco de realista. Los músicos profesionales nunca han necesitado ese tipo de prótesis en su trabajo; sería como si Velázquez hubiera ido tanteando con los pinceles sobre el lienzo hasta llegar a conseguir *Las Meninas*. Los músicos y los artistas plásticos, como los escritores, han realizado siempre un trabajo intelectual, y los verdaderos grandes artistas han sido además capaces de materializar adecuadamente, gracias a su preparación técnica, esa elaboración mental. Otra cosa es que sobre la marcha se realicen correcciones, o se envíen a la papelera resmas enteras de papel; que un músico, ocasionalmente, quiera comprobar qué efecto puede producir un determinado pasaje. Beethoven pudo seguir siendo un gran compositor a pesar de su sordera sobrevenida; si hubiera dependido de sus tanteos sobre un teclado, o de algún programa informático, no habría podido realizar lo mejor de su producción. Tampoco es imprescindible saber tocar el piano para poder componer: una buena parte de los más grandes compositores han estudiado otros instrumentos. Wolfgang trabajaba como los buenos ajedrecistas: elaboraba mentalmente sus composiciones, tal vez mientras jugaba al billar o practicaba el tiro con arco, mientras viajaba o caminaba; y luego sólo necesitaba escribir de un tirón sus creaciones:

Mozart escribía con una rapidez y una ligereza que podían, a primera vista, parecer facilidad o apresuramiento. No iba nunca al clavicémbalo cuando componía. Su imaginación ponía ante él la obra entera, clara y viva, desde el momento en que la emprendía. Su gran conocimiento de la composición le permitía abarcar de una mirada toda la armonía. Raramente se encuentran en sus partituras pasajes tachados o borrados; de lo que se deduce que trasladaba rápidamente sus obras al papel. El trabajo estaba terminado en su cabeza antes de que se pusiera a escribir. Cuando le daban un texto para ponerle música, se ocupaba de ello durante mucho tiempo, reflexionando profundamente, y después dejaba correr su imaginación. [...] Para él escribir era un trabajo fácil, durante el cual en muchas ocasiones llegaba a bromear y a divertirse[254].

Rochlitz refirió que el propio Mozart le había hablado así de su forma de trabajar: el punto de partida era la melodía...

¿Cuál es mi forma de componer, cuando se trata de un trabajo importante y serio? No he encontrado nada mejor que esto: cuando estoy en forma, y en buen estado físico, lo mismo en un carruaje durante un viaje que paseándome después de una buena comida, o por la noche si no consigo dormirme, entonces es cuando las ideas llegan a mí a torrentes. ¿De dónde? ¿Cómo? No lo sé. Guardo en mi cabeza las que me gustan y las tarareo (es lo que los demás dicen) en cualquier momento. Si me concentro en ello, poco a poco veo la manera de conseguir un conjunto coherente con estos fragmentos, siguiendo las exigencias del contrapunto o los timbres de los instrumentos, etc. Mi cerebro se inflama, sobre todo si no me molestan.

Avanza, lo desarrollo más y más, cada vez más claramente. La obra está entonces terminada dentro de mi cráneo, y puedo abarcarla de una sola mirada como si fuera un cuadro o una estatua. En mi imaginación no oigo la obra en su transcurrir, como debe suceder, sino que la veo en bloque, por así decir. ¡Esto es un regalo! La invención, la elaboración, todo ello supone para mí como un sueño magnífico y grandioso, ¡pero cuando llego a percibir así la totalidad conjuntada, es el mejor momento! ¿Cómo puede ser que no lo olvide todo como un sueño? ¡Éste es tal vez el mayor favor que debo agradecer al Creador![255].

Wolfgang separa claramente dos facetas en su trabajo: primero trabaja con la cabeza y luego con las manos:

Tengo la cabeza y las manos tan llenas del tercer acto, que no me extrañaría nada que yo mismo me convirtiera en tercer acto[256].

El estreno de la ópera iba a tener lugar el 20 de enero de 1781, pero sufrió algún retraso por motivos técnicos. El 25 o el 26 de enero llegaron a Munich Leopoldo y Nannerl, y el 27 tuvo lugar el ensayo general; sin duda, fue el mejor regalo que podía recibir Wolfgang el día en que cumplía veinticinco años.

Dos días después se produjo el estreno, en el nuevo teatro de la Corte de Munich. Por fin se vio cumplido el sueño de Mozart de realizar una gran ópera seria. El libreto de *Idomeneo, Re di Creta* fue sugerido por el príncipe elector Karl Theodor, y había sido realizado, mal que bien, por el abate Giambattista Varesco, capellán de la corte de Salzburgo; de este drama mitológico ya se habían ocupado en 1712 el libretista A. Danchet y el músico A. Campra. El rey Idomeneo se ve obligado a sacrificar a su hijo amado para satisfacer a los dioses, que recompensan al padre salvando al hijo; un mito similar a la historia bíblica del sacrificio de Abraham e Isaac, y que tal vez no dejaría de tener connotaciones personales en la mente de Wolfgang.

Algunos de los logros de esta ópera tienen su origen en experiencias adquiridas en sus estancias en Mannheim; uno de ellos es el destacado papel que concede a la orquesta, y dentro de ella a los instrumentos de viento. Así mismo, la nueva forma de tratar los recitativos, como si fueran un diálogo entre los instrumentos y la voz humana; recordemos cómo en noviembre de 1778, desde Mannheim, refería cuánto le había impresionado la técnica de los duodramas, y cómo se evidenciaba que a Mozart no le gustaba la técnica barroca de los recitativos.

Con todo, sin dejar de ser un éxito, no lo fue tanto como sin duda se merecía la obra, y Mozart, ese mismo año, se planteó en serio la conveniencia de modificarla a la manera francesa. De hecho, hizo una remodelación de ella en 1787, aunque tampoco entonces consiguió un gran éxito; y en 1786 fue representada por un grupo de aficionados en el palacio Auersperg de Viena. Un periódico muniqués comentó en estos términos el estreno de *Idomeneo:*

El día 29 del pasado mes, la ópera Idomeneo *se representó por primera vez en la Nueva Ópera de aquí. Texto, música y traducción son hijos de Salzburgo. Los decorados, entre ellos los cuadros del puerto y del templo de Neptuno, son excelentes; figuran entre las obras maestras de nuestro célebre decorador de teatro, el consejero de la cámara señor Lorenz Quaglio, y han atraído la admiración de todos*[257].

Puede sorprendernos que no se mencione a Mozart, pero no tanto como que en cambio sí se haga con Quaglio, pintor de la corte muniquesa. Una ópera, en esa época, era una labor colectiva, en la que sobre todo se valoraban aspectos como el montaje, los decorados o la interpretación de los cantantes solistas; como en cualquier otra representación teatral, era la compañía que realizaba la obra la que conseguía el éxito u obtenía el fracaso; el *autor* se confundía con el empresario, y el *compositor* era sólo uno de los muchos personajes que cobraban un sueldo por su trabajo, no siempre más elevado que el de los primeros actores o cantantes. Con todo, debemos tener precauciones con este único testimonio; no podemos asegurar, basándonos en él, que la labor de Mozart no fuese suficientemente reconocida, aunque la propia ausencia de más testimonios parece confirmar esta hipótesis, como lo hace el hecho de que la ópera no se representase mucho tiempo.

Wolfgang se dedicó las siguientes semanas a «carnavalear», hasta que Colloredo consideró que el permiso que le había concedido había sido superado con creces, y le ordenó dirigirse a Viena, donde se encontraba el arzobispo, con motivo de los lutos por la emperatriz difunta y las alegrías porque José II había dejado de ser correinante (desde 1765, en que murió su padre, había compartido el trono imperial con su madre, quien, de hecho, siguió ejerciendo el control de la situación hasta su muerte). El día 13 o el 14 salió Wolfgang de Munich hacia Viena; no le acompañó Leopoldo, que unos días después regresó a Salzburgo.

Entre febrero y abril de 1781 compuso Wolfgang la serenata n.º 10, KV 361, *Gran Partita,* para doce instrumentos de viento y un contrabajo. Fue concebida en Munich como un regalo para sus amigos músicos de Mannheim, en cuya orquesta había sido contrabajo Fridolin Weber. Fue terminada en Viena, cuando Mozart se vio obligado a desplazarse a dicha ciudad con el séquito del arzobispo Colloredo. Hay coincidencia entre los comentaristas en considerar esta obra como una de sus mejores composiciones. Su sobrenombre de *Gran Partita,* cuyo significado se ignora, pudo ser añadido posteriormente por alguien que imitó la letra de Mozart.

Capítulo VIII

EL VIAJE HACIA LA POBREZA: 1781 a 1786

Tengo al menos el honor de sentarme antes de los cocineros

El día 16 de marzo llegó Mozart a Viena:

Ayer 16 llegué aquí a Dios gracias, todo solito en una silla de postas; casi me olvidaba de la hora, a las 9 de la mañana. Hasta Unter-Haag viajé en coche de postas, pero para entonces el culo y lo que lo rodea me escocían tanto, que no hubiera podido aguantar; así pues quise seguir con el coche ordinaire [...]. Tuve que ir con una posta especial; llegué el jueves 15 por la noche a las 7 a St. Pölten cansado como un perro; me fui a dormir hasta las 2 de la noche y luego viajé directamente hasta Viena. Esto lo escribo ¿dónde?; en el jardín de los Messmer en la Ladstrasse (la anciana y distinguida señora no está en casa) [258].

Así describió su posición en la corte del arzobispo Colloredo:

A las 12 del mediodía —por desgracia para mí un poco demasiado temprano— nos sentamos ya a la mesa; allí comemos los dos ayudas de cámara en cuerpo y alma de sus señorías, el señor inspector, el señor Zetti, el confitero, dos señores cocineros, Ceccarelli, Brunetti y mi Insignificancia (nota: los dos señores ayudas de cámara se sientan a la cabecera); yo tengo al menos el honor de sentarme antes de los cocineros. Bueno, evidentemente pienso que estoy en Salzburgo: en la mesa se hacen chanzas simples y groseras; de mí no se chancean, porque no digo palabra, y cuando tengo que decir algo, es siempre con la mayor seriedad. Cuando he acabado de comer, sigo mi camino [259].

Una semana después insistirá sobre alguno de estos datos:

¿Qué consideración tiene el arzobispo conmigo? Los señores de Kleinmayer y Noenike tienen una mesa extra con monseñor el conde

de Arco; sería un gran honor para mí estar en esta mesa, y no en la de los ayudas de cámara que después de haber atendido la mesa encienden los candelabros, abren las puertas y deben quedarse en la antesala, mientras que yo estoy dentro del aposento, ¡y no en la habitación de los cocineros! [260].

Evidentemente, hay algo contradictorio en todo este asunto. En una sociedad en la que ocupar en público un puesto u otro podía terminar por desencadenar no ya enemistades irreconciliables entre familias, sino homicidios e incluso guerras, a Wolfgang le molestaba ser emplazado junto con algunos de los sirvientes menos cualificados de la corte a la hora de comer, en tanto que durante la sobremesa podía permanecer con los nobles, momento en el que quienes habían compartido mantel con él seguían sirviéndoles a todos (también a él). De haber vivido unos pocos años más, tal vez habría podido permitirse tratar a algunos nobles como lo haría (ocasionalmente) Beethoven; pero en estos momentos, ocho años antes de la Revolución Francesa (protagonizada sobre todo por los hijos de algunos de estos nobles y grandes burgueses, no ignoremos este aspecto), Wolfgang sólo podía quejarse en privado por lo que él consideraba un menosprecio... y sentir a su vez un íntimo y profundo desprecio por quienes así le trataban; actitud mental que muy pocos músicos se habrían permitido a sí mismos sólo unos cuantos años antes, y que casi ninguno se permitía aún.

Mozart se quejaba de que el arzobispo no sólo les pagaba poco, sino que utilizaba a los músicos y cantantes como regalo de buen gusto:

[...] Ayer a las 4 tuvimos ya música; sin duda alguna había allí veinte personas de la más alta nobleza; Ceccarelli ha tenido que cantar ya en casa de Balfi; hoy tenemos que ir a casa del príncipe Gallizin [...]. Ahora esperaré a ver si recibo algo; si no recibo nada, iré al arzobispo y le diré claramente que si no quiere que gane nada, tendrá que pagarme para que no tenga que vivir de mi propio dinero [261].

Unos días después, el 24 de marzo, se mostró ilusionado por tener acceso al emperador:

Ahora mi intención principal es llegar hasta el emperador con buenas maneras, porque quiero sin falta que me conozca. Quisiera recorrer al galope con él mi ópera, y luego tocar bonitas fugas, porque eso es lo que le gusta. Ay, si hubiera sabido que vendría a Viena en cuaresma, habría escrito un pequeño oratorio, y lo habría estrenado en el teatro en mi provecho, como hacen todos aquí. [...] Cuánto me gustaría dar un concierto público como es aquí la costumbre, pero no se me permitirá, eso lo sé seguro [...][262].

No. Colloredo no querrá dejarle actuar ante el emperador:

[...] Eso lo sé seguro, porque, figúrese, usted sabe que hay aquí una sociedad que da conciertos en beneficio de las viudas de los músicis. Todo el que tiene algo que ver con la música toca allí por nada (la orquesta es de 180 personas); ningún virtuoso que tenga aunque sólo sea un poquito de amor al prójimo se niega a tocar allí, cuando la sociedad se lo pide, porque se hace uno querer tanto del emperador como del público. Stazer tenía el encargo de pedírmelo, y yo dije en seguida que sí, pero que tenía que obtener antes el parecer de mi príncipe, y que no tenía ninguna duda porque era algo de índole espiritual, y sin remuneración, sólo para hacer una buena obra. Él[263] *no me lo permitió. Toda la nobleza se lo ha tomado muy a mal (yo sólo lo siento por esto); no hubiera tocado un concierto, sino que, como el emperador está en el palco del proscenio, hubiera tocado completamente solo; la condesa de Thun me habría dejado para ello su hermoso pianoforte Steiner [...]. Pero pacienza.*
Tengo a Fiala en mil veces mayor estima por no tocar por menos de un ducado. [...][264].

Pero, en la posdata de esta carta, añadió a última hora:

28 de marzo: no terminé la carta, porque el señor Kleinmayer vino a recogerme con el coche para ir al concierto en casa del barón Braun, y ahora escribo que el arzobispo me ha permitido tocar en el concierto de las viudas, porque Starzer fue al concierto en casa de Gallizin, y él y la nobleza entera lo importunaron tanto que lo permitió; estoy muy contento[265].

En esta carta menciona sus contactos con la condesa Wilhelmine von Thun, favorita del emperador José II, que había sido alumna de Joseph Haydn, por el que sentía gran admiración y cariño. Años después se convertiría también en protectora de Beethoven. En estos días que Mozart pasó en Viena, acudió a casa de la condesa casi todos los días.

Mozart cada vez se sentía más distanciado de Colloredo, *ese enemigo de la Humanidad*, y aspiraba a ser aceptado por la nobleza vienesa y, a ser posible, por el propio emperador:

Te Deum Laudamus, porque por fin se ha ido el grosero y sucio Brunetti, que es una vergüenza para su señor, para sí mismo y para la música entera. [...] ¡Rayos y centellas, mil diablos y más diablos! Confío en que eso no sea maldecir, porque de otro modo tendré que ir corriendo otra vez a confesarme, ya que precisamente vengo de allí, dado que mañana por ser Jueves Santo el propio arzobispo en su augusta persona dará la comunión a toda la corte.

[...] Cuando pienso que tendré que marcharme de Viena, sin llevarme por lo menos 1.000 florines, me duele el alma. Así pues, por culpa de un príncipe malpensante, que todos los días me insulta con cuatrocientos piojosos florines, ¿tengo que tirar mil florines? Porque, sin duda alguna, eso es lo que ganaría si diera un concierto.

[...] Cuando muera Bono, Salieri será maestro de capilla; luego, en el puesto de Salieri entrará Starzer; en el lugar de Starzer quién sabe quién [266].

Mozart, que en estas semanas había conseguido entablar una estupenda relación con importantes miembros de la nobleza vienesa, se encontraba, con impotencia, atado al servicio de Colloredo:

[...] Lo que más me desespera es que la tarde que tuvimos aquí esta música-de-mierda [267] *yo estaba invitado en la casa de la condesa Thun y no pude ir; ¿y quién se encontraba allí? ¡El emperador! No puedo decir al emperador que si quiere oírme tiene que darse prisa porque tengo que irme dentro de pocos días.*

[...] Confío en saber el próximo día de posta si en lo sucesivo tendré que enterrar en Salzburgo mi juventud y mi talento, o si se me permite conseguir mi fortuna cuando esta posibilidad se presenta, o bien debo esperar hasta que sea demasiado tarde [268].

La decisión seguía dependiendo de Leopoldo. Wolfgang quería que el siguiente día de posta, es decir, en la próxima carta que recibiese de su padre, éste le dijese si tenía que sacrificar su vida en Salzburgo, o si por el contrario daba a su hijo libertad para buscar fortuna lejos de su ciudad. Leopoldo, suficientemente lo sabía él, podía irse preparando para lo peor.

Ya no tengo la desgracia de estar al servicio de Salzburgo

Realmente, la ruptura de Mozart con Colloredo, con la nobleza salzburguesa, con Salzburgo, incluso con la forma de relacionarse con su propio padre, ya se había producido mucho antes, pero se concretó definitivamente a comienzos de mayo de 1781:

¡Todavía estoy lleno de bilis!, y usted, mi queridísimo, mi amadísimo padre, lo estará sin duda conmigo. Se ha puesto a prueba tanto tiempo mi paciencia, que finalmente ha cedido. Ya no tengo la desgracia de estar al servicio de Salzburgo. Hoy ha sido un día afortunado para mí; escuche:

Por dos veces el (no sé cómo debo llamarlo) me ha dicho a la cara las mayores tonterías e impertinencias, que no he querido escribirle a usted para evitárselo, y que sólo porque siempre lo he tenido a usted, amadísimo padre, ante mis ojos, no he vengado inmediatamente sobre el terreno. Me llamó bribón y desarrapado; me dijo que me largara, y yo lo soporté todo; pensé que no sólo mi honor, sino también el suyo era así herido, pero usted lo quería así, y callé. Y ahora escuche: hace ocho días vino inesperadamente el mensajero, y me dijo que tenía que marcharme al instante; a todos los demás se les había avisado del día, pero no a mí. Así pues, lo metí todo rápidamente en el cofre y la anciana madame Weber fue tan bondadosa como para ofrecerme su casa [...][269].

Antes de partir, los ayudas de cámara del arzobispo le dijeron que éste quería darle un paquete; cuando Mozart entró a ver a Colloredo se produjo, según la versión de Mozart, el siguiente diálogo:

Arzobispo: «Bueno, ¿cuándo se marcha este muchacho?» Yo: «Quería marcharme esta noche, pero los asientos estaban ya ocupados.» Entonces me soltó sin respirar que yo era el muchacho más dejado que conocía, que nadie le servía tan mal como yo, que me aconsejaba que me marchase hoy mismo, porque si no escribiría a casa para que me retuvieran el sueldo. Era imposible hablarle, porque aquello se extendía como un incendio. Yo lo oía todo pacientemente. Me mintió a la cara diciendo que mi sueldo era de 500 florines; me llamó canalla, piojoso, un bufón; ¡oh, no puedo escribírselo todo! Por fin, como me hervía fuertemente la sangre, le dije: «¿Acaso su Altísima Gracia no está satisfecho conmigo?» «¿Cómo? ¡Quiere amenazarme ese bufón! ¡Oh, ese bufón!; ahí está la puerta; mire, con semejante bribón miserable no quiero tener nada que ver, de manera que ¡fuera!» Y yo respondí: «Yo tampoco quiero saber de vos.» «Entonces, ¡fuera!», replicó, y al retirarme dije: «¡Está bien, dejémoslo así; ¡mañana recibiréis mi dimisión! [...]. Y ahora escuche: mi honor está para mí por encima de todo, y sé que para usted es así también. No os preocupéis por mí; estoy tan seguro de triunfar aquí, que habría presentado mi dimisión aun sin tener el menor motivo. ¡Pero he tenido motivos en tres ocasiones! Antes no tenía nada que ganar, al contrario: actué dos veces como un cobarde; no podía hacer lo mismo una tercera vez.»

[...] Por lo demás, os invito a estar alegre. ¡Hoy empieza mi felicidad! Y espero que mi felicidad sea también la vuestra [270].

Un indicio de que a menudo es preciso juzgar con prevención las palabras que se dirigían Leopoldo y Wolfgang, y de que su relación a estas alturas posiblemente era mucho más fluida de lo que a menudo se considera, se encuentra en esta advertencia, que Wolfgang dirigió a su padre utilizando su código cifrado:

Escribidme en cifrado indicándome que estáis satisfecho de todo esto, y puede usted estarlo realmente; pero en palabras inteligibles regañadme mucho por ello, a fin de que no puedan echarle a usted ninguna culpa [271].

La patada, seguramente la más famosa patada de la Historia, pese a lo que suele decirse, no la materializó personalmente Colloredo; era demasiado importante para ello, y quizá ni siquiera llegase a tener noticia de ella. El dudoso honor de pasar a la posteridad por pegarle una patada en el trasero a Mozart debe en justicia concederse a un alto cargo de la corte salzburguesa, el conde de Arco:

Y el conde de Arco, en lugar de aceptar mi memorial, o de procurarme una audiencia, o de aconsejarme que la enviase, o convencerme de que dejara estar las cosas y las meditase mejor, en fin, lo que hubiera querido, no: me echa por la puerta y me da una patada en el trasero. Bueno, en alemán eso quiere decir que no tengo ya nada que hacer en Salzburgo, a no ser que se me dé la oportunidad de propinar al señor conde una patada en el culo cuando pase por la calle. No deseo ninguna satisfacción por ello del arzobispo, porque él no estaría en condiciones de dármela [272].

A Wolfgang, lo hemos visto en alguna ocasión, le encantaba, desde niño, proclamarse bufón; incluso en alguna carta escrita desde Italia se despidió de su madre y de su hermana como *el hijo botarate y el hermano bufón.* Su intenso sentido del humor incluso llegó a ser en ocasiones un problema para él; no todos tenían la capacidad humorística de Mozart. A veces actuaba, y se complacía en ello, como un bufón. Pero le resultaba especialmente intolerable que Colloredo, su señor, le llamase *bufón*. Mozart podía desear aparecer como un bufón ante cualquier ser humano menos, precisamente, Colloredo. No era una *sabandija de palacio:* era un músico, un compositor que con muchos esfuerzos comenzaba a ser aceptado entre los más importantes músicos de Europa. Pero Colloredo, entre otras sevicias, le trató de *bufón*. Por eso Mozart explotó definitivamente:

No quiero saber ya nada de Salzburgo. Odio al arzobispo hasta la locura. Adieu [273].

La carta del 9 de mayo, en la que Wolfgang comunicó su definitiva ruptura con Colloredo, fue remitida por medio de la posta, que estaba controlada por el arzobispo; tres días después, un poco más tranquilo, volvió a escribir a su padre, enviándole la carta por otros cauces:

En la carta que habrá recibido con la posta le hablaba como si estuviéramos en presencia del arzobispo. Ahora, sin embargo, le hablo totalmente a solas, mi queridísimo padre. Guardaremos un silencio total sobre todas las injusticias que el arzobispo me ha hecho desde el comienzo de su gobierno hasta ahora, de sus incesantes insultos, de todas las impertinencias y tonterías que me decía a la cara, porque sobre eso no se puede decir nada. Sólo quiero hablar de lo que, aun sin tener todas las razones para sentirme insultado, me hubiera inducido a dejarlo. Aquí tengo las relaciones más hermosas y útiles del mundo; me quieren y consideran en las casas más altas, me dan todos los honores posibles, y por añadidura me pagan; ¿y por qué habría de consumirme en Salzburgo por 400 florines? Sin remuneración, sin estímulo; consumirme sin poder serle útil en nada, cosa que puedo hacer aquí sin duda. ¿Cuál sería el fin? Siempre el mismo: tendría que dejar que me insultasen a muerte, o irme también [274].

Especialmente lamentaba Mozart la miseria moral de los personajillos de la corte que por detrás le daban la razón, pero que no se atrevían a hacerlo abiertamente:

Todas las almas abyectas son así: son altivos y orgullosos hasta dar asco, y luego vuelven a arrastrarse repugnantemente [275].

Leopoldo, como cabía esperar, no recibió de buen grado la noticia de la ruptura con Colloredo, que además le ponía a él mismo en una difícil situación:

Mon très cher Père!
No podía imaginar otra cosa que el que usted, en el primer impulso, dado que el caso [...] era para usted tan inesperado, me es-

cribiría todo lo que realmente tuve que leer. Ahora, sin embargo, habrá pensado mejor el asunto y sentirá con más fuerza el insulto como hombre de honor, y sabrá y comprenderá que lo que usted pensaba no sólo tenía que ocurrir, sino que ha ocurrido ya. En Salzburgo resulta cada vez más difícil librarse; allí es él quien manda, pero aquí, es un bufón, como yo lo soy para él[276].

Tres días después seguirá escribiendo Wolfgang:

La verdad es que no sé qué debo escribir primero, queridísimo padre, porque todavía no he podido reponerme de mi asombro, ni podré nunca, si continúa usted pensando y escribiendo así. ¡Tengo que confesarle que no reconozco a mi padre en un solo rasgo de su carta! Sin duda es un padre, pero no el mejor, el más afectuoso, el padre preocupado por su honor y por el de sus hijos; en pocas palabras, no mi padre.

[...] ¿Que no puedo salvar mi honor más que renunciando a mi decisión? ¿Cómo puede usted decir semejante contradicción? Al escribir eso no pensó usted que con esa retractación me convertiría en el tipo más abyecto del mundo. Toda Viena sabe que he dejado al arzobispo, ¡y sabe por qué! Sabe que es por mi honor herido, y de hecho herido por tercera vez. ¿Y tendría que demostrar públicamente otra vez lo contrario? ¿Tengo que ser un bellaco para hacer del arzobispo un buen príncipe?

[...] Si es un placer dejar a un príncipe que no le paga a uno y lo maltrata a morir, es verdad que siento placer; porque, aunque de la mañana a la noche tuviera que pensar y trabajar, lo haría con gusto, sólo para no vivir del favor de un... no quiero llamarlo por su verdadero nombre. Me he visto obligado a dar ese paso, y no puedo apartarme de él ni un pelo; imposible. Lo único que puedo decirle es que, por usted, sólo por usted, padre mío, me duele mucho haber llegado tan lejos, y que quisiera que el arzobispo hubiera actuado mejor, para haberle podido dedicar a usted toda mi vida. Para agradarle, mi querido padre, sacrificaría mi felicidad, mi salud y mi vida; pero mi honor está para mí, y debe estar para usted, sobre todas las cosas. Que lea esto el conde de Arco y todo Salzburgo[277].

En todo Salzburgo y en todo el mundo, todas las generaciones que pueda haber habido durante dos siglos lo estamos leyendo, y las generaciones posteriores seguirán leyéndolo. ¿Un Mozart prerrevolucionario? Quizá Mozart aún tenía un sentido del honor vinculado en gran medida con el pasado; pero ni siquiera hoy (como entonces, como siempre) muchos serían capaces de arriesgar sus pequeñas o grandes prebendas sin estar completamente seguros de resultar indemnes y de conseguir algo mejor para sí mismos. En la diferente actitud de Leopoldo y Wolfgang nos estamos encontrando con un conflicto generacional especialmente relevante: muchos hombres de la generación de Leopoldo no estaban preparados mentalmente para los grandes cambios sociales que se estaban desencadenando cada vez más aceleradamente; los de la generación de Wolfgang, tal vez sin ser demasiado conscientes de ello, los estaban concretando; los hombres de la siguiente generación se encontrarían con un mundo aparentemente igual al de siempre, pero que nosotros sabemos reconocer como muy distinto, aunque quizá no lo sea tanto como suele proclamarse. En el caso de Leopoldo, además, era un hombre especialmente conservador, en muchos sentidos. Wolfgang, en cambio, mantenía una actitud mucho más abierta. No podemos exagerar su enfrentamiento personal con Colloredo como si fuera el reflejo de una conciencia colectiva de lucha contra los poderosos, contra la sociedad estamental; pero hay en sus palabras intuiciones y razonamientos que jamás se habría permitido realizar Leopoldo. Su percepción de que un príncipe como Colloredo podía ser no sólo igual que él, sino incluso muy inferior, tanto moral como intelectualmente, era la misma que mantendrían los revolucionarios franceses ocho años después, y Wolfgang cada vez se reafirmará más conscientemente en esta postura. Así se referirá a unos personajes del entorno de Colloredo que, según le comunicó Leopoldo, trataron a éste con desprecio por lo que había ocurrido:

Que esos cortesanos lo miren a usted atravesadamente me lo creo; sin embargo, qué le importan a usted esos miserables criados; cuanto más hostiles se muestren esas personas hacia usted, tanto más orgullosa y despreciativamente debe usted mirarlos [278].

Y respecto al conde de Arco, vuelve a decir lo siguiente:

[...] El corazón ennoblece al hombre; y aunque yo no sea conde, quizá tenga más honor en el cuerpo que muchos condes y, sea servidor o conde, quien me insulta es un bellaco. No soy conde, pero probablemente tengo más honor que muchos condes; y, criado o conde, desde el momento en que me ha ultrajado, es un canalla. [...] Es necesario que le asegure por escrito que no puede esperar de mí más que una patada en el culo y un par de bofetadas [279].

Pero no deja de ser cierto que, paralelamente, lo más que pretendía Wolfgang (no podría hacer otra cosa) era entrar como servidor de algún otro señor más magnánimo e importante que Colloredo, y que valorase sus servicios mejor que él. Su enfrentamiento con algunos poderosos era de persona a persona; si Colloredo y él hubiesen congeniado, seguramente no le habría importado servirle hasta el fin de sus días. Pero, con ser una actitud individual, una característica de la personalidad de Mozart, no dejaba por completo de ser un reflejo de algo que estaba en el ambiente de estos años.

Por otra parte, Wolfgang no olvidará nunca a Colloredo; pero no tenemos constancia de que Colloredo volviera a acordarse de Wolfgang. Murió en Viena en 1812, con ochenta años; había dejado de ser príncipe de Salzburgo en 1803. Sin duda, nunca sintió que su poder sufriese menoscabo alguno porque entre sus servidores figurase o no un músico llamado Wolfgang Amadeus Mozart.

Aparentemente, no siempre actúo como debería actuar

Con todo, se sintió obligado a justificarse ante Leopoldo; ya en la carta del 2 de junio le refería su encuentro con el conde de Arco, después de *la patada*. Ante todo, Wolfgang intentó tranquilizar a su padre por la situación en que pudiera quedar él: no parecía que el arzobispo fuera a tomar represalias contra Leopoldo por lo que había ocurrido con su hijo. El conde de Arco, por su parte, recomendó a Wolfgang que no se deslumbrase por el éxito en Viena, pues el público vienés era muy voluble:

[...] Le dije: ¿cree usted que me voy a quedar en Viena? Que va; ya sé adónde ir. El que haya ocurrido esto precisamente en Viena es culpa del arzobispo y no mía; si él supiera tratar con personas de talento, no habría ocurrido. Señor conde, soy la mejor persona del mundo si lo son conmigo. Sí, el arzobispo —me dijo— lo considera a usted una persona archicortés. Eso me lo creo, dije; con él lo soy, sin duda; como me tratan a mí trato yo a mi vez. Pero cuando veo que alguien me desprecia y me tiene en poco, puedo ser tan orgulloso como un mandril[280].

Unos días después escribió:

Quizá cree usted de mí cosas que no son así; mi mayor defecto es que aparentemente no siempre actúo como debería actuar. Que me haya jactado de comer carne casi todos los días de Cuaresma no es cierto; pero sí he dicho que no me importaría nada, y que no lo considero pecado, porque ayunar significa para mí mortificarse, comer menos de lo normal[281].

No. Wolfgang quiere dejar sentado que es un buen cristiano; proclama que va a misa los días festivos, e incluso los días laborables cuando tiene tiempo. Y, en cuanto a su relación con cierta persona de mala reputación...

Todo mi trato con esa persona de mala reputación fue en el baile, y eso fue mucho antes de que supiera que era de mala reputación, y sólo para estar seguro de tener una pareja en la contradanza; luego, no podía romper de pronto sin decirle a ella la causa. ¿Y quién es capaz de decirle a nadie algo así a la cara? ¿No la dejé sentada finalmente con frecuencia y bailé con otras? [...]. Por lo demás, nadie podrá decir que la he visto en ningún otro lugar, o que haya estado en su casa, sin pasar por mentiroso [282].

Pero Mozart, a pesar de todo, mantiene una actitud de rebeldía más o menos encubierta; así, la siguiente puntualización sólo puede entenderse adecuadamente en clave de ironía:

Y si jamás tuviera la desgracia, no lo quiera Dios, de extraviarme por malos caminos, lo liberaré, queridísimo padre, de toda culpa, porque sólo yo sería el malvado. A usted tengo que agradecerle todo lo bueno, tanto en lo que se refiere a mi bienestar y salud temporal como espiritual [283].

Por otra parte, éstos eran sus anhelos, tal como se los había expuesto a su padre unas semanas antes:

Mi deseo y esperanza es lograr honor, fama y dinero, y confío sin falta en poder serle más útil en Viena que en Salzburgo; el camino de Praga me está menos cerrado que si estuviera en Salzburgo [284].

Estaba pensando ya en el camino de Praga. Pero inmediatamente descubrimos, en la misma carta, el verdadero gran anhelo del joven Mozart: el amor. A sus veinticinco años, sigue siendo un joven enamoradizo, y hace una dolorida mención a Aloysia Weber, ahora señora Lange:

Lo que escribe usted sobre los Weber le puedo asegurar que no es así; en el caso de la Lange fui un necio, es cierto, pero ¡quién no lo es cuando está enamorado! Sin embargo, la amaba sinceramente, y me doy cuenta de que todavía no me es indiferente. Y es una suerte para mí que su marido sea un necio celoso, y no la deje ir a ningún lado, y por tanto yo tenga muy pocas ocasiones de verla [285].

No sabemos hasta qué punto Wolfgang hablaba de Aloysia movido por el rencor, ni si estaba influido por la madre de ésta, pero le molestaba que su padre, entre otros reproches, considerase que él era tan ingrato como aquélla:

Estoy muy sorprendido de que me comparéis a la señora Lange, y durante todo el día he estado muy apenado. Esta joven ha vivido a costa de sus padres mientras no podía valerse por sí misma; apenas ha llegado el momento en que podía haber mostrado gratitud hacia ellos (N.B.: el padre ha muerto antes de que ella haya cobrado un kreutzer aquí), ha abandonado a su pobre madre, se ha unido a un cómico, se ha casado con él ¡y su madre no tiene nada, pero nada de ella! [286].

Desde que falleció Fridolin Weber, su viuda, María Cecilia, decidió alquilar parte de la vivienda que ocupaban, en el segundo piso de la casa llamada *El Ojo de Dios,* en la plaza de San Pedro de Viena, la *Petersplantz.* Allí fue precisamente donde se alojó Wolfgang en estos momentos, en régimen de alquiler:

Tengo aquí una bonita habitación, y estoy con personas muy serviciales. Tengo a mi disposición todas esas cosas que a veces se necesitan con urgencia y que faltan cuando se vive solo. [287].

En ese verano vienés de 1781 preparó, pensando en su edición, la serie de seis sonatas para piano y violín, op. II: cuatro de ellas, las n.º 32, 33, 35 y 36 (KV 376, 377, 379 y 380), fueron compuestas en estos momentos y las otras dos eran anteriores: la K 296 (1778) y la n.º 34, K 378 (1779). Estaban dedicadas a su alumna, la pianista Josepha Auernhammer. A esta joven se refería Mozart del siguiente modo:

Todos los días, después de comer, voy a casa de Auernhammer. [...] Si un pintor quisiera pintar al diablo en persona, debería inspirarse en su figura. Es gorda como una campesina y suda tanto que produce náuseas. [...] Sólo el hecho de verla basta para envidiar a los ciegos; resulta un castigo que dura todo el día si, por desgracia, nuestra mirada se topa con ella. [...] Esta señorita es un espantapájaros, pero toca divinamente. [...] Hoy me ha revelado un plan como si fuera un secreto: el de estudiar dos o tres años seriamente y luego marchar a París para sacar provecho de su talento. Me ha dicho: No soy bella, mejor dicho, soy horrible [...], pero prefiero ser como soy y vivir de mi talento [288].

La condesa de Thun se había ocupado de crear una suscripción para la edición de estas sonatas, en mayo de ese año. En el mes de noviembre fueron publicadas por Artaria, que ya las tenía en su poder en julio. El crítico C. F. Cramer realizó en el *Magazin der Musik* una muy elogiosa crítica de ellas, destacando su riqueza *en ideas nuevas, fruto del gran genio del autor.*

Wolfgang sabía, y contaba con ello, pues ya tenía experiencia al respecto, que enfrentarse con Colloredo le supondría problemas con la nobleza. En consecuencia, ya no se planteaba ganarse la vida como músico cortesano; quería dedicarse a la composición, y para ello estaba dispuesto a trabajar en dos facetas que nunca le entusiasmaron: como docente y como pianista...

Los vieneses son personas que os olvidan con facilidad, pero solamente en el teatro, y mi especialidad está aquí demasiado bien considerada como para que no pueda mantenerme. ¡Éste es, realmente, el país del piano! Y además, supongamos que me olvidasen: esto sólo ocurriría al cabo de algunos años; no antes, con seguridad. Mientras tanto, se puede ganar dinero y honor. Después hay otros lugares para vivir y para ir, y quién sabe qué ocasión puede presentarse entonces [289].

Acertaba al calcular que los vieneses tardarían unos años en comenzar a olvidarse de él; exactamente comenzaron a hacerlo cinco años después. Pero, en cuanto a lo de ganarse la vida, lo iba a tener más difícil de lo que pensaba. De momento, estos primeros meses coincidieron con el veraneo de los personajes más poderosos, aquellos de los que dependía Mozart para su sustento. Con todo, estaba satisfecho porque en abril había recibido el encargo de escribir una ópera, por parte del inspector del teatro alemán en Viena, Gottlieb Stephanie el joven:

Sobre la opereta de Schachtner [290]*, no hay nada que hacer, pues el joven Stephanie me dará una nueva pieza y, según dice él, muy buena. [...] Le he dicho solamente que la otra pieza* [291]*, aparte de los largos diálogos, que por lo demás son fáciles de cambiar, es muy buena, pero que no es adecuada para Viena, donde prefieren las piezas cómicas* [292].

En agosto volverá a dar noticias sobre esta nueva ópera:

Anteayer Stephanie el joven me dio un libreto para poner música. Debo reconocer que, aunque tal vez se porte mal con otras per-

sonas (lo que no me consta), para mí es un excelente amigo. El libreto es muy bueno; el tema es turco y lleva por título Belmont y Constanza o El rapto en el serrallo.

[...] El plazo es corto, es cierto: hacia mediados de septiembre debe tener lugar la representación. Pero las circunstancias que se darán en el momento en que la obra sea representada, y sobre todo las otras perspectivas, me enardecen de tal manera que corro a mi mesa de trabajo con la mayor alegría [293].

Esas *circunstancias que se darán* eran la llegada a Viena del gran duque Pablo de Rusia, hijo de Catalina II, para la cual el conde de Rosemberg, intendente del teatro, dispuso que se preparasen dos óperas, por si el gran duque quería presenciar alguna de ellas o las dos:

Stephanie quiere actuar de manera que no parezca que se ha portado como un buen amigo conmigo, sino más bien como si hiciera todo esto por deseo expreso del conde de Rosemberg. Éste, además, realmente ha ordenado al marcharse que se eligiera un buen libreto de ópera [294].

La ópera fue compuesta entre el 30 de julio de 1781 y el 16 de julio del año siguiente. El libreto, bueno o malo, es muy similar al de *Zaida;* su autor era Christoph-Friedrich Bretzner, un contable residente en Leipzig. Con música de Johann André había sido representado en Berlín en mayo de ese mismo año. Estaba basado en un texto de Grossmann, *Adelheid von Weltheim,* al que puso música G. Neefe, y tenía similitudes con otras obras: *El rey Thoas,* de Goethe; el *Nathan el Sabio* de Lessing, o *El encuentro imprevisto* de Gluck. A su carácter de exótica *turcomanía* se añadían sus connotaciones de tolerancia religiosa, y otras ideas vinculadas con la corriente más racionalista y progresista de la masonería, el *Aufklärung,* cada vez más pujante, frente a la vertiente más esotérica y mística de dicha asociación. Pero a Bretzner no le hizo ninguna gracia que se utilizase su libreto sin contar con él:

Cierto individuo de nombre Mozart, residente en Viena, ha tenido la desfachatez de hacer uso ilegítimo de mi drama Belmont y Constanza *para extraer de él un libreto de ópera. Protesto aquí de la forma más solemne contra este ataque a mis derechos, reservándome adoptar eventualmente otras medidas* [295].

Sin embargo, Bretzner no pudo hacer nada por defender sus derechos de autor (no hay nada nuevo bajo el Sol), y la obra salió adelante sin ningún problema por ese flanco.

Mientras tanto, Wolfgang sintió otro tipo de presiones, no sólo de su padre, sino de muchas de las gentes bienpensantes de Viena, por estar alojado en una casa en la que vivían una viuda y tres de sus hijas:

Os repito que, desde hace tiempo, pienso en buscar otro alojamiento, y esto únicamente a causa de la maledicencia de la gente; y me ha causado enojo sentirme obligado a hacerlo por unas absurdas habladurías en las que no hay una palabra de verdad. Me gustaría saber qué alegría encuentran ciertas personas en hablar todo el día sin ningún fundamento. Porque vivo en su casa, resulta que debo casarme con la hija. Que esté o no enamorado, esto no importa. Es un punto sobre el que se pasa de largo: vivo en la casa, luego me caso; ¡si en algún momento de mi vida no he pensado en el matrimonio es ahora! Es verdad que no deseo en absoluto una mujer rica, pero si realmente en estos momentos pudiera encontrar la felicidad en el matrimonio, me resultaría imposible cortejar a nadie, ¡tengo tantas cosas en la cabeza...! Dios no me ha dado mi talento para unirme a una mujer y pasar toda mi juventud inactivo. Comienzo apenas a vivir, ¿y voy a amargarme yo mismo la vida? No tengo nada contra el matrimonio, pero para mí, en estos momentos, sería perjudicial[296].

No hacía tanto tiempo que estaba pensando, precisamente, en el matrimonio; pero en aquellos momentos estaba enamorado. Además, había ciertas habladurías en relación con una de las hermanas...

No quiero decir con todo esto que me muestre altivo con la señorita con la que me quieren casar, y que no le diga nada, pero no estoy enamorado de ella. Hablo, bromeo con ella cuando tengo tiempo, y eso es todo. Si tuviera que casarme con todas con las que he tonteado, tendría doscientas mujeres[297].

De las tres hijas que vivían con la madre: Josepha (veintitrés años), Sofía (catorce) y Constanza (dieciocho), los rumores relacionaban a Wolfgang con esta última, de la que, según aseguraba Wolfgang a su padre, no estaba enamorado.

El acentuado sentido de la libertad individual que le lleva (posiblemente junto con el despecho, aún reciente, por el comportamiento de Aloysia) a rechazar ahora la idea del matrimonio, y que le había hecho enfrentarse con Colloredo, es el que preside, dentro de las limitaciones que supone trabajar como un sastre, por encargo, a proclamar su independencia de criterio como artista; así da cuenta de una conversación con la condesa de Thun:

Me ha dicho que ella apostaría su vida a que lo que estoy escribiendo tendrá un éxito seguro. Pero en este aspecto no tengo en cuenta los elogios o las censuras, vengan de donde vengan. Antes de que se vea mi obra en su conjunto, sigo decididamente mis propios sentimientos[298].

Por fin encontró Wolfgang, a finales de agosto, un nuevo hospedaje, al que se trasladó a comienzos de septiembre; pero se encontraba al lado de la casa de las Weber, hasta el punto de que indicó a su padre que le siguiera enviando la correspondencia al mismo domicilio. Leopoldo quería que se alojase en casa de los Aurnhammer, pero Wolfgang ya no estaba dispuesto a aceptar más imposiciones; hacía tiempo que estaba harto de ellas. Ante el desagrado que su padre le manifestó por seguir manteniendo tan abiertamente la relación con las Weber, le contestó lo siguiente:

Constato con disgusto que, exactamente como si fuera un malvado o un imbécil, os fiais antes de los relatos y comadreos de los demás que de los míos, y que no tenéis ninguna confianza en mí. Pero os aseguro que todo esto me da igual.

La gente puede escribir hasta que se le salgan los ojos, y vos podéis, si os place, darle todo vuestro crédito, pero no cambiaría ni un cabello por este motivo, y tampoco dejaría de ser el mismo joven honesto. Os juro que si no hubiera sido por vos, que habéis querido que buscara otro hospedaje, jamás me habría cambiado de casa, pues para mí es exactamente como si hubiera cambiado mi propia y cómoda silla de postas por un mal asiento en la diligencia. [...] Tened en cuenta este principio: no os dirijáis a otras personas para saber algo de mí, pues vive Dios que no doy cuenta de mis actos y hazañas a cualquiera, si no es el emperador[299].

¿Es una exageración, una fantasía o una forma de hablar esta referencia al emperador? ¿Realmente Wolfgang se sentía ya, con mayor o menor fundamento, músico del emperador? Esto explicaría muchas cosas. Por otra parte, esta actitud de Mozart no se limitaba a las cuestiones domésticas; ya metido en faena, llegó en estos momentos a tal extremo en sus audacias que, en vez de modificar su música en función del texto (como era lo habitual), terminó imponiendo modificaciones en el texto en función de la música:

En una ópera es absolutamente necesario que la poesía sea una hija obediente de la música. [...] En una ópera debe gustar siempre más que el plan de la pieza esté bien establecido, que las palabras estén escritas para la música, y que no se encuentre introducida, aquí y allá, para satisfacer unas desafortunadas rimas (¡cualesquiera que sean, por Dios!). Las rimas no añaden nada al mérito de una representación teatral, y más bien lo perjudican. Hay palabras, e incluso estrofas enteras, que echan a perder toda la idea del compositor. Los versos están bien para la música, son indispensables; pero la rima por la rima es lo más perjudicial; las personas que acometen su trabajo con tanta pedantería se hundirán siempre, ellos y su música. Lo mejor es cuando un buen compositor, que comprende el teatro y que es capaz de sugerir ideas, se encuentra con un poeta sensato, un verdadero ingenio; ¡entonces no debemos inquietarnos por la opinión de los ignorantes! ¡Los poetas me causan la sensación de trompetas alardeando de su oficio![300]. *Si nosotros, compositores, quisiéramos seguir siempre fielmente nuestras reglas (que eran muy buenas antes, cuando no se conocía nada mejor que ellas), haríamos una música tan mediocre como mediocres son sus libretos*[301].

En estas frases, fundamentales para entender la estética mozartiana, nos encontramos con varios aspectos muy enjundiosos. Esta última referencia a la libertad para quebrantar las reglas académicas cuando se considere oportuno, es muy significativa en un intelectual que forma parte del *Neoclasicismo*, ese momento artístico que acababa de dejar de ser *Barroco* e inmediatamente se convertirá en *Romanticismo*. Pensemos en el efecto que nos producen en nuestros días aquellos poetas aficionados que se esmeran en contar paciente y rigurosamente las sílabas y buscar la primera rima consonante que se acomode a dicha contabilidad. Pero meditemos, además, sobre la acusación, muchas veces poco reflexiva, que suele hacerse a la música de Mozart de ser muy mecánica, repetitiva, previsible, estrictamente divisible en múltiplos de dos; ya hemos hablado de ello. Mozart, además de estar técnica y académicamente muy bien preparado, podría dejar hundidos para siempre a cuantos se atreviesen a rivalizar con él en cuanto a creatividad y originalidad.

La referencia a las reglas *que eran muy buenas antes, cuando no se conocía nada mejor que ellas,* revela su espíritu innovador y crítico, a la vez que, sin embargo, respetuoso con los artistas del pasado. Una y otra vez nos estamos encontrando en Mozart con esta característica que le hace un hombre estrechamente relacionado con su propia época, que, insistiremos sobre ello una vez más, son los años en que lo que llamamos *Edad Moderna* se está convirtiendo en lo que llamamos *Edad Contemporánea,* sin que podamos señalar en qué momento una se convierte en otra (la fecha de la Revolución Francesa sólo puede ser útil, en tal sentido, para poner a prueba la cultura general de los colegiales).

También subyace en estas palabras de Mozart la pervivencia de una cuestión de extrema importancia en la cultura occidental: la primacía de la literatura sobre las demás actividades intelectuales; es un asunto muy vinculado con el *parangón de las artes* que tanto ocupó a muchos teóricos de la Edad Moderna, y con el axioma *Ut Pictura Poesis:* La poesía es pintura hablada; la pintura, poesía pintada...; lo que significa que, en definitiva, lo más importante era la poesía, la palabra escrita, la literatura. Dentro de la literatura, sobre todo la Historia; y dentro de la Historia, sobre todo la Sagrada..., jerarquía que también se aplicaba en las artes plásticas y en la música.

Pero la música, además, quizá por estar tan presente en la vida cotidiana, se ha mantenido siempre en una ambigua posición: por un lado, manteniendo la tradición griega de la que forman parte Platón y los neoplatónicos (tradición debida, en gran medida, a las propias características musicales del idioma griego), se la ha incardinado habitualmente con la poesía, lo que la situaría incluso por encima de las demás artes. Pero, por otro lado, se ha mantenido postergada respecto de ellas, y todavía sigue estándolo en nuestros días, por parte de los teóricos del arte. Incluso, los músicos han sido poco considerados socialmente, algo a lo que posiblemente haya contribuido (además de sus propios méritos) la independencia que les permite la relativa intangibilidad que les concede ser omnipresentes testigos de las debilidades de los grandes hombres. Los músicos, a menudo, han constituido a los ojos de los demás una especie de secta o grupo no del todo integrado en la sociedad; extravagante, cáustico, rebelde, poseedor de un lenguaje ininteligible para la mayoría. No es extraño que en esos mismos momentos se mantuviesen vigentes en España pragmáticas que los asimilaban con los *gitanos y otras gentes de mal vivir* [sic]. Hemos visto cómo, unos meses antes, un comentarista del estreno en Munich de *Idomeneo* ni siquiera se ocupó de la música; sólo llamaron su atención los decorados. He aquí, pues, uno de los muchos motivos por los que Mozart merece seguir siendo considerado como uno de los más grandes hitos de la Historia de la Música.

Decidme si podría desear una esposa mejor

1781 fue otro año decisivo en la vida, no muy abundante en años, de Mozart. Además de la ruptura con Colloredo (y, en gran medida, con su padre y con su propio pasado), toma una decisión trascendental de un modo que, a la vista de sus manifestaciones sobre el matrimonio realizadas pocos meses antes, nos resulta inesperado:

Desde mi juventud no he tenido costumbre de ocuparme de mis asuntos, de todo lo que se refiere al lavado de la ropa, la indumentaria, etc. No puede haber nada tan necesario como una mujer. ¡Os lo aseguro! ¡Cuántos gastos inútiles hago muchas veces porque no tengo cuidado! Estoy persuadido de que con una mujer, y la misma renta que tengo ahora, me arreglaría mejor de lo que lo hago. [...] ¡Un hombre que vive solo, no vive, en mi opinión, más que a medias! Lo creo realmente así. He reflexionado bastante y sigo pensando siempre lo mismo [302].

Que Mozart era muy reflexivo, no podemos ponerlo en duda; lo que no estamos en condiciones de afirmar ni de negar es que sus reflexiones fuesen siempre las más adecuadas. Es posible que, más que la atracción por alguna de las hermanas Weber, y además del hecho de sentirse en un ambiente familiar y rodeado de afecto, el motivo por el que se resistiese a trasladarse a otro domicilio fuese precisamente el hecho de tener resueltas las pequeñas inconveniencias de la vida cotidiana: la ropa limpia, la comida hecha, la cama preparada... Pero ahora dice sentirse nuevamente apasionado:

Pero, en la actualidad, ¿quién es el objeto de mi ardor? ¡No os alarméis por mí, os lo suplico! ¿Se trata de una Weber? ¡Sí, una Weber! Pero no Josefa, ni Sofía; es Constanza, la que está entre las dos. No he encontrado jamás en ninguna familia tan poca semejanza de caracteres como en ésta: la mayor es perezosa, grosera, falsa y tiene más malicia de lo que se puede pensar. La Lange es falsa y una mala persona, y una coqueta. La más pequeña es todavía demasiado joven para ser algo; es una buena pero atolondrada criatura, ¡que Dios la preserve de toda seducción! Pero la de en medio es mi buena, mi querida Constanza, la mártir de esta casa, y tal vez a causa de esto la más dulce, la más inteligente; en una palabra: la mejor. Se ocupa de todo en el hogar, sin poder hacer en nada su propia voluntad.

[...] Antes de liberaros de mi palabrería, creo que deberíais familiarizaros un poco mejor con la fisonomía de mi querida Cons-

tanza. No es fea, pero tampoco es hermosa. Toda su belleza consiste en dos pequeños ojos negros y una bella presencia. No tiene un espíritu vivo, pero posee bastante buen juicio para poder cumplir con sus deberes de esposa y de madre. No es nada gastadora; eso es totalmente falso. Al contrario, está acostumbrada a ir mal vestida, pues lo poco que su madre ha podido hacer por sus hijas lo ha hecho por las otras dos, nunca por ella. Es verdad que le gustaría ir vestida decorosamente, pero no con elegancia, y la mayoría de las cosas que una mujer necesita se las ha hecho ella misma. Ella misma se peina también cada día. Tiene el mejor corazón del mundo. La amo, y ella me ama con toda su alma. Decidme si podría desear una esposa mejor.

También debo deciros que en el momento en que abandoné a Colloredo el amor no había llegado todavía. Nació por sus tiernos cuidados y sus atenciones cuando vivía en la casa[303].

¿Estaba enamorado sinceramente? No es el objeto de este libro decidir qué es el amor, aunque en realidad no deje de tratar en cierto modo de amor. Ésa es la pregunta que cuatro años después se hará Cherubino en *Las Bodas de Fígaro:*

Voi che sapete
che cosa è amor,
donne vedete
s'io l'ho nel cor[304].

¿Sentía Wolfgang pasión por Constanza? Creemos que no; no la que sentía por Aloysia. Cabría pensar que, una vez convertida ésta en señora Lange, casarse con una de sus hermanas no era para él sino un mal menor, incluso una muestra de despecho hacia Aloysia, que todavía le importaba lo bastante como para poder llevarle a ese extremo. No obstante, además de que Wolfgang había sin duda recapacitado sobre la conveniencia o no de vivir en soledad, y que tal vez deseaba casarse por razones más o menos utilitarias, no puede pasarnos desapercibida la petición que deslizó en esta misma carta antes de despedirse:

No deseo, desde ese momento, nada más que obtener un pequeño trabajo seguro [...], y después os seguiré rogando para que me permitáis salvar a esta pobre niña, y ser feliz después con ella [...][305].

Siempre el gran corazón de Wolfgang. Recordemos la advertencia que su propia madre había hecho a Leopoldo unos años antes:

Habrás podido ver por esta carta que cuando Wolfgang hace nuevas amistades, en seguida quiere darles su vida y sus bienes[306].

Pero, ¿estaba Wolfgang realmente en condiciones de salvar a nadie? Tendrían que cumplirse tantos requisitos que, hasta el momento, no se estaban cumpliendo... Wolfgang actúa casi siempre, qué duda cabe, como si no existiese la muerte; como si los años no pasasen. Es una actitud característica de los niños y los adolescentes. Sus razonamientos parecen dar por supuesto que tiene todo el tiempo del mundo por delante, para disponer de él a su antojo. Bien es cierto que, a la hora de casarse, todavía en esa época, como a menudo sigue ocurriendo hoy en día, se valoraban fundamentalmente criterios como los que utilizaba Wolfgang en esta carta: no querer vivir en soledad, la comodidad de un hogar atendido por una mujer, etcétera. Pero, ¿quién, sino alguien como Wolferl, podría considerar como principal argumento para casarse que Constanza es *la mártir de esta casa* y es preciso *salvar a esta pobre niña?*

Su decisión parecía firme; unos días después, volverá sobre ella:

Habéis visto que a mis veintiséis años no soy tan tonto como para casarme atolondradamente sin tener alguna cosa asegurada. Mis razones para casarme lo antes posible están muy fundadas, y según el retrato que os he hecho, la joven será para mí una mujer muy útil en mi situación; pues es tal como os la he descrito, ni mejor ni peor[307].

No; Mozart no era tonto; todo lo más, atolondrado a veces. Se casará con esta pobre Cenicienta; su decisión era tan firme, que el contrato matrimonial, es decir, el compromiso formal de contraer matrimonio, algo que él consideraba sólo un trámite insignificante, ya se había celebrado:

Sobre el contrato de matrimonio, quiero haceros la confesión más sincera, bien persuadido de que me perdonaréis seguramente esta gestión, ya que si vos os hubierais encontrado en mi caso, seguramente habríais actuado de la misma manera. Os pido solamente perdón sobre este punto: que no os he escrito hace mucho tiempo.

[...] Y bien, volviendo al contrato de matrimonio, o mejor, al compromiso escrito de mis buenas intenciones respecto a la joven, sabéis que su padre ya no está en este mundo (desgraciadamente para toda la familia y para mí, y también para mi Constanza) y existe un tutor. A éste, que no me conoce de nada, parece ser que dos presuntuosos y oficiosos señores, como el señor Winter y otros, le han

contado todo tipo de cosas sobre mí: que no tengo nada asegurado, que mantengo una grave relación con ella, que posiblemente la dejaré plantada, que será desgraciada, etc. Esto preocupa al tutor, ya que la madre, que me conoce bien y sabe de mi lealtad, deja que las cosas sigan su camino y no dice nada. En realidad, todo mi enredo con ella consistía en que vivía allí, y después en que iba todos los días. Fuera de casa, nadie nos ha visto juntos.

Este tutor abrumó tanto a la madre con sus amonestaciones, que ésta me lo dijo por fin, y me rogó que hablase con él, previa cita. Vino, hablé con él y el resultado fue (no me expliqué todo lo claramente que él hubiera querido) que dijo a la madre que me prohibiera el trato con su hija mientras no hiciera mi compromiso escrito. La madre respondió: «Toda su relación con nosotras se reduce a que frecuenta mi casa, y yo no puedo prohibirle venir a mi casa; es un buen amigo, y un amigo con el que tengo muchas obligaciones. A mí me satisface, tengo confianza en él. Arreglaos vos con él» [308].

De nuevo nos encontramos en esta biografía de Mozart con una escena que tiene alguna reminiscencia con la Pasión de Cristo: María Cecilia Weber representa bien el papel de Poncio Pilato y hace entrega de Mozart al tutor de Constanza:

En este punto, fue el tutor quien me prohibió todo contacto con ella si no aceptaba un convenio escrito. ¿Qué otra solución me quedaba? ¿Dar una legitimación escrita o abandonar a la joven? ¿El que ama de una manera sincera puede abandonar a su amada?

Redacté, pues, el escrito en estos términos: «Que me comprometía, antes de tres años, a casarme con la señorita Constanza Weber, bajo la condición de que, si se presentaba una imposibilidad o yo modificaba mis intenciones, ella obtendría cada año 300 florines de mi parte» [309].

Con todo, Constanza intervino, posiblemente con sinceridad (aunque no debemos descartar la posibilidad de que su papel también estuviese escrito previamente), incrementando la intensidad dramática del acto:

[...] Constanza, tal como yo la conozco, es demasiado orgullosa para dejarse poner precio. ¿Qué hizo esta angelical criatura cuando el tutor estuvo lejos? Pidió el escrito a su madre, y me dijo: «Querido Mozart, no necesito un contrato escrito por vos; tengo bastante con vuestra palabra.» Y lo rompió.

Este rasgo ha hecho que mi querida Constanza sea aún más preciada a mis ojos y, después de esta anulación del compromiso y después de la promesa, bajo palabra de honor del tutor, de guardar para sí todo este asunto, me he sentido, en parte, un poco tranquilizado por vos, mi excelente padre, ya que vuestro consentimiento para el matrimonio (se trata de una joven a la que no falta nada, excepto el dinero) no dudaba que llegaría en su momento[310].

En estos momentos, como no se podía esperar otra cosa, descendió el ritmo productivo de Mozart. Para Teresa von Hickel, cuñada de un pintor de corte de José II, compuso la serenata para instrumentos de viento KV 375, y para la hija de Aurnhammer, Josepha (la alumna que le parecía un espantapájaros), la sonata para piano KV 448 (que es la que alguien dio en considerar paradigmática del supuesto *efecto Mozart*[311]). La serenata KV 375 fue escrita en octubre (de ahí que a veces se le haya llamado *serenata de octubre),* para sexteto de instrumentos de viento, a los que un año después añadiría dos oboes; en cualquier caso, tratándose de instrumentos de viento, está concebida como música para ser interpretada al aire libre, y con ella Mozart pretendía que un cortesano, Von Strack, le propiciara introducirse en el entorno del emperador. A ella se refirió de este modo:

Yo había escrito esta serenata el día de Santa Teresa para la onomástica de la cuñada del señor Von Hickel, en cuya casa, de hecho, se ejecutó por primera vez. Pero la principal razón por la que escribí esta música fue el deseo de hacer oír algo mío al señor Von Strack; por eso la escribí con cierto esmero y, en efecto, tuvo mucho éxito. La noche de Santa Teresa fue interpretada en tres lugares distintos; apenas acababan de tocar, los intérpretes se trasladaban a otro lugar, volvían a ejecutarla y de nuevo se les pagaba. A las once de la noche también yo recibí el homenaje de una serenata nocturna... ¡Nada menos que mi propia composición! [...] Estos señores, tras conseguir que les abrieran el portal de mi casa, se acomodaron en el porche y, justo cuando yo estaba desnudándome, me sorprendieron agradablemente con el primer acorde en mi bemol[312].

El archiduque Max-Franz, el más joven de los hermanos del emperador, y coadjutor del príncipe elector de Colonia, le encargó en noviembre la organización de una velada musical en honor de los príncipes de Würtenberg, que se encontraban en Viena para negociar el matrimonio de su hija Elisabeth con el archiduque Franz, quien presumiblemente sería el siguiente emperador, dado que José II no tenía herederos.

Wolfgang aspiraba a convertirse en profesor de música de Elisabeth, pero ese puesto fue confiado a Antonio Salieri (1750-1825), pues el propio emperador José II consideró que éste era más apto para dar a la joven también clases de canto. Salieri, uno de los muchos italianos que trabajaban en las cortes centroeuropeas, había llegado a Viena en 1766; allí compuso cuarenta óperas a lo largo de su carrera, y fue nombrado compositor de cámara en 1774; en 1788 sería nombrado *Kapellmeister*. Más adelante, entre sus discípulos figuraría el gran Franz Schubert (1797-1828). Volveremos a hablar de Salieri.

En la Nochebuena de 1781, Mozart tocó en la corte; también lo hizo un pianista al que hemos conocido muy bien muchas generaciones de estudiantes de piano: Muzio Clementi (1752-1832). Clementi recordaría así, años más tarde, aquel encuentro con Mozart:

Estaba en Viena hacía pocos días, cuando recibí de parte del emperador una invitación para ser escuchado delante de él como pianista. Al entrar en la sala de música encontré a un hombre de aspecto elegante, al que tomé por un chambelán del emperador. Apenas habíamos iniciado la conversación y hablábamos de música cuando descubrimos que éramos colegas en el arte, y nos presentamos muy amistosamente: Mozart y Clementi.

[...] Yo no había oído a nadie tocar con tanta inspiración y gracia. Lo que me gustó sobre todo fue un adagio y muchas de sus variaciones improvisadas, de las que el emperador había elegido el tema y que, uno después de otro, debíamos tocar[313].

Por su parte, Mozart comentaría lo siguiente sobre Clementi:

Es un pianista esforzado, y está dicho todo. Tiene una gran agilidad con la mano derecha; sus pasajes más notables son las terceras. Por lo demás, ni un centavo de gusto o de sentimiento; simple mecánica[314].

Esas Navidades, padre e hijo no se escribieron para desearse feliz Año Nuevo. Leopoldo ni siquiera parecía haber reaccionado ante la extraordinaria situación planteada por Wolfgang con su inminente matrimonio. Así, Mozart volvió a escribir a su padre:

Todavía no he recibido ninguna respuesta a mi última carta, y ésta es la razón por la que no os he escrito en el último correo.

[...] ¡No comprendo cómo no he recibido ninguna carta! ¿Estáis realmente tan enfadado conmigo? Porque os haya ocultado el hecho durante tanto tiempo, sí, podéis estar enfadado y tenéis razón. Pero si habéis leído mis excusas al respecto, creo que bien podríais reconocer en nada mejor mi religión y mis buenos sentimientos[315].

Por fin llegó la respuesta de Leopoldo; lo más suave en ella era su ocurrencia de que Cecilia Weber y el tutor, señor Thorwarth, deberían ser condenados a barrer las calles llevando en el cuello un tablón en el que pusiese: *Corruptor de la juventud*. Wolfgang contestó así:

Le agradezco su carta bien intencionada y afectuosa; si tuviera que responder detalladamente a todo, tendría que llenar un libro entero de papel; como es imposible, sólo le responderé lo más imprescindible.

[...] Que madame Weber y el señor V. Thorwarth puedan haber pecado de exceso de seguridad en sí mismos, se lo concedo de buena gana, aunque madame no es ya dueña de sus propios actos, y especialmente en estos asuntos tiene que confiar totalmente en el tutor [...]. El señor V. Thorwarth, sin embargo, se ha equivocado; pero no por ello él y madame Weber merecen ir por las calles con grilletes, llevando al cuello una pizarra con las palabras: corruptor de la juventud; eso sería exagerado[316].

En febrero escribió a Nannerl, y le refirió cuál era su régimen de vida en Viena:

Recientemente le describí a mi padre mi jornada, y lo voy a repetir para tí. A las 6 de la mañana estoy ya siempre arreglado. A las 7 totalmente vestido. Luego compongo hasta las 9. De las 9 a la 1 doy mis lecciones. Luego como, cuando no estoy invitado, ya que se come también a las 2 e incluso a las 3, como hoy y mañana en casa de la condesa de Zichy y de la condesa de Thun. Antes de las 5 de la tarde o de las 6 no puedo trabajar nada, y a menudo se me pide algún concierto; si no, compongo hasta las 9. Luego voy a ver a mi querida Constanza; *sin embargo, el placer de vernos se ve amargado allí la mayoría de las veces por las amargas palabras de la madre, que le explicaré a mi padre en la próxima carta, y a eso se debe mi deseo de poder liberarla y salvarla tan pronto como pueda. A las 10 y media o las 11 vuelvo a casa. [...] Como a causa de los conciertos que se dan y también a causa de la inseguridad sobre si me llamarán aquí o allá, no puedo confiar en componer por la noche, suelo componer un poco, especialmente cuando vuelvo pronto a casa, antes de irme a dormir, y a menudo me quedo haciéndolo hasta la 1. Y luego otra vez a las 6 en pie*[317].

Las amargas palabras sobre Cecilia Weber, la madre, de la que quería liberar a Constanza, tenían una causa que Wolfgang, efectivamente, desvelaría a su padre unas semanas después:

[...] El añadido en lo que se refiere a su madre sólo se funda en que le gusta beber, y más de lo que una mujer debiera beber; sin embargo, borracha no la he visto nunca, mentiría si dijera otra cosa. Las hijas no beben más que agua, y aunque la madre casi quiere obligarlas al vino, no puede conseguirlo; a menudo hay las mayores disputas por ello. ¿Puede imaginarse uno una disputa así con una madre?[318].

No, no era, al contrario de lo que había pensado cuando conoció a los Weber, una familia como la suya; a Wolfgang no le resultaba concebible que una hija discutiese con su madre porque ésta quería obligarla a beber vino; ni siquiera le cabía concebir que una madre bebiese demasiado, ni que lo hiciese un buen padre. Lo pensase así realmente o no, de lo que no cabe duda es de que quería transmitir a su padre la idea de que había aprendido bien la lección de lo que tenía que ser una buena familia. En esta misma carta vemos cómo Mozart pretendía transmitir una sensación de normalidad en las relaciones de Constanza con Leopoldo y Nannerl:

Me alegra que esté usted tan contento con los cordones del reloj y la petaca, y mi hermana con las dos cofias. He transmitido a Constanza los parabienes que los dos le han enviado. Ella, por su parte, le besa las manos, querido padre, y abraza cordialmente a mi hermana, de la que espera poder ser amiga; Constanza se ha alegrado muchísimo cuando le he dicho que estaba muy contenta con las cofias, pues es lo que deseaba.

Sin embargo, muy propio de Mozart, el mismo día en que escribió esta carta a su padre fechó un aria para soprano dedicada a Aloysia, quien iba a emprender una gira; se trata de *Nehmt meinen Dank (Aceptad mi agradecimiento),* KV 383. Con ella la cantante se despedía de su público; pero, bajo esa apariencia, contiene expresiones más personales e íntimas, de Wolfgang hacia Aloysia; pues, como confesaría a su padre un mes después, todavía no le era indiferente:

Aceptad mi agradecimiento,
benignos protectores [...].
Creedme: adonde quiera que vaya,
en cualquier momento,
mi corazón permanecerá siempre con vosotros.

En la ya citada carta del día 10 de abril, daba cuenta también de lo siguiente:

Todos los domingos a las 12 voy a casa del barón Von Swieten, y allí no se toca más que a Händel y a Bach. Precisamente ahora me estoy haciendo una colección de las fugas de Bach, tanto de Sebastián como de Emmanuel y de Friedeman Bach. Y también de las de Händel [...] y quisiera que el baron escuchase también las de Eberlin. Sin duda sabrá usted que ha muerto el Bach inglés. ¡Una pérdida para el mundo musical![319].

Von Swieten era hijo del médico de la emperatriz María Teresa, y había sido embajador en ciudades tan importantes como Bruselas, París, Varsovia y Berlín; su vida se encontraba ahora volcada en el culto a los grandes músicos del último Barroco, así como a los hijos de Bach. Contaba con una excepcional colección de libros y manuscritos, que ponía a disposición de sus amigos. Él mismo fue compositor aficionado y libretista controvertido (aunque hasta hace no mucho no lo era: había práctica unanimidad en considerarle sencillamente pésimo); a él se debe la adaptación de los libretos para que Haydn realizara sus oratorios *La Creación* y *Las estaciones,* así como, también para Haydn, la versión coral de *Las siete palabras de Cristo en la cruz,* oratorio que sería escrito en 1785, por encargo del español José Sáenz de Santa María, marqués de Valdeíñigo, para su interpretación en la iglesia de la Santa Cueva, de Cádiz.

En la casa de Swieten, y satisfaciendo sus encargos, Mozart pudo profundizar en el conocimiento de Johann Sebastian Bach y Georg Friedrich Händel, así como en el estudio de una muy difícil forma musical, la fuga. Bajo estas influencias escribirá, por ejemplo, un *Preludio y fuga* (K 394) para Constanza:

Cuando Constanza ha escuchado las fugas, ha quedado prendada. No quiere oír más que fugas, sobre todo las de Haendel y

Bach. Como me ha oído a menudo tocar de memoria, me ha preguntado si yo había escrito alguna, y al responderla que no, me ha reñido por no haber querido escribir lo que es más artístico y más hermoso en música. No me ha dado tregua hasta conseguir que componga una fuga, y hela aquí[320].

Como sabemos, había sido iniciado en el conocimiento de la fuga por el padre Martini en 1770, y nos le hemos encontrado en varias ocasiones improvisando fugas, como hizo ante Stein en Augsburgo en 1777, o pretendió hacer ante el emperador en Viena en 1781. Por tanto, la afirmación de que no había escrito ninguna fuga, aparte de no ser correcta, pues sí había escrito algunas, tal vez pueda indicar precisamente que era una forma que, a pesar de su dificultad, había utilizado al improvisar (quizá esas fugas que Constanza le había oído tocar de memoria fuesen del propio Wolfgang), pero que no se había preocupado mucho de elaborarlas por escrito.

Estos momentos en casa de Von Swieten, de entusiasmo por los grandes maestros del Barroco alemán inmediatamente precedente, fueron de gran importancia en la evolución estilística de Mozart, y serían así recordados por Joseph Weigl (1766-1846):

Mozart acompañaba; Swieten, Starzer y yo cantábamos. Aprendí entonces cómo se deben interpretar algunas partituras. Quien no ha escuchado a Mozart tocar una partitura de Haendel a dieciséis voces y más, cantar él mismo y, al mismo tiempo, venir en ayuda de los que cometían equivocaciones, no conoce a Mozart, que es más admirable en esto que en sus composiciones[321].

En estos mismos días se produjo una singular escena que nos muestra a una Constanza no excesivamente prudente, discreta ni virtuosa, y a un Wolfgang celoso. La pareja tiene una pequeña crisis; la *angelical criatura* se enfada, no quiere saber nada de Wolfgang, y a él le corresponde el papel de hacerse disculpar por ella esa misma noche:

[...] Os ruego una vez más que consideréis la causa de todo este enfadoso asunto: que formulé una crítica sobre la poca reserva y el atolondramiento con que habéis dicho a vuestras hermanas, en mi presencia, que os habíais dejado medir las pantorrillas por un caballero. Ninguna mujer que se respete lo hace[322].

Y, de repente, el Wolfgang igualitario, rompedor de las distancias sociales, siempre satírico con los convencionalismos de la nobleza, demuestra conocerlos a fondo, y entra en una minuciosa casuística:

La máxima que dice «donde estuvieres, haz lo que vieres» está muy bien. Además hay que tener en cuenta algunas circunstancias accesorias: saber si en la reunión no figuraban más que buenos amigos y conocidos vuestros, si sois todavía una niña o ya una joven casadera, y sobre todo si no estabais formalmente prometida; y más especialmente si eran todos de vuestra clase, o por debajo de vos o, sobre todo, por encima. Si realmente la propia baronesa se ha dejado hacer eso, es un caso diferente, porque ella ya es una mujer de edad madura, que no puede provocar ninguna emoción, y además, por encima de todo, es una mujer que ama los... etcétera. Espero, querida amiga, que no querréis llevar una vida como la suya, incluso si rechazáis ser mi mujer. Si os ha sido imposible resistiros a los deseos de hacer como los demás (pese a que este «hacer como los demás» no conviene siempre a un hombre, y menos aún a una mujer), ¡por Dios!, ¿por qué no habéis cogido la cinta y os habéis medido vos misma las piernas, como lo hacen, en casos parecidos, en mi presencia, todas las mujeres de honor, en lugar de dejar que os lo haga un desconocido? Yo mismo jamás os lo hubiera hecho en presencia de otras personas; os hubiera entregado la cinta. Y ni siquiera eso debíais haberlo aceptado de un extraño.

Pero ya se ha terminado. Una pequeña confesión por vuestra parte de que vuestra conducta de ese día ha sido un poco irreflexiva habría arreglado todo, y, si no lo encontráis mal, querida amiga, todavía lo arreglaría. ¡Ved en esto cuánto os amo! Yo no soy tan impetuoso como vos: pienso, reflexiono y siento. Sentid vos también, tened sensibilidad, y estoy seguro de poder decir a partir de hoy tranquilamente: Constanza es la virtuosa, celosa de su honor, razonable y fiel amada de su leal y devoto Mozart [323].

En el mes de mayo concluyó la elaboración de *El rapto en el serrallo:*

Ayer estuve en casa de la condesa de Thun, y le he mostrado mi segundo acto, del que no se ha mostrado menos contenta que del primero [324].

Mañana como con mi querida Constanza en casa de la condesa de Thun, ante la cual mostraré mi tercer acto. Actualmente tengo el trabajo más fastidioso: corregir las copias. El próximo lunes empezarán los primeros ensayos. Estoy encantado con esta ópera, lo confieso [325].

A la vez, Wolfgang se muestra ilusionado con un proyecto para organizar una serie de conciertos en espacios urbanos públicos, los días festivos del verano; una tradición que, como vimos en otro lugar, existía desde al menos un par de siglos antes en todas las ciudades de Europa y América:

> *Este verano va a haber todos los domingos música en el Augarten. Un tal Martin ha fundado este invierno un* Concierto *de los Diletantes, que tiene lugar todos los viernes en el Mehlgrube. Sabéis que hay aquí muchos y muy buenos diletantes, tanto mujeres como hombres. Pero sus reuniones no han estado nunca muy bien organizadas. Este Martin ha obtenido, por un decreto del emperador, la autorización y la seguridad de su más firme aprobación, de dar doce conciertos en el Augarten y cuatro grandes ejecuciones nocturnas en las más hermosas plazas de la ciudad. [...]. El barón Von Swieten y la condesa de Thun están muy interesados en el asunto. La orquesta está compuesta sólo por aficionados, salvo para los fagotes, las trompetas y los timbales*[326].

También nos encontramos aquí con algo que será cada vez más frecuente, hasta convertirse en una de las características de la música en el siglo XIX: las sociedades filarmónicas de conciertos. Mozart participó muy activamente en la organización de esta sociedad, con la que se encontrará Beethoven en Viena, años después de la muerte de Mozart. Este tipo de sociedades (como, en la misma Viena, la *Wiener-Tonkünstler-Sozietät,* que organizaba los conciertos para las viudas y huérfanos de músicos), así como las suscripciones para la edición de determinadas partituras, que también nos encontramos a menudo en la vida de Mozart, suponen desde cierto punto de vista una apertura de la música más elitista hacia sectores más amplios, sacar esa música de los salones de la nobleza y llevarla a las salas de conciertos. También recurrieron en esta época al sistema de la suscripción algunos artistas plásticos, como Goya en 1797, para la publicación de los *Sueños,* serie de grabados que finalmente no llegaría a efectuarse. Pero deberíamos tener ciertas prevenciones con la aparente evidencia de que por estos medios se produjo una «democratización» de la música, pues, por un lado, paralelamente se desarrolló una música de salón que antes no existía, lo que sería una de las razones del extraordinario desarrollo del piano en particular, y de la música de cámara en general, durante el Romanticismo; y, por otra parte, en todas las épocas una inmensa porción de la música ha podido ser escuchada a la vez por los más poderosos y los más humildes. La diferencia seguramente estriba en la nueva consideración de la música que estaba surgiendo en estos años de finales de la Edad Moderna y comienzos de la Contemporánea: a una iglesia, antes, no se iba a escuchar música (o sólo a escuchar música); al menos, casi nadie lo hacía. Tampoco se iba al madrileño Prado de San Jerónimo de Madrid, al Prater de Viena o a las Tullerías a escuchar música (o sólo a escuchar música), sino a pasear o a fomentar las relaciones sociales. Pero Mozart estaba trabajando, muy ilusionado, en la preparación de series de conciertos para melómanos, para que todo el que quisiera (y pudiera) disponer de dos ducados para ello tuviera la oportunidad de escuchar doce conciertos distintos a lo largo del verano.

Lamentablemente, existe una laguna en la correspondencia de Wolfgang entre el 29 de mayo y el 20 de julio, precisamente los momentos en que se estrenó *El rapto en el serrallo* (lo que ocurrió el 16 de julio). Lo cierto es que los testimonios sobre este acontecimiento son contradictorios; se habló, una vez más, de confabulación para evitar su estreno y las críticas oscilaron entre los más encendidos elogios y el simple desprecio. Tal vez, entre otros posibles motivos, se consideró una impertinencia el hecho de que Mozart quisiera hacer prevalecer su música sobre el texto. Según Nissen, el emperador José II, que asistió al estreno, se mostró un tanto desconcertado, pues a la vez que le había encantado la ópera, habría dicho a Wolfgang: *Demasiadas notas, querido Mozart;* a lo que éste habría respondido: *Sire, ¡ni una de más!*

Hubiese confabulación o no, lo cierto es que la obra terminó por alcanzar gran éxito entre el público. Sobre la representación del día de Santa Ana (26 de julio), comentó Mozart lo siguiente:

Mi ópera ha sido representada ayer por tercera vez con el aplauso general (en honor de todas las Nannerl) y la sala se ha llenado de nuevo a pesar del terrible calor; el próximo viernes se volverá a representar. [...] La gente, puedo decirlo así, está verdaderamente loca con esta ópera. Realmente hace mucho bien obtener un éxito como éste[327].

El éxito se extendió por toda Alemania, y sólo tres años después, uno de los grandes impulsores de la idea de nación alemana y del Romanticismo, Goethe, haría el siguiente comentario sobre ella:

Todos los esfuerzos que hiciéramos para conseguir expresar el fondo mismo de las cosas serían vanos después de la aparición de Mozart. El rapto en el serrallo *nos dominaría a todos*[328].

Sin embargo, el distanciamiento entre Leopoldo y Wolfgang era tal en estos momentos, que Leopoldo ni siquiera le hizo el menor comentario sobre su ópera:

He recibido vuestra carta del 26, ¡pero una carta tan indiferente, tan fría...! ¡Verdaderamente nunca hubiera esperado nada parecido después de las noticias que os he enviado sobre el éxito de mi ópera! Creía, a juzgar por lo que yo mismo sentía, que apenas habríais podido abrir el paquete en vuestra ardiente curiosidad por conocer la obra de vuestro hijo, la cual, en lugar de fracasar por completo, hace tanto ruido en Viena que no se oye hablar de otra cosa, y el teatro es un verdadero hormiguero. Ayer se dio por tercera vez, y será dada de nuevo el miércoles. Pero, sin duda, no tenéis tiempo.

Decís que el mundo entero afirma que por mis fanfarronadas y mis críticas me he hecho enemigos entre los profesores de música y otras muchas personas: ¿qué mundo entero? ¡Sin duda el mundo de Salzburgo! Pues cualquiera que se encuentre aquí sabe que es justamente lo contrario, y no tengo nada más que decir[329].

En estos momentos Haffner, burgomaestre de Salzburgo, le encargó, por medio de Leopoldo, la composición de una sinfonía (la n.º 35, KV 385, *Haffner)*; para las bodas de su hija había compuesto cinco años antes la marcha *Haffner,* KV 249, y la serenata *Haffner,* KV 250. Wolfgang se encontraba ahora agobiado de trabajo, y por otro parte no le agradaba que los encargos procediesen de Salzburgo:

¿Y además tengo que escribir una sinfonía? ¿Cómo podré hacerlo? [...] En fin, bien, la escribiré por la noche, no saldré; ¡y que este sacrificio sea por vos, mi muy querido padre! Recibiréis seguramente alguna cosa en cada correo, y trabajaré todo lo rápidamente que pueda, y tan legiblemente como me lo permita esta precipitación[330].

Otro encargo que recibe ahora Wolfgang, aunque no sabemos de quién, es la serenata n.º 12 para instrumentos de viento, KV 388, *Nachtmusik (Noche de música,* o *Música nocturna,* que no debe confundirse con la KV 525, *Eine kleine Nachtmusik*).

En cuanto a su situación personal era, cuando menos, delicada. Ya no podía soportar a Cecilia Weber, que, de creerle a él, estaba haciendo la vida imposible a la pareja:

La mayoría de la gente cree que ya estamos casados. La madre monta en cólera con frecuencia, y la hija es mortalmente martirizada, lo mismo que yo[331].

En estas circunstancias, y sin duda animada a ello por Wolfgang, Constanza abandonó el hogar familiar, la casa *El ojo de Dios,* y se marchó a casa de la baronesa Waldstädten, aquella mujer de edad madura que, según Mozart, ya no podía provocar ninguna emoción y que, en consecuencia, podía permitir sin ningún problema que algún lechuguino le tomase las medidas de la pantorrilla.

Pese al dramatismo de la situación, Wolfgang no dejará de bromear sobre ella como mejor sabía hacerlo, jugando con los diversos sentidos de las palabras; así, se referirá a estos acontecimientos, y a su propio matrimonio, como *El rapto del Ojo de Dios,* parafraseando el título de su propia ópera. La madre de Constanza estaba decidida a denunciar a Wolfgang como corruptor de menores, y éste fue advertido de ello por Sofía, la hermana pequeña. Ante tal situación, a Wolfgang sólo le quedaba una salida: contraer matrimonio lo antes posible.

¡Querido y excelente padre!

Tengo que suplicaros, por lo que más queráis: ¡dadme vuestro consentimiento para que pueda casarme con mi querida Constanza! No creáis que es únicamente porque deseo hacerlo; podría esperar todavía de buen grado. Pero comprendo que es inevitable e indispensable para mi honor, para el honor de mi amada y para el estado de mi salud y de mi corazón. [...] Espero vuestro consentimiento ansiosamente, mi excelente padre, lo espero y lo doy como cierto, pues mi honor y mi reputación dependen de ello[332].

Wolfgang seguiría insistiendo ante Leopoldo para que diese su consentimiento al matrimonio; así lo hizo de nuevo el 31 de julio, pero en esos momentos ya estaba incluso fijada la fecha del matrimonio para el día 4 de agosto:

Habrá recibido ya mi última carta, y con la próxima suya estoy seguro de recibir el consentimiento para mi boda. Usted no podrá poner ninguna objeción, ya que es una muchacha estupenda, honesta, de buena familia, y yo estoy en perfectas condiciones para procurarle el sustento. Además, nos queremos y deseamos. [...] No hay, pues, aplazamiento que valga; es mejor llevar a cabo los propios asuntos y comportarse como un hombre honrado. Por esto Dios nos recompensará siempre[333].

El día 2 de agosto, Wolfgang y Constanza acudieron juntos a confesarse en la abadía de los teatinos; el día 3 firmaron el contrato matrimonial, en régimen de comunidad de bienes, y el día 4, domingo, contrajeron matrimonio en la catedral de San Esteban. Según la relación de asistentes que haría más tarde el propio Wolfgang, sólo presenciaron la ceremonia Cecilia Weber, su hija Sofía (no indicó que asistiera Josefa, y no asistió, con certeza, Aloysia, que se encontraba de gira); el tutor de Constanza, Thorwart, que firmó como testigo de ambos novios; Landrath von Zetto, testigo de Constanza, y un primo de Wolfgang, Gilowsky, testigo del novio. Esa noche se celebró una cena en casa de la baronesa Waldstädten, tras la cual los contrayentes se trasladaron al piso que habían alquilado en la misma casa en que Wolfgang y sus padres habían residido en 1767; sería el primero de los más de diez domicilios que tendrían en los nueve años que duró el matrimonio, hasta la muerte de Mozart.

Por fin llegó la bendición paterna, con retraso, el día 5:

> *Os beso las manos y os agradezco, con toda la ternura que un hijo puede sentir por su padre, la autorización y la bendición paterna que habéis tenido la bondad de concederme. Contaba con ello absolutamente, pues ya sabéis que yo mismo he podido ver todo lo que se puede objetar a una petición como ésta, pero también sabéis que yo, sin lesionar mi conciencia y mi honor, no podía actuar de otra manera, y por consiguiente podía con toda seguridad contar con esta autorización. Es por lo que, después de haber esperado en vano una respuesta en los dos correos, y estar fijada la fecha de la boda, teniendo una confianza total en vuestro consentimiento, me he hecho unir, en el nombre de Dios, con la mujer que amo. Al día siguiente recibía dos cartas vuestras a la vez; ¡ahora ya está hecho! Sólo os pido que me excuséis por una confianza demasiado precipitada en vuestro amor paternal*[334].

Para su flamante esposa compuso Mozart este mes de agosto los cinco *solfeos* para soprano, KV 393, concebidos para que ejercitase la voz, pues su calidad como cantante distaba mucho de la de su hermana Aloysia. Muy poco antes había escrito para ella el aria, también para soprano, *In te spero, o sposo amato,* KV 440, de la que sólo se conserva un fragmento:

> *In te spero, o sposo amato;*
> *fido a te la sorte mia...* [335].

Es impaciente, y quiere conseguir la felicidad en el acto

Leopoldo sigue pensando, con mucha razón, que para sobrevivir en la sociedad europea es necesaria la protección de un personaje poderoso. Él, por su mayor vinculación con la Edad Moderna que con la Contemporánea, piensa sobre todo en que sea algún noble: a falta de un príncipe, un duque; a falta de un duque, un conde; y, en último extremo, siquiera una baronesa. En consecuencia, escribe a la baronesa Waldstädten:

Muy alta y graciosa señora:

Agradezco con la mayor gratitud a vuestra gracia el particular interés que ha manifestado, y le envío especialmente mi más reconocido agradecimiento por la extraordinaria benevolencia que vuestra gracia ha demostrado hacia mi hijo, cuyo matrimonio celebró con tanta magnificencia. Cuando yo era joven creía que eran los filósofos los que hablaban poco, reían en contadas ocasiones y adoptaban frente al mundo un rostro avinagrado. Pero mi propia existencia me ha demostrado que yo mismo soy uno de ellos sin saberlo; porque, aunque siempre he cumplido con mi deber de padre hacia mi hijo, y no le he ahorrado ni las más claras recomendaciones ni las exhortaciones en mis frecuentes cartas, a pesar de que él conoce las difíciles condiciones que tengo que soportar, por mi edad, en mi trabajo, aunque sabe también que estoy esclavizado en Salzburgo, y que es consciente de que me he sacrificado física y moralmente por él, no me resta, en estas condiciones, más que abandonarle a su suerte, y pedir a Dios que le conserve mi bendición paternal y su benevolencia divina. No obstante, no quiero perder esta alegría natural que tengo de nacimiento[336].

Leopoldo reconoce, pues, que, a pesar de ser alegre por naturaleza, su ánimo se ha ido avinagrando, y culpa de ello a su hijo. Lo cierto es que, independientemente de cuánto pueda haber de cierto en esta paulatina amargura de Leopoldo, una vez más nos encontramos con este rasgo de los Mozart, también de Wolfgang: una continua oscilación entre su tendencia innata a la alegría y una tristeza que les desborda en determinadas circunstancias. Pero Leopoldo sigue transmitiendo a la baronesa sus impresiones sobre su propio hijo, tal vez con la secreta esperanza de que ella pueda mantenerle bajo su protección; no cabe duda de que algunas de sus afirmaciones eran certeras:

Sí, estaría completamente tranquilo si no hubiera descubierto en mi hijo un defecto capital que consiste en que es demasiado pasivo y somnoliento, demasiado indolente, aunque a veces también demasiado orgulloso; y, no sé cómo podréis conciliar esto, lo que le deja inactivo es que es muy impaciente y muy ardiente, y no sabe esperar. En él reinan dos tendencias opuestas: demasiado o dema-

siado poco, sin término medio. En cuanto no le falta de nada ya está contento, y se vuelve indolente y perezoso. ¿Debería obrar de otra manera? Es impaciente, y quiere conseguir la felicidad en el acto. Para él no hay ningún obstáculo; y las personas más inteligentes, los más extraordinarios genios, son aquellos cuyo camino presenta más obstáculos. ¿Qué es lo que se opondría en Viena al éxito de su carrera, si tuviera sólo un poco de paciencia? El director de orquesta Bono es un anciano; Salieri está próximo a su fin, y dejaría un lugar vacío, y Gluck, ¿no tiene también mucha edad? Señora, aconsejadle paciencia y permitidme solicitar el favor de pedir la opinión de vuestra gracia. ¡Oh, si no estuviera tan alejado de Viena! Desearía hablar de un montón de cosas con vuestra gracia, y sería sólo de música, para empezar[337].

Leopoldo seguramente estaba equivocado sobre la edad o sobre la salud de Salieri, pues éste tenía entonces sólo treinta y dos años (seis más que Wolfgang) y aún le quedaban más de cuarenta de vida; a no ser que se refiriese a que estaba perdiendo su influencia en la corte. Pero también debía de ignorar el pobre Leopoldo que la señora baronesa se dejaba, por ejemplo, tomar medidas de la pantorrilla por los petimetres. En los siguientes meses mantuvieron una relación epistolar fluida y llena de confianza, participándose sus gustos y aficiones, hasta que la baronesa estimó oportuno que Leopoldo la acompañase en un viaje, para enseñarle música a sus hijos. Esta vez, ironías del Destino, fue Wolfgang quien, asustado por el cariz que estaban tomando los acontecimientos, se sintió obligado a intervenir para preservar la integridad moral de su padre, y le aconsejó:

Es necesario que comprendáis bien esto: [...] se habla de ella de forma bastante equívoca. Es una mujer débil, y no diré más. Por lo poco que sé, no es para vos. Pero he recibido de ella muchos favores, y mi deber es defenderla lo mejor que pueda, o al menos guardar silencio[338].

En una carta escrita en estas fechas por Wolfgang a la baronesa, comprobamos que a Mozart le gustaba cuidar su imagen; pese a su aspecto insignificante, distaba del desaliño que tendría, por ejemplo, Beethoven. Mozart no desdeñaba disfrutar con las buenas cosas de la vida, y era, cuando podía serlo, no sólo un esteta, sino un sibarita, actitudes vitales que suelen aparecer juntas (además, nos da la sensación, de tender a ser un poco pidón):

Respecto al precioso frac de color rosa que crudelísimamente seduce mi corazón, le rogaría que me hiciera saber dónde se puede conseguir y a qué precio, pues lo he olvidado por completo, considerando sólo su belleza y no su coste. Debo poseer como sea un frac semejante, para poder adornarlo con los botones a los que desde hace ya tiempo estoy dando vueltas en mis deseos. Los vi una vez [...] en el Kohlmarkt [...]. Son de madreperla, y en el centro tienen una bonita piedra amarilla, rodeada de algunas piedrecitas blancas.

Me gustaría poseer todo lo bueno, auténtico y bello que hay en el mundo. ¿Por qué quien no tiene la posibilidad de ello quisiera conseguir cosas semejantes, mientras que el que puede no quiere?[339].

Ésta es una de las claves de la concepción vital de Mozart: no puede entender la avaricia; el dinero sirve para disfrutar la vida, no tiene ningún valor en sí mismo. Las monedas, cuando las tiene, resbalan en sus manos como el agua entre los dedos.

Pese al éxito de *El rapto en el serrallo,* Wolfgang no veía en su horizonte muchas posibilidades de encontrar una adecuada colocación, mucho más necesaria ahora que había comenzado su tarea de *salvar a esa pobre niña.* La política de austeridad que seguía manteniendo el emperador José II perjudicaba de un modo muy especial a los artistas. Así, Wolfgang se planteó incluso salir de Alemania:

Señores vieneses, en cabeza de los cuales debe incluirse el emperador, no deben imaginarse que yo estoy en el mundo sólo para Viena. No hay un monarca en el mundo al que sirva con más placer que al emperador, pero no quiero mendigar ningún servicio. Creo estar en condiciones de honrar a cualquier corte. Si Alemania, mi querida patria de la que estoy orgulloso (vos lo sabéis), no quiere acogerme, ¡vive Dios!, será necesario que Francia o Inglaterra se enriquezcan de nuevo con la presencia de un hábil alemán más, para vergüenza de la nación alemana. Porque, ¿dónde han encontrado ellos su honor o su reputación? ¡No en Alemania, ciertamente! El mismo Gluck, ¿se ha hecho en Alemania el gran hombre que es? ¡Desgraciadamente no![340].

En consecuencia, estaba decidido a salir de Viena durante la Cuaresma de 1783, y con tal motivo recibió lecciones de francés y de inglés. Sin embargo, volvió a plantearse la posibilidad de llegar a ser profesor de piano de la princesa Elisabeth de Würtenberg; pero en octubre consiguió ese puesto un oscuro músico, de nombre Summer, que sin duda cobraba mucho menos de lo que habría pedido Wolfgang por el mismo trabajo. Ese otoño, por otra parte, Constanza estaba embarazada; la primera en tener noticia de ello sería la baronesa Waldstädten, a la que Wolfgang solía escribir con una familiaridad muy similar a la que empleaba con su prima Bäsle:

Queridísima, bonísima, bellísima,
dorada, plateada, azucarada,
muy honrada y muy preciada
Noble Dama
Baronesa.

[...] Tendría [...] otra razón para escribir a Vuestra Gracia; pero verdaderamente no me atrevo a decirla. Sin embargo, ¿por qué no? ¡Vamos! ¡Valor! Querría preguntar a Vuestra Gracia que... ¡Fuera! ¡Diablo! ¡Sería una grosería! A propósito, ¿conoce Vuestra Gracia la canción?:

Una mujer y la cerveza,
¿cómo avenirlas?
La mujer tiene cerveza,
me envía un barril,
y esto se aviene muy bien.

¿Verdad que lo he dicho muy finamente? Ahora, fuera bromas; si Vuestra Gracia pudiera enviarme un barril, le estaría muy agradecido, pues mi mujer tiene-tiene-tiene antojos, ¡y sólo de cerveza que esté preparada a la inglesa! [341].

Wolfgang le comunicó de este modo tan singular el embarazo de su esposa, *que es un ángel de mujer;* y firmó la carta así:

Mozart, magnus, corpore parvus
y
Constantia, omnium uxorum pulcherrima
y prudentissima [342].

Señalemos, de paso, cómo la procacidad que utilizaba con la baronesa, como en el caso de su prima, no indica necesariamente que entre Wolfgang y ella existiese una relación de tipo sexual, y así parece confirmarlo, además del hecho de que, como sabemos, al menos a él la señora baronesa ya no podía suscitarle emociones, la cariñosa mención a su propia esposa. Como hemos sugerido con anterioridad, cabría plantearse si Wolfgang se permitía la misma procacidad en las cartas a su prima precisamente porque su relación con ella era mucho más inocente de lo que generalmente se ha pensado.

El año terminará con la preparación de la impresión, por medio de una suscripción, de los conciertos para piano KV 413, 414 y 415:

Tengo que escribirle con la mayor prisa, porque son ya las 6, y he citado a las 6 a varias personas para hacer un poco de musique. En general tengo tanto que hacer, que a menudo no sé dónde tengo la cabeza. Toda la mañana hasta las 2 se me pasa con lecciones; luego comemos; después de la mesa tengo que conceder una horita a mi pobre estómago para la digestión. Luego sólo por la noche puedo componer algo, y eso no es seguro, porque a menudo me piden que vaya a conciertos. Ya faltan dos conciertos para los conciertos por suscripción. Los conciertos son precisamente algo intermedio entre lo demasiado difícil y lo demasiado fácil; son muy brillantes, agradables para el oído naturalmente, sin caer en lo vacío. Están hechos de manera que también los verdaderos conocedores puedan obtener satisfacción en ellos, y, sin embargo, puedan gustar a los no conocedores, sin saber por qué[343].

Una vez más, Wolfgang revela su preocupación por agradar a todos sus oyentes, expertos en música o no. En la misma carta daba noticia de que estaba haciendo una reducción para piano de *El rapto en el serrallo,* para darla a la impresión, así como una canción sobre un poema de un bibliotecario vienés, Bardo de Denis; el poema tenía como tema la gloriosa hazaña de la concesión del peñón de Gibraltar a los ingleses:

[...] La oda es sublime, hermosa, todo lo que usted quiera, pero excesivamente pomposa para mis delicados oídos; pero, ¡qué quiere!, el verdadero término medio no se conoce ni se aprecia ya, y para obtener aplausos hay que escribir cosas que sean tan comprensibles que un cochero pueda tararearlas, o tan incomprensibles que, precisamente porque ningún hombre sensato puede comprenderlas, gusten[344].

Ésta es una importante manifestación estética de Mozart: no es que buscase intencionadamente que los cocheros fuesen tarareando sus melodías, como a menudo se afirma con ligereza; al contrario, lamenta que para obtener el aplauso haya que escribir cosas comprensibles por cualquiera; pero también deplora que se estime más una obra de arte porque sólo puede ser entendida por su autor (en el caso de que éste tenga el raro privilegio de llegar realmente a comprenderla).

Además, Mozart concluye esta carta a su padre dándole una información especialmente curiosa:

No era de esto de lo que quería hablar con vos, sino de que tendría mucho gusto en escribir un libro, una pequeña crítica musical con ejemplos. Nota: Pero no con mi nombre[345].

Hemos hablado de la *Historia de la música* que el padre Martini ofreció a Leopoldo en 1770; en 1776 comenzaban Charles Burney y John Hawkins a elaborar sus obras tituladas respectivamente *General History of Music* y *General History of the Science and Practice of Music*. Mozart se planteaba realizar una obra más modesta, pero desde un punto de vista muy personal: la estética musical, por si nos quedaba alguna duda, era algo que le preocupaba, y mucho; su música, por esa y por otras muchas razones, no es tan mecánica y aséptica como en ocasiones se ha afirmado. Mozart, también en su música, era una persona muy crítica y reflexiva (con mejores resultados para la música que para otros asuntos de la vida). Además, nadie mejor que él podría haber realizado esa obra de análisis comparado, pues por medio de los más variados ejemplos musicales fue formado por Leopoldo desde que tuvo uso de razón. Una de las características esenciales de Mozart es su profundo conocimiento de los más diversos estilos y formas musicales, conocimiento que utiliza en su propia obra, con total fluidez y desenvoltura, cuando le parece oportuno.

A finales de año, Wolfgang y Constanza se trasladaron a una vivienda más amplia, en la Hohebücke, donde habitaron los tres primeros meses de 1783. Wolfgang tenía entonces cuatro alumnas, de modo que incluso se podía permitir tener una sirvienta.

En estos momentos, entre otras obras, escribió una misa de acción de gracias, la *Missa Solemnis* (K 427), que había prometido durante una enfermedad que atravesó Constanza poco antes de casarse, y que quedó incompleta. También es de esta época el aria-rondó para soprano *Ah, non sai qual pena sia,* KV 416, que interpretaría quien ahora era su cuñada, Aloysia, en un concierto en la Mehlgrube:

Ayer, mi cuñada Lange dio su academia en el teatro, y yo toqué un concierto. La sala estaba llena y yo fui recibido, una vez más, por el público de aquí, de una forma tan maravillosa que experimenté una gran alegría. Ya había abandonado el escenario, pero continuaban aplaudiendo y tuve que bisar el rondó; fue una verdadera lluvia de bravos. Es un buen augurio para mi academia del día 28. Toqué también mi sinfonía del Concert Spirituel; *mi cuñada cantó el aria* Non sò d'onde viene. *Gluck tenía su palco junto al de los Lange, en el que estaba también mi mujer; no se cansaba de alabar la sinfonía y las arias, y nos invitó a todos a cenar el próximo domingo*[346].

En estos meses, Wolfgang, con veintisiete años, mostró la faceta más alegre de su personalidad; tenía la complicidad de su flamante esposa, de diecinueve años, y ambos disfrutaban en cuantas fiestas podían, y hacían continuas bromas, que ocasionalmente se reflejarán en algunas piezas musicales. Es el caso, por ejemplo, de un trío vocal, *Das Bandel,* KV 441, debido a una trivial anécdota: Wolfgang y su amigo Gottfried von Jacquin ayudan a Constanza a encontrar una cinta que ésta quiere ponerse para salir a la calle, mientras el buen «Pimperl» se une a la escena con sus ladridos; la cinta aparece entre bromas, y surge esta composición cómica en dialecto vienés.

Quizá la víctima favorita de las bromas de Wolfgang fuese el salzburgués Ignaz (o Joseph, que en esto discrepan las fuentes) Leutgeb, que había sido trompa en la orquesta de Salzburgo, antes de trasladarse a Viena para dedicarse al comercio de quesos, precisamente con la ayuda de un préstamo de Leopoldo Mozart. Para Leutgeb compuso Wolfgang los conciertos para trompa KV 412, 417, 447 y 495. Mozart llegó a utilizar en la partitura tintas de distintos colores para confundir así aún más al buen Leutgeb. Seguramente no existirá en la historia de la música una partitura manuscrita que contenga indicaciones expresivas más peculiares que el rondó del KV 412, todas ellas en italiano, como exigen los cánones, y que comienza con la siguiente: *Adagio a loi, signor Asino* [347], para continuar con estas: *Animo - Presto, coraggio - Bestia - Oh, che stonatura! - Oimè - Ah, seccatura di coglioni - Da bravo - Respira - Avanti! avanti! - Oh, porco infame! - Ah, termina ti prego! - Oh maledetto! - Bravo poveretto - Anche bravura? - Ah! trillo di pecore - Finisci? - Grazie al Ciel!,* y, por último: *¡Basta, basta!* [348].

En cuanto al concierto K 417, Wolfgang utilizó una nueva técnica compositiva: mientras lo elaboraba, mantuvo a Leutgeb encerrado en la estufa de su habitación. En otras ocasiones, el pobre Leutgeb tuvo que mantenerse a cuatro patas, cogiendo al vuelo las hojas según las iba escribiendo el compositor. En todo caso, Leutgeb se iba ganando a pulso las composiciones que le dedicaba Wolfgang, y así lo consignó éste, por ejemplo, en el mismo concierto K 417, con lápices rojo, azul y verde: *Wolfgang Amadeo Mozart ha tenido piedad de Leutgeb, asno, buey e ignorante. Viena, 27 de mayo de 1783.*

Pero, en este ambiente bromista, aparece pronto lo que, como temía Leopoldo, será ya otra de las constantes en la vida de Mozart: las deudas. Para financiar la impresión de sus conciertos para piano, había pedido un importante préstamo; pero la suscripción no produjo las rentas esperadas, y Wolfgang se encontraba en la imposibilidad de pagar ni siquiera la mitad de su deuda. Por ello recurrió desesperadamente, en el mes de febrero, a la señora Waldstädten rogándole que le ayudase, como así hizo la baronesa.

El 28 de marzo tuvo lugar la anunciada academia, a la que asistió el emperador:

[...] Era imposible que la sala estuviera más llena; estaba completamente repleta, y los palcos todos estaban ocupados. Pero lo que me ha causado más placer ha sido que S. M. el emperador haya asistido, y que se haya mostrado muy contento, felicitándome por mi triunfo [349].

El éxito sonreía a Wolfgang, que un par de semanas después podría referir lo siguiente a su padre, sobre otra academia:

En mi última carta habréis leído que tenía que tocar todavía en una academia, la de la señorita Teyber. El emperador ha asistido también. He tocado el primer concierto que interpreté en mi academia, y como debía bisar el rondó, al volver a sentarme a tal efecto, en lugar de repetir el rondó, he bajado el pupitre para tocar solo. Habríais tenido que oír la alegría del público ante esta pequeña sorpresa; no solamente aplaudían: ¡gritaban bravo y bravissimo! El emperador me ha escuchado hasta el final, y hasta que no dejé el piano no abandonó su palco; sólo había venido, por tanto, para escucharme otra vez [350].

Por estas fechas, en que los Mozart mantienen excelentes relaciones con los Lange, el marido de Aloysia realizará un retrato de Constanza y otro de Wolfgang; este último quedará inacabado, pero sólo en lo accesorio: el retrato de Wolfgang, según el parecer de Constanza, es el que más parecido guarda con el compositor. Representa un Mozart de rostro ambiguo: de rasgos a la vez juveniles y maduros. Está tocando el piano; pero, por un azar del Destino, falta, precisamente, el piano, y así Mozart aparece concentrado en sí mismo, tenso, con un rostro que podría volverse en décimas de segundo tanto triste como risueño; imprevisible.

En la primavera de este año conocerá Wolfgang a Lorenzo da Ponte (1749-1838), en casa del barón Wezlar. Con el tiempo, Da Ponte será libretista de algunas de las más importantes óperas de Mozart. Era de origen judío, natural de un lugar en las inmediaciones de Venecia; antes de bautizarse se llamaba Emmanuel Conegliano, pero al recibir el bautismo se le impuso el nombre del obispo que le bautizó. Había llegado a recibir las órdenes menores, y a ser profesor de Retórica y de Música en el seminario de Trieste. Personaje aventurero, cuando, en

1780, fue expulsado de Venecia por sus veleidades políticas, recaló en Dresde, y un año después llegó a Viena. Con la ayuda de Salieri se relacionó con el mundo escénico, y en 1784 llegaría a ser nombrado poeta oficial de la corte. Tras la muerte del emperador José II caería en desgracia; se trasladó a Londres, y después a los Estados Unidos de América, donde falleció.

Wolfgang seguía pensando en una nueva ópera, pero quería un buen libretista, no un ensamblador de ripios insulsos:

He recorrido cien libretos, y más, y no he encontrado ni uno solo del que pueda estar satisfecho, o al menos tendría que ser, aquí y allá, muy modificado; y admitiendo que un poeta quisiera encargarse de esta operación, le sería tal vez más fácil escribir un libreto totalmente nuevo. Y uno nuevo, en definitiva, siempre es mejor. Tenemos aquí como poeta a cierto abate Da Ponte. En este momento tiene, con la corrección de obras, un trabajo loco en el teatro. Debe escribir por obligación un libreto completamente nuevo para Salieri [...] y después me ha prometido hacer uno nuevo para mí; pero, quién sabe si podrá o querrá cumplir su palabra; como sabe usted muy bien, los caballeros italianos son muy buenos de visita; pero basta, ¡los conocemos!; si está de acuerdo con Salieri, no recibiré el libreto en la vida. Y la verdad es que me gustaría mucho poder presentarme con una ópera italianini [351].

De esta referencia a Salieri no podemos en absoluto deducir que Wolfgang se sintiera odiado por su colega italiano. Es un episodio más de la lucha de los artistas nacionales frente a los artistas italianos. De momento, los italianos tenían todavía la sartén por el mango, y Wolfgang lo sentía así abrumadoramente. Pese a lo que podríamos considerar una especie de *protonacionalismo* alemán por su parte, estaba dispuesto a italianizarse, si eso era lo que se esperaba de él. Pero Mozart no podía convertirse en italiano del mismo modo que, por ejemplo, Giovanni Battista Lully se había afrancesado unos cuantos años antes, convirtiéndose en Jean-Baptiste Lully; aunque, ya lo vimos en su momento, sí que intentó pasar de *Gottlieb* a *Amadeo;* pero no como Lully: él era *Wolfgang en Alemania, Amadeo en Italia*.

Wolfgang proyectaba desplazarse a Salzburgo cuando naciera su primer hijo, pero no las tenía todas consigo:

¿No debería temer, si voy a Salzburgo, que el arzobispo me haga quizá detener [...]? Lo que me hace temer esto es que no tengo todavía mi salvoconducto; ¿quién sabe si no lo han arreglado así a propósito para poder echarme la mano encima? En fin, vos sabréis juz-

gar la cuestión mejor que nadie; si sois de opinión contraria, seguramente iremos; si sois de la misma opinión, tendremos que elegir otro lugar para vernos y reunirnos, tal vez Munich [352].

En la Edad Moderna era muy frecuente pasar por la cárcel tarde o temprano, por los motivos más fútiles; había demasiados personajes que tenían potestad para hacer encarcelar a los demás. Pero Leopoldo debió de garantizar a Wolfgang que no sería hecho prisionero por Colloredo, pues se preparó el viaje a Salzburgo. Sin duda, al arzobispo no le merecía la pena enemistarse con tantos personajes vieneses por un simple músico; quizá ya ni se acordase apenas de él. Entre tanto, Wolfgang dará esta noticia a su padre:

Mi muy querido padre:
Os felicito: ¡sois abuelo! Ayer, día 17, por la mañana, a las seis y media, mi querida mujer ha alumbrado felizmente un niño grande y fuerte, redondo como una bola. Los dolores han comenzado a la una y media, y por consiguiente hemos estado toda la noche sin descanso, sin dormir. A las cuatro he enviado a buscar a mi suegra, después a la comadrona. A las seis empezó el trabajo, y a las seis y media todo había terminado. Mi suegra compensa en estos momentos todo lo mal que se ha portado con su hija cuando no estaba casada; ahora vuelve a tener con ella todas las atenciones posibles, y está todo el día a su lado [353].

El niño, el primer hijo de Mozart, se llamaba Raimundo, y además no fue apadrinado por Leopoldo; Wolfgang se sintió obligado a dar explicaciones a su padre por ello, no demasiado convincentes, en ese característico modo de dirigirse a él cuando tenía algo que ocultarle, cuando sabía que lo que diría no podría gustarle; como si siguiera siendo Wolferl, como si nunca pudiese dejar de ser Wolferl:

Ahora escuchad lo que ha sucedido con el padrinazgo. He hecho comunicar inmediatamente al barón Wezlar (como mi verdadero y buen amigo) el feliz alumbramiento de mi mujer. Ha venido él mismo en seguida y se ha ofrecido como padrino. No me he podido negar, pensando para mí que podría, a pesar de todo, llamar al niño Leopoldo. Y justo mientras me hacía esta reflexión, ha exclamado lleno de alegría: «¡Ah! Y bien, ¡tendrán un pequeño Raimundo!» y ha besado al niño. ¿Qué actitud adoptar en este momento? He hecho bautizar al pequeño como «Raimundo Leopoldo». [...] El niño, por tanto, se llama Leopoldo [354].

Ese mismo día, Wolfgang dio por terminado el cuarteto en re menor, KV 421; es el segundo de la serie de seis cuartetos que dedicará a Franz Joseph Haydn. No sabemos con exactitud cuándo comenzó la relación personal entre Mozart y Haydn; a pesar de los veinticuatro años de diferencia, debieron de congeniar muy fácilmente. Ya sabemos que el hermano de Franz Joseph, Michael, era *Konzertmeister* del arzobispado de Salzburgo desde 1762, y sin duda existió siempre una buena relación entre ambas familias. Cuando Leopoldo visitó a Wolfgang en 1785, Haydn y Wolfgang eran íntimos amigos; su amistad sólo se rompería con la muerte de Wolfgang, que tanto apesadumbraría a *papá* Haydn, como a Wolfgang le gustaba llamarle.

Pocos días después, el flamante padre describirá así al abuelo los principales rasgos de la personalidad del nuevo Mozart:

El niño es vigoroso y despierto, y hace todas sus necesidades en abundancia: beber, dormir, gritar, babear y todo lo demás[355].

En esta carta volvemos a encontrarnos con la misma firme actitud de Mozart ante los libretistas que aparecía en la del 5 de septiembre de 1781; ahora se refiere al proyecto de *La oca del Cairo:*

Encuentro ofensivo para mí que Varesco dude del éxito de la ópera. Puedo asegurarle que su libreto no triunfará si la música no es buena. La música es el elemento esencial en la ópera y, por tanto, si quiere que triunfe la obra (y si quiere, en consecuencia, obtener beneficios), tendrá que modificar y rehacer las cosas tanto y tantas veces como yo lo desee; y que no se obstine, ya que no tiene la menor práctica ni conocimiento del teatro. Podéis indicarle que no importa nada, en el fondo, que quiera o no escribir la ópera; ahora conozco su plan, y por tanto cualquiera puede realizarlo tan bien como él[356].

Varesco, recordémoslo, había sido el libretista de *Idomeneo,* y ya en aquella ocasión Wolfgang había terminado por hartarse de este personajillo, capellán de Salzburgo. Entonces había escrito a su padre:

Decidle a Varesco de mi parte que no conseguirá un kreutzer de más respecto a lo pactado con el conde de Seeau. Los cambios los ha hecho para mí, no para él, y debe darme las gracias: ¡cuánto habría que modificar todavía![357].

Leopoldo, por su parte, desde Salzburgo contestó lo siguiente a su hijo:

Hace poco que se ha marchado Varesco; ese locatis, famoso avaro, dice que no puede esperar más, y yo le he aconsejado que tenga paciencia. Este hombre está acribillado de deudas a pesar de sus rentas.

Y concluyó en italiano, pero en un lenguaje que no estamos muy acostumbrados a encontrarnos en las cartas de Leopoldo:

Varesco mi ha seccato i coglioni.

Poco después, en julio de este año de 1783, Wolfgang se puso a trabajar sobre un libreto que le envió Lorenzo da Ponte: *Lo sposo deluso (El esposo engañado* o *La rivalidad de tres mujeres por un solo amante)*. Por razones desconocidas, esta ópera bufa (la KV 430) no fue terminada; Mozart sólo compuso la obertura y cuatro números: dos arias, un terceto y un cuarteto.

Ese mismo mes salieron hacia Salzburgo él y Constanza; el pequeño Raimundo, de dos meses de edad, se quedó con una nodriza, algo habitual en la época, y lo mejor que podían hacer antes que exponerle a la dureza de un largo viaje. El 31 de julio, el día siguiente al del treinta y dos cumpleaños de Nannerl, llegaron a Salzburgo, donde pasarían tres meses. Nannerl, ya lo sabemos, había permanecido siempre fiel a su padre, y su relación con Constanza no fue muy afectuosa. Nannerl y Leopoldo permanecían congelados en el retrato familiar que unos años antes les hizo Della Croce, negados, como siempre, a abrir su burbuja al exterior, esa burbuja de la que Wolfgang había terminado por escapar dolorosamente.

En Salzburgo recibieron todos la terrible noticia de que Raimundo Mozart había fallecido el 19 de agosto. Una noticia, el fallecimiento de un niño recién nacido o de corta edad, que pese a ser tan dolorosa no era demasiado sorprendente, y seguiría sin serlo casi hasta nuestros días y en nuestro entorno económico; recordemos que los propios padres de Mozart habían tenido siete hijos, de los que sólo sobrevivieron dos.

Con todo su dolor, aún tuvo Wolfgang ánimo para echar una mano al hermano de Franz Joseph Haydn, Michael Haydn, que por encontrarse enfermo y alcoholizado no era capaz de componer dos de los seis dúos para violín y viola que le había encargado el arzobispo Colloredo; por ello, éste había ordenado que se le retuviese su salario:

Mozart, que visitaba todos los días al enfermo, le encontró desesperado; al preguntarle la razón, fue informado de la decisión del arzobispo. Mozart no quería recurrir a las simples palabras de consuelo cuando podía prestar una ayuda: sin decir nada a su pobre amigo, se puso a trabajar en cuanto volvió a su casa; dos días más tarde le llevó los dos dúos que le faltaban, ya pasados a limpio; sólo quedaba inscribir el nombre de Michaël Haydn sobre la página del título para poder presentarlos al arzobispo [358].

Se trata de los dúos KV 423 y 424, de los que Wolfgang pidió una copia a Leopoldo cuando regresó a Viena.

Cuando llegó a Salzburgo, llevaba consigo varios fragmentos de la *Missa solemnis*, KV 427, iniciada en agosto de 1782; muy posiblemente pensaba terminarla en su ciudad natal, a la que sin duda estaba destinada; pero no llegaría a concluirla. Ya en enero de 1783 le había hablado de ella a su padre:

[...] Hice una promesa desde lo más profundo de mi corazón y espero vivamente poderla cumplir. Cuando la hice, mi mujer tenía aún padecimientos; pero, estando firmemente convencido de que me casaría con ella en cuanto se curase, pude fácilmente hacer la promesa. El hecho y las circunstancias han impedido, como usted sabe, nuestro viaje; pero, como testimonio de mi promesa, ahí está la partitura de media misa en el escritorio; la cual ofrece las mejores esperanzas de poderla llevar a cumplimiento [359].

Por esta carta comprobamos que esta composición se encontraba estrechamente relacionada con las circunstancias de su boda con Constanza; seguramente, con ella quiso aplacar las iras de Leopoldo. Nada mejor para hacerse perdonar por el padre, que la composición de una gran misa. Pese a no haber sido concluida, parece ser que se realizó un ensayo de ella el día 23 de agosto, y se estrenó el día 25, en la capilla de St. Peter. La propia Constanza cantó como solista, con lo cual también se subrayaban sus propios méritos como esposa ideal. Posteriormente (en 1785), Mozart volvería a utilizar algunos fragmentos de esta misa en el oratorio *David penitente*, KV 469.

El resto del tiempo pasado en Salzburgo lo consagró fundamentalmente a la composición de *La oca del Cairo* (KV 422), con la colaboración, como en tantas otras ocasiones, de su padre. Por diversos testimonios de Mozart, parece traslucirse su opinión de que la ópera italiana era especialmente adecuada para los argumentos cómicos:

Cuanto más cómica sea la ópera italiana, mucho mejor [360].

Tratándose de Mozart, esta opinión no suponía precisamente ningún desdoro hacia la ópera italiana; pero es muy posible que la considerase demasiado vinculada con el ya caduco *arte de la comedia,* convencido como estaba de que los nuevos tiempos exigían otros temas más comprometidos, que convendría expresar en alemán. Recordemos que todavía en esa época se encontraba plenamente vigente, y seguiría estándolo aún bastante tiempo, la vieja jerarquía de los géneros y las formas artísticas: un cuadro que representase un tema histórico se valoraba mucho más (y se pagaba más caro) que un bodegón; y dentro de la Historia, la sagrada se encontraba en la cúspide, teniendo por debajo de ella a la profana. La mayoría de los artistas, sobre todo quienes no llegaban a ocupar los puestos más destacados dentro de la profesión, solían especializarse en determinados temas, sin arriesgarse a probar otros. Mozart, en el que a pesar de sus propias tendencias personales no dejaba de estar sutilmente presente esta consideración de que lo simplemente cómico, la caricatura, lo grotesco, estaba por debajo de otros temas, era capaz de desenvolverse con generosa soltura en todos los ámbitos de la música. Sin embargo, intelectualmente se encontraba más en consonancia con las ideas más avanzadas de su época, y nunca dejaría de considerar que era preciso desarrollar una auténtica ópera alemana, más profunda, con un mensaje más denso, sin ataduras musicales ni temáticas con la italiana.

Mozart se interesó incluso por aspectos extramusicales, por el montaje total de la ópera; y así, nos sitúa ante un tipo de representación escénica muy propio de la Edad Moderna, y especialmente del Barroco:

En cuanto a los pequeños fuegos artificiales previstos para la puesta en escena, no hay motivos para preocuparse: la organización contra incendios de aquí es tan buena que nunca ha habido que temer por los fuegos artificiales en el teatro. Se ha representado aquí mil veces Medea, *en cuyo final se viene abajo la mitad del palacio mientras la otra mitad es devorada por las llamas.*

Por fin, el 27 o el 28 de octubre saldrá Mozart, por última vez en su vida, de Salzburgo, en dirección a Viena. Tampoco volverá a ver nunca a Nannerl. Y en cuanto a Leopoldo...

Mi mujer y yo os besamos las manos, os pedimos perdón por haberos causado tantas molestias y os agradecemos mucho todas las bondades que hemos recibido de vos. Y ahora seguid bien [361].

En Linz, en la residencia de su amigo el conde de Thun, pasaron invitados unos días; Wolfgang, como reconocimiento a su hospitalidad, se sintió obligado a dar un concierto en la ciudad:

El martes 4 de noviembre daré aquí un concierto, en el teatro, y como no he traído conmigo ninguna sinfonía, estoy metido hasta el cuello en una nueva sinfonía que debe estar terminada para ese día[362].

Así, en sólo cuatro días, compuso Mozart su sinfonía en do mayor, K 425, *Linz,* dedicada a su joven benefactor, y claramente inspirada en el estilo de Haydn.

Wolfgang, el Wolfgang más triste, no conseguía sobreponerse al dolor; había perdido a su hijo, pero también, de otro modo, a su padre y a su hermana, y había dejado definitivamente atrás lo mejor de su propia vida, su infancia. Así, de nuevo nos encontramos en la mente de Mozart una comparación, más o menos subliminal, entre determinados momentos de su propia vida y la Pasión de Cristo: existen fidedignos testimonios de un dibujo, hoy desaparecido, que Wolfgang realizó en estos momentos; se trataba de un *Ecce Homo* con la siguiente dedicatoria:

Dibujado por W. A. Mozart, Linz, el 13 de noviembre de 1783, dedicado a la señora de Mozart, su esposa.

Pero el regreso al hogar vienés resultó especialmente doloroso:

En lo que se refiere al pobre gordito y querido hombrecito, los dos tenemos mucho dolor[363].

Su casa en Viena, ya acostumbrada a otros sonidos distintos de los del piano, los llantos del pobre gordito, se les viene encima, y deciden trasladarse a otro edificio, en el tercer piso de la casa Trattner, a la que a menudo había ido Wolfgang, en 1781, para dar lecciones a Teresa von Trattner, segunda esposa del librero y editor Johann Thomas Trattner.

Por si fuera poco, nada más regresar a Viena, de nuevo se encontró Wolfgang acuciado por una deuda inesperada; hacía cinco años que había recibido de un tal Scherz, en Estrasburgo, doce luises de oro, que al parecer Wolfgang había interpretado como un donativo de su padre o de los Haffner; pero ahora se los reclamaba un banco vienés, con los intereses correspondientes, y se encontraba en la imposibilidad de afrontar ese pago.

En febrero de 1784, Constanza volvía a estar embarazada. Wolfgang intentó poner orden en la economía familiar, a la vista de que tampoco Constanza estaba llamada por esos caminos, pese a lo que antes de casarse asegurara repetidamente Wolfgang a su padre. El 1 de enero comenzó un cuaderno en el que fue anotando los ingresos y los gastos familiares; en los mismos momentos dio inicio a otro cuaderno, en el que iba anotando sus nuevas composiciones, con la fecha de terminación y los dos primeros compases de cada una de ellas. Y, pese a lo que cabría esperar, mantuvo este propósito de Año Nuevo... pero sólo en cuanto al cuaderno de las composiciones; el de los gastos sería interrumpido en apenas un año. Respecto al de las composiciones, la primera pieza anotada en él es el concierto para piano n.º 14, KV 449, terminado el 9 de febrero de ese año; la consignada en último lugar será la última pieza concluida por Mozart: la *Pequeña cantata masónica,* KV 623, terminada el 15 de noviembre de 1791, veinte días antes de morir.

Una muy interesante anécdota que debería hacer reflexionar a quienes aceptan que es posible que alguien pueda llegar a convertirse en un verdadero artista sin ningún esfuerzo, sólo por unos supuestos dones innatos, la refiere el propio Mozart en el mes de abril; estaba tocando en casa de los Trattner, y un pianista holandés, Richter, se encontraba presente:

Miraba continuamente mis dedos cuando yo tocaba, y me decía todo el tiempo: «¡Dios mío, cuánto tengo que sudar y esforzarme yo para no obtener ningún éxito! ¡Y vos, amigo mío, hacéis de esto un juego!» [364].

No es Salieri quien dice esto; lo repetimos: es Richter. Pero seguramente podría habérseles ocurrido a muchos que en vida de Mozart quizá pensaban que éste había nacido sabiendo tocar el piano magistralmente. Pero la respuesta de Wolfgang no fue una necia risotada, como la del personaje que le representa en la película *Amadeus;* fue la siguiente:

¡Oh! [...] yo también he tenido que trabajar mucho para no tener que esforzarme ahora [365].

No, nadie nace músico, ni siquiera Mozart; nadie nace artista. Si Mozart hubiera nacido en otro ambiente familiar seguramente habría sido un gran matemático, un excelente lingüista, un pésimo comerciante o un taimado abogado (tampoco debemos pensar que se nazca pésimo comerciante o taimado abogado). A Mozart, ya lo hemos comprobado, siempre le preocupó mucho que quedase esto muy claro: si había llegado a ser un buen músico, incluso siendo aún un niño, era porque, de la mano de su padre, había dedicado muchas y muchas horas al estudio de la música. Incluso consideraba humillante que se pensase que lo que hacía no le suponía esfuerzo alguno. En 1787, en Praga, uno de los días previos al estreno de su *Don Giovanni,* paseaba con Kucharz, antiguo director de orquesta y Kapellmeister; Mozart estaba muy preocupado por el éxito o el fracaso de esa ópera, y Kucharz le aseguró que todo lo que procediese de él sería acogido con entusiasmo en Bohemia; al parecer, Mozart le habría contestado:

Vuestra seguridad me tranquiliza, es la de un entendido. Yo no he ahorrado penas ni trabajos para hacer algo excelente para Praga. Se equivocan en general cuando dicen que mi arte me ha sido fácil de adquirir. Os aseguro, querido amigo, que nadie se ha esforzado tanto como yo para estudiar composición. No será fácil encontrar un maestro célebre en música al que yo no haya estudiado con aplicación, y con frecuencia en varias ocasiones, de cabo a rabo.

Así lo refirió Niemtschek, quien añadió lo siguiente:

Y en efecto, se veían las obras de los más grandes compositores sobre su atril, incluso entonces, cuando ya había alcanzado la perfección clásica.

Recordemos que el 28 de diciembre de 1782 había comentado a su padre que estaba pensando elaborar un libro de crítica musical, con ejemplos; le sobraban conocimientos para ello.

Mozart gozaba en este momento del favor de la nobleza vienesa, que se disputaba su presencia en sus casas:

¡No os enojéis conmigo si no os he escrito hace tanto tiempo! ¡Sabéis cuánto trabajo tengo aquí! Con mis tres academias por suscripción he conseguido muchos honores, y mi academia en el teatro también ha tenido mucho éxito. He escrito dos grandes conciertos, y después un quinteto que ha recibido una acogida extraordinaria; yo mismo lo considero el mejor de los que he escrito en mi vida[366].

Se refiere Wolfgang al quinteto para piano e instrumentos de viento, KV 452, terminado el 30 de marzo de 1784. No daba abasto; ese mismo mes se vio en el compromiso de componer una sonata para una prestigiosa violinista mantuana, Regina Strinasacchi; el día 29 de abril tendría lugar el concierto en que se tenía que interpretar esta obra, y al llegar ese día, Wolfgang sólo tenía preparada la parte de violín; pero fue capaz de interpretar de memoria, y ocasionalmente improvisando, su parte de piano. No era la primera vez que hacía algo parecido, e incluso cabe sospechar que lo hiciese con cierta frecuencia; tres años antes le había comentado así a su padre que había compuesto otra sonata para piano y violín, quizá la K 272:

La compuse anoche, entre las 11 y las 12. Pero realmente sólo terminé la parte de acompañamiento para Brunetti; la mía la guardo en la memoria[367].

No nos gustan mucho las ensoñaciones cuando se tratan los hechos históricos, pero no podemos evitar la sensación de que Mozart se habría sentido feliz en el caso de haber encontrado a uno o varios músicos capaces de improvisar un dúo o un trío con él; sabemos que en numerosas ocasiones manifestó y demostró que era en la improvisación donde se sentía mejor realizado como músico (algo en lo que han coincidido muchos de los mejores músicos). Los músicos barrocos estaban acostumbrados a improvisar, hasta el punto de que a menudo los compositores dejaban algunos fragmentos de sus obras sin escribir, confiándolos a esa capacidad improvisatoria de los intérpretes; es el caso, por ejemplo, del llamado *Adagio de Albinoni,* de Remo Giazotto (1910-1998). Este musicólogo dio con una partitura de Albinoni en la que éste había consignado tan sólo la línea de bajos para el adagio de algún concierto, sobre la cual Giazotto compuso en 1945 la célebre melodía para violín, de evidente inspiración romanticista. Otro prestigioso ejemplo es el del movimiento lento del tercer *concierto de Brandeburgo* de Johann Sebastian Bach: no existe; los intérpretes, siquiera tan sólo el clavecinista, debían improvisar uno. Pero en el Barroco, y en la época de Mozart, aún faltaba mucho para la aparición del jazz. Como a veces se ha propuesto, es muy posible que, de vivir en nuestros días, Mozart se hubiera desenvuelto perfectamente en el ámbito de las sonoridades jazzísticas. Pero, insistimos, esto es tan sólo una ensoñación.

Ese verano tendría lugar un importante acontecimiento familiar: Nannerl se iba a casar. Seguramente fue la fidelidad a su padre lo que le impidió hacerlo antes; pero por fin, a sus treinta y tres años recién cumplidos, María Ana contraerá nupcias, con el barón Johann-Baptist von Berchtold zu Sonnenburg, que ocupaba los mismos puestos que desempeñó tiempo atrás Wolfgang Niklas Pertl, el abuelo materno de Wolfgang y Nannerl: consejero y juez en Saint-Gilgen, el pueblo donde nació su madre, Ana María. Pero el barón, además de su título, tenía en su bagaje dos matrimonios anteriores, de los que había enviudado, y cinco hijos.

Wolfgang, ya lo anticipamos, no volvió a ver a su hermana después de su última salida de Salzburgo; se excusó de regresar a Salzburgo para la boda, alegando el estado de gravidez de su esposa (que se encontraba en el sexto mes de su embarazo); a fin de cuentas, tampoco su hermana ni su padre habían asistido a su propia boda (bien es cierto que no se les dio tiempo para hacerlo). Pero le envió su delicada felicitación:

Mi muy querida hermana:

¡Por mil diablos! ¿Ya es hora de que te escriba, si quiero que mi carta te encuentre aún doncella! Unos días más y... ¡ya está! Mi mujer y yo te deseamos toda clase de felicidades y alegrías por tu cambio de estado, y tan sólo lamentamos, de todo corazón, no poder tener la alegría de asistir a tu boda; sin embargo, esperamos poder abrazarte en Salzburgo el próximo año sin falta, así como en St. Gilgen como señora Von Sonneburg, junto con tu señor esposo. Sólo lamentamos que nuestro querido padre tendrá que vivir ahora tan solo; desde luego no estarás lejos de él, y con frecuencia podrá darse un paseo hasta tu casa, ¡pero otra vez atado por esa maldita capilla! Sin embargo, si yo estuviera en el lugar de mi padre, haría esto: le rogaría al arzobispo que, como a hombre que ha servido ya largo tiempo, me concediera la jubilación, y con la pensión que recibiera me iría a casa de mi hija a St. Gilgen, y allí viviría tranquilamente. Si el arzobispo no quisiera atender mi ruego, pediría mi despido, y me iría a casa de mi hijo en Viena. Y eso es lo que te ruego principalmente, que te esfuerces por convencerle de ello; hoy le he escrito lo mismo en la carta que le he dirigido. Y te envío mil felicitaciones más de Viena a Salzburgo, deseándote muy en especial que los dos viváis juntos tan bien como nosotros dos. Para ello acepta un pequeño consejo salido de mi magín poético:

Aprenderás por fin, en el matrimonio, muchas cosas
que hasta ahora te parecían un misterio;
pronto sabrás por experiencia
lo que tuvo que hacer Eva
para luego dar a luz a Caín.

Sin embargo, hermana, estos deberes matrimoniales
los realizarás de buena gana;
porque, créeme, no son tan penosos;
pero cada cosa tiene dos aspectos:
el matrimonio da muchas satisfacciones,
pero también proporciona disgustos.

Por eso, cuando tu marido te ponga mala cara,
que creas que no has merecido,
sólo porque esté de mal humor,
entonces piensa que es una manía de hombre,
y di: Señor, hágase tu voluntad,
de día, que de noche se hará la mía. [...][368].

Pero la relación entre Wolferl y Nannerl prácticamente llegaba a su fin con este matrimonio, del que nacerán tres hijos, el mayor de los cuales, Leopoldo (a éste sí se le puso el nombre, sin dejar lugar a dudas, de su abuelo), vivirá con su abuelo materno hasta el fallecimiento de éste. En 1801, tras la muerte del barón, Nannerl regresó a Salzburgo, donde volvió a dar clases de piano; allí fallecerá en 1829.

Durante ese verano, Wolfgang conocerá al gran músico tarentino Giovanni Paisiello (1741-1816); así lo referirá el cantante O'Kelly:

El famoso Paisiello vino a Viena, camino de Nápoles, desde Petersburgo, donde ha pasado varios años y amasado una gran fortuna. Tuve el placer de verle gracias a los buenos oficios de Mozart; era magnífico ver la satisfacción que ambos experimentaron al conocerse. Ya era bien conocida la estima que sentían el uno por el otro. El encuentro tuvo lugar en casa de los Mozart, y yo disfruté a menudo del placer de su compañía [369].

El 21 de septiembre nació el segundo hijo de Wolfgang y Constanza, Karl-Thomas; el padrino será el librero Johann Thomas Trattner. Poco después, la familia se trasladó a un apartamento más amplio, en la casa Camesina, en la Schulerstrasse, abandonando la casa de los Trattner. Como seguramente a algunos vieneses de la época, la relación de Wolfgang con la que había sido su alumna, Teresa von Trattner, esposa del librero, ha dado que hablar también a unos cuantos comentaristas de la vida de Mozart. Lo cierto es que el 14 de octubre, un mes después de marcharse de este domicilio, Wolfgang dedicó a Teresa su sonata para piano KV 457; está compuesta en la sombría tonalidad de do menor, que Mozart utilizó a menudo, en su época vienesa, en obras que reflejan sus sentimientos más profundos y enigmáticos. Y aún en mayo del año siguiente volvería a dedicarle su *Fantasía en do menor,* KV 475, íntimamente relacionada con la citada sonata, a la que habría de servir de introducción.

Este otoño Wolfgang seguirá siendo continuamente solicitado, y deberá desdoblarse para atender sus compromisos. De estos momentos son los conciertos para piano n.º 18 y 19 (KV 456 y 459).

Además asistió a las academias y salones de diversos personajes. Allí se encontraba con músicos como Franz Joseph Haydn, Dittersdorf, Albrechtsberger, Hoffmeister... Mozart se había convertido en un personaje importante, que podía, en consecuencia, ser admitido en la masonería, a la que pertenecían muchos de sus amigos, al menos desde su estancia en Mannheim en 1777. El 14 de diciembre ingresó como aprendiz en la logia *Die Wohltätigkeit (La Beneficencia),* fundada y presidida por su amigo Gemmingen; se trataba de una logia relacionada con la orden de los Iluminados, el *Aufklärung*, de carácter progresista, en la línea de la masonería (y de una parte importante de la intelectualidad del momento), que muy pronto predominará durante la Revolución Francesa, que, como es sabido, hizo suyos los ideales masónicos de *libertad, igualdad* y *fraternidad*.

La vinculación de Mozart con la masonería fue muy intensa a partir de estos momentos, y muchas de sus obras estarán relacionadas con ella. Incluso puede considerársele artífice de toda una tipología de música masónica, caracterizada, como enunció Einstein, por la utilización de ritmos ternarios, símbolo de la Divinidad; la evocación de los tres golpes dados en la puerta por los nuevos hermanos (como en la obertura de *La flauta mágica)*; la utilización de notas relacionadas entre sí de dos en dos, símbolo de la fraternidad; el empleo de la tonalidad de mi bemol y de las terceras paralelas, la utilización de voces masculinas y de instrumentos de viento, etcétera.

¡Bravo, Mozart!

En 1785 se mantuvo la intensa actividad de Mozart, que debió atender numerosos compromisos. El año comenzó con la finalización del cuarteto n.º 18, K 464, que formará parte de la serie que en septiembre del mismo año dedicará a Franz Joseph Haydn; unos días después, el 14 de enero, terminará el último de la serie, el n.º 19, K 465, *De las disonancias*. Esta serie está integrada por los cuartetos KV 387, 421, 428, 458, 464 y 465. Wolfgang se los enviará a Haydn, cuando estén impresos, con la siguiente carta:

Mi querido amigo Haydn:

Un padre que había decidido mandar a sus hijos al gran mundo estimó que debía confiarlos a la protección y conducta de un hombre a la sazón muy célebre, el cual, por fortuna, era su mejor amigo. Aquí tienes también, pues, hombre célebre y queridísimo amigo mío, estos mis seis hijos. Son, no cabe duda, el fruto de una larga y laboriosa fatiga, pero la esperanza que me infunden muchos amigos de que la veré en parte compensada me anima y hace creer que estas partes me serán algún día de algún consuelo. Tú mismo, amigo queridísimo, en tu última estancia en esta capital me demostraste tu satisfacción por ellos. Este sufragio tuyo me anima particularmente a recomendártelos a ti, y me hace esperar que no te parezcan del todo indignos de tu favor. Dígnate, pues, acogerlos benignamente, y ser su padre, guía y amigo. Desde este momento te cedo mis derechos sobre ellos: te suplico, empero, que mires con indulgencia los defectos que la mirada parcial de padre pueda haberme ocultado, y continúe, a pesar de ellos, tu generosa amistad con quien tanto te aprecia, mientras me declaro de todo corazón tu sincerísimo amigo W. A. M. [370].

También terminó Wolfgang a comienzos de este año dos conciertos para piano: el muy célebre n.º 20, K 466, y el celebérrimo n.º 21, K 467. El 466 será el favorito de Beethoven, del mismo modo que preferirá, de todos los cuartetos de Mozart, el 464, del mismo momento. Sin duda, Mozart estaba encontrando su propio lenguaje, de gran intensidad expresiva, que anunciaba (o quizá debamos decir que contribuyó a desarrollar) la estética musical del Romanticismo.

El 10 de febrero llegará a Viena Leopoldo, acompañado de un alumno suyo, el violinista Heinrich Marchand. Colloredo le había concedido tres meses para que pudiese visitar a su hijo. Apenas dará crédito a sus sentidos cuando descubra el éxito de que gozaba Wolfgang; éxito del que, exultante, dará inmediata cuenta a Nannerl:

Que tu hermano tiene una hermosa casa con todo el mobiliario apropiado es algo que imaginarás fácilmente cuando sepas que paga un alquiler de 460 florines. La noche de nuestra llegada fuimos a su primer concierto por suscripción, donde se dieron cita un gran número de personas de categoría [371].

Tantos sacrificios parecían haber dado por fin su fruto. Incluso tuvo el pobre Leopoldo la oportunidad de sentir halagado su propio ego:

[...] Ya puedes suponer que he encontrado a numerosas amistades, y que todo el mundo ha acudido a saludarme. He sido presentado también a muchas personas [372].

Y pudo paladear con inmensa satisfacción cómo el gran Franz Joseph Haydn se deshacía en elogios hacia su hijo:

El sábado por la tarde Joseph Haydn y los dos barones Tindi vinieron a nuestra casa; se tocaron los nuevos cuartetos, pero tan sólo los tres nuevos que Wolfgang ha añadido a los tres que ya tenemos. Son un poco fáciles, pero notablemente compuestos. El señor Haydn me dijo: «Os lo digo ante Dios, como hombre de honor: vuestro hijo es el compositor más grande que conozco, en persona o de nombre. Tiene gusto, y también la más grande ciencia para la composición» [373].

La más grande ciencia para la composición; por la parte que le correspondía a él mismo, Leopoldo no podía recibir mejor satisfacción personal. Pero aún podrá presumir de mucho más:

El domingo por la tarde tuvo lugar en el teatro el concierto de la cantante italiana Laschi. También un concierto de violoncello; un tenor y un bajo cantaron un aria cada uno, y tu hermano tocó un magnífico concierto que había escrito para la Paradies [374]. *Sólo me separaban dos palcos de la bella princesa de Würtenberg, y tuve el placer de escuchar tan perfectamente los diversos instrumentos, que las lágrimas acudieron a mis ojos. Cuando tu hermano hubo terminado, el emperador, sombrero en mano, le saludó y exclamó: «¡Bravo, Mozart!» Cuando reapareció para tocar, fue aplaudido por todos* [375].

¿Qué más podía faltar para sentirse absolutamente dichoso? A Nannerl (que estaba embarazada), le da noticias sobre su nieto:

El pequeño Karl se parece mucho a su padre. Le he encontrado con muy buen aspecto; pero con frecuencia los niños tienen violentos dolores de dientes. El niño es por lo demás un encanto, pues es extraordinariamente simpático y ríe cada vez que se le habla. Le he visto llorar un poco, una sola vez, para reír inmediatamente [376].

Sin duda se parecía a su padre, no sólo en lo físico: extraordinariamente simpático y alegre, con facilidad para la risa... pero también para el llanto; se parecen incluso en los dolores de dientes. Y, más de lo que podría dar la sensación a primera vista, ambos se parecen al propio Leopoldo.

Al cual, una semana después, no le empece reconocer que ha cometido un pequeño pecado, de aquellos en los que a Wolfgang nunca le había importado incurrir:

El martes 17 comimos en casa de la suegra de tu hermano, la señora Weber; sólo estuvimos nosotros cuatro; la señora Weber y su hija Sofía, pues la mayor está en Gatz. Tengo que decir que la cocina era incomparable: el asado era un hermoso faisán y todo estaba estupendamente preparado. Este viernes estuvimos invitados en casa de Stephanie el Joven nosotros cuatro, el señor Brun y su mujer, Karl Cannabich y un sacerdote. Digámoslo cuanto antes: no hemos comido de vigilia. No había más que platos de carne; un faisán en choucroute como entremés; el resto del menú era principesco: ostras y, para terminar, la más deliciosa repostería, sin olvidar las numerosas botellas de champaña y, por supuesto, al final, café [377].

En esta misma carta vuelve a aparecer la prima Bäsle, Ana María Tecla, a la que sólidos rumores relacionaban afectivamente con cierto clérigo, con el que al parecer existía un intercambio de regalos, cuya procedencia Bäsle encubría diciendo que eran de su tío Leopoldo:

Te puedes imaginar fácilmente la historia de la prima de Augsburgo: un canónigo ha hecho su agosto. En cuanto tenga tiempo se lo comentaré como si hubiera conocido la noticia en Viena. Lo más divertido del asunto es que todos los regalos que recibía, y de los que todo el mundo se asombraba, todos procedían de su tío de Salzburgo. ¡Qué honor para mí! [378].

El ritmo en la casa de los Mozart era frenético:

Todos los días concierto, alumnos, música [...]. ¿Cuándo podré escribir? ¡Si por lo menos hubiera terminado los conciertos! Tantas discusiones, tanta agitación, es indescriptible. Desde que estoy aquí, el piano de tu hermano ha sido transportado al menos doce veces al teatro o a otras casas [...]. Lo transportan todos los viernes para su concierto en la Mehlgrube, y también a las casas del conde de Zichy y del príncipe de Kaunitz [379].

Por fin tuvo Leopoldo oportunidad de escuchar cantar a Aloysia, y también conoció a su marido, Joseph Lange, que, como sabemos, era un buen pintor aficionado. Leopoldo estaba encantado con ellos:

Ahora he oído a la Lange cantar al clavecín cinco o seis arias, y lo hace con la mayor complacencia. Es indudable que canta con mucho gusto. [...] El marido de la señora Lange es pintor, y me ha dibujado ayer por la tarde sobre papel rojo, y muy bien dibujado [380].

He visto a la señora Lange en el teatro; ha cantado dos veces y ha tocado notablemente. Hemos comido en casa del señor Lange, y mañana son ellos los que comen en nuestra casa. El domingo de Pascua comemos en casa de un banquero; el lunes, con el doctor Rhab; el martes con el señor Adamberger; el miércoles con el señor Lange, y el jueves con el señor Von Ployer [381].

El día 25 de abril, Leopoldo emprendió el viaje de regreso a Salzburgo; Wolfgang y Constanza le acompañaron hasta Pukersdorf, situada a cuatro leguas (algo más de veinte kilómetros) de Viena, y ese mismo día regresaron a su hogar. Al despedirse, padre e hijo se abrazarán por última vez en sus vidas.

Leopoldo había conocido, por fin, lo que tanto había buscado: el éxito social de su hijo, y también el artístico. Y él mismo había sido objeto de continuas atenciones. De la ascendencia de Wolfgang sobre sus compañeros masones es testimonio el hecho de que el propio Leopoldo fuera admitido como miembro de la masonería: ingresó como *aprendiz* en marzo, y alcanzó sucesivamente los grados de *com-*

pañero el 6 de abril y de *maestre* el 22, inmediatamente antes de su regreso a Salzburgo. Además del honor que representaba, el hecho de regresar a esta ciudad convertido en maestre de una logia masónica vienesa seguramente suponía para Leopoldo una buena protección, y quizá le pudiera ser de gran utilidad en el futuro.

Un poco antes, el 11 de febrero, Wolfgang también había asistido a la iniciación de Franz Joseph Haydn como *aprendiz,* en la logia *Zur wahren Eintracht (La verdadera Concordia).* El día 24 de abril, la víspera de la salida de Leopoldo hacia Salzburgo, asistieron padre e hijo a un banquete celebrado por la logia *Zur gekrönnte Hoffnung* en honor del venerable de la logia a la que pertenecía Haydn, Ignaz von Born, que, como tantos personajes que nos estamos encontrando en esta biografía, y como tantos miembros de la masonería en esos momentos, había sido jesuita. En ese banquete Wolfgang dirigió su cantata *Die Maurerfreude (La alegría masónica),* K 471.

Wolfgang, en medio de tanto éxito, seguirá planteando, siempre que tenga oportunidad de ello, la conveniencia de impulsar la ópera alemana, frente a la todopoderosa ópera italiana. Así se lo transmitió, por ejemplo, a Anton Klein, que le había enviado un libreto suyo en alemán, *Rudolf von Habsburg.* Wolfgang se manifiesta cada vez más nacionalista, en unos momentos en que están a punto de estallar los nacionalismos en el mundo occidental. Entonces, por mucho que hoy nos pueda sorprender, el nacionalismo era una actitud muy avanzada, pues implicaba el desplazamiento del centro de poder desde los monarcas y sus más inmediatos cortesanos hacia un espectro mucho más amplio de la población, por medio de la aparición del concepto de *Estado de Derecho,* característico de la Edad Contemporánea, e íntimamente relacionado con el concepto de *nación.* Wolfgang unirá a sus viejas y consolidadas intuiciones de libertad individual una sólida convicción que se encontraba muy en consonancia con los ideales de *Libertad, Igualdad y Fraternidad* propios de la masonería (de la corriente de la masonería a la que él se había adscrito, la relacionada con el *Aufklärung);* unos ideales que acabarían triunfando en los inicios del mundo contemporáneo.

La ópera debe abrir a primeros de octubre. No le auguro un gran éxito. Según las disposiciones ya tomadas, parece que se busca más bien arruinar completamente la ópera alemana [...] que ayudarla y sostenerla. Tan sólo mi cuñada Lange ha aceptado esta ópera alemana. La Cavalieri, Adamberger, la Teyber, todos ellos alemanes puros, de los que Alemania tendría que sentirse orgullosa, ¡tienen que quedarse en el teatro italiano; tienen que luchar contra sus propios compatriotas!

[...] Para colmo de desgracias, los directores del teatro y de la orquesta han sido mantenidos en sus puestos, y justamente son ellos quienes, con su ignorancia y su apatía, han contribuido a arruinar su propio proyecto. ¡Si un verdadero patriota tuviera autoridad en este asunto, todo tomaría un giro diferente! Quizá entonces el teatro nacional, cuyos gérmenes son tan hermosos, llegaría a su florecimiento; y sería una buena labor para Alemania si nosotros, alemanes, nos pusiéramos seriamente a pensar en alemán, actuar en alemán, hablar en alemán, ¡e incluso cantar en alemán![382].

Incluso descubrimos en Wolfgang el ardor revolucionario que unos años después produciría tantos mártires por la patria:

No me guardéis rencor, digno consejero privado, si, en mi ardor, he llegado demasiado lejos. Absolutamente convencido de que hablo a un alemán, he dejado a mi lengua correr libremente; y esto es algo que desgraciadamente tenemos tan pocas ocasiones de hacer en estos tiempos, que después de esta efusión del corazón podríamos decidirnos a embriagarnos sin correr ningún peligro de dañar nuestra salud[383].

Sin embargo, a pesar de sus deseos de crear una ópera genuinamente alemana, con letra y, sobre todo, música «en alemán», un par de años antes había llegado a escribir: *la verdad es que me gustaría mucho poder presentarme con una ópera italianini*[384]. Wolfgang no desdeñó nunca entrar en combate en el propio terreno de los italianos. Y, de hecho, será en estos momentos cuando comenzará a elaborar sus grandes óperas en italiano. En el fondo, el Mozart alegre y bromista no podía sino sentirse identificado con la ópera italiana, mientras que el otro Mozart, el más circunspecto y melancólico, encontraba su mejor forma de expresión en la ópera alemana.

La primera de estas grandes óperas italianas será nada menos que *Le nozze de Figaro,* basada en *La folle journée ou Le mariage de Figaro (La loca jornada o Las bodas de Fígaro),* de Caron de Beaumarchais. Era inevitable que el libreto fuese italiano, pues el emperador José II había prohibido la adaptación de la obra a la escena alemana. A ello se unía el hecho de ser italiano el libretista, Lorenzo Da Ponte. El estreno en París, un año antes (el 27 de abril de 1784) de la versión original de *Las bodas de Fígaro,* había estremecido el ambiente cultural europeo. Algunos personajes, como el propio Napoleón, llegarían a considerar que tal estreno fue el verdadero pistoletazo de inicio de la Revolución. Beaumarchais, incluso fue encarcelado por el régimen de Luis XVI, pero pronto fue excarcelado, y la obra siguió representándose. Sin embargo, en Alemania fue prohibida por José II, pese a lo cual se difundió extraordinariamente entre los intelectuales germánicos. Y fue Wolfgang quien decidió hacer una ópera sobre esta obra; así lo reconocerá Da Ponte:

Meditaba serenamente sobre los dramas que debía hacer para mis dos amigos Mozart y Martini[385]. *Para el primero, comprendí fácilmente que la inmensidad de su genio exigía un tema amplio, multiforme y sublime. Hablando un día con él me preguntó si podría poner en drama la comedia de Beaumarchais* Las bodas de Fígaro. *La proposición me complació mucho, y se lo prometí; pero había una dificultad muy grande que vencer: poco antes, el emperador había prohibido a la compañía del Teatro Alemán representar esta comedia que estaba, decía, escrita demasiado libremente para un auditorio ordinario; luego, ¿cómo podría convertírsela en drama?*[386].

Además, si no era una completa novedad hacer óperas sobre asuntos no relacionados con la historia sagrada o el mundo antiguo (el propio *Rapto en el serrallo* ya era un precedente), la elección del tema supuso en gran medida una ruptura con la tradición operística, lo que señalaba nuevos y muy importantes caminos.

Ese verano, en dos meses y medio, y en el mayor de los secretos, realizaron Mozart y Da Ponte su ópera, mano a mano:

Me puse manos a la obra, y a medida que escribía las palabras él hacía la música. En seis semanas todo estuvo terminado[387].

En septiembre, como hemos indicado anteriormente, apareció la edición de los seis cuartetos que Mozart dedicó a Haydn, como tributo a su amistad y reconocimiento a lo mucho que le debía su música. De hecho, la idea de realizar estos cuartetos surgió como consecuencia de la aparición de los *cuartetos rusos* de Haydn en 1781, del mismo modo que la otra serie de seis cuartetos conocidos como *vieneses* (KV 168 a 173), de 1773, habían sido escritos por Mozart, con diecisiete años de edad, bajo la influencia de los *cuartetos del Sol* publicados por Haydn ese mismo año.

El afecto y el respeto que Wolfgang profesaba por Franz Joseph Haydn, como el cariño que sentía por su hermano Johann Michael (el *Haydn salzburgués),* estaban a prueba de toda duda. Cierto día, un personaje llamado Kozeluch (Leopoldo Kozeluch) estaba criticando ácidamente una obra de Haydn:

Mozart le escuchó pacientemente durante un buen rato, pero la parrafada duraba demasiado y el criticón terminó por exclamar con fa-

tuidad: «Yo no habría escrito esto de este modo.» «Yo tampoco —respondió Mozart— ¿y sabéis por qué? Porque nosotros no habríamos sido capaces de conseguirlo.» Esto le costó un irreconciliable enemigo más[388].

Según otro testimonio, Mozart habría añadido:

Nadie puede hacerlo todo: bromear y tocar, hacer reír y conmover, y todo ello tan bien como Joseph Haydn[389].

Lo que, de ser cierto el testimonio, nos sitúa, de paso, con lo que constituía la esencia del propio arte de Wolfgang, en el que el humor y la seriedad, la risa y la tristeza, se interpenetran del mismo modo que en su propia vida. Una vez terminadas *Las bodas de Fígaro,* Da Ponte asumió la delicada misión de solicitar al emperador permiso para representar la ópera:

Habiéndose presentado la ocasión fui yo mismo, sin decir nada a nadie, a ofrecer el Fígaro *al mismísimo emperador. ¿Qué es lo que me dijo? «Sabed que Mozart es muy bueno para la música instrumental, pero no ha escrito más que una obra vocal, ¡y no era gran cosa!» «Yo mismo —repliqué tímidamente— sin la clemencia de vuestra majestad jamás habría escrito más que una obra en Viena.» «Es verdad —replicó—, pero estas* Bodas de Fígaro *las he prohibido a la compañía alemana.» «Sí —respondí—, pero al haber compuesto una pieza musical, y no una comedia, ha habido que recortar muchas escenas y abreviar más todavía; he suprimido y aligerado aquellas que podían herir la delicadeza y la decencia de un espectáculo protegido por vuestra majestad. En cuanto a la música, por lo que yo puedo juzgar, me parece de maravillosa belleza.» «Bien; pues si es así, me fío de vuestro gusto en cuanto a la música, y de vuestra prudencia en cuanto a las buenas costumbres. Dad la partitura al copista.» Corrí a casa de Mozart, pero no había terminado de darle la buena noticia cuando un correo del emperador vino a traerle una nota ordenándole acudir inmediatamente con su partitura. Obedeció la real orden; hizo escuchar algunos fragmentos que gustaron extraordinariamente [...]. Esta noticia no satisfizo a los otros compositores de Viena; no gustó a Rosemberg, que no apreciaba este género de música; pero sobre todo no complació a Casti*[390].

No hay que descartar que el emperador, monarca absoluto, pero ilustrado, sintiese verdadero alivio ante la oportunidad que se le ofrecía, de permitir representar *Las bodas de Fígaro,* en una versión mucho menos conflictiva que la original.

Durante el mes de octubre, Mozart se dedicó principalmente al montaje de la ópera. Pero, inesperadamente, en noviembre nos le encontramos de nuevo acuciado por alguna deuda, ante lo cual recurrió a su *hermano* masón el editor Franz Anton Hoffmeister:

Recurro a vos, y os ruego que vengáis en mi ayuda por un momento solamente: prestadme algo de dinero, pues ahora lo necesito urgentemente. Os ruego así mismo que me consigáis lo antes posible lo que vos sabéis. Excusadme por importunaros, pero ya me conocéis, sabéis cuánto deseo que nuestros negocios marchen bien, y estoy absolutamente convencido de que no me odiaréis por mi insistencia, sino que acudiréis en mi ayuda, como yo lo haría en la vuestra [391].

De las descripciones que Leopoldo hizo a Nannerl sobre cómo le acogieron Wolfgang y Constanza cuando fue a visitarles a Viena, cabe deducir que, o bien estaban haciendo un esfuerzo sobrehumano para dar una magnífica acogida a su padre e impresionarle, o bien que, si ése era su tren de vida habitual, era claramente excesivo incluso para un músico que se encontrase en pleno éxito.

Para hacer frente a la situación, además de pedir ese préstamo (no cabe descartar que no fuese el único), organizó tres academias que se celebrarían por el procedimiento de suscripción; en una de ellas interpretó su concierto para piano n.º 22, KV 482, terminado el 16 de diciembre.

El año, en lo que a la actividad de Mozart como compositor se refiere, se cerró con un par de *lieder* masónicos: el K 483 *(Fundíos hoy, queridos hermanos)* y el K 484 *(Logenlied —Canto de la logia—)*, compuestos para la inauguración de la logia *Zur neugekrönnten Hoffnung (A la nueva Esperanza)*, una de las dos logias en las que, por orden imperial, se fusionaron las ocho existentes en Viena en esos momentos.

Poco antes, el 10 de noviembre, concluyó la impresionante marcha fúnebre masónica *Maurerische Trauermusik*, K 477, como homenaje a dos compañeros masones, el duque Georg August von Meklenburg-Strelitz y el conde Franz Sterhazy von Galantha. En su interpretación participaron numerosos músicos masones procedentes de otros lugares, lo que enriqueció considerablemente su sonoridad.

Había sido un año rico en piezas vocales, muchas de ellas relacionadas con la masonería; además de la ya citada cantata K 471, compuso, en marzo, el lied *Gesellenreise (El viaje de los compañeros)*, K 468, y el oratorio *David penitente*, K 469; en mayo los lieder *Der Zauberer (El mago)*, K 472, *Die Zufriedenheit (El contento)*, K 473 y

Die betrogene Welt (El mundo engañado), K 474; en junio, los lieder *Einsam bin ich (Estoy solo),* K 475a —sólo se conserva un fragmento— y *Das Veilchen (La violeta),* K 476, quizá el mejor lied, o al menos uno de los mejores lieder compuestos por Wolfgang; en él, el texto (un poema de J. W. Goethe) y la música se funden magistralmente, dando lugar a una pieza de marcado carácter romántico, en la que subyace, una vez más, la parte melancólica de Mozart:

En el prado había una violeta
cerrada sobre sí e inadvertida;
era una graciosa violeta.
Llegó en esto una joven pastorcita,
con paso alegre y ligero [...].
¡Ah! —pensó la violeta—, si pudiera ser
la flor más bella de la Naturaleza
siquiera fuese unos breves instantes [...].
Pero ¡ay!, la muchacha siguió andando
y, sin reparar dónde pisaba,
aplastó a la pobre violeta.
Ésta murió entonces, aunque feliz:
Muero, sí, pero muero por ella,
y a sus pies...

En enero de 1786, Mozart recibió el encargo por parte de José II de componer un *singspiel* para las fiestas por la venida de Alberto de Sajonia-Teschen, gobernador de los Países Bajos y cuñado del emperador. Fue el propio José II quien propuso al libretista, Stephanie el Joven, el argumento de *Der Schauspieldirektor (El empresario teatral).* Esta pieza escénica, la KV 486, se representó el 7 de febrero junto con la ópera de Salieri *Prima la musica e poi le parole,* que tenía libreto de Casti.

Mozart acababa de cumplir, el día 27 de enero, treinta años de edad. Le quedaban algo menos de seis años de vida.

Como en otras ocasiones, la preparación de *Las bodas de Fígaro* parecía estar sometida a una conjura en su contra; así se lo comentará Leopoldo a Nannerl:

El 28 de abril Le nozze di Figaro *estará por primera vez en escena. Será muy meritorio si triunfo, pues sé que hay contra ella una de esas conjuras asombrosamente fuertes. Salieri, con toda su pandilla, va a intentar una vez más remover cielo y tierra. Duschek me ha dicho últimamente que si tu hermano tiene tantas conjuras contra él, es porque está muy considerado por su talento y virtuosismo*[392].

No cabe duda de que existía una tendencia en los Mozart a considerarse víctimas de conjuras. Es difícil precisar dónde estaba el límite, en cada ocasión, entre la realidad y la exageración. El montaje de un espectáculo teatral, incluso en nuestros días, es algo muy complejo y conflictivo; pero tampoco debemos dudar que, sobre todo por parte de algunos de sus compañeros, sí se le pondrían todas las zancadillas posibles, como les había ocurrido a tantos músicos antes de él, y como les ha seguido ocurriendo a tantos otros hasta el día de hoy. *Salieri y su pandilla* son los músicos italianos y quienes les apoyan; es preciso introducir este matiz para no exagerar sin fundamento el posible papel de Salieri en este asunto o en otros similares, de modo que no se busque aquí la evidencia de un irreconciliable rencor personal, un odio, fruto de la envidia, de Salieri por Mozart. A falta de otros testimonios, no debemos deducir que el asunto pasase de las características rencillas que, desgraciadamente, son tan frecuentes en el mundo del arte, y, dentro de él, de un modo muy especial en el de la música, en el que siempre ha sido tan difícil conseguir mantenerse en la cúspide, e incluso simplemente poder trabajar.

En este caso en concreto, el problema más importante era que Salieri y Rhigini tenían cada uno una ópera terminada, y los dos querían que la suya se realizase antes que la de Mozart, quien, por su parte, no quería por nada del mundo que no fuese la suya la primera. Por fin, fue el propio emperador quien dispuso que se comenzase a montar primero la de Mozart. Insistiremos en nuestra impresión de que al emperador le venía muy bien que en sus territorios se representase esta obra, que él mismo había prohibido en su versión original.

A partir de ese momento, las cosas fueron mucho mejor en la preparación de la ópera. *Las bodas de Fígaro,* KV 492, se estrenaría el 1 de mayo de 1786 en el Burgtheater. Con todo, el resultado fue un poco contradictorio; hay testimonios que hablan de un relativo fracaso, y otros que dicen que fue un gran éxito:

Al final de la ópera creí que los espectadores no iban a cesar de aplaudir y de llamar a Mozart. Todos los números fueron bisados, lo que hizo que la representación durara casi como dos óperas, y el emperador tuvo que disponer que en la segunda representación no se repitiera ningún fragmento. Jamás hubo un triunfo más completo que el de Mozart y sus Bodas de Fígaro [393].

La crónica del *Wiener Realzeitung,* por su parte, introducía matices sobre este éxito:

La música del señor Mozart se ganó la incondicional admiración de los entendidos desde las primeras notas [...]. Pero el público, a decir verdad, no sabía bien qué pensar: oía algunos «bravo» de entendidos imparciales, pero desde la última galería algunos muchachotes desenfrenados y sobornados se desgañitaban para hacer callar a los cantantes y espectadores con sus «sst» y «sst». De manera que, al final de la pieza, las opiniones se mostraron divididas. Es justo decir que, tratándose de una composición muy difícil, el día del estreno no todo resultó de la mejor de las maneras. Pero ahora, después de numerosas representaciones, aventurarse a afirmar que la música del señor Mozart no es una obra maestra equivaldría a tomar partido abiertamente por la intriga o la falta de gusto. Encontramos todas las bellezas y toda la riqueza de ideas que se puede encontrar en esta obra salida de la mente de un auténtico genio.

Cabe suponer que, al menos una parte de quienes se mostraron críticos con la ópera, estarían más bien en contra de la obra de Beaumarchais, tan satírica contra la nobleza de la época. Por otra parte, la música de Mozart también podría haber resultado en cierto modo demasiado novedosa, pero esto no fue obstáculo para que un año después, tras el estreno en Praga, el propio Wolfgang sintiese el placer de comprobar cómo los cocheros iban silbando por la calle algunas de sus arias, algo que también ocurriría en Viena.

En lo personal, cabe destacar que Constanza se encontraba de nuevo embarazada, y que, en el presupuesto familiar, sin pasar estrecheces, los ingresos, procedentes fundamentalmente de las clases que impartía Wolfgang, se ajustaban peligrosamente a los gastos, y esto a pesar del estreno de la ópera.

Entre sus alumnos figuraba Attwood, quien referiría el singular sistema de enseñanza que a menudo utilizaba Wolfgang, muy alejado de los tradicionales métodos, y, desde luego, totalmente ajeno a los que se practicaban en esa época: solía proponerle jugar juntos al billar, o a los bolos, y mientras jugaban iba impartiéndole sus lecciones. Así componía también a menudo, ya lo sabemos: luego trasladaba la música al papel de un tirón.

Como antiguo niño *prodigioso,* a menudo le presentaban niños cuyos padres querían mostrarlos como tales; uno de ellos fue Johann Nepomuceno Hummel (1778-1837), que entonces tenía ocho años, y que llegaría a ser un buen músico: más tarde se convertiría en amigo de Beethoven; en 1804 sucedió a Haydn como *kapellmeister* del príncipe Antal Esterhazy, y en 1817 comenzó a ocupar el mismo cargo en la capilla del gran duque de Weimar. Mozart, consciente de su valía, le acogió durante dos años en su hogar.

Sin embargo, Mozart sabía bien que muchos de estos niños no tenían verdaderas dotes, y estaba convencido de que era un cruel error forzarles a seguir un camino tan difícil y duro como es el de la música, sin la seguridad de que tendrían posibilidades de llegar a ser de adultos buenos músicos. Posiblemente haya algo de cierto en este testimonio, posterior a la época en que supuestamente sucedió:

Durante uno de sus viajes, vino un día a tocar a casa del difunto XXX, que amaba mucho la música, y cuyo hijo, hoy célebre, y que tenía entonces doce o trece años, tocaba muy bien el piano.

—*Señor Kapellmeister* —dijo el niño—, *me gustaría componer alguna cosa yo mismo; decidme qué debo hacer.*

—*¡Nada, nada! ¡Hay que esperar!*

—*¡Pero vos habéis compuesto siendo más joven aún!*

—*¡Pero yo no he preguntado a nadie qué era lo que debía hacer! Cuando se tiene el espíritu hecho para esto, es algo que os apremia y os tortura; hay que hacerlo, se hace y no se pregunta por qué.*

El niño quedó humillado y entristecido porque Mozart le había hablado con tanta brusquedad. Dijo: «Solamente quiero decir que si pudierais indicarme un libro en el que pudiera aprender...».

—*Veamos* —replicó Mozart más amistosamente, acariciando la mejilla del niño—; *no es nada. Aquí, y aquí, y allá (y señalaba la oreja, la cabeza y el corazón) está vuestra escuela. Si todo esto es como debe ser, entonces, vive Dios, pluma en mano; y cuando hayáis terminado, y solamente entonces, consultad a un hombre que os aconseje bien*[394].

Según el joven cantante O'Kelly, que después se convertiría en amigo personal de Wolfgang, a él mismo le habría dicho lo siguiente:

Muchacho, solicitas mi opinión y voy a dártela francamente; si hubieras estudiado composición durante tu estancia en Nápoles, y cuando tu espíritu no tenía otras preocupaciones, tal vez lo habrías conseguido; pero ahora que tu profesión de actor absorbe toda tu atención, sería imprudente iniciar este árido estudio. Te doy mi palabra. La Naturaleza no te ha hecho melodista, y no harías más que contrariarla y trastocarla. Reflexiona: un pequeño conocimiento es algo muy peligroso. Si lo que escribes tiene faltas, encontrarás centenares de músicos en todas partes del mundo capaces de corregirlas. No contraríes tus dones naturales. La melodía es la esencia de la música; yo comparo a un buen melodista con un hermoso caballo de carreras, y a un contrapuntista, con un caballo de tiro. Así que déjame tranquilo y recuerda el viejo proverbio italiano: Chi sa più, meno sa [395].

Sin embargo, sabía reconocer el valor de un joven músico cuando existía; Gyrowetz describirá así su propia experiencia, que tuvo lugar en 1785:

[...] Un día fue a ver a Mozart, que le recibió de la manera más amable. Alentado por su afabilidad y su buen corazón, le rogó que echara una mirada sobre sus trabajos y le diera su opinión. Mozart, como verdadero amigo de los hombres, accedió a su petición, leyó sus trabajos, los alabó y prometió al joven artista hacer ejecutar en su concierto, en la Mehlgrube, donde Mozart daba seis conciertos por suscripción, una de sus sinfonías, lo que así hizo. La sinfonía fue ejecutada, en la sala del Mehlgrube, por la orquesta del teatro al completo, y recibió un aplauso general. Mozart, con su natural bondad, tomó al joven artista de la mano y lo presentó al público como el autor de la sinfonía. Éste fue el primer paso de Gyrowetz en Viena en su carrera; tenía entonces dieciocho años [396].

En el mes de agosto escribió Mozart su *trío en mi bemol, «Kegelstatt»*, KV 498, que dedicó a Franciska von Jacquin (hermana de su gran amigo Gottfried von Jacquin), la cual se había convertido en alumna suya ese verano. También escribirá ese mes el *cuarteto en re*, KV 499.

El 16 de octubre nació Johann Thomas, el tercer hijo de los Mozart, que recibió los nombres de su padrino, el editor Trattner.

Wolfgang se planteó en estos momentos salir de Viena, hacer una nueva gira, animado por los proyectos que le propusieron Nancy Storace, O'Kelly y Attwood, cantantes que habían intervenido en *Las bodas de Fígaro*. Ante la inconveniencia de dejar a Constanza y los niños solos en Viena, y el temor a dejar a los niños con una nodriza, como habían hecho cuando se desplazaron a Salzburgo (ocasión en la que, en su ausencia, falleció su primer hijo, Raimundo), Wolfgang pidió a Leopoldo que se hiciera cargo de los dos niños, comprometiéndose a pasarle una paga para ayudarle a ello. Leopoldo mantenía ya en su casa al hijo de Nannerl, pero se negó a encargarse de los hijos de Wolfgang:

He tenido que responder hoy a una carta de tu hermano que me ha producido mucho malestar. Puedes creerme que me he visto obligado a escribirle una carta muy enérgica, pues me proponía nada menos que tener a sus dos hijos de pensión en mi casa, mientras que, hacia la mitad del carnaval, él emprendería un viaje a Inglaterra, pasando por Alemania. He rehusado enérgicamente, y le he prometido darle explicaciones en un próximo correo. El señor Müller ha encontrado a tu hermano y le ha hablado muy elogiosamente de Leopoldo[397]*; es así como se ha enterado de que está en mi casa, algo que ignoraba. Entonces él mismo o su mujer han concebido esta excelente idea. ¡Comprendo que esto les habría solucionado las cosas! ¡Se explica muy bien! Ellos sólo tendrían que marcharse tranquilos, podrían morir o establecerse en Inglaterra, y yo no tendría más remedio que correr detrás de ellos, con los chiquillos o reclamándoles dinero, pues me propone una indemnización por la pensión de los niños y la niñera. ¡Basta! Mis excusas son firmes, y es él quien debe solucionar sus problemas*[398].

En el momento de escribir esta carta y la que ya había enviado a Wolfgang, Leopoldo ignoraba, como es lógico, que Johann Thomas había fallecido dos días antes. Es posible que en los mismos momentos en que Leopoldo estaba escribiendo, Wolfgang se encontrara siguiendo el carruaje con el pequeño ataúd hasta el cementerio de Saint-Marx. La postura de Leopoldo parece muy egoísta y cruel, pero sin duda estaba convencido de que Wolfgang vivía a todo lujo, y que se había olvidado, ingratamente, de su padre y de su hermana. La referencia a cómo se había enterado de que el hijo de Nannerl se encontraba con él, parece un reproche porque Wolfgang no se mostraba en los últimos tiempos muy interesado por ellos.

Un día después se estrenará en Viena, en el mismo Burgtheater donde se habían estrenado *Las Bodas,* una ópera que eclipsará la de Mozart: *Cosa rara,* del valenciano Vicente Martín y Soler (1754-1806), al que algunos han dado en llamar *el Mozart valenciano,* lo que sin duda se dice en términos elogiosos, aunque no deja de parecernos poco respetuoso con este notable músico español, lo mismo que llamar a Juan Crisóstomo Arriaga (1806-1826) *el Mozart español.* Lejos de sentir envidia por el éxito de Martín y Soler, un año después, en su ópera *Don Giovanni,* Mozart utilizará un fragmento de *Cosa rara* (que interpretan los músicos que amenizan la última cena) y hará que Leporello lo aplauda. Sin embargo, en 1789 comentará sobre el músico valenciano lo siguiente:

Hay muchas cosas realmente bellas en lo que hace, pero dentro de diez años nadie hablará de él[399].

Con todo, este año en que la vida de Mozart vuelve a torcerse, terminará con una buena noticia, el éxito de *Las Bodas* en Praga; de ella se hicieron multitud de reducciones para piano, quintetos y otras agrupaciones instrumentales, y el pueblo cantaba y silbaba por las calles diversos fragmentos de la ópera. Durante las navidades, Wolfgang fue invitado por el conde Johann Thun, *hermano* masón, a viajar a Praga para asistir a alguna representación de su ópera; la invitación se acompañó con una carta de todos los músicos de la orquesta solicitándole que se desplazase a la ciudad.

Así, el 9 de enero salieron de Viena Wolfgang, Constanza y Franz de Paula Hofer, que se casaría el año siguiente con una hermana de Constanza, Josefa. Llegaron a la bella ciudad barroca el día 11, siendo alojados en el palacio de Thun. En Praga ya era Mozart una celebridad desde la representación allí de *El rapto del serrallo,* de modo que llegaba a un territorio previamente conquistado:

A las seis he ido en un carruaje con el conde de Canal al baile llamado de Breitfeld, donde tiene costumbre de reunirse la flor y nata de las beldades de Praga. [...] Observé cómo todas esas personas giraban, alegres, con la música de mi Fígaro, transformada en airosas contradanzas alemanas. Porque aquí no se habla de otra cosa que de Fígaro: no se toca, no se canta, no se silba más que motivos de Fígaro [400].

En esta misma carta, Wolfgang nos confirma un rasgo de su carácter del que ya teníamos sospechas, su timidez:

[...] Yo no bailé ni cortejé; lo uno porque estaba muy cansado, y lo otro por culpa de mi natural timidez [401].

Praga hervía en una total *mozartmanía;* el día 17 de enero, Wolfgang asistió a la representación de *Las Bodas,* y el público le ovacionó estruendosamente; el éxito no haría sino ir en aumento en los días siguientes, allí donde Mozart se presentaba en público. Como el día 19, en el teatro de Praga, donde dio un concierto en el que se interpretó su sinfonía n.º 38, KV 504, *Praga,* que había compuesto en Viena a comienzos de diciembre.

Además de la rentabilidad económica de estos éxitos, Mozart consiguió que el director de la compañía que representó *Las Bodas,* Bondini, firmase con él un contrato para realizar una nueva ópera, también en italiano, cuyo tema quedaba a la libre elección de Mozart; esta ópera será *Il dissoluto punito, ossia il Don Giovanni* (en castellano conocida como *Don Juan o El convidado de piedra),* KV 527.

Capítulo IX

EL VIAJE HACIA LA MUERTE: 1787 a 1791

¡Amor! ¡Amor! ¡Amor! He aquí el alma del genio

A pesar de tales éxitos, Wolfgang estaba deseando regresar a Viena:

Pese a que disfruto de toda la cortesía, de todos los honores posibles, y de que Praga es un lugar muy bello y agradable, suspiro, no obstante, por mi regreso a Viena [402].

Eran varios los motivos que podía tener Wolfgang para desear regresar a Viena. Uno de ellos, que suele olvidarse, su único hijo vivo, Karl Thomas, de poco más de dos años de edad, a quien, como era costumbre en la época, habían dejado con una comadrona, pese a su nefasta experiencia con su primer hijo.

Tampoco podemos dejar de pensar en un sincero compromiso moral de Mozart con sus propias ideas, pese a la imagen que a menudo se ha querido dar de él como de una persona incapaz de pensar seriamente en nada que no fuese la música. En estos momentos, Mozart era un verdadero activista, un propagandista de las ideas masónicas más avanzadas, las de su propia logia vienesa, con las cuales sintonizaba su pensamiento a la perfección. No es nada aventurado pensar que fue precisamente a este activismo al que debió mucho su postergamiento en determinados círculos de poder.

Y, ¿por qué no considerarlo también?, en Viena se encontraba la señorita Storace, con la que las lenguas de doble filo han querido relacionar a Wolfgang, el eterno Wolferl.

El 6 de febrero salieron, pues, de Praga, y seguramente llegaron a Viena el día 10. Poco después se marcharon de esta ciudad sus amigos los cantantes ingleses Attwood (que había sido su alumno), O'Kelly y Nancy Storace. Un poco antes, el 26 de diciembre de 1786, había compuesto para esta última el rondó para soprano *Non temer, amato bene,* en cuya partitura anotó: *Para la señorita Storace y para mí.* Hasta su muerte mantuvieron una fluida correspondencia, aunque Nancy destruyó las cartas de Wolfgang poco antes de morir, en 1817.

El grupo, camino de Inglaterra, pasó por Salzburgo, donde visitaron a Leopoldo, aunque no pudieron entregarle la carta que le había escrito Wolfgang, porque Nancy la había extraviado.

A comienzos de abril, Leopoldo se encontraba muy enfermo. Apenas se conservan cartas de estos momentos entre Wolfgang y su padre, aunque nos consta que nunca interrumpieron la correspondencia; pero lo cierto es que también existen evidencias de que las relaciones entre ambos se encontraban bajo mínimos. Sin duda, Leopoldo tenía mucha más información que nosotros sobre la vida de Wolfgang en Viena, y no la aprobaba. Tras la visita de los amigos de Wolfgang, Leopoldo comunicará a su hija que su hermano tenía proyectos desatinados en Inglaterra, y que pretendía haber ganado 1.000 florines en Praga. Ya lo hemos comentado: tras la impresión que Leopoldo se llevó a Salzburgo, de que Wolfgang había alcanzado el éxito y vivía a todo lujo, se encontró con la realidad de que no les hacía partícipes de ninguna manera, a él y a Nannerl, de su supuestamente boyante economía. Y ello porque, ya lo sabemos, realmente no era nada boyante; pero tanto Leopoldo como su hija debieron de pensar que, si no se preocupaba de ellos, era por simple egoísmo. En 1800, casi diez años después de la muerte de Wolfgang, Nannerl hará esta declaración a los editores Breitkopf y Haertel, con motivo de la elaboración de la biografía que de su hermano había hecho Niemtschek:

La biografía del profesor señor Niemtschek ha despertado los sentimientos fraternales que he conservado por mi querido hermano, hasta tal punto que me he deshecho en lágrimas, pues hasta hoy no he sabido en qué situación se había encontrado mi hermano [403].

Wolfgang estaba escribiendo una carta a su padre en el momento en que le comunicaron la recaída de éste; la argumentación que utilizó para confortarle era apropiada no ya entre un padre y un hijo, sino, sobre todo, entre dos compañeros masones:

En este mismo instante he oído una noticia que me ha consternado mucho, especialmente porque por su última carta cabía suponer que, gracias a Dios, os encontrabais bien; ¡pero ahora sé que estáis gravemente enfermo! Sin duda no necesito decirle con qué ansiedad espero de vos mismo noticias menos alarmantes. Y las espero profundamente, a pesar de que tengo por costumbre, en cualquier circunstancia, figurarme siempre lo peor. Como la muerte es el verdadero término de nuestra vida, me siento, desde hace unos años, de tal manera familiarizado con esta verdadera y excelente amiga del hombre, que su rostro no sólo no tiene ya nada de espantoso para mí, ¡sino que me resulta muy tranquilizador y consolador! Y doy gracias a Dios, por haberme concedido la dicha de tener ocasión (vos me comprendéis) de aprender a conocerla como la llave de nuestra verdadera felicidad. No me acuesto nunca sin pensar que quizá, por joven que yo sea, al día siguiente ya no estaré aquí. Sin embargo, ninguno de los que me conocen podrá decir que fui malhumorado o triste en mi trato. Y por esa felicidad doy todos los días gracias a Dios, mi creador, y se la deseo de todo corazón a cada uno de mis semejantes.

En la carta que la Storace guardó tan bien ya le exponía a usted mi pensamiento sobre todo esto, con ocasión de la triste muerte de mi queridísimo y amadísimo amigo el conde Von Harzfeld. Acababa de cumplir treinta y un años, como yo. No le compadezco a él, pero sí me compadezco, sinceramente, a mí y a todos quienes le conocían tan bien como yo[404].

Alrededor del 10 de abril llegó a Viena otro niño *prodigio:* Ludwig van Beethoven (1770-1827) tenía dieciséis años, aunque su padre aseguraba que tenía catorce. Llevaba diversas recomendaciones para presentarse ante Mozart. Un biógrafo de éste, Jahn, escribió, unos cuantos años después de que Beethoven triunfase, que Mozart había predicho: *Poned atención a este chico: el mundo hablará de él.* La anécdota suele citarse como auténtica, pero todo parece indicar que se trata de una invención bienintencionada de Jahn. Más realista parece la referencia de Ries, discípulo de Beethoven:

Durante su primera estancia en Viena recibió algunas lecciones de Mozart, el cual nunca —y Beethoven se lamentaba de ello— tocó delante de él[405].

No parece, pues, que Mozart se mostrase demasiado interesado por Beethoven, aun en el supuesto de que realmente le hubiese dado algunas lecciones. Ya hemos visto, y suele insistirse en ello, que Mozart no sentía especial simpatía por los niños *prodigiosos;* o tal vez es que no la sintiese por los padres de niños *prodigiosos*. Algo muy íntimo se rebelaba en él cuando se le presentaba uno de estos niños; da la sensación de que el balance que hacía de su propia experiencia como uno de ellos no era, consciente o inconscientemente, nada positivo.

En estos mismos días, Mozart realizó la siguiente anotación en el álbum de Gottfried von Jacquin:

El verdadero genio sin corazón es un contrasentido. Porque ni una inteligencia elevada, ni la imaginación, ni las dos juntas hacen el genio. ¡Amor! ¡Amor! ¡Amor! He aquí el alma del genio [406].

Amor, vida, muerte... Constanza estaba esperando un nuevo hijo, seguía la vida. Pero el día 28 se produjo en Salzburgo una terrible noticia:

Os comunico que hoy he recibido, cuando regresaba a mi casa, la triste noticia de la muerte de mi excelente padre. ¡Podéis saber cuál es mi estado! [407].

Ahora sí, los tiempos del *Oragnia figata fà* habían pasado definitivamente, tan deprisa, tan pronto, sin apenas darse cuenta. Mozart podría pensar, seguro que lo hizo, en lo que había escrito a su padre nueve años antes:

Los tiempos en que de pie en un sillón cantaba la Oragnia figata fà, *y le besaba al terminar la punta de la nariz, han pasado sin duda; pero, ¿ha disminuido por eso mi respeto, amor y obediencia hacia usted?* [408].

Ya nada quedaba del hogar de los Mozart. Nada de los tiempos en que Leopoldo anotaba, ilusionado, los primeros minuetos que se aprendía de memoria Wolferl. De los tiempos en que el niño caracoleaba sobre un palo de escoba mientras Nannerl recibía sus lecciones de piano. Los tiempos en que, como tres niños, sorprendían a la madre, Ana María, y ésta se dejaba sorprender, en el día de su cumpleaños. Los ladridos de *la bella Nandl,* la perrita; los trinos del *señor Canari*. Como una melodía tan antigua como el mundo, una vez más se imponía inexorable el sobrecogedor refrán castellano con que se despediría Don Quijote, y con él el propio Cervantes, de la vida: *Ya en los nidos de antaño no hay pájaros hogaño.*

Sólo quedaba Nannerl, pero los dos hermanos ya no tenían prácticamente trato; únicamente se pondrán en contacto para tratar de asuntos de la herencia paterna:

¡Mi muy querida, excelente hermana!
Si no estuvieras ya bien situada, todo esto no se cuestionaría; haría lo que he dicho y pensado mil veces: te lo dejaría todo con verdadera alegría. Pero puesto que actualmente no tienes, por así decirlo, ninguna necesidad, yo, por el contrario, tengo un particular interés: considero un deber pensar en mi mujer y en mi hijo [409].

Esto revela que, como nos imaginábamos, Mozart estaba atravesando de nuevo un mal momento económico. Su hermana parece no haberlo sabido, no haberlo siquiera sospechado, y así lo declararía, como hemos visto, unos años después. Lo cierto es que desde ese momento apenas se pondrían en contacto: un par de veces, por carta. Es posible que Nannerl no dejase de sentir cierto rencor por la ingratitud del hermano que suponía triunfador en Viena, y que ahora parecía no recordar que ella había sido la gran sacrificada para que llegase a conseguirlo.

En pleno dolor por la muerte de su padre, Wolfgang aún sintió inmediatamente el pesar añadido por la muerte de una pequeña criatura, un estornino que había comprado unos años antes, al que enterró en su jardín. Como homenaje al pequeño amigo desaparecido para siempre, que con su hermoso canto ponía una nota de alegría en su vida, el siempre sensible y amante de la vida Mozart escribió estos versos:

Aquí reposa un querido y pequeño loco,
mi estornino.
En sus mejores años
hubo de conocer
el sabor amargo de la muerte.
Mi corazón sangra
cuando pienso en ello.
¡Oh, lector!, ofrécele
tú también una lágrima. [...]
[...] Pienso que estará en lo alto
para agradecerme
este trabajo de amigo,
ignorando todavía
que la muerte le ha alcanzado[410].

Pero... *cada cosa a su tiempo:* el 14 de junio terminó de escribir el sexteto *Ein musikalischer Spass (Una broma musical)* o *Dorfmusikanten Sextett (Los músicos de pueblo),* KV 522. El sobrenombre de la composición, *Los músicos de pueblo,* se debe a un editor de época posterior, como tantos otros sobrenombres de tantas composiciones. Sin embargo, responde al espíritu de la obra: es la caricatura de una interpretación realizada por un grupo de músicos aficionados, con pocos medios y escasa preparación. Está plagada de bromas (en este sentido no podemos dejar de evocar el rondó KV 412 y las anotaciones destinadas a Leutgeb), algunas evidentes y otras sólo reconocibles por los iniciados en la música: disonancias, notas falsas en las trompas, vacilaciones, pérdida del ritmo... para terminar con un apoteósico (o, mejor dicho, apocalíptico) acorde, en que cada instrumento da una nota distinta e incompatible con las demás. Seguramente fue compuesta para ser interpretada en alguna de las veladas en casa de los Jacquin.

De la misma época es otra de las más famosas composiciones de Mozart, la serenata para cuerda n.º 13, KV 525, *Eine kleine Nachtmusik (Pequeña música nocturna).* Mozart consignó como fecha de su terminación el 10 de agosto de este año; no sabemos nada sobre las circunstancias de su composición, pero no parece aventurado pensar que, como la *Broma musical,* podría haber sido compuesta para su interpretación en alguna de las veladas de los Jacquin.

Pertenezco demasiado a otras personas y muy poco a mí mismo

Ese verano de 1787, Lorenzo da Ponte, al que había recurrido Mozart como guionista para su *Don Giovanni,* trabajó en la elaboración de tres libretos: el de Mozart y otros dos, respectivamente para Salieri y para Martín y Soler. Así describiría la situación el propio Da Ponte:

> *[...] Me puse a trabajar, sin dejar mi mesa durante doce horas al día, con una botella de vino de Tokay a mi derecha, una bolsa de tabaco de Sevilla a mi izquierda, y delante de mí el tintero. En aquella época vivía en mi casa una encantadora muchacha de dieciséis años con su madre, que se ocupaba de las labores de la casa. Venía siempre a mi habitación cuando la llamaba agitando la campanilla. Hubiera preferido quererla sólo como una hija, pero, ¡ay!, tengo que reconocer que abusaba de la campanilla [...].*
>
> *El primer día que pasé entre el Tokay, el tabaco, el chocolate, la campanilla y mi joven musa, escribí las dos primeras escenas de* Don Giovanni, *más dos para el* Árbol de Diana *y la mitad del primer acto del* Tarare.

Según Da Ponte, fue él quien sugirió el tema a Mozart; en todo caso, si no fue idea del propio Wolfgang, éste al menos lo aceptó inmediatamente.

Durante los meses de julio y agosto, Mozart trabajó en la composición de la ópera, que debía de estar muy avanzada cuando salió de Viena para estrenarla en Praga a comienzos de septiembre. De nuevo viajó con Constanza, que estaba embarazada de seis meses; les acompañó Da Ponte.

En estos momentos se encontraba en Praga Giacomo Casanova, bibliotecario de los Waldstein. Hay testimonios que indican que intervino, en pequeña o gran medida, en la conclusión del libreto y en la rectificación de lo ya hecho; pero no puede afirmarse, como se hace a menudo, que él fuese el verdadero autor del libreto, para el que se habría basado en un pequeño bosquejo de Da Ponte; su intervención en él se limitó a un par de páginas para una escena de Leporello, y quizá a hacer algunas sugerencias a Da Ponte y Mozart sobre lo realizado por ellos.

La ópera se iba a estrenar el 14 de octubre, con ocasión de la llegada a Praga de la archiduquesa María Teresa de Toscana (sobrina de José II y hermana del que llegaría a ser emperador Leopoldo II), que había contraído nuevas nupcias con el príncipe Antón de Sajonia. Se ha propuesto que por ese motivo hubo algún problema de censura de la obra, y que esto habría hecho que los propios autores procurasen retrasar su estreno para cuando se hubiese marchado María Teresa. De hecho, Mozart no tenía totalmente terminado su trabajo todavía el día 25 de octubre, cuatro días antes de que tuviera lugar el estreno; se dice incluso que la obertura fue compuesta el día anterior; lo cierto es que los días iban pasando y ésta no llegaba. Nissen refiere las circunstancias de su composición; es, de nuevo, un valioso testimonio sobre los peculiares métodos de trabajo de Wolfgang, y también sobre su relación con Constanza:

La antevíspera de la representación Mozart dijo a su mujer que iba a escribir la obertura durante la noche, y le pidió que le preparara un ponche y que se quedara junto a él para mantenerlo despierto. Ella así lo hizo, y le contó algunos cuentos, como el de la lámpara de Aladino, la Cenicienta y otros que hicieron reír al maestro hasta saltársele las lágrimas. Pero el ponche le producía somnolencia, y se adormecía cuando ella dejaba de hablar, volviendo al trabajo en cuanto Constanza empezaba de nuevo sus narraciones. Pero como el trabajo no avanzaba, su mujer le obligó a dormir un rato sobre el diván, prometiendo despertarle al cabo de una hora. Pero Mozart se durmió de tal manera que Constanza no quiso despertarle hasta pasadas dos horas. Eran las cinco de la mañana; el copista debía venir a las siete: a las siete la obertura estaba sobre el papel.

Ya sabemos que el sistema de componer Mozart era un proceso puramente mental, y que cuando daba por concluida una obra la transcribía fluidamente sobre el papel, por lo que es evidente que tenía la obertura muy meditada antes de escribirla definitivamente en un par de horas. Pero esta dificultad para componer con tiempo suficiente la magnífica obertura de *Don Giovanni* posiblemente se debiese a la sensación de agobio que Wolfgang sentía en estos momentos; en relación con ello cabe imaginar que, tras la muerte de su padre, se sentía especialmente deprimido:

Pertenezco demasiado a otras personas y muy poco a mí mismo. Y que éste no es mi estilo de vida no necesito decíroslo [411].

Los días anteriores al estreno del *Don Giovanni,* Mozart estaba sinceramente preocupado por su éxito o fracaso. El reto era especialmente considerable, tras la magnífica acogida que había recibido en Praga unos meses antes con *Las bodas de Fígaro.* Pero el día 29, desde el mismo momento de la aparición de Mozart junto a la orquesta, el público ovacionó con entusiasmo toda la representación. Un periódico local comentó así el acontecimiento:

Aficionados y artistas dicen que nunca nada parecido fue representado en Praga. El propio señor Mozart dirigía la orquesta, y cuando apareció fue saludado con una triple aclamación. La ópera es por lo demás extremadamente difícil, y todo el mundo admira también la excelente representación [...] [412].

Mozart quería superar *Las bodas de Fígaro,* y se empeñó en conseguir una obra que no pudiera ser considerada fácil; de ahí también, en gran medida, su sensación de agobio y su retraso en dar por finalizada la obra. Pero, aunque en la citada reseña periodística se menciona como un elogio, la gran acusación que se hará en adelante a esta ópera será su dificultad.

Bondini, el empresario que había llevado a escena en Praga las dos últimas óperas de Mozart, se sentía ahora con energías para representar alguna ópera del propio Haydn; no se atrevió a pedirle que compusiera una nueva, posiblemente por no tener suficientes recursos económicos para embarcarse en tal empresa, pero le pidió alguna de las que ya tenía escritas. Así le contestó el gran maestro:

Si tenéis intención de presentar la ópera que me pedís sobre el escenario de vuestro teatro, lamento no poder complaceros. Mis óperas han sido escritas para la compañía del príncipe Esterhazy, y son inseparables de ella. Pero si me hicierais el honor de encargarme una ópera nueva para vuestro teatro, la cuestión cambiaría; solamente entonces me atrevería a competir con el gran Mozart. Si pudiera grabar en el ánimo de todo amante de la música, pero sobre todo en el ánimo de los poderosos de esta tierra, los inimitables tra-

bajos de Mozart, hacer que los escuchen con la misma emoción que yo lo hago, ¡por Dios que las naciones rivalizarían entre ellas por tener esta joya! Praga, particularmente, debe esforzarse en no dejarle escapar, conservándole como se merece. La vida de los grandes genios se ve con frecuencia entristecida por la indiferente ingratitud de sus admiradores. Me sorprende que Mozart, este ser único, no esté todavía en una corte imperial o real. Perdonadme si me desvío; ¡quiero demasiado a este hombre! [413].

Pero Mozart habría preferido tener éxito en Viena; no sabemos si habría aceptado un cargo en alguna corte praguense, pero no quería quedarse en Praga para componer allí otra ópera:

¿Pero acaso llegará a ser representada en Viena? ¡Así lo espero! Aquí están empeñados en que me quede todavía algunos meses y escriba otra ópera. Pero no puedo aceptar esta proposición, por muy halagüeña que sea [414].

¿Por qué no podía Wolfgang aceptar ninguna propuesta de Praga, si era consciente de que en Viena no tendría tanto éxito? No lo sabemos con certeza. Es muy posible que estuviese esperando que el emperador José II le concediese un puesto en su corte. Además, quizá Wolfgang se encontraba muy integrado e implicado en las actividades de su logia masónica vienesa; no cabe cuestionar que desde su ingreso en la masonería manifestó reiteradamente que había experimentado una verdadera transformación espiritual y había practicado una intensa actividad proselitista. En esta misma carta se permitió mostrarse ante Jacquin como un moralista, como si fuera el propio Leopoldo; dicen que cuando la muerte del padre nos sorprende jóvenes, nos convertimos en nuestro propio padre:

Parecéis estar ahora recién llegado de vuestra anterior manera de vivir sin descanso. ¿No es cierto que cada día os percatáis más de la verdad de mis pequeños sermones? El placer de un amor ligero e intrascendente, ¿no está a una distancia astronómica de la felicidad que proporciona un amor sincero y apoyado en la razón? Me daréis las gracias seguramente, desde el fondo de vuestro corazón, por mis admoniciones, [...] pues en vuestra mejoría o vuestra conversión no he jugado ciertamente un papel pequeño [415].

Aún permanecerán los Mozart varias semanas en Praga, alojados en la residencia de los Duschek; para Josefa, cantante aficionada, compuso el aria *Bella mia fiamma, addio!*, KV 528; pero una vez más reaparece en él Wolferl, que recurre a una técnica compositiva muy mozartiana:

En el jardín había un pequeño montículo, y en su cima un pabellón. Un día la señora Duschek, la cantante, después de haberle preparado tinta, pluma y papel de música, encerró allí riendo al gran Mozart, diciéndole que no le pondría en libertad hasta que no le entregara el aria que le había prometido, sobre estas palabras: Bella mia fiamma, addio! *Mozart se sometió a la fuerza, pero para vengarse de la traviesa señora Duschek puso en esta canción varios pasajes de difícil entonación, amenazando a su despótica amiga con destruirla en el acto si no conseguía cantarla sin ninguna falta a prima vista* [416].

Los Mozart llegaron a Viena a mediados de noviembre; el día 15 falleció Gluck, y el 7 de diciembre José II nombró a Wolfgang compositor de la cámara imperial y real, pero con un sueldo mucho más bajo que el que tenía Gluck:

Para responderte sobre el punto que concierne a mi servicio, te diré que el emperador me ha incluido en su cámara, y en consecuencia por decreto, pero provisionalmente sólo por 800 florines. Es verdad que nadie en la cámara gana tanto [417].

Se conserva un recibo del cobro de su salario, en el que Mozart anotó: *Demasiado para los servicios que realizo y demasiado poco para lo que sería capaz de hacer.* Mozart, como antes en Salzburgo, se sentía «infrautilizado» (como dicen, mal, algunos ejecutivos hoy en día), desaprovechado; alguien como él no acababa de encajar como músico cortesano, al servicio de un personaje poderoso; esto le limitaba como artista y además le impedía obtener más satisfacción económica. Mozart no daba el tipo de funcionario.

A finales de año, los Mozart cambiaron de nuevo de domicilio: se trasladaron a una casa más humilde, pues no podían hacer frente al alquiler de su anterior vivienda. Y el año terminó con el nacimiento, el día 27 de diciembre, de una niña, Teresa, que debía su nombre a la señora Von Trattner.

Fue José II quien tuvo la iniciativa de que *Don Giovanni* se representase en Viena, pero antes el emperador debía ir unos meses a hacerle la guerra al turco. Entre tanto, Wolfgang compuso obras como el concierto para piano n.º 26, KV 537, *De la Coronación* (sobrenombre debido a su utilización, en 1790, para la coronación como emperador de Leopoldo II), varias contradanzas, arias y piezas para piano.

En abril comenzaron los ensayos de la ópera, en la que Da Ponte y Mozart introdujeron diversas modificaciones. El 7 de mayo, todavía ausente José II, se estrenó en el Teatro Nacional; pero, como suponía Mozart, no tuvo tanto éxito como en Praga:

La obra se presentó en escena... ¿y necesito decirlo? ¡Don Giovanni no gustó! Todos, excepto Mozart, pensaban que le faltaba algo[418].

Le faltaba algo, y además era demasiado difícil; lo que en Praga era un elogio, se convierte en un reproche en Viena; así lo entenderá, por ejemplo, el intendente teatral conde de Rosemberg, que recomendará lo siguiente:

Ved la manera de arreglaros lo menos mal posible para el año próximo. La música de Mozart es demasiado difícil para el canto[419].

Es una apreciación que hoy en día siguen haciendo los profesionales del canto; Mozart es un músico difícil para ellos. Pese a su aparente sencillez, es una prueba de fuego para un buen cantante. Pero no es imposible cantar a Mozart, que conocía por demás las posibilidades de cada tesitura y la técnica vocal, pues siempre había vivido rodeado de cantantes, y de niño había cantado él mismo, y ocasionalmente seguía haciéndolo. Su dificultad es consciente, aun a riesgo de que esto le condujese al fracaso. Mozart, ya lo sabemos, no se resignaba a hacer música trivial, intrascendente, del mismo modo que no quería ese tipo de libretos para sus óperas; la ópera, él lo percibía así, era algo demasiado serio como para no dedicarle una sobredosis de esfuerzo. El mensaje y la forma debían unirse en ella hasta conseguir un todo insuperable. Esta concepción está en la línea, que debe mucho a Mozart, de lo que será la gran ópera romántica del siglo XIX.

Según Rochlitz, Mozart habría expresado, comentando el poco éxito de *Don Giovanni* en Viena:

Esta ópera no es para Viena; es para Praga. Pero sobre todo, la he escrito para mis amigos y para mí[420].

La ópera causó polémica en Alemania; en realidad, la discusión, independientemente de las consabidas envidias y rencillas personales, tenía mucho mayor alcance que la dificultad o no de su interpretación: un mundo que estaba a punto de convertirse en otro en gran medida distinto, se negaba a ver atacada su estética. Y además tenía un mensaje, no era banal e inocua; lo que la hacía, por definición, peligrosa, en una Alemania y una Europa caducas y agobiadas en un egoísta elitismo:

¡Otra ópera que aturde a nuestro público! ¡Mucho ruido y fasto para epatar a las masas, nada más que vaciedad e insulsez para el público cultivado! La música, aunque armoniosa y grandiosa, es más técnica que agradable. No lo bastante popular, no obstante, para suscitar el interés general. Y, aunque en conjunto se trata de una farsa religiosa, debo confesar que la escena del cementerio me ha llenado de horror. Mozart parece haber copiado de Shakespeare el lenguaje de los fantasmas [421].

La crítica no es demasiado razonable, pero estaba llegando el momento en que el sueño de la razón produciría monstruos. Se ataca a Mozart por hacer una obra demagógica, para halagar el gusto de las masas (el enemigo que ya empezaba a apuntar en el horizonte), a la vez que, no eludiendo ninguna posibilidad de hundirle, se dice que *no es lo bastante popular, no obstante, para suscitar el interés general.* Es demasiado fácil y demasiado difícil, todo a la vez. Sólo las mentes más avanzadas podían entender bien la obra de Mozart y sintonizar completamente con ella; fue el caso de Goethe, que escribirá a Schiller, casi diez años después, lo siguiente:

Habéis podido constatar estos últimos días que las esperanzas que fundáis en la ópera se han visto realizadas de forma brillante en el Don Juan; *pero esta obra es única en su género, y la muerte de Mozart no nos permite esperar nada parecido* [422].

Reflexionemos sobre el hecho de que Goethe manifestará mucho después, en 1829, que Mozart habría sido la persona idónea para poner música a su *Fausto,* quizá la obra más destacada en el paso de la modernidad a la contemporaneidad; sin duda sabía perfectamente lo que se decía.

¿Fue por casualidad, o para demostrarse a sí mismo y a los demás que podía hacer cualquier cosa en música, por lo que compuso en este mismo momento la *sonata fácil?* La sonata para piano KV 545, *Fácil* o *Para principiantes,* está relacionada con un aria del *Don Giovanni, Dalla sua pace;* su terminación fue fechada el 26 de junio.

El 17 de junio, los Mozart volvieron a trasladarse a una casa en las afueras de Viena. La economía familiar era desastrosa; los nuevos ingresos no eran suficientes para satisfacer viejas deudas, a las que había que añadir los gastos médicos de Constanza, que se encontraba muy debilitada desde el nacimiento de Teresa. Ya lo sabemos: ni Wolfgang ni Constanza eran buenos administradores; a ambos les gustaba la buena vida y divertirse, pero en los momentos en que disminuían los ingresos, estaban abocados a la ruina. A finales de mayo habían pedido un importante préstamo a Michaël Puchberg, comerciante vienés, protestante y *hermano* masón de Mozart; pero cuando se trasladaron a la casa de *Las tres estrellas,* ya habían consumido la totalidad del préstamo; ese mismo día escribió Mozart a Puchberg pidiéndole uno nuevo:

> *[...] Si quisierais tener la bondad de ayudarme, durante uno o dos años, con mil o dos mil florines, con intereses razonables... ¡me ayudaríais en mi propia subsistencia! Vos mismo tenéis que reconocer como cierto y seguro que es miserable, por no decir imposible, vivir a la espera de un ingreso. Cuando no se tiene nada detrás de sí, ni siquiera lo necesario, no se puede poner en orden nuestra vida. Si me hicierais este favor podría: 1.º) disponiendo de dinero, pagar mis gastos a su tiempo más fácilmente, pues ahora pospongo mis pagos y después, en el momento más inoportuno, tengo que abonar de golpe toda mi deuda; 2.º) trabajar con el ánimo libre de problemas, con un corazón más ligero y, por tanto, ganar más! [...].*
> *Si vos no podéis desprenderos de esa cantidad, os suplico, al menos, que hasta mañana me prestéis doscientos florines* [423].

Puchberg envió a Mozart estos doscientos florines, pero no accedió a concederle el préstamo de mil o dos mil florines por un año o dos. Diez días después, Wolfgang, angustiado, volverá a insistir:

> *Mi situación es tal que estoy en la necesidad absoluta de solicitar un nuevo préstamo. Pero, ¡por Dios!, ¿a quién confiarme? ¡A nadie más que a vos, mi gran amigo! ¡Si pudierais, al menos, tener la bondad de proporcionarme dinero por otro conducto!, yo pagaría los intereses, y el que me lo prestase tendría suficiente garantía, creo, con mi carácter y mi salario. Soy muy desgraciado por encontrarme en una situación como ésta, y es por lo que desearía tener una suma algo importante, a largo plazo, para que me permita afrontar el pago.*
> *[...] En los diez días que llevo viviendo aquí he trabajado más que en los dos meses anteriores en mi antigua casa; y, si no me asaltaran con frecuencia negras ideas que tengo que apartar con esfuerzo, trabajaría aún mejor, porque estoy confortablemente instalado* [424].

¿Resonarían en estos momentos en Wolfgang las palabras proféticas de Leopoldo, cuando le vaticinaba, diez años antes, recién salido de la infancia, que terminaría cargado de deudas?

¿Y en qué consistían esas *negras ideas?* Mozart, el depresivo Mozart, se encontraba realmente desesperado; la angustia le dificultaba trabajar adecuadamente; su sistema de componer, mentalmente, no podía funcionar adecuadamente si su cerebro estaba ocupado en otros problemas absolutamente tangibles, contundentes, cotidianos.

Sin embargo, Mozart seguía componiendo mucho; no sólo lo hizo durante esos diez días, sino durante todo el verano: las sonatas K 545 y K 547, los tríos K 542 y 548 y, muy especialmente, sus magistrales últimas tres sinfonías: n.º 39, K 543; n.º 40, K 550, y la n.º 41, *Júpiter,* K 551.

¿Podrían intuir cuantos hoy en día silban despreocupadamente el *allegro molto* inicial de la sinfonía n.º 40 en qué circunstancias fue compuesta? Mozart terminó la n.º 39 el día 26 de junio; el día 27 pidió el nuevo préstamo a Puchberg, en la carta en la que manifestaba verse asaltado por negras ideas, y el día 29 falleció Teresa, con seis meses de edad. La sinfonía 40 fue terminada un mes después, el día 25 de julio.

Al comienzo del otoño todavía mantenía su ritmo de actividad, con obras como el divertimento K 563 o el trío K 564, pero poco después entró en un período de muy escasa producción, que llegará a la primavera de 1789. No obstante, en estos momentos se le encargó por el barón Von Swieten, el gran aficionado a Bach y Händel, que arreglase y dirigiese varios oratorios de Emanuel Bach y, sobre todo, de Händel. En marzo de 1789 terminó su orquestación de *El Mesías;* Von Swieten estaba encantado con el trabajo efectuado por Mozart:

Quien es capaz de revestir a Haendel con tanta solemnidad y tanto gusto, de manera que llegue a agradar, por un lado, a los esclavos de la moda, y que, por otro, se muestre siempre a pesar de todo en su belleza original, ha sentido cuál es su valor, lo ha comprendido, ha conseguido llegar a la fuente de la que nace su expresión, y podrá estar capacitado para hacer una creación propia [425].

Esa primavera de 1789, Constanza se encontraba de nuevo embarazada. Y Wolfgang seguía solicitando préstamos, preferentemente a sus *hermanos* masones.

El 8 de abril salió hacia Berlín, en el carruaje del príncipe Karl von Lichnowsky, yerno de la condesa de Thun y alumno suyo. La primera noche de viaje escribirá a Constanza:

Querida mujercita:

Mientras el príncipe se ocupa de los caballos, aprovecho con alegría esta ocasión, mujercita de mi corazón, para decirte dos palabras. ¿Qué tal estás? ¿Piensas tanto en mí como yo pienso en ti? A todas horas contemplo tu retrato y lloro de pena y de alegría a la vez. ¡Conserva tu preciosa salud para mí y cuídate, amor! [...] Te escribo estas letras con los ojos llenos de lágrimas. Adiós.

Desde Praga te escribiré más extensamente y de forma más legible, sin prisas como ahora. Adiós, te abrazo millones de veces con la mayor ternura, y soy para siempre y fielmente hasta la muerte tu

Stu-Stu Mozart [426]

Camino de Berlín, llegó a Praga el día 10. Guardasoni, director del Teatro Nacional de Praga, le propuso escribir una ópera, para estrenarla en otoño; pero Guardasoni sería llamado a Varsovia poco después, y a Wolfgang ni siquiera le dio tiempo para dejar firmado el contrato, pues salió con el príncipe Lichnowsky hacia Dresde, adonde llegaron el día 12 de abril.

En Dresde también intentó Mozart encontrar algún trabajo; permanecieron en esta ciudad hasta el día 18, y entre tanto dio diversos recitales. En Dresde fue recibido por un *hermano* masón, Christian Gottlieb Koerner, amigo intimo de Schiller; para Koerner había escrito el poeta en 1785 la *Oda a la Alegría*, destinada a ser leída o cantada en ceremonias masónicas, y que años después utilizaría Beethoven en el último movimiento de su novena sinfonía. Una cuñada de Koerner, Doris Stock, realizó un retrato de Wolfgang a lápiz, el último que se conserva de él.

Desde Dresde se dirigieron a Leipzig, la ciudad de Johann Sebastian Bach, nada más llegar, corrió a saludar al director de la escuela de Santo Tomás, Johann Friedrich Doles, antiguo alumno de Bach, y estuvo una hora tocando en el órgano del gran maestro, con gran placer de Doles, que en contraprestación hizo que el coro de la escuela interpretase para él un motete de Bach:

Apenas el coro hubo cantado algunos compases, Mozart quedó sobrecogido; después, unos compases más adelante, exclamó: «¿Qué es esto?» Era como si toda su alma se hubiera refugiado en sus oídos. Cuando el canto terminó, dijo con entusiasmo: «¡He aquí algo donde hay que aprender!» [427].

Felizmente sorprendido Mozart, de encontrar algo que aún no hubiese estudiado, y siempre dispuesto, eterno aprendiz, a seguir aprendiendo. Pero quizá su mayor satisfacción fue tener en sus manos los motetes manuscritos por Bach, que estuvo examinando detenidamente, un buen espacio de tiempo.

El día 25 llegaron a Potsdam, sede de la corte del rey Federico Guillermo II, sobrino de Federico el Grande y, como él, músico aficionado, violonchelista. Había nombrado compositor de su corte a Luigi Boccherini (1743-1805), quien, no obstante, pudo permanecer siempre en Madrid, desde donde le enviaba sus composiciones, entre ellas diversos cuartetos y piezas que podían ser interpretadas por el rey. Se suele afirmar que Federico Guillermo, que hacía mucho tiempo deseaba conocer a Mozart, le ofreció quedarse en su capilla; pero Mozart, pese a todos sus problemas económicos, habría rechazado la oferta con vagas disculpas. Lo más probable es que no existiese tal oferta, al menos concreta o formalmente; Federico Guillermo debió de limitarse a hacerle cumplidos amables y poco más. No obstante, recompensó con esplendidez su actuación en la corte, y le encargó varios cuartetos y sonatas para piano.

El día 2 de mayo comenzó Lichnowsky el regreso a Viena, y tras él salió Mozart, encontrándose ambos en Leipzig. En esta ciudad dio un concierto el día 12, con gran éxito; al acabar, llamó a Karl Gottlieb Berger, violinista de la orquesta, y le llevó a su casa. Le dijo:

«¡Venid conmigo, mi buen Berger! Voy a tocar un poco para vos, que comprendéis esto mucho mejor que todos los que me han aplaudido hoy» —hizo que le acompañara e improvisó ante él hasta la medianoche. Después se detuvo sobresaltado y dijo—: *«¿He tocado bien?; ahora habéis oído a Mozart. Lo demás, otros pueden hacerlo igual»* [428].

Inmediatamente, antes de salir Lichnowsky hacia Viena, discutieron Wolfgang y él, por lo que Mozart siguió el viaje solo, lo que supuso un imprevisto y considerable aumento de gastos; y además tuvo que prestar (o tal vez fuese el pago de parte de alguna deuda) al príncipe cien florines, pues, al parecer, éste se había quedado sin dinero.

En Leipzig, pues, permaneció Wolfgang varios días, disfrutando de la compañía de Doles y los miembros de la escuela de Santo Tomás y de la música de Bach; el día 16 está fechada la pequeña giga para piano *Homenaje a J. S. Bach,* KV 574. El día siguiente, 17 de mayo, continuó el viaje... en dirección a Berlín, adonde llegó el día 19.

¿Desde dónde crees que te estoy escribiendo? ¿Desde mi habitación? No, desde el jardín zoológico, en un restaurante situado en un bonito pabellón, donde he comido hoy yo solo para poderme dedicar por completo a ti [429].

Sin duda, quiso estar presente en alguna representación de *El rapto en el serrallo,* quizá con la esperanza de que se le pudiese encargar alguna ópera, encargo que, en cualquier caso, no llegó. Tampoco consiguió dar ningún concierto en Berlín.

El 28 o el 29 de mayo salió de Berlín, el 31 llegó a Praga y el 4 de junio se encontraba en Viena. En la carta que había escrito a Constanza desde el zoológico de Berlín el día 23 de mayo, nos encontramos con una peculiar rendición (o petición) de cuentas relacionada con este viaje:

Queridísima, amadísima y dilectísima esposita mía:
Ante todo, haré el recuento de todas las cartas que te he escrito, y luego de las que he recibido de ti.

Yo te he escrito:

El 8 de abril	*desde la estación de Budwitz*
El 20 de abril	*desde Praga*
El 13 y el 17 de abril	*desde Dresde*
El 22 de abril	*(en francés) desde Leipzig*
El 28 de abril y el 15 de mayo	*desde Potsdam*
El 9 y el 16 de mayo	*desde Leipzig*
El 19 de mayo	*desde Berlín*

y con ésta, del día 23, resulta un total de once cartas.

De ti he recibido:

Carta del 8 de abril	*el 15 de abril*	*a Dresde*
la del 13 de abril	*el 21*	*a Leipzig*
la del 24	*el 8 de mayo*	*a Leipzig*
la del 5 de mayo	*el 14 de mayo*	*a Leipzig*
la del 13	*el 20 de mayo*	*a Berlín*
la del 9	*el 22 de mayo*	*a Berlín*

lo que hace un total de seis cartas.

Como ves, entre el 14 y el 24 de abril hay un vacío. Probablemente se perdiera alguna carta tuya, por lo que he tenido que pasar diecisiete días sin carta... Gracias a Dios, pronto quedarán atrás todas estas desventuras, y cuando te tenga entre mis brazos te contaré largo y tendido cómo lo he pasado en este viaje.

[...] El jueves 28 salgo para Dresde, donde pernoctaré. El 1 de junio dormiré en Praga. Y el 4... ¿El 4? Junto a mi querida, queridísima mujercita. [...] Espero que salgas a esperarme a la primera estación de posta; llegaré el 4 hacia el mediodía. Si vienen también el señor y la señora Puchberg, encontraré reunidos a todos los que quiero. No te olvides de Karl. Y ahora, adieu. Te doy un millón de besos. Se despide tu fidelísimo esposo que mucho te quiere, W. A. M.

Pero otro balance del viaje, el de resultados económicos, era mucho más negativo. Por si esto fuera poco, Constanza, de nuevo embarazada, sufrió poco después una infección en el pie, que se extendió y la puso en grave peligro. Además, la madre de Constanza, María Cecilia Weber, vivía con ellos. Por todo ello, Wolfgang, durante el mes de julio, volvió a recurrir varias veces a Puchberg, *con los ojos llenos de lágrimas,* en solicitud de nuevos préstamos. A la carta del día 12 le añadió el día 14 el siguiente post scríptum:

¡Oh, Dios! Casi no puedo decidirme a enviarla. Y, sin embargo, ¡debo hacerlo! Si esta enfermedad no hubiera acaecido, no me habría forzado a recurrir a mi único amigo. Y a pesar de todo espero vuestro perdón, ya que conocéis bien lo bueno y lo malo de mi situación. Lo malo es sólo momentáneo, pero lo bueno seguramente será duradero, una vez superado este mal momento. ¡Adiós! Perdonadme, y ¡adiós!... [430].

En los mismos momentos en que Mozart escribía estas últimas líneas, con las que intentaba desesperadamente conquistar el corazón de Puchberg, en París el pueblo estaba tomando la Bastilla. Pero a Wolfgang le resultó un poco más difícil su propia conquista; el día 17 volvió a intentarlo:

En el nombre de Dios, os ruego encarecidamente que me concedáis el inmediato socorro que os plazca, así como un consejo y un consuelo.

P.S.: [...] ¡Qué desgraciado soy! ¡Siempre entre el temor y la esperanza! ¡Y además el doctor Closset vino otra vez ayer! [431].

Ante lo cual Puchberg cedió... un poco, y le envió ciento cincuenta florines, en lugar de los quinientos que le había pedido Wolfgang.

Ese verano, Constanza, bastante mejorada, se marchó al balneario de Baden, y Wolfgang se quedó en Viena trabajando en una inminente reposición de sus *Bodas de Fígaro.* Constanza debió de mejorar mucho, efectivamente, pues en agosto Wolfgang se sintió obligado a escribirle pidiéndole que fuese un poco más prudente y recatada en su trato con determinados varones que se encontraban en Baden:

[...] ¡Recuerda que un día me dijiste que eras muy liante! ¡Ya conoces las consecuencias de ello! ¡Acuérdate de las promesas que me has hecho! ¡Prueba solamente mi amor! ¡Sé amable y alegre sólo conmigo! No te atormentes ni me atormentes con unos celos inútiles. ¡Verás lo felices que seremos! Puedes estar persuadida de que

tan sólo la recta conducta de una mujer puede encadenar a su marido. ¡Adiós! Mañana te abrazaré con todo mi corazón[432].

El 19 se repuso la ópera con gran éxito, y se encargó a Mozart otra para los siguientes carnavales. El tema de la ópera que ahora se le encargó lo había decidido José II: un asunto intrascendente que había circulado por los ambientes cortesanos, con su punto de misoginia: *Così fan tutte (Así actúan todas)*. Del libreto, también en italiano, se encargará, de nuevo, Lorenzo da Ponte.

De estos momentos es el quinteto para clarinete, K 581, escrito para su *hermano* de logia Anton Stadler.

El 16 de noviembre nació la hija que estaba esperando Constanza: Anna, que sólo viviría una hora. Constanza había estado muy enferma durante el embarazo, y ahora tuvo una recaída, que supuso nuevos gastos médicos y las consiguientes nuevas solicitudes de préstamos a Puchberg.

La nueva ópera fue preparada en sólo cuatro meses; el 31 de diciembre Mozart organizó en su casa una audición de la obra, a la que invitó a su prestamista Puchberg y a Franz Joseph Haydn:

[...] Para el jueves le invito (pero sólo a usted) a las 10 de la mañana a mi casa, para un pequeño ensayo de la ópera; sólo les invitaré a usted y a Haydn. De palabra le contaré intrigas de Salieri, que, sin embargo, han fracasado todas[433].

Los rivales de Mozart, especialmente los italianos, con el goloso Salieri a la cabeza (Mozart se referirá a él, en alguna carta escrita a Puchberg, como *Il signor Bonbonieri*), intentarán obstaculizar el estreno de la ópera, pero, tras el primer ensayo celebrado el día 21 de enero de 1790, *Così fan tutte, ossia la scuola degli amanti* (KV 588) se estrenó el día 26 en el Teatro Nacional. Las críticas no fueron entusiásticas, pero coincidieron en alabar la ópera más de lo que se había hecho con las anteriores de Mozart; y, sobre todo, señalaban lo divertido que era el tema (a los ojos de los críticos, no podía ser sino muy divertido y estupendo: lo había elegido el propio emperador).

José II se encontraba muy enfermo, y no pudo asistir a ninguna representación; murió el 20 de febrero, momento en que se cerraron todos los teatros en señal de duelo, hasta el 12 de abril.

José II fue sucedido por su hermano Leopoldo II, el gran duque de Toscana. Leopoldo impuso desde el primer momento numerosos cambios respecto a la política de su hermano, pero regresando a las líneas generales del mandato de su madre, María Teresa. Entre los muchos personajes que cayeron entonces en desgracia se encontraban Lorenzo da Ponte y el conde de Rosenberg, intendente general de los teatros. Salieri, hábilmente, y antes de que le despidieran, presentó su dimisión, pero propuso como sucesor a un discípulo suyo, Weigl. Mozart mantuvo su modesto cargo y vio la oportunidad de suplicar al hijo mayor de Leopoldo, el archiduque Franz, que intercediese por él ante el emperador para que le nombrase segundo *Kapellmeister:*

[...] La ambición de gloria, el amor al trabajo y la convición que tengo de mis conocimientos me obligan a intentar una petición para una segunda plaza de Kapellmeister. Considerando que el muy hábil Kapellmeister Salieri no se ha consagrado nunca al estilo religioso, mientras que yo, desde mi juventud, me he convertido en un maestro de ese estilo. Que el mundo me haya concedido algún renombre por mi interpretación en el pianoforte me ha animado a solicitar la gracia de que me sea confiada la instrucción musical de la familia real[434].

No deja de ser una amarga paradoja que al cabo del tiempo Mozart debiese utilizar como argumento para apoyar su pretensión los trabajos que, en contra de su voluntad, tuvo que realizar durante su época al servicio de Colloredo.

Mientras tanto, seguía pidiendo préstamos, una y otra vez, a Puchberg:

Habréis observado en mi persona, en estos últimos tiempos, cierta tristeza, y sólo los muchos motivos de agradecimiento que tenía hacia vos me han hecho callar. Pero heme aquí, una vez más y la última, en el momento más crítico de todos, el que debe decidir mi futuro, haciendoos un nuevo llamamiento [...]. Sabéis que si mi situación actual fuera conocida, me perjudicaría en mis gestiones ante la corte, y que es necesario que se mantenga en secreto, ya que en la corte no se juzga por las circunstancias sino únicamente, ¡ay!, por las apariencias. [...][435].

¡Si por lo menos hubiera un alma que viviera para consolarme un poco!

Wolfgang, en la primavera de 1790 padeció fuertes jaquecas, que le llevaron a mantener a menudo la cabeza vendada. Tampoco Constanza se encontraba bien, y se trasladó de nuevo a Baden, a comienzos de mayo; a los pocos días Mozart tuvo que pedirle que le enviase alguna carta, pues no tenía noticias de ella.

Para paliar su ruina económica, se vio obligado de nuevo a aceptar alumnos; pero en el mismo mes de mayo abandonó Viena y se trasladó hasta la cercana Baden, con Constanza. La estancia en Baden era más económica, por lo que sólo esporádicamente regresó a Viena. El 14 de agosto enviará una de sus peticiones a Puchberg:

Tanto como mi salud había mejorado ayer, hoy ha empeorado. No he podido, por el dolor, dormir esta noche; debe de ser porque ayer me acaloré con tantas idas y venidas, y sin duda me he enfriado. ¡Imaginaos mi estado! ¡Enfermo y lleno de preocupaciones y de inquietud! Una situación semejante es un gran impedimento para la curación. Dentro de ocho o quince días obtendré alguna ayuda (¡seguramente!), pero, por el momento, es la miseria. ¿No podríais asistirme con cualquier cosa? Todo me serviría de ayuda en estos momentos, y tranquilizaríais al menos en esta hora a vuestro verdadero amigo y hermano[136].

Por su parte, Leopoldo II no sólo no atendió las súplicas de Wolfgang, sino que cuando, en septiembre, le visitaron los reyes de Nápoles, Fernando y María Carolina (hermana de Leopoldo), y se celebraron los compromisos matrimoniales de dos de las hijas de los monarcas napolitanos con dos hijos de Leopoldo II, a los conciertos en la corte asistieron Haydn, Salieri y Weigl, pero no Mozart. Tampoco se le invitó a las fiestas por la coronación del emperador en Francfort, el 9 de octubre. Posiblemente había varias razones para este desentendimiento del emperador hacia Mozart, pese a mantenerle en su puesto de músico de cámara; Leopoldo, recordémoslo, en 1770, antes de ser emperador, había querido tomarle a su servicio en Italia, y hasta 1788 no dio permiso para representar en Florencia *Las bodas de Fígaro*. Ahora, el mero hecho de haber compuesto tal obra (con el intermedio de la toma de la Bastilla), podía haber convertido a Mozart en un personaje poco deseable para un monarca absoluto. Sin embargo, lo más probable es que lo que más pesase en su contra fuese el hecho de que Leopoldo viniese totalmente imbuido de italianismo; Haydn, a fin de cuentas, no dejaba de ser el gran Haydn, y Weigl era discípulo de Salieri; en cuanto a Salieri, era italiano. La propia situación personal de Mozart, no ya al borde de la miseria, sino del lado de la miseria, falto por completo de crédito económico, no iba a ayudarle en una sociedad implacable, en que las apariencias eran algo fundamental.

No poca importancia debió de tener la destacada militancia masónica de Mozart en los últimos años, algo que en un primer momento podía haber parecido que llegaría a ser su principal fuente de fortuna, pero que ahora parecía volverse en su contra, sobre todo habida cuenta de que, dentro de la masonería, Mozart se adscribía a la corriente iluminista, la más implicada en los procesos revolucionarios en marcha.

Mozart toda su vida quiso ser libre, por encima de todo. Consciente o inconscientemente, su sentido de la libertad sintonizaba con el de muchas personalidades de la época, con aquellos que con sus ideas precipitaron el fin de la Edad Moderna y el comienzo de la Contemporánea. Pero además fue consecuente; quizá rudimentariamente consecuente. Él era, ante todo, músico; dependía de los poderosos, pero nunca pudo plegarse realmente a ellos: lo que podían darle era mucho menos de lo que él les daba. Pero necesitaba ese poco para mantenerse, para sobrevivir. Sus ansias de libertad, el ejercicio de la libertad, en todo caso, terminaron por conducirle a la ruina, a la postergación, a la marginación, aunque tal vez ni siquiera fuese totalmente consciente de ello.

A finales del verano de 1790, por tanto, Wolfgang había tocado fondo. Para poder regresar a la superficie decidió trasladarse a Francfort, siguiendo a toda la nobleza para la coronación del emperador. Para poder viajar se vio obligado a empeñar los pocos objetos de valor que le quedaban, y el 23 de septiembre salió de Viena acompañado de su cuñado el violinista Franz Hofer, esposo de Josefa Weber desde un par de años antes, con el que ya había viajado a Praga en 1787, junto con Constanza. Cinco días después escribió a ésta lo siguiente:

Estoy firmemente resuelto por el momento a tentar mi suerte aquí, tanto como pueda; después me regocijaré cordialmente por volverte a ver; ¡qué vida tan deliciosa llevaremos entonces! Quiero trabajar, trabajar tanto, ¡que no pueda, por culpa de las circunstancias, volver a caer en otra fatal situación! [437].

Pero un par de días más tarde, su optimismo parecía haberse desvanecido por completo:

Me regocijo como un niño ante el pensamiento de volver a encontrarte. Si la gente pudiera leer en mi corazón, casi me ruborizaría. Todo es frío para mí, de un frío de hielo.

¡Ah, si estuvieras conmigo, encontraría tal vez más placer en las amables maneras de las personas hacia mí! Pero de esta forma me parece todo tan vacío...

Adiós, amor mío; soy eternamente tuyo, ¡y te amo con toda mi alma! [438].

Negras ideas. Parece aferrarse a Constanza como a una tabla de náufrago: el gran vitalista que es Mozart, quiere vivir, a pesar de todo. Y sólo le quedaba su amor (ahora quizá sí podemos afirmarlo así) por Constanza, su necesidad de Constanza.

Encerrado en casa, intentará, con gran dificultad, terminar un modesto trabajo: un adagio que le había encargado un relojero vienés, para un aparato mecánico. En otras circunstancias, el relojero tal vez se lo hubiese llevado terminado en el mismo momento del encargo:

He tomado la firme resolución de escribir el adagio para el relojero, con el fin de que algunos ducados puedan bailar en las manos de mi querida mujercita. Y lo he hecho, pero me sentía muy desgraciado por no poderlo terminar; ¡tanto era lo que ese trabajo me desagradaba! [439].

Pero la pieza no estará terminada hasta diciembre. La depresión se había apoderado de Mozart hasta tal extremo, que le costaba un esfuerzo supremo terminar una pequeña pieza para un reloj mecánico; sobre todo, porque él desearía estar componiendo una gran ópera.

En Francfort se encontró con algunos de sus viejos amigos, entre ellos los Wendling y Franz Lang, músico de Mannheim. Intentaron ayudarle, sin mucho éxito, y él se mantuvo prácticamente aislado del mundo festivo que le rodeaba durante la coronación de Leopoldo; tenía otras preocupaciones:

Si pudieras ver en el fondo de mi corazón, percibirías claramente el ardor y el deseo de volverte a ver y de abrazarte luchando con las ganas de poder llevar mucho dinero a casa; por este motivo he estado tentado a veces de alargar mi viaje. Pero cuando ya estaba dispuesto a tomar esta decisión, pensaba de nuevo qué pesadumbre tendría para un resultado incierto, tal vez incluso sin ningún provecho, por estar tanto tiempo separado de mi amada esposa. ¡Me parece que llevo años separado de ti! Créeme, amor mío, si estuvieras conmigo podría decidirme más fácilmente a hacerlo, pero estoy demasiado acostumbrado a ti y te amo demasiado para poder estar mucho tiempo lejos de tu lado.

Y además todo es ostentación en las villas del Imperio. Honrado, admirado y amado, lo soy sin duda; pero la gente de aquí es aún más avara y miserable que la de Viena. Si la academia resulta bien se lo deberé a mi nombre, a la condesa Hatzfeld y a la casa Schweitzer, que se interesan mucho por mí. Por lo demás, contento de que todo termine. Si en Viena trabajo asiduamente y tomo alumnos, podremos vi-

vir verdaderamente felices, y nada podrá apartarme de este plan de conducta, salvo alguna buena colocación en una corte[440].

El día 9 de octubre tuvo lugar la coronación, y el día 13 se celebró la academia que habían organizado sus amigos, exclusivamente con obras suyas: los conciertos llamados desde entonces *de la Coronación,* dos sinfonías, una fantasía, un par de arias y un dúo; fue preciso suprimir una de las sinfonías, pues el concierto se prolongó desde las once de la mañana hasta las dos de la tarde. Mozart escribió esa noche a su mujer:

Hoy, a las once, ha tenido lugar mi academia. Desde el punto de vista del honor resultó magnífica; desde el punto de vista de la recaudación, tuvo un escaso éxito. Por desgracia, había el mismo día un gran almuerzo en casa de un príncipe, y las grandes maniobras de las tropas; pero así ha sido siempre desde que estoy aquí. [...] He tenido tanto éxito, que me han convencido para dar una nueva academia el próximo domingo. Partiré el lunes[441].

Esta segunda academia no llegó a celebrarse. No obstante, el lunes 16, como había anunciado a su esposa, salió de Francfort; se dirigió hacia Offenbach y allí visitó al editor Johann André, que le aconsejó que pensase más, al componer, en el gran público. Esto es: como un comerciante, que, en definitiva, era el editor, le recomendó que tuviese más visión comercial. Pero Mozart tenía poco sentido de los negocios: le contestó que preferiría morir de hambre. Lo cierto es que André, que en estos momentos no parecía estar muy interesado por las obras de Mozart, sí lo estaría poco después: tras fallecer el artista, comprará a Constanza las piezas manuscritas de su marido, con lo que André hizo un inmejorable negocio.

A continuación llegó Wolfgang a Maguncia, donde permaneció unos días y actuó ante el príncipe elector Karl Friedrich von Erthal, que le compensó miserablemente. Y después siguió su camino, llegando a su amada Mannheim. En esta ciudad se estaba preparando el estreno de *Las bodas de Fígaro*, y Mozart fue invitado a asistir a él:

Fígaro es la causa de que siga todavía aquí. Toda la compañía me ha suplicado que me quede para ayudar con mis consejos y por esta razón no puedo escribirte más, pues es ahora justamente la hora del ensayo general[442].

Hemos comentado en otro lugar que a Mozart le gustaba trabajar, al menos en su primera juventud, como un sastre meticuloso;

precisamente, su imagen en estos últimos meses debía de aproximarse bastante más a la de un sastre que a la del gran músico que era; de hecho, uno de los cantantes le confundió, no ya con un sastre, sino con un aprendiz de sastre:

He pasado una situación muy violenta con Mozart: le había tomado por un humilde aprendiz de sastre. Yo estaba cerca de la puerta durante el ensayo. Llegó y me pidió permiso para escuchar. Quise echarle. «¿Es que no vais a permitir escuchar al kapellmeister Mozart?», me preguntó. Es fácil de imaginar mi confusión[443].

Tras el estreno celebrado el día 24, salió de Mannheim el 25, y después de pasar por Heidelberg, Stuttgart y Augsburgo, llegó a Munich el 1 de noviembre. En esta ciudad se encontró con muchos de sus viejos amigos de Mannheim. Mozart parecía reanimarse con estos encuentros, posiblemente porque encontraba un clima muy en consonancia con sus propias ideas: en esta región el espíritu revolucionario se había extendido mucho más que en otras zonas alemanas, lo que llevaría al genial, pero siempre relamido y aristocrático Goethe, un par de años después, a hacer el siguiente comentario de su paso por Maguncia: *Gran excitación republicana en los ánimos. Me sentí a disgusto en esta sociedad*[444].

El príncipe elector de Baviera pidió a Mozart que participase en una academia que tendría lugar el día 4 de noviembre, en honor de los reyes de Nápoles; Wolfgang tuvo muy presente el desprecio de que había sido objeto apenas un par de meses antes, cuando se le excluyó de participar en los festejos de Viena, y se negó:

Es un gran honor para la corte de Viena: ¡este rey estará obligado a ir al extranjero si quiere escucharme!

Nada más regresar a Viena, recibió una carta de Mac O'Reilly, director de la Ópera italiana londinense, en la que le comunicaba el deseo del príncipe de Gales de que se trasladase a Inglaterra para componer, entre diciembre de 1790 y junio de 1791, *al menos dos óperas, serias o cómicas,* a cambio de trescientas libras esterlinas. Pero Mozart no se trasladará a Inglaterra; se ha dicho que ello se debió a su cargo oficial, o a la falta de recursos económicos para el viaje, pero no parecen razones suficientes para explicar que no se aferrase a esta oportunidad en un momento tan difícil para él.

Sin embargo, quien sí viajará a Londres, para otros asuntos, será Franz Joseph Haydn, bajo el amparo del empresario Salomón. En septiembre había muerto el príncipe Nicolás Esterhazy, y su sucesor, Antón, había deshecho la orquesta de la familia. Dice la tradición que Mozart intentó convencer a Haydn para que tampoco él fuese a Londres, y suele decirse que esto se debió a su avanzada edad; pero ésta (cincuenta y ocho años) no era necesariamente suficiente razón para aconsejarle que se quedase; ni siquiera en el caso de Haydn, que, a diferencia de Mozart, no había viajado apenas. Según esta misma tradición, Mozart le habría dicho lo siguiente: *«Querido papá, tú no estás hecho para correr mundo; ¡y hablas tan pocas lenguas!»* A lo que *papá Haydn* habría respondido: *«La lengua que yo hablo la comprenden en el mundo entero.»* La víspera de la partida de Haydn pasaron el día juntos, y Mozart le dijo, llorando, algo que terminaría por ser cierto: *«Temo, papá, que nos vemos por última vez.»*

Ante lo que Haydn le tranquilizó diciendo que no tenía la menor intención de morirse tan pronto.

Pese a todo, Mozart comenzó a componer de nuevo; terminó el fastidioso adagio para un instrumento mecánico (K 593a), y para el comerciante (y masón) Johann Tost compuso el quinteto para cuerdas K 593. Además consiguió varios alumnos, entre los cuales se encontraba Franz Xaver Süsmayr (1766-1803), diez años más joven que él, a quien dio clases de composición (él fue, como veremos más adelante, quien concluyó el *Requiem)*. Pero todo esto no cambió su penosa situación económica:

> *En 1790 estuve en casa de los Mozart. Encontré a éste y a su mujer en el gabinete de trabajo, que tenía una ventana sobre la Raubensteingasse y otra sobre la Himmelpfortgasse. Mozart y su mujer estaban bailando alrededor de la habitación. Deiner preguntó a Mozart si estaba enseñando a bailar a su mujer; Mozart le respondió riendo: «Nos estamos calentando, porque tenemos frío y no podemos comprar leña.» Deiner partió, e inmediatamente les envió parte de su propia leña. Mozart la aceptó, prometiendo pagarle cuando tuviera dinero* [445].

El 5 de enero de 1791, Mozart dio por terminado el último concierto para piano compuesto por él, el n.º 27, KV 595. El día 27 de enero cumplió treinta y cinco años; fue su último cumpleaños.

Para los carnavales de ese año escribió diversas piezas de baile: contradanzas, alemanas, minuetos, a la vez que trabajó en la composición de algunas piezas (la fantasía KV 594, y unos meses más tarde la fantasía KV 608 y los andantes 615a y 616, para instrumentos mecánicos) encargadas por Herr Müller, llamado *conde Deym Strzitéz;* una tarea que, como la del adagio para un reloj musical escrito unos meses antes, le producía especial hastío, aunque mantuvo en ellas un sorprendente nivel de calidad. La música para instrumentos mecánicos contaba con muy ilustres precedentes, y seguiría contando con ejemplos elaborados por músicos de primerísima fila: Haydn, en torno a estas mismas fechas, elaboró varias series de piezas para unos mecanismos de cilindro construidos por el bibliotecario del príncipe Esterházy, el padre Primitivus Niemecz; para una variante del *orchestrion,* un ingenio llamado *panharmonicon* por su constructor, Johann Nepomuk Maelzel (1772-1838), el inventor del metrónomo, en 1813 compondrá Beethoven, que fue amigo suyo, la *Victoria de Wellington en la batalla de Vitoria.* Entre otros muchos compositores que realizaron obras para artilugios de este tipo se encuentran algunos de los hijos de Bach (Emanuel y Friedemann), Michel Haydn, Kirnberger, Quantz, Graun... [446].

Deym abrió en el otoño de 1790 un pequeño museo, el *Müllersche Kunstkabinett,* donde expuso su *cámara de maravillas,* en la que, entre otros objetos extraños o fantásticos, se encontraban numerosos relojes e instrumentos mecánicos que reproducían muy diversos sonidos, y figuras de cera realizadas por el propio Deym; entre ellas, en lugar destacado, estaba una efigie del mariscal barón Von Laudon, fallecido en julio de 1790, y en cuyo honor organizó Deym este museo, o más bien mausoleo: la efigie de Laudon se encontraba en el centro del recinto, dentro de un ataúd con tapa de cristal.

Según la tradición, en marzo se dirigió a Mozart el director de un teatro del arrabal vienés de Wieden, Emanuel Schikaneder, quien le suplicó que escribiese la música para un libreto, en alemán, basado en un cuento de hadas tomado de *Lulu,* de Wieland; su principal argumento era que eso podría salvarle a él (a Schikaneder) de la ruina. Al parecer, Mozart se resistió, pero Schikaneder habría acudido a una señora que tenía gran influencia sobre el músico, la señora Gerl, que habría convencido a Mozart para que participase en el proyecto.

Lo cierto es que Schikaneder pertenecía a la misma logia que Mozart, y ambos tenían muchos puntos de vista en común. Recordemos además que diez años antes, en 1780, ya habían colaborado, durante la permanencia de Schikaneder en Salzburgo.

Pero Wolfgang, a pesar de las clases y de los pocos encargos que recibía, seguía cargado de deudas y solicitando préstamos a Puchberg. Por eso, a finales de abril pedirá al Ayuntamiento de Viena que le conceda un puesto como músico municipal; concretamente, aspiraba a convertirse en maestro de capilla de la catedral de San Esteban, puesto dependiente del municipio vienés, y en previsión de que se produjese el fallecimiento del entonces *kapellmeister,* Leopoldo

Hoffman; de momento no le importaría ser aceptado como *Kapellmeister* adjunto, incluso sin sueldo (ya caería alguna propina):

Al muy loable y prudente municipio de Viena:

Señores. Cuando el señor Kapellmeister Hoffman cayó enfermo, quise tomarme la libertad de solicitar su plaza. Mi talento musical, mis obras, así como mis conocimientos en el arte, son conocidos por todos en el extranjero, mi nombre es honrado y considerado en todas partes, y desde hace muchos años tengo el honor personal de estar integrado como compositor en la muy alta corte de este país. Espero, pues, no ser indigno de estas funciones y merecer la benevolencia de vuestro prudente municipio.

Sin embargo, el maestro de capilla, señor Hoffman, se ha recuperado, y en estas circunstancias, como espero y deseo sinceramente la prolongación de su vida, he pensado que podría tal vez convenir al servicio de la catedral y a vos, señores, que yo fuera adjunto momentáneamente, y simplemente a título gratuito, del señor Kapellmeister, cuya edad es muy avanzada. Con ello tendré la ocasión de ayudar a este digno hombre en sus funciones, y de merecer la consideración de este Ayuntamiento con un servicio efectivo, para el que mi profundo conocimiento del estilo religioso me permite considerarme más capaz que otros.

Vuestro humilde servidor.

El Ayuntamiento respondió el 9 de mayo accediendo a concederle el título de *Kapellmeister* adjunto de la catedral de San Esteban, con la promesa de suceder a Hoffman si éste falleciera. Pero Mozart morirá cinco meses antes que Hoffman, quien será sucedido por Johann Georg Albrechtsberger. En todo caso, nos encontramos a Mozart convertido en músico municipal, como tantos otros grandes músicos de todas las épocas.

Este mes de mayo, escribió Mozart sus composiciones para *glassharmonica* u órgano de cristal (un invento de Benjamín Franklin, basado en los vasos musicales); estas piezas estaban destinadas a una virtuosa del instrumento, Mariana Kirchgassner, ciega, quien con ellas consiguió gran celebridad en Londres.

Constanza, que de nuevo se encontraba en avanzado estado de gestación, volvió al balneario de Baden a comienzos de junio, acompañada de su hijo mayor, Karl. Wolfgang se quedó en Viena trabajando en *La flauta mágica*. Si Mozart se había significado por controlar en la medida de lo posible los libretos de sus óperas, cabe pensar con qué interés cuidaría el de esta ópera, que era a la vez un oratorio masónico. La situación económica no había mejorado, pero se encontraba mucho más animado. Así lo denotan las bromas y juegos de palabras que vuelven a aparecer en sus cartas; por ejemplo, en la que dirigió a Anton Stoll, maestro de coros de la iglesia de Baden, para que preparase la llegada de Constanza, o en su reacción ante el lapsus de Constanza en el encabezamiento de una de sus cartas:

Puesto que tú me escribes desde Viena, yo tengo que escribirte desde Baden [447].

En esta misma carta le anunciaba que el día siguiente se reuniría con ella en Baden; allí permaneció un par de días. De regreso a Viena, continuó la lucha por seguir malviviendo con préstamos de Puchberg:

¡Si por lo menos hubiera un alma que viviera para consolarme un poco! [...] No es del todo bueno para mí estar solo, cuando tengo algo en la mente [448].

A pesar del avanzado embarazo de Constanza, o precisamente por ese motivo, Mozart sigue haciéndole advertencias a su *queridísima mujercita:*

[...] Te suplico que no vayas al casino. 1.º Se trata de esta compañía, ya me entiendes..., y 2.º, no podrás bailar. ¿Y mirar? [...] Será más divertido cuando el hombrecillo esté ahí [449].

El hombrecillo llegará a Baden de nuevo el 13 de junio; allí permaneció unos días, satisfecho por la evidente felicidad de su mujer, aunque no dejará de inquietarle que parezca mantenerse ajena a las cuitas de su marido. En este balneario, y para su amigo el maestro de coros Anton Stoll, terminará el 18 de junio, la víspera del Corpus Christi, el motete *Ave verum Corpus,* KV 618. La festividad del Corpus fue la más importante del mundo católico durante la Edad Moderna y buena parte de la Contemporánea; su celebración suponía cuantiosos gastos a los municipios de toda la Europa católica, y José II, consecuente con su política de austeridad, la suprimió; pero Leopoldo II la había restablecido. El motete de Mozart se adecuaba perfectamente a las posibilidades de la pequeña iglesia rural a la que iba destinado, pues fue concebido para las cuatro voces de un pequeño coro, más un cuarteto de cuerda y órgano. Como nueva muestra de la peculiar personalidad de Mozart, a Anton Stoll le dirigió, acompañando tan sublime motete, una carta en la que le decía:

Ésta es la carta más estúpida escrita en mi vida; es ideal para usted:

Óptimo Stoll, / queridísimo palurdo, / gran guasón, / estás lleno de estrellas. / Pongamos esto en modo menor, / te va bien [450].

Un par de días después regresó a Viena; en Baden, acompañando a Constanza permaneció Süsmayr, el discípulo de Mozart del que ya hemos hecho mención. Wolfgang escribió a Constanza casi todos los días, bromeando, incorporando dibujos... como en sus mejores momentos. Pero no era correspondido por Constanza con la misma frecuencia.

Desde varias semanas antes, Mozart estaba preocupado por un para nosotros misterioso asunto; casi con certeza, la concesión de un nuevo préstamo:

En cuanto mi asunto esté terminado estaré cerca de ti, pues he decidido buscar un reposo entre tus brazos. ¡Y lo necesito mucho! [...] Porque los pesares, la aflicción, pero más que nada la diarrea, todo eso fatiga mucho a un hombre. [...].

Sin duda podría hacerte regresar definitivamente, si mi asunto estuviera terminado; pero me gustaría pasar todavía algunos agradables días contigo en Baden [451].

Mozart, en cualquier caso, con bromas o sin ellas, seguía sufriendo. Sólo tenía la compañía de los ratones, y necesitaba la de su esposa:

No puedo explicarte esta sensación; es como una especie de vacío... que me hace mucho daño; como una aspiración jamás satisfecha y que no cesa...; que dura siempre e incluso crece de día en día. ¡Cuando pienso con qué alegría infantil hemos pasado el tiempo juntos en Baden..., y qué tristes y aburridas horas vivo aquí! Ni siquiera mi trabajo me distrae, porque estaba acostumbrado a levantarme de cuando en cuando para cambiar unas palabras contigo, y ahora desgraciadamente esta satisfacción me resulta imposible... Si me dirijo al piano y canto cualquier cosa de mi ópera, inmediatamente tengo que pararme...; ¡me produce tanta impresión! [...] Que llegue la hora en que mi asunto termine, y la hora siguiente ya no me encontraré aquí [452].

Un par de días después añadirá:

Espero que hayas recibido el dinero. Para tu pie, de todos modos, es mejor que sigas aún en Baden. [...] Espero poderte abrazar el sábado, y tal vez antes. En cuanto solucione mis asuntos iré a verte, habiéndome prometido de nuevo reposar entre tus brazos.

Siento verdadera necesidad: las preocupaciones interiores, la aprensión [...] lo acaban cansando a uno bastante. [...] En una palabra, no me falta más que... tu presencia. Creo que no aguanto más. [...] No he ido a ver el globo aerostático porque puedo imaginármelo, y además pensaba que tampoco esta vez harían gran cosa con él[453].

Se refiere, claro está, al globo de los Montgolfier, quienes estaban mostrando su invento por cuantas cortes europeas les era posible; este globo debió de producir en los hombres de la época una emoción similar a la que en nuestros días supuso la llegada del hombre a la Luna, o incluso mayor, pues por fin había alcanzado el ser humano su viejo sueño de volar.

Schikaneder ofreció a Mozart una pequeña cabaña situada en el jardín del Freihaustheater, su teatro, en la barriada de Wieden; allí estuvo el compositor rodeado por los amigos de Schikaneder. La tradición quiere que en esta cabaña encontrase Mozart consuelo espiritual entre los brazos de Mariana Gottlieb, la cantante que representaría el papel de Pamina en *La flauta mágica*.

El 8 de julio se estrenó en Viena una nueva ópera, *Kasspar el fagotista o la cítara mágica,* con música de Wenzel Müller (1767-1835). El tema parecía proceder, como el de *La flauta mágica,* del *Lulu* de Wieland, y según cierta tradición este estreno habría obligado a Schikaneder y Mozart a modificar por entero el planteamiento de su propia ópera, dándole todo el sentido trascendente que llegó a tener Pero Mozart, que fue a ver la obra de Müller el día 11, sólo hizo este comentario sobre ella:

He ido allí para distraerme y ver a Karperl en la nueva ópera, El fagot, *que está haciendo tanto ruido; pero no hay nada ahí dentro*[454].

En realidad, no hay motivos para tener dudas de que Mozart y Schikaneder, que ya tenían muy avanzada la composición de su propia ópera, tenían bastante claro desde el principio qué era lo que querían, y Mozart no consideró que *Kasspar el fagotista* pudiese hacerles sombra en ningún sentido.

Wolfgang se desplazó a Baden, posiblemente el día 10 de julio, para recoger a Constanza, tras un asunto en el que al parecer mediaron bofetadas; en relación con esto, aconsejó lo siguiente a su *queridísima y amadísima mujercita:*

[...] Puedes recibir inesperadamente un mandamiento judicial relativo a bofetadas inexpertas o hábiles o incluso con prima, ¿y qué harás entonces? ¡En esos casos hay que pagar en seguida, lo que a menudo no puede hacerse! Mi consejo sería que te portases bien con tu contrincante,

y le dieras unas cuantas bofetadas torpes, tres hábiles y una con prima, y algunas más, para el caso de que no estuviera satisfecho [...][455].

El día 11 se encontraban ambos en Viena, y el día 26 del mismo mes nació el sexto hijo de la pareja, Franz Xaver Wolfgang Amadeus, el único, junto con Karl, que sobrevivirá, y el único de los dos que continuará la tradición musical de la familia, pues Karl terminó por abandonar sus estudios musicales.

No fue maravillosa, pero sí misteriosa, la forma en que recibió Mozart, a finales de julio, el encargo de componer una misa de difuntos: un mensajero, al parecer embozado, le entregó una carta anónima, en la que se le proponía realizar esa composición, preguntándole cuánto cobraría por ella y en cuánto tiempo la podría tener terminada. Mozart aceptó el encargo, pero no pudo conocer el nombre del comitente. Este hecho, unido a que se tratase de una composición íntimamente relacionada con la muerte, impresionó a Mozart, como, por ejemplo, cuatro años antes le había impresionado la muerte del conde Von Harzfeld (en este caso, sobre todo, porque ambos tenían la misma edad). La idea de la muerte no podía, por mucho que lo intentase, ser aceptada fácilmente por el vitalista Mozart.

El encargo, pese a los ríos de tinta que se hayan podido derramar sobre ello, no tenía nada de maravilloso: un conde aficionado a la música, Franz von Walsegg zu Stuppach, se las daba ante sus conocidos de compositor, una manía (la de dárselas de compositor sin serlo) que ha estado siempre muy extendida. El 14 de enero de 1791 había fallecido su esposa, y, de modo secreto, por medio de uno de sus sirvientes (el misterioso personaje que cubría su rostro), realizó a Mozart el encargo de una misa de réquiem. Su pretensión era hacerla pasar por suya, y dirigirla él mismo en el primer aniversario del fallecimiento de su mujer.

En agosto recibió otro encargo: el Teatro Nacional de Praga le pidió urgentemente que compusiese una ópera para la celebración de la coronación de Leopoldo II como rey de Bohemia, que tendría lugar el 6 de septiembre. Se le proporcionó para ello el libreto de *La clemenza de Tito,* de Metastasio, en versión de Caterino Mazzola; a cambio de su trabajo se le ofrecieron doscientos ducados, una cantidad considerable.

Mozart se dispuso a salir para Praga a mediados de agosto, acompañado de su esposa, pese a hacer sólo un mes que había nacido el niño; éste y su hermano se quedarían en Viena. Los Mozart serán acompañados por el clarinetista Anton Stadler. Parece ser que en el último instante hizo su aparición el mismo misterioso personaje que había encargado la misa de difuntos a Mozart, y preguntó si estaba ya terminada; según esta tradición, Mozart le habría garantizado que la terminaría en cuanto regresase a Viena.

En Praga fue calurosamente acogido por sus amigos, especialmente por sus compañeros masones, que le recibieron con la cantata *Die Maurerfreude,* compuesta por él en 1785. Pero Mozart no se encontraba bien; estaba pálido y entristecido. Sin embargo, pudo terminar a tiempo su ópera, que se estrenó el día 6 de septiembre, la noche de la coronación de Leopoldo en Baviera.

Aunque la crónica oficial de la coronación refiere que *sus Majestades abandonaron el teatro satisfechos,* la esposa de Leopoldo II, emperatriz María Luisa de Borbón, hizo el siguiente refinado comentario: *Porcheria tedesca!* María Luisa, hija de Carlos III (rey de Nápoles antes de serlo de España y, por cierto, muy poco amante de la música —prefería la caza—), sin duda simpatizaba mucho más con la cultura italiana que con la alemana. Por otra parte, el acuerdo matrimonial entre Leopoldo y María Luisa, celebrado en 1762, suponía el compromiso de separar de la sucesión Austria y el gran ducado de Florencia; no era sólo una cuestión de simples gustos estéticos lo que estaba en juego en la polémica entre italianos y alemanes.

Mozart se despidió de sus amigos de Praga con lágrimas en los ojos. Entre el 10 y el 15 de septiembre se encontraba en Viena, donde dirigiría, el día 30, el estreno de *La flauta mágica*. Todavía estaba inconclusa cuando regresó de Praga; la obertura fue, como en otras ocasiones, lo último que compuso, el día 28. El 29 tuvo lugar el ensayo general.

El público del estreno era el habitual del teatro de Schikaneder: estaba compuesto por habitantes de la barriada de Wieden. Tras el primer acto, Wolfgang estaba convencido de que la obra había sido un fracaso, y Schikaneder intentó en vano tranquilizarle. Pero en el segundo acto, el público se sintió cada vez más fascinado por la representación, que constituyó un éxito completo, el cual se repetiría durante las siguientes representaciones, a lo largo del mes de octubre.

Constanza, acompañada de su hermana Sofía y de Süssmayr, regresó a Baden. Lo cierto es que Mozart se encontraba mucho mejor, e incluso a veces dará muestras de su buen humor característico:

He ido también al teatro en el momento del aria de Papageno con el glockenspiel, porque tenía unos deseos enormes de tocarlo yo mismo. He gastado la broma, en el instante en que Papageno hace una pausa, de tocar un arpegio; se sobresaltó, miró y me vio; en-

tonces se detuvo, no quería continuar; yo adiviné su pensamiento e hice un nuevo acorde; él golpeó el carillón, y entonces le dije: «Cierra el pico», lo que hizo que todo el mundo riera. Creo que muchas personas comprendieron por primera vez, gracias a esta broma, que no es él quien toca el instrumento. Además no puedes imaginar qué encantador efecto te produce la música desde un palco próximo a la orquesta; mucho mejor que desde la galería[456].

Mozart, además de asistir frecuentemente a las representaciones de *La flauta mágica,* siguió trabajando; para Stadler terminó su concierto para clarinete KV 622, si bien recurrió a la utilización de un borrador escrito doce años antes. Pero no parece que en este momento estuviese ocupado en la composición del *Réquiem.*

En la última carta escrita por Wolfgang, informó a su mujer de asuntos cotidianos; había ido a buscar a su hijo Karl (que había cumplido en septiembre seis años) a casa de los Hofer y lo llevó a ver su ópera:

¡Qué alegría le he dado a Karl llevándole a la ópera! Tiene un aspecto excelente. Para su salud, no podría estar en un sitio mejor; por lo demás, desgraciadamente, un sitio miserable. ¡Es un buen campesino el que quieren echar a andar por el mundo! Pero, ¡basta!, como hasta el lunes no empiezan los estudios serios (¡que Dios le asista!), he preguntado si podría tener a Karl conmigo hasta el domingo [...][457].

Mozart parece desear que el niño pase un mes con ellos, fuera del internado; él, que no había necesitado ir al colegio, tenía una mala opinión de las escuelas y de los maestros:

Piensa en esto: ¡creo que por un mes no puede perder gran cosa! [...] Además, no está peor, pero tampoco mejor de lo que siempre ha estado. Tiene los mismos malos modales, parlotea tanto como siempre y aprende menos que nunca, si no hace algo peor que correr por el jardín, cinco horas antes de comer y cinco horas después, según me ha confesado él mismo. En una palabra, los niños no hacen allí más que comer, beber, dormir y pasear[458].

Capítulo X

REQUIEM POR MOZART: 1791

Voca me

Voca me cum benedictis.
Oro supplex et acclinis,
cor contritum quasi cinis:
gere curam mei finis [459].

El 15 de octubre fue a Baden a buscar a Constanza, y el 16 se encontraban ambos en Viena. En estos momentos, Mozart volvió a trabajar en la composición del *Réquiem,* mientras su estado de salud experimentaba una recaída. Según Niemtschek, en aquellos días tuvo lugar en el paseo del Prado vienés la siguiente escena:

Un hermoso día de otoño, Constanza le condujo en un carruaje al Prater para distraerle y levantar su ánimo. Se sentaron, y Mozart se puso a hablar de la muerte; decía que componía el Réquiem para él mismo. Las lágrimas brillaban en sus ojos cuando añadía: «Siento que no me queda mucho tiempo. Seguramente me han envenenado. No puedo librarme de esta idea.»

Estas palabras cayeron como un terrible peso en el corazón de Constanza; ella no era capaz de consolarle y demostrarle lo infundado de sus melancólicas imaginaciones. Estaba convencida de que le amenazaba una grave enfermedad, y que el Réquiem *excitaba su sensibilidad nerviosa* [460].

Es un testimonio indirecto, posterior a los hechos referidos; y es el único dato sobre el que se basaría con los años la leyenda del envenenamiento de Mozart. Todo lo que podemos pensar, de aceptar que esta escena, al menos en sus líneas generales, hubiese tenido lugar como la relató Niemtschek, es que Mozart se sentía muy enfermo y que no podía entender cuál era el motivo. Y, sobre todo, volvía a encontrarse muy deprimido.

Esta leyenda que mezcla el encargo y la composición del *Réquiem,* el supuesto envenenamiento de Mozart, su innegable juventud, unas leyes inexorables del Destino, etcétera, es muy del gusto romántico, muy propia del siglo XIX. Como la carta apócrifa, supuestamente escrita por Mozart el 7 de septiembre de 1791, en italiano (por lo que hay quien ha llegado a proponer que estaría dirigida a Da Ponte); contiene muchos de los tópicos que habrían hecho las delicias de cualquier biógrafo decimonónico, lo cual a nosotros sólo puede servirnos precisamente para cuestionarnos su veracidad y pensar que, efectivamente, fue escrita por algún biógrafo decimonónico:

Apreciado señor: Con gusto seguiría yo su consejo. ¿Pero cómo hacerlo? Mi cabeza está embotada. A duras penas me mantengo concentrado. La imagen de ese desconocido no se quiere apartar de mis ojos. Siempre le veo delante de mí, me ruega, me apremia, con impaciencia me reclama el trabajo. Yo continúo con él, porque componer me cansa menos que el ocio. Por lo demás no tengo de qué asustarme. Yo lo percibo, mi estado me lo dice: ¡llega la hora! Tengo que morir. Estoy acabado antes de que pueda disfrutar de mi talento. ¡La vida era bonita! ¡Mi carrera empezó con tan buenos augurios! Pero uno no puede alterar la estrella que le ha tocado. Nadie puede poner límites a sus días de vida. Hay que someterse con resignación a la voluntad de la Providencia. Y ya termino mi canto fúnebre. No puedo dejarlo inconcluso [461].

Pero, como se ha observado por algunos autores, creemos que con acierto, da la sensación de que fueron los personajes más próximos a Mozart (Constanza, las hermanas de esta, Niemtscheck, Nissen —segundo esposo de Constanza—) quienes forzaron la nota de la importancia del *Réquiem* en los últimos momentos de su vida, así como insistirían en la idea de que ésta fue realmente su última composición. Sabemos que los clérigos de San Pedro no acudieron a administrar los últimos sacramentos a Mozart, quien, sin dejar nunca de ser creyente ni de proclamarse católico, se había ido distanciando de la ortodoxia de la Iglesia. Esto, unido a su estrecha relación con la masonería iluminista, que, como hemos sugerido, posiblemente terminó por ser para él una fuente de problemas, podía perjudicar la imagen póstuma del compositor. Como plantean los Massin:

Bastaba echar una mano centrando sobre el Réquiem *toda la vida de Mozart durante los últimos meses; en lugar de ser una obra de encargo, aceptada por un hombre financieramente en apuros, el* Réquiem *se convertiría en la obra dictada a Mozart por un mensajero misterioso, casi por una orden sobrenatural. [...] Así Mozart se habría preparado piadosamente para la muerte componiendo una obra piadosa como no hay otra; su último pensamiento habría sido una plegaria, y la plegaria misma de la liturgia católica más ortodoxa. La policía, la censura y el clero de Viena podían aprobar sin reserva el final más edificante del gran genio*[462].

Lo cierto es que no avanzaba mucho en la composición del *Réquiem:* terminó el *Kyrie* y dejó esbozados el *Confutatis*, el *Recordare* y el *Ofertorio*. En esta situación interrumpió ese trabajo para cumplir un encargo que le producía más satisfacción, una cantata masónica. El encargo le llegó de la mano de Schikaneder, autor del texto. Se trata de la cantata *Da Lob der Freundschaft (Elogio de la amistad)*, KV 623, también llamada *Eine kleine Freimaurer-Kantate (Pequeña cantata masónica);* el 15 de septiembre anotó su terminación en el cuaderno que había iniciado en enero de 1784: es la última anotación de este cuaderno, su última obra completada. El mismo día o el siguiente dirigió la interpretación de esta cantata en la logia *Zur neuegekrönten Hoffnung (Esperanza nuevamente coronada)*.

En estos momentos comenzaron a llegarle diversos encargos desde distintos países: Holanda, Inglaterra, Hungría. Pero era demasiado tarde.

La acogida de sus *hermanos* masones le insufló nuevo aliento vital, pero unos días después su estado pareció empeorar. El día 19, Wolfgang se dirigió a una cervecería en la que solían reunirse músicos, cantantes y actores, y una vez en ella, buscó una sala pequeña y tranquila:

[...] Al llegar a este pequeño comedor, Mozart, cansado, cayó en su asiento apoyando la cabeza sobre su brazo derecho plegado. Estuvo así mucho tiempo; después pidió al chico que le trajera vino, siendo su costumbre beber siempre cerveza. Cuando el chico hubo traído el vino, Mozart no le oyó y siguió sin moverse. Entonces el patrón, Joseph Deiner, apareció en la puerta de la sala reservada que daba sobre un pequeño patio. Mozart le conocía bien y le hablaba con toda confianza. Cuando Deiner vio al maestro, se detuvo y le observó con atención. Mozart aparecía extraordinariamente pálido, sus rubios cabellos empolvados estaban despeinados y la pequeña coleta estaba anudada negligentemente. De pronto alzó la vista y vio al patrón: «Y bien, Joseph, ¿cómo va eso?», preguntó. «¡Soy yo el que debería preguntarlo —respondió Deiner—, *porque parecéis enfermo y tenéis muy mala cara, señor maestro de música!» «Mi estómago está mejor de lo que te imaginas* —dijo Mozart—; *hace mucho tiempo que he aprendido a digerir de todo» [...] Siento que*

pronto se habrá acabado la música. Se ha apoderado de mí un frío que no puedo explicar. Deiner, bebed mi vino y tomad estos diecisiete kreuzers» [463].

Esa misma noche la enfermedad se agravó, y Constanza hizo avisar al doctor Klosset. Los síntomas que mostraba Wolfgang podrían ser propios de una dolencia de tipo renal: manos y pies hinchados, ligera parálisis. Constanza atenderá a Wolfgang, ayudada por su hermana Sofía y por la madre de ambas. Era un buen paciente: únicamente pareció molestarle la fuerza con que cantaba el canario, pero incluso cuando decidieron sacarlo de la habitación se resistió a que se lo llevaran.

El día 28 empeoró, y fue a visitarle el jefe del hospital general, el doctor Sallaba, quien lo desahució. Wolfgang presentía que podía morir, pero a la vez lo rechazaba, pues seguía haciendo planes para el futuro. Cuando le fue posible intentó continuar la composición del *Réquiem,* que debería estar ya terminado. Según cierto testimonio que debe tomarse con muchas prevenciones, el día 3 de diciembre se habría llegado a celebrar un ensayo de la obra en su habitación, participando Schak como soprano, Hofer como tenor, Gerl como bajo y el propio Mozart como contralto:

Cuando llegaron al primer versículo del Lacrimosa, *Mozart tuvo de pronto la certeza de que nunca acabaría su obra; se puso a sollozar y apartó a un lado la partitura* [464].

Lo que sí es cierto es que en el manuscrito original la escritura de Mozart concluye en el octavo compás del *Lacrimosa;* no compuso más fragmentos.

Tal como referiría posteriormente Constanza, el día 3 de diciembre le manifestó:

«Me gustaría mucho escuchar una vez más mi Flauta mágica», *y tarareó con voz casi imperceptible:* «Der Vogelfänmger bin ich ja!» *El difunto kapellmeister Roser, que estaba a su cabecera, se levantó, se sentó al piano y cantó el lied. Y Mozart manifestó una visible alegría* [465].

Der Vogelfänmger bin ich ja!: ¡El pajarero yo soy!, o *¡Soy el pajarero!,* es lo que canta literalmente Papageno; pero algunos biógrafos han preferido traducirlo o interpretarlo como *Yo soy Papageno,* o *Papageno soy yo,* lo que ha dado más juego literario, pretendiendo que Mozart cerraba su ciclo vital con esta frase, con la que proclamaría su identificación, hasta el final, con Papageno:

Yo soy el pajarero, / siempre alegre. [...] / Puedo estar alegre y contento, / porque todos los pájaros son míos. / [...] ¡Me gustaría tener una red para muchachas; / las cazaría por docenas! / Luego las metería en la jaula / y todas ellas serían mías. / Si todas las muchachas fueran mías, / las cambiaría por azúcar; / y a la que yo más quisiera / le daría en seguida el azúcar. / Y me besaría con delicadeza, / si ella fuera mi mujer y yo su marido / dormiría a mi lado / y yo la acunaría como si fuese una niña.

Un Papageno que dirá, en otro fragmento de la ópera:

Luchar no es lo mío. / Y tampoco deseo la sabiduría. / Soy un hombre primitivo / que se contenta con dormir / comer y beber. / Y si pudiera ser que alguna vez cazase / a una linda mujercita...

¿Cuál es, pues, la verdadera última imagen de Mozart: la del autor torturado por la composición de un *Réquiem* para sí mismo, y dentro de la más estricta ortodoxia católica, o la de ese pajarero siempre alegre y libertino? Ambas obras, el *Réquiem* y *La flauta mágica,* fueron compuestas en un mismo momento, en la misma situación personal y anímica. No nos parece que hubiera inconveniente en aceptar, suponiendo que los testimonios sobre ambas situaciones fueran veraces, que en Mozart las dos eran perfectamente compatibles, a la vez. Es esa constante de Wolfgang, de la oscilación entre el Wolferl que gusta proclamarse bufón y el hijo educado en sólidos principios morales por Leopoldo; un Mozart que se balancea entre la alegría y la tristeza, entre la reflexión y la vorágine. La unión de ambos aspectos, en lo que atañe a su música, hizo que Mozart fuese capaz de unir en su obra lo más sublime, lo más profundo del sentimiento humano, con la alegría por vivir, la humorada y la astracanada.

El día 4, Sofía se había quedado con su madre, con la pretensión de no ir a casa de su hermana Constanza hasta el día siguiente; pero al parecer, tuvo un presentimiento al apagarse inesperadamente una lámpara, y se desplazó de inmediato a casa de los Mozart; sin duda, los nervios de todos estaban a flor de piel:

¡Me apresuré tanto como me fue posible, Dios! Cuál no sería mi espanto cuando mi hermana llegó ante mí, medio desesperada pero intentando contenerse, y me dijo: «¡Alabado sea Dios, querida So-

fía, estás aquí! Esta noche ha estado tan mal que creí que no viviría hoy. Quédate conmigo, porque creo que no llegará a la noche. Ve un momento a su lado a ver lo que hace.» Procuré tranquilizarme y me aproximé a su lado; él me dijo en seguida: «¡Ah!, mi buena Sofía, habéis hecho bien en venir; quedaos aquí esta noche, tenéis que verme morir.» Intenté armarme de valor y apartar de él tales ideas; él respondía a todo lo que yo le decía: «Tengo ya el sabor de la muerte en los labios, siento la muerte; ¿y quién asistirá a Constanza si vos no estáis aquí?» [466].

Sofía le dijo que iría a avisar a su madre, para que no se preocupase al no verla regresar, y Mozart le pidió que no tardase en volver. Pero Constanza, cuando Sofía iba a salir, le dijo que pidiese a alguno de los curas de San Pedro que viniese a visitar a Wolfgang, y que dijese al sacerdote que lo hiciese como si la visita fuese por casualidad.

Lo hice así, pero ellos se negaban, y tardé mucho en convencer a uno de esos monstruos clericales [467].

Posiblemente la negativa de los sacerdotes, además de a lo intempestivo de la hora y a la pobreza manifiesta de los Mozart, se debiese a la destacada condición de masón que tenía Wolfgang. Por aquellos días los masones estaban siendo objeto de excomunión por el Papa, lo que no se estaba aplicando en el territorio habsburgués debido a que el propio emperador Francisco de Lorena había sido masón. Por otra parte, la advertencia de Constanza a su hermana, de que pidiese al sacerdote que viniese como si fuese por casualidad, seguramente respondía al deseo de no alarmar a Mozart, más que al temor de que éste pudiese rechazar su presencia; es muy probable que Wolfgang hubiera aceptado de buen grado la asistencia de un sacerdote, pues, aunque todo indica que su identificación con la doctrina de la Iglesia había ido mermando ya desde su primera juventud, nunca dejó de considerarse católico. En cualquier caso, Sofía dice que, con esfuerzo, llegó a convencer a uno de esos *monstruos clericales;* pero lo cierto es que ninguno de ellos acudió al lecho de Mozart.

Tras avisar a su madre, Sofía regresó a casa de su hermana; llegó de noche y encontró a Mozart consciente, tranquilo; Süssmayr se encontraba junto a su cama, y ambos hablaban sobre el *Réquiem* que, al cabo, concluiría el discípulo. El doctor Klosset, al que se había avisado urgentemente, prometió que, cuando terminase el espectáculo teatral que estaba presenciando cuando le encontraron, se acercaría por la casa; así lo hizo avanzada la noche y aseguró a Süssmayr que Mozart no llegaría al día siguiente. Hizo una receta para la propia Constanza, y para Mozart, que se encontraba temblando febrilmente y con un terrible dolor de cabeza, recomendó unas compresas frías en la frente. Parece ser que, nada más ponérselas, Wolfgang perdió el conocimiento, y así permaneció hasta expirar, lo que ocurrió a la una menos cinco minutos de la madrugada del día 5 de diciembre de 1791. Dos meses después, Mozart habría cumplido treinta y seis años.

Lacrimosa dies illa

Lacrimosa dies illa
qua resurget ex favilla
judicandus homo reus[468].

En el registro parroquial de San Esteban figura la siguiente anotación:

6 de diciembre de 1791
Johannes Chrysostomus Wolfgangus Theophilus Mozart
muerto de fiebre miliar aguda.
Edad, 36 años.

Es temerario afirmar que la enfermedad que llevó a Mozart a la muerte fue tal o tal otra; no hay suficientes testimonios detallados sobre ello, y esto ha dado (y seguirá dando) pie a que algún que otro médico, e incluso algún que otro periodista, o hasta algún musicólogo algo despistado, busque su minuto de gloria publicando algún artículo o algún libro sobre este asunto, como a menudo ocurre también con otros personajes históricos. A falta de evidencias sobre la cuestión, tan sólo mencionaremos que existe la tendencia a considerar que la muerte de Mozart fue consecuencia del agravamiento de una fiebre reumática. Había padecido varias a lo largo de su vida; posiblemente la primera fue la que sufrió en enero de 1763. A ello se añadiría un inadecuado tratamiento, en un período en que todavía la ciencia médica apenas se había comenzado a desarrollar, y continuaban utilizándose medios tan rudimentarios y peligrosos como las sangrías, las cataplasmas, etcétera. La esperanza de vida en Europa en la época de Mozart era, más o menos, la correspondiente a la edad que él tenía cuando murió. Por otra parte, pensar que si hubiera vivido veinte o treinta años más nos le habríamos encontrado inmerso en pleno Romanticismo, además de ser una evidencia, no puede servirnos de mucho, salvo para lamentarnos por la música que no llegó a escribir, y hacernos reflexionar sobre la esencia del propio Romanticismo, del Neoclasicismo e incluso del último Barroco. Mozart murió justo en el momento en que el mundo moderno daba paso al mundo contemporáneo, un tránsito del que fueron protagonistas activos numerosos hombres de la época de Mozart; y, entre ellos, él mismo fue uno de los más destacados.

El barón Von Swieten tomó a su cargo la organización del entierro, lo más barato posible, dada la situación económica de la viuda. Un cortejo de tercera clase y el enterramiento en la fosa común, como la mayor parte de la población. El día 6 de diciembre, por la tarde, tras un breve servicio religioso en la catedral de San Esteban, el cortejo fúnebre se dirigió hacia el cementerio de Saint-Marx, situado extramuros de la ciudad, en consonancia con las nuevas ordenanzas urbanísticas en materia funeraria que, por razones de higiene, se estaban imponiendo en esos momentos por toda Europa.

A la ceremonia asistieron muy pocas personas. Entre ellas se encontraban Deiner, Süssmayr y el propio Salieri, que sin duda, y pese a sus ocasionales intrigas, supo apreciar la inmensa capacidad de Mozart, y es muy posible que incluso sintiese afecto personal por él. Constanza se quedó en casa, en muy mal estado.

No se interpretó en esta ceremonia el *Réquiem,* pese a lo que frecuentemente se afirma; no estaba terminado. Poco después Constanza, con la finalidad de cumplir el compromiso de su marido y entregar a su comitente la obra terminada, le encargaría a J. Ebler que lo completase; pero Ebler, tras examinar lo ya escrito, declinó tal responsabilidad. Fue entonces Süsmayr, el discípulo de Mozart que les había acompañado varias veces a Baden, quien lo concluyó. Sólo estaban terminados los dos primeros episodios *(Introito* y *Kyrie),* y de los seis siguientes sólo estaban completadas las partes vocales y esbozadas las instrumentales; en cuanto al *Lacrimosa,* sólo tenía ocho compases, y un par de fragmentos más estaban sumariamente esbozados. Süsmayr completó, pues, todo lo que faltaba, añadiendo íntegros el *Sanctus,* el *Benedictus* y el *Agnus Dei*. Satisfaciendo las intenciones de Constanza, que quería hacer creer al comitente que estaba íntegramente compuesto por Mozart, Süsmayr, que por lo demás no sólo debía de estar totalmente impregnado de la estética de su maestro, sino implicado muy en especial en esta obra, cumplió su papel a la perfección.

Cuando por fin lo tuvo en su poder el conde Walsegg, hizo una copia de su puño y letra, en la que añadió la anotación: *Compuesto por el conde Walsegg,* y lo dirigió personalmente en la parroquia de Wiener Neustad, el 14 de diciembre de 1793, dos años después.

Pero ya había sido interpretado en público anteriormente: el barón Von Swieten, partiendo de una copia con la que se quedó Constanza, lo hizo interpretar en 1792 en la sala Jahn, de Viena. La leyenda según la cual se había interpretado en los funerales de Mozart tiene su origen en una nota aparecida en Praga el 12 de diciembre de 1791, redactada por un gacetillero bien intencionado y mal informado, que también se hizo eco del rumor de que había sido envenenado, algo sobre lo que no insistió:

Mozart ha muerto. Había regresado enfermo de Praga; después no mejoró. Se le creía hidrópico, y ha muerto en Viena la pasada semana. Como su cuerpo se hinchó después de su muerte, llegaron a creer que había sido envenenado. Una de sus últimas obras debe de haber sido una misa de difuntos que se ha ejecutado en sus funerales. Ahora que ha muerto, los vieneses van a comprender lo que han perdido[469].

Poco después de salir el cortejo fúnebre de la catedral, se desencadenó una fuerte tempestad de nieve, que hizo que, a medio camino, quienes seguían el féretro regresasen a la ciudad. El cuerpo de Mozart fue depositado en una fosa común por un par de sepultureros, amortajado y sin féretro, como era habitual en este tipo de entierros.

El día siguiente, Deiner indicó a Constanza que sería conveniente poner una cruz señalando el emplazamiento exacto; pero Constanza dijo que ya se habrían encargado de ello los clérigos. Como su marido, ella tampoco pensaba que sirviese de mucho prestar excesiva atención a los cadáveres. No visitaría ese lugar hasta diecisiete años después, y lo hizo a instancias del diplomático Griesinger, la víspera de su segundo matrimonio; entonces supo que la fosa ya había sido removida, y los restos mortales se habían trasladado a otro lugar. El cuerpo de Mozart se había perdido para siempre.

En 1801, durante el mencionado traslado de los restos de esa fosa, un sepulturero había decidido que un cráneo en concreto de los extraídos de ella tenía que ser el de Mozart. Se lo llevó a su casa, y después se lo cedería a un profesor de anatomía, José Hyrtl, quien a su vez se lo donó a la ciudad de Salzburgo; hoy se encuentra en el museo de Mozart, en su casa natal. Todo lo más que puede sugerirnos este cráneo es una reflexión sobre la veracidad de tantísimas reliquias que circulan por el mundo, y hasta qué punto no es mucho más importante conservar la obra de arte, e incluso el simple recuerdo del autor, que sus propios restos mortales. Sin embargo, son muchos los personajes que han deducido todo tipo de conclusiones sobre las características físicas, psicológicas e incluso musicales de Mozart, basándose en el examen de este cráneo; especial delectación ha producido su análisis a algunos seguidores de las *otras medicinas,* y a algunos de los defensores de la existencia del llamado *efecto Mozart*.

Ni siquiera hubo suerte con su mascarilla mortuoria: el llamado conde de Deym (Herr Müller) la hizo a las pocas horas de fallecer Mozart, para su gabinete de curiosidades del Kohlmarkt (ya sabemos que parecía tener algún punto de necrófilo). Dio una copia a Constanza, a la cual se le cayó al suelo tiempo después, haciéndose pedazos que terminaron en la basura; el ejemplar de Müller también ha desaparecido. Existe una mascarilla que se intentó hacer creer, ya en el siglo XX, que era la de Mozart, algo que ha sido totalmente descartado.

Capítulo XI

DESPUÉS DEL VIAJE

Wir wandeln
durch des Tones Macht
froh durch des Todes düstre Nacht![470].

El lunes Mozart compone como Haydn, y el martes Haydn compone como Mozart

Así lo afirmaba un dicho vienés de mediados del siglo XIX. Una de las personas que más sintieron la muerte de Mozart fue Franz Joseph Haydn, que recibió la noticia en Londres. Poco tiempo después, escribió a Puchberg lo siguiente:

He estado mucho tiempo fuera de mí por la muerte de Mozart. No quería creer que la Providencia hubiera llamado tan pronto al otro mundo a un hombre irreemplazable. Sobre todo lamento que Mozart no haya tenido antes de morir la ocasión de convencer a los ingleses —que todavía le desconocen— de la verdad que yo les predico continuamente[471].

¿Querríais, querido Puchberg, tener la bondad de enviarme una lista de las obras de Mozart todavía desconocidas aquí? Pondré todo mi esfuerzo para darlas a conocer en beneficio de su viuda. Escribí, hace tres semanas, a la pobre mujer, para decirle que, cuando su hijo sea un poco mayor, dedicaré todas mis fuerzas a enseñarle gratis la composición, con el fin de reemplazar un poco a su padre.

Parece como si poco a poco, primeramente quienes conocieron a Mozart, luego Europa entera, fueran comprendiendo el verdadero alcance de la fugaz aventura que acababa de suceder ante sus ojos. Pero no faltaron los críticos feroces, no ya contra la obra de Mozart, que no era cuestionada, sino contra su propia persona, haciendo hincapié en su falta de crédito económico, en su liberalidad de costumbres, en su no demasiado ortodoxa religiosidad. El día 10 de diciembre, cinco días después de morir Mozart, Franz Hofdemel, compañero de su misma logia, hirió gravemente a su esposa, Magdalena, con una navaja de afeitar, y a continuación se suicidó. Se daba la circunstancia de que Magdalena había sido alumna de Mozart, y se encontraba embarazada; esto fue suficiente para que sus paisanos relacionasen estos hechos con la muerte de Mozart; no faltaría quien asegurase no sólo que había sido envenenado, sino que el autor del envenenamiento había sido Hofdemel (y el del embarazo, Mozart).

Todas estas habladurías y algunas más llegaron inmediatamente a oídos del emperador, de modo que cuando Constanza fue a pedirle una pensión, a la que no tenía derecho debido a que Mozart sólo había ocupado su cargo oficial durante cuatro años, tuvo que convencerle de que todo era falso, antes de que le concediese graciosamente una pensión de doscientos sesenta florines anuales. El emperador, además, le indicó que organizase un concierto con las últimas obras de su marido, concierto al que prestó su apoyo. Se celebró el 28 de diciembre, y proporcionó a Constanza una buena suma de dinero. En las semanas siguientes, Constanza iría vendiendo los manuscritos de Mozart, obteniendo con ello pingües ganancias, aunque no tantas como los editores que se las compraron, entre los cuales se encontraba Johann André, del que ya hemos hecho mención en otro lugar.

La música de Wolfgang comenzó a ser realmente valorada en toda su extensión inmediatamente después de su muerte, muy en especial a partir del éxito de *La flauta mágica*. Como han señalado algunos autores, su música, a diferencia de la de otros compositores, no ha suscitado polémicas encarnizadas. No existen antimozartianos, o al menos no han sido peligrosos. Ni siquiera han perjudicado en exceso a la figura de Mozart sus panegiristas más indocumentados. Quienes le han criticado lo han hecho juntándole con los artistas de su tiempo: ha sido una crítica contra el Clasicismo, contra un arte supuestamente formalista en exceso y demasiado sometido a reglas académicas. Pero incluso quienes han preferido el sentimiento por encima de cualquier regla, han sido capaces de descubrir en la fluida melodía de Mozart, en su honesta sinceridad de eterno niño sin maldad, los más cálidos latidos de un corazón enamorado; enamorado de la música, enamorado de la vida.

Porque, para conocer verdaderamente a Mozart, lo realmente imprescindible es escuchar su música poniendo los cinco sentidos en ella, toda la inteligencia y todo el corazón, con la ilusión, la honestidad, la capacidad de imaginación y de asombro de los niños. Así se producirá en nosotros, no lo dudamos, el tan traído y llevado *efecto Mozart:* como lo llevan haciendo unas cuantas generaciones de hombres antes que nosotros, y lo seguirán haciendo aún muchas otras después, compartiremos con él su amor a la música, su amor a la vida.

Seca tus lágrimas, vida mía

Tergi il ciglio,
o vita mia!
e da' calma al tuo dolore:
L'ombra amai del genitore
pena avrà de' tuoi martir[472].

A los ingresos que Constanza recibía con la venta de los manuscritos de Mozart, decidió añadir los provinientes de la admisión de huéspedes, como había hecho su madre cuando enviudó de Fridolin Weber. Uno de estos huéspedes, en 1799, fue el consejero de la embajada de Dinamarca en Viena, Georg Nikolaus von Nissen. En 1809, como consecuencia de un ascenso de éste, Nissen y Constanza decidieron formalizar su relación: se casaron y se trasladaron a Dinamarca.

En Copenhague vivieron hasta la jubilación de Nissen, en 1820; entonces regresaron, pero no fueron a Viena, sino a Salzburgo. Nissen se había convertido en el más ferviente admirador de Mozart, y decidió dedicar su jubilación a la elaboración de una biografía suya, que apareció en 1828, dos años después de su fallecimiento.

Tras la muerte de Nissen, Aloysia Lange se fue a vivir con Constanza a Salzburgo; más tarde haría lo mismo otra hermana, Sofía Haibl. Constanza había conseguido una aceptable fortuna, y se dedicaba fundamentalmente a atender a quienes peregrinaban hasta Salzburgo buscando la huella de Mozart. Murió el 6 de marzo de 1842, con ochenta años, y fue enterrada al lado de su suegro, Leopoldo Mozart.

Por su parte, María Ana Mozart, *Nannerl,* enviudó en 1801, tras lo que regresó a Salzburgo. Pero nunca volvieron a hablarse Constanza y Nannerl, a pesar de vivir las dos varios años en la misma ciudad. María Ana vivió holgadamente con lo que heredó de su marido y las clases de piano que volvió a impartir. En 1820 se quedó ciega, aunque permaneció siempre dichosa, debido a su propio carácter, y por el afecto creciente de sus paisanos conforme aumentaba la fama de su hermano. Falleció el 29 de octubre de 1829, y en el cementerio salzburgués del Petersfriedhof (San Pedro) la recuerda una humilde placa, entre las tumbas de, entre otros personajes con los que nos hemos ido encontrando en este relato, Michael Haydn, Lorenzo Hagenauer, Paul Hofhaymer y Sigmund Haffner.

Karl, el mayor de los dos hijos de Mozart, fue enviado a Praga, donde le acogió Niemtschek. Franz Duschek fue su maestro de música; más adelante, en Viena, sería discípulo de Karl Amenda, amigo de Beethoven. Pero abandonó la música; murió en Milán, como funcionario del Tribunal de Cuentas, en 1859.

Franz Xaver Wolfgang Amadeus Mozart tenía mejores dotes para la música. Como su hermano, fue también discípulo de Amenda. Llegó a ser compositor, y firmó algunas de sus obras como *Wolfgang Amadeus Mozart;* esta ambigüedad, que le habría permitido intentar hacerlas pasar por obras, mucho más solicitadas, de su padre, sólo podía ir, en definitiva, en detrimento sobre todo del propio Franz Xaver. Trabajó como pianista y como director de orquesta, y murió en la miseria en Karlsbad, en 1844, a los cincuenta y tres años.

Era un hombre pequeño, muy delgado y pálido...

¿Cómo era Wolfgang Amadeus Mozart? O'Kelly, el cantante al que Mozart había recomendado no dedicarse a la composición y le había dicho *déjame tranquilo* (lo que no impediría una gran amistad entre ambos), le recordaría así:

Era un hombre pequeño, muy delgado y pálido, con profusión de hermosos y finos cabellos de los que estaba muy orgulloso. [...] Tenía buen corazón y siempre estaba dispuesto a ayudar; pero cuando tocaba era tan susceptible que, si se hacía el menor ruido, se paraba inmediatamente[473].

Una figura insignificante. Así le parecería a Tieck, que le vio en Berlín en 1789: *menudo, rápido, ágil, con ojos de expresión estúpida, una figura insignificante.* Y a su propia hermana, que le describió como *bajo, delgado, de tez pálida, con fisonomía y figura insignificantes.* Recordemos que un año antes de morir había sido tomado por un aprendiz de sastre.

Como sabemos, en octubre de 1768 estuvo enfermo de viruela; según informaría años después Nannerl al editor Breitkopf, esta enfermedad había dejado alguna huella en su rostro:

Mi hermano fue un niño hermoso, pero una desgraciada enfermedad de viruela desfiguró un tanto su delicado rostro, y tras su llegada de Italia, la languidez de su piel le alejó aún más de esos rasgos originales.

La cabeza grande, con el pelo rubio, algo ondulado; unos ojos de color azul muy claro, nerviosos; la mirada a menudo perdida, sobre todo cuando estaba concentrado. Una ligera papada en un rostro algo redondeado, que llevó a una cantante a describir su cara como *una pequeña jetita de cerdo afeitada.* Siempre conservó en su amable rostro algunos rasgos aniñados. Tenía más parecido físico con su madre que con su padre; sobre todo la nariz, como se aprecia en el retrato de Della Croce, era la de Ana María.

El doctor Joseph Frank, alumno suyo en 1790, relató así su primer encuentro con Mozart:

Fui a ver a Mozart; era un hombrecillo de poderosa cabeza y manos carnosas, que me recibió con bastante frialdad. «¡Bien! —dijo—, tocad alguna cosa.» Ejecuté una fantasía compuesta por él; «No está mal —dijo ante mi gran sorpresa—; ahora voy a haceros escuchar algo.» ¡Qué milagro! Bajo sus dedos, el piano se transformaba en un instrumento distinto.

Se sentía especialmente orgulloso de sus manos, pequeñas, carnosas, perfectamente modeladas, con las que sabía que podía llegar a seducir, sobre todo cuando tocaba el piano.

Su cuñada Sofía Haibl describió cómo era su carácter en su último año de vida:

Estaba siempre de buen humor; pero aun con su mejor humor, muy absorto, mirando a los ojos con mirada penetrante, respondiendo a todos —estuviera alegre o triste— con palabras oportunas, aunque pareciera absorbido por otra cosa en su trabajo. Incluso lavándose las manos, por la mañana, iba y venía por la habitación, nunca estaba quieto, chocando un talón con otro y siempre reflexionando. En la mesa cogía a veces un extremo de la servilleta, lo retorcía, lo pasaba y repasaba por su nariz y, absorto en sus pensamientos, no parecía darse cuenta de ello. A menudo unía a este gesto una mueca con la boca. [...] Sus pies y sus manos estaban siempre en movimiento, jugaba siempre con algo, su sombrero, sus bolsillos, la cadena de su reloj, las sillas..., como con un teclado.

Nervioso, muy nervioso; nunca podía estar quieto: jugueteaba con los objetos que estuviesen más cerca de él, se golpeaba un talón contra otro, se frotaba las manos... Su cuerpo se movía casi con tanta rapidez como sus ideas. Pero quizá sea exagerado afirmar, como a veces se ha hecho desde hace algunos años, que padecía un síndrome descrito por Gilles de Tourette, una enfermedad que, entre otras manifestaciones, lleva a quienes están aquejados de ella a tener continuos tics involuntarios, y que hace a quien la padece víctima del rechazo social, por esa incapacidad para mantenerse quietos. Si ningún médico en sus cabales se atrevería en nuestros días a hacer un diagnóstico por teléfono, pensemos qué atrevimiento tan grande supondría hacerlo por carta, o por medio de testimonios de terceros, y además doscientos años después.

En todo caso, este marcado rasgo de su personalidad, su nerviosismo, su carácter inquieto, creemos que no deja de mostrarle también en sintonía con su propia época. No podemos pensar que todos los seres humanos que vivieron en esos años fueran personas nerviosas, pero sí que fue una época de gran inestabilidad, y que por ese mismo hecho se buscaba en el arte la apariencia de un equilibrio, una serenidad y una armonía que no existían en la vida cotidiana, y que son características del Neoclasicismo.

Una de sus aficiones preferidas era el juego del billar; como hemos visto, podía estar jugando y a la vez impartir sus lecciones de música, componer, o incluso llevar a la partitura las composiciones que, como sabemos, ya tenía completamente elaboradas en su mente.

Hemos referido varias veces que le molestaba mucho que no se guardase silencio cuando estaba interpretando música; pese a su capacidad de concentración, tenía una sensibilidad extrema hacia todos los sonidos y ruidos. Existe alguna referencia a que se acostumbró a andar de puntillas por su casa, pidiendo silencio a los demás, hasta el extremo de que a veces caminaba por la calle del mismo modo, y llegaba a hacer señales a quien se le acercaba para que hablase piano; lo que debía resultar un tanto estrafalario.

Sofía Haibl refirió una anécdota sobre el momento en que, en julio de 1789, Constanza se encontraba enferma:

Él trabajaba a su cabecera; yo observaba su apacible sueño, del que ella se había visto privada durante bastante tiempo. Callábamos como si estuviéramos al borde de una tumba para no despertarla. De pronto, una criada entró bruscamente en la habitación. Mozart, preocupado porque su querida esposa no fuera turbada durante su sueño, quiso hacerle una señal para que no hiciera ruido, y al empujar su silla hacia atrás, como tenía su cortaplumas abierto en la mano, se lo clavó en la carne, hasta el mango. A pesar del fuerte dolor, Mozart no hizo un solo movimiento y no dijo nada; me hizo tan sólo una señal para que saliera con él. Fuimos a otra habitación (donde nuestra querida madre vivía retirada, porque no queríamos dejarle ver hasta qué punto estaba enferma la pobre Constanza) con el fin de que nuestra madre pudiera ayudarnos. Ella le limpió y puso [aceite] en su profunda herida. Con el aceite de San Juan consiguió curarle, y aunque andaba un poco inclinado por el dolor, consiguió disimularlo para que su mujer no notara nada.

Cuando Vincent y Mary Novello elaboraron, en 1829, un cuestionario para que lo contestase Constanza, una de las preguntas que le hicieron se refería a las aficiones artísticas y literarias de Wolfgang. Constanza no supo o no quiso decir mucho al respecto; al parecer, le interesaba Shakespeare, y leía a menudo a autores franceses relacionados con la Ilustración. La imagen que a menudo se ha propuesto, de un Mozart completamente despreocupado por la literatura, no parece correcta; desde luego, no debió de ser un gran erudito, pero sabemos que su padre leía mucho, y él quizá no tuviese tanta afición a la lectura como Leopoldo, pero en diversas ocasiones refirió que leía al anochecer, incluso durante las veladas en casa de sus amigos [474]. Hemos visto que Fridolin Weber le regaló las comedias de Molière, si bien es cierto que lo hizo cuando supo que aún no las había leído. Lo que es evidente es que en modo alguno estaba al margen de las avanzadillas culturales de su tiempo. Como sabemos, muy pronto comenzó a intervenir activamente en la elaboración de los libretos de sus óperas, mostrando que tenía muy claras las ideas en lo referente a su concepción dramática.

También hay evidencias de que desde muy niño tenía buena disposición hacia el dibujo, y de hecho, a menudo incluía dibujos en sus cartas; pero a pesar de ello, no parece que entre sus aficiones habituales figurase la pintura, ni siquiera que dedicase mucho tiempo al dibujo.

Nadie se cura nunca de la infancia

Eso asegura otro dicho, esta vez francés. Hemos visto que en Mozart existió, especialmente durante los primeros años de su juventud, una gran tensión entre su fama de niño superdotado y su propio desarrollo personal. Es un lugar común decir que siempre siguió siendo un niño, que fue un inmaduro; incluso hay quien, tal vez pretendiendo reflejarse él mismo en la figura de Mozart, llega a afirmar que era un tonto con habilidad para la música. Inmediatamente después de su muerte, Schlichtegroll escribió una nota necrológica sobre Mozart, en la que mantuvo lo siguiente:

Si este ser extraordinario fue desde temprana edad, en su arte, un verdadero hombre, en cambio la imparcialidad nos obliga a decir que siguió siendo un niño en casi todos los demás terrenos. Nunca aprendió a gobernarse; la organización de su hogar, el empleo juicioso que conviene hacer del dinero, la moderación en los placeres y la razón que debe perseguir su elección, eran temas de los que no en-

tendía absolutamente nada. Necesitaba siempre un guía, un tutor que se ocupara de las cuestiones domésticas en su lugar.

[...] Su padre conocía muy bien esta incapacidad suya para regirse; y, al encontrarse retenido en Salzburgo por su obligación, le hizo acompañar a París por su madre. [...].

En Viena se casó con Constanza Weber, en la que encontró una buena madre para los dos hijos nacidos de su unión, y una digna esposa que intentó además impedir que se entregara a tantas tonterías y excesos [475].

Tonterías y excesos: ésa era su fama en el momento de su muerte. En cualquier caso, por lo poco que sabemos sobre el asunto, no nos da la impresión de que Constanza fuese la persona más adecuada para corregir estos defectos de Mozart. Precisamente bajo la sugerencia de Constanza, Niemtschek matizaría pocos años después esta impresión de un Mozart tonto y excesivo:

Cualquiera que se dedique a estudiar la naturaleza humana no se sorprenderá viendo que este hombre, tan extraordinario como artista, no mostrara la misma envergadura en las demás circunstancias de su vida. [...] La forma en que fue educado, la inestabilidad de una vida errante durante la que no vivía más que para su arte, no le permitieron conocer verdaderamente el corazón humano. [...] A la ausencia de este conocimiento es a lo que hay que atribuir un sinfín de torpezas de las que su existencia estuvo plagada [476].

Es la misma queja que el propio Wolfgang le había hecho alguna vez a Leopoldo [477]: consciente de sus limitaciones frente a determinados aspectos de la vida, precisamente aquellos que le llevarían a la difícil situación económica de sus últimos años, se lamentaba porque no había podido disponer de su vida como cualquier otra persona normal.

¿Es necesario conservar mucho de la infancia para ser un buen artista? Quizá sea así; en todo caso, Mozart retuvo lo suficiente de su espíritu infantil: su disposición a aprender continuamente, su espíritu bromista, su hipersensibilidad, la necesidad de ser querido, la capacidad de querer, sin calcular las ventajas e inconvenientes de ello; la imaginación que de niño le llevaba a inventarse reinos de los que él mismo era el rey. Todo esto le permitió seguir gobernando triunfalmente sobre inmensos territorios musicales inventados por él.

Es posible que cualquier pillastre, cualquier golfillo contemporáneo de Wolfgang hubiera podido darle muchas lecciones sobre la vida. En cualquier caso, los amantes de la música no podemos sino agradecer que Mozart no fuese cualquier pillastre ni cualquier golfillo.

APÉNDICE

Mozart y Salieri

Hace no muchos años, un prestigiado catedrático universitario comenzó la única clase que ese año dedicó a Mozart, diciéndole a sus alumnos, entre los cuales se encontraba el autor de la presente biografía: *Mozart, ya lo habrán visto en la película, era tonto.* Con dos o tres lugares comunes más, y las siempre socorridas audiciones, nos encontrábamos, a un mes de recibir el título de licenciados, en condiciones administrativas de hablarles de Mozart nosotros mismos a nuestros hipotéticos alumnos.

La película, no hacía falta decirlo, no se dijo, era *Amadeus,* la magnífica creación de Milos Forman premiada con varios *Óscar.*

Amadeus se basaba en la obra dramática homónima de Peter Shaffer, a quien se encargó la realización del guión. Pero Shaffer tenía muy ilustres y conocidos precedentes.

El mito de un personaje que se esfuerza meticulosa e infructuosamente por ser un gran artista, disciplinado, virtuoso, temeroso de Dios, y que con estupor se encuentra frente a un personajillo amoral, o incluso envilecido, estúpido, que, sin el menor esfuerzo, llega a la cima del arte sólo por favor divino, sin duda conviene muy bien a la estética y a la ética artísticas imperantes en los últimos veinte o treinta años. Sobre todo, porque hemos llegado a aceptar que se mantengan en el mundo del arte demasiados personajes que, efectivamente, sin el menor esfuerzo, y a menudo debido precisamente a su espíritu amoral o incluso envilecido, pasan durante buena parte de sus vidas por ser magníficos artistas. Esta continua eclosión de farsantes era un buen sustrato para recuperar esa vieja leyenda.

En el momento en que surgió el mito de *Mozart y Salieri,* en pleno Romanticismo, posiblemente tuviese mayor solidez que en nuestra propia época: durante toda la Edad Moderna, como en el mundo clásico grecorromano, la belleza se había identificado con el bien; ésa es una de las concepciones estéticas básicas de Platón y los neoplatónicos. Pero en el mundo contemporáneo fue rompiéndose con esa identidad. No en todos los ambientes, conviene recalcarlo: así, por ejemplo, todavía hoy es muy frecuente que muchos biógrafos de artistas se nieguen a aceptar el menor atisbo de depravación o degradación moral en los personajes por ellos biografiados. Los excesos de Miguel Ángel, las torpezas de Caravaggio, el engreimiento de Leonardo, las debilidades de Wagner, los aspectos más mezquinos de tantos y tantos artistas de calidad indiscutible, todo esto tiende a desaparecer o suavizarse hasta límites ridículos en demasiadas obras. A muchos autores (y lectores) les resulta insoportable la idea de que una persona malvada pueda haber compuesto un oratorio sublime o pintado una *Inmaculada* conmovedora; en el fondo tenía que ser buena gente.

Pero muchos teóricos del arte de la Edad Contemporánea se dieron cuenta de la trampa que encierra esta concepción. Ni una obra de arte ni su autor tienen por qué ser moralmente irreprochables. Un cuadro, una escultura, una sinfonía o un cuarteto de cuerda no tienen por qué ser necesariamente lecciones de ética, de virtud cristiana, de patriotismo. Se podría llegar incluso al extremo contrario, sin dudar de encontrarnos ante una magnífica obra de arte.

Por otra parte, más que de rivalidad entre Mozart y Salieri (o viceversa), habría que hablar de rivalidad entre los músicos italianos y los *nacionales,* en una época en que los artistas italianos (no sólo los músicos) imponían una especie de dictadura en las cortes europeas. Mozart se lamentó a menudo de este hecho, e incluso ocasionalmente se refirió al poder que tenía el propio Salieri; pero no es menos cierto que también existen diversos testimonios que revelan una buena relación entre ambos, como la carta en la que Mozart refirió a su esposa la impresión que en Salieri y la Cavalieri produjo la representación de *La flauta mágica* en el teatro Wieden, a la que les llevó el día 13 de octubre de 1791, muy próximo el momento de su muerte:

No te puedes creer qué deferentes estuvieron los dos, cómo les gustó, no sólo mi música, sino el libro y todo el conjunto. Ambos dijeron que es una ópera digna de ser representada en las mayores celebraciones ante el mayor monarca. Ellos la verían ciertamente con mucha frecuencia, pues todavía no han visto un espectáculo más bonito y agradable. Salieri escuchó y miró con toda atención, y desde la sinfonía hasta el último coro no hubo una pieza que no le arrancara un «¡Bravo!» o un «¡Bello!». Y no terminaban de agradecerme esta deferencia.

Salieri, como hemos visto, fue uno de los pocos asistentes a la ceremonia religiosa previa al entierro de Mozart, y no podemos sino pensar que su dolor era sincero.

En cuanto al supuesto envenenamiento de Mozart, suele mantenerse que en gran medida fue él mismo quien dio pie a la leyenda de su asesinato; según Niemtschek, cuando ya se encontraba bastante enfermo, en octubre de 1791, Wolfgang habría comentado a Constanza que había sido envenenado. Hemos visto que unos días después de su muerte se dio así en Praga la noticia de la muerte de Mozart:

Mozart ha muerto. Había regresado enfermo de Praga; después no mejoró. Se le creía hidrópico, y ha muerto en Viena la pasada semana. Como su cuerpo se hinchó después de su muerte, llegaron a creer que había sido envenenado[478].

Esta hinchazón no parece suficiente motivo para asegurar que murió envenenado, y en esta información se acepta así: *llegaron a creer*. Pero algo debía de haber en el ambiente, que llevó a algunos a tener tales sospechas; por ejemplo, ya nos hemos referido al hecho de que unos días después de la muerte de Mozart el esposo de una discípula suya, Franz Hofdemel, matase a ésta y se suicidase, lo que hizo que algunos pensasen que él había envenenado a Mozart.

Salieri falleció en 1825, con setenta y cinco años de edad y demente. Unos años antes comenzó a circular por Viena el rumor de que él había envenenado a Mozart, algo que siempre desmintió rotundamente. Pero, tal vez influido por ese rumor, y no sabemos si inducido por alguien o por su propia voluntad, muy mermada por su enfermedad, parece ser que en sus últimos días dio en decir que él, efectivamente, había provocado la muerte de Mozart.

En el cuestionario que los Novello elaboraron en 1829, preguntaron a Constanza y Franz Xaver por el posible envenenamiento de Wolfgang. La conclusión sobre este asunto fue la siguiente:

El hijo rechazó la habladuría de que Mozart había sido envenenado por Salieri, a pesar de que su padre sí lo había creído, y de que el propio Salieri lo había confesado en su lecho de muerte. Unas seis semanas antes de morir, Mozart fue embargado por el terrible pensamiento de que alguien lo quería envenenar con agua tofana[479]. *Un día llamó a Constanza y comenzó a lamentarse de fuertes dolores en los riñones y de debilidad general; uno de sus enemigos, explicó, le había suministrado la mezcla letal. «Sé que debo morir», exclamó. «Alguien me ha dado agua tofana y sabe el día exacto de mi muerte, el día para el que han encargado un* Réquiem. *Es para mí, pues, para quien lo estoy escribiendo.»*

Notemos que, utilizando un lenguaje ambiguo, y empeñados en que había sido envenenado, y en que Salieri fue su verdugo, se deja ver por los Novello que el propio Mozart lo pensaba así, y dicen: *su padre sí lo había creído* (lo que había creído era que estaba siendo envenenado, no que el autor del envenenamiento fuese Salieri); pero a la vez se hace decir a Mozart que *alguien lo quería envenenar,* es decir, que no sabía quién lo estaba haciendo (tampoco podemos imaginar por qué extraños medios); no es posible, por tanto, que dejemos de cuestionarnos si el resto de las afirmaciones atribuidas a Franz Xaver y transcritas por los Novello son, primero, algo más que impresiones subjetivas del hijo de Mozart, y, segundo, sobre lo declarado por Franz Xaver, exageraciones de los Novello.

Alexander Pushkin (1799-1837) partió de esta leyenda para elaborar un drama en verso, *Mozart y Salieri,* terminado en 1831; una fábula en la que planteaba el enfrentamiento entre dos concepciones de la vida y del arte radicalmente distintas.

Sobre este drama de Pushkin, y con su mismo título, a finales del siglo XIX, el 25 de noviembre de 1898, se estrenó en Moscú una pequeña ópera compuesta por Nicolai Rimsky-Korsakov (1844-1908), no tan divertida, desde luego, como *la película.*

Sobre esta base, y coincidiendo con la eclosión en ciertos sectores influyentes del mundo del arte, y de la cultura en general, de una tendencia que se dio en llamar *apropiacionismo* (aunque en este caso debamos hablar sólo de *inspiración),* apareció en 1979 la obra escénica de Peter Shaffer *Amadeus,* que tuvo un gran éxito de público y prensa. El director checo Milos Forman asistió ese mismo año a una representación de esta obra en un teatro de Londres, y al terminar la función corrió a pedir al entonces todavía poco conocido Shaffer que escribiera el guión de la película, que por fin sería realizada en 1984. Forman ya había hecho alguna incursión, de uno u otro modo, en el mundo de la música *(Hair,* 1979; *Ragtime,* 1981).

En *Amadeus* (1984), el dramatismo y la intensidad de la fábula se ven reforzados por una magnífica ambientación y documentación, en la línea de tantas películas preciosistas *de época* que por esos años comenzaban a realizarse en Estados Unidos, y hoy siguen haciéndose en todos los países, a poco que lo permita el presupuesto. Pero, junto a situaciones verídicas o muy verosímiles, la película es una recreación, una invención (magnífica recreación y magnífica invención), en la que se caricaturizan personajes, se utilizan anécdotas ocurridas en otros momentos y con otros protagonistas, se inventan situaciones; un buen ejemplo de esto es la escena de la composición del *Réquiem*, con ese imaginario mano a mano entre los dos protagonistas del drama, algo completamente inventado, aunque basado en el testimonio según el cual la hermana de Constanza, Sofía, se encontró, al llegar a casa horas antes de morir Mozart, a éste y a su discípulo Süssmayr enfrascados en una conversación sobre lo que quedaba por realizar del *Réquiem*. Esta ficticia situación es inmediatamente seguida en la película por la perfectamente verosímil, y sobrecogedora, escena del entierro de Mozart. *Amadeus* es una estupenda obra de arte en sí misma, pero no es una biografía, ni pretendía serlo; esto último la diferencia de muchas de las novelas basadas en personajes históricos, e incluso de tantas biografías escritas sin demasiado rigor. Su gran peligro es su verosimilitud, la continua mezcla entre realidad y ficción, que puede hacer (que hace) que muchas personas poco conocedoras de la figura de Mozart puedan interpretarla al pie de la letra.

Porque Mozart, aunque su intérprete en *la película* se riera como si lo fuera, no era, precisamente, tonto.

Los viajes de Mozart

Joseph Heinz Eibl tuvo la paciencia de calcular cuánto tiempo había estado Mozart viajando a lo largo de su vida [480]. Con el reparo de que no nos parece posible afirmar que el número de días sea exacto, pues, por una parte, en alguna ocasión existen dudas sobre los días de salida o de regreso, y, por otra, no es posible asegurar que no hiciese otros viajes cortos, primero desde Salzburgo o luego desde Viena, de los cuales no haya quedado constancia en su correspondencia, en todo caso el dato puede considerarse orientativo, aparte de que pueda hacer las delicias de quienes sienten placer con las estadísticas. Eibl calculó que Mozart vivió treinta y cinco años, diez meses y nueve días: 13.097 días. Según él, habría pasado viajando diez años, dos meses y ocho días: 3.720 días. Esto supone más de la cuarta parte de su vida, casi la tercera parte. Debe además tenerse en consideración que el primer viaje lo emprendió cuando estaba a punto de cumplir seis años, y el último lo realizó dos o tres meses antes de morir, ya se quiera considerar como último viaje el realizado a Praga en septiembre de 1791, o el muy corto a Baden en octubre del mismo año.

A continuación hacemos una relación de los viajes documentados:

1. Mediados de enero de 1762 hasta comienzos de febrero de 1762

Con Leopoldo.

Salzburgo - MUNICH - Salzburgo.

2. 18 de septiembre de 1762 a 5 de enero de 1763

Con Leopoldo, Ana María y Nannerl.

Salzburgo - Passau - Linz - Mauthausen - Ybbs - Stein - VIENA - Bratislava - Viena - Salzburgo.

3. 9 de junio de 1763 a 29 de noviembre de 1766

Con Leopoldo, Ana María y Nannerl.

Salzburgo - Wasserburgo - Innstadt - MUNICH - AUGSBURGO - Günzburg - Ulm - Ludwigsburg - Vainhingen - Bruchsal - Schwetzingen (Stuttgart) - Heidelberg (Heilbronn) - MANNHEIM - Worms - Maguncia (Mainz) - FRANKFURT DEL MAIN (Francfort) - Bonn - COLONIA - Aquisgrán (Aachen) - Lieja - Tirlemont - Lovaina - BRUSELAS - Mons - PARÍS - Calais - Dover - LONDRES - Canterbury - Dover - Calais - Dunkerque - Lille - Gante - AMBERES (Anvers, Antwerpen) - Marduk (Mordijk) - Rotterdam - LA HAYA - AMSTERDAM - La Haya - Utrecht - ROTTERDAM - Amberes - Bruselas - Valenciennes - Cambrai - PARÍS - Dijón - Lyón - GINEBRA - Lausana - Berna - ZURICH - Winterthur - Schlaffhausen - Donaueschingen - Biberach - Ulm - Gunzbourg - Dillingen - Augsburgo - MUNICH - Salzburgo.

4. 11 de septiembre de 1767 a 5 de enero de 1769

Con Leopoldo, Ana María y Nannerl.

Salzburgo - Vöcklabruck - Lambach - Linz - Strengberg - Melk - St. Pölten - VIENA - Brunn (Brno) Olmutz - Brunn - VIENA - Salzburgo.

5. 11 de diciembre de 1769 a 28 de marzo de 1771

Con Leopoldo.

Salzburgo - Lofer - Wörgl - Schwanz - Innsbruck - Steinach - Brixen - Bozen (Bolzano) - Neumarkt - Trento - Rovereto - Verona - Mantua - Brozzolo - Cremona - MILÁN - Lodi - Parma - BOLONIA - FLORENCIA - Siena - Orvieto - Viterbo - ROMA - Capua - NÁPOLES - Portici - Roma - Capua - Nápoles - Portici - Roma - Loreto - Pesaro- Firmini - Forli - Imola - BOLONIA - MILÁN - Turín -Milán - Venecia - Padua - Vicenza - Verona - Innsbruck - Salzburgo.

6. 13 de agosto a 16 de diciembre de 1771
Con Leopoldo.
Salzburgo - Innsbruck - Brixen - Trento - Verona - Brescia - MILÁN - Brixen - Innsbruck - Salzburgo.

7. 24 de octubre de 1772 a 13 de marzo de 1773
Con Leopoldo.
Salzburgo - Innsbruck - Brixen - Trento - Verona - Brescia - MILÁN - Ala - Innsbruck - Salzburgo.

8. Mediados de julio a finales de septiembre de 1773
Con Leopoldo.
Salzburgo - Viena - Linz - Lambach - Salzburgo.

9. 6 de diciembre de 1774 a 7 de marzo de 1775
Con Leopoldo (y con Nannerl al regreso).
Salzburgo - Wasserburgo - MUNICH - Wasserburgo - Salzburgo.

10. 23 de septiembre de 1777 a 15 o 16 de enero de 1779
Con Ana María hasta París; regreso solo.
Salzburgo - Wasserburgo - MUNICH - AUGSBURGO - Hohenaltheim - Schwetzingen - MANNHEIM - Kircheim-Boland - Mannheim - Metz - PARÍS - Nancy - Estrasburgo - Mannheim - Abadía de Kaiserheim - Neoburg - Ingolstadt - MUNICH - Salzburgo.

11. 5 de noviembre de 1780 a 16 de marzo de 1781
Solo.
Salzburgo - Munich - VIENA.

12. Julio-noviembre de 1783
Con Constanza.
Viena - SALZBURGO - Linz - Viena.

13. 9 de enero a 10 (?) de febrero de 1787
Con Constanza y Franz de Paula Hofer.
Viena - PRAGA - Viena.

14. Septiembre a noviembre de 1788
Con Constanza y Lorenzo da Ponte.
Viena - PRAGA - Viena.

15. 8 de abril a 4 (?) de junio de 1789
Con el príncipe Karl von Lichnowsky; regreso solo.

Viena - Budweis - PRAGA - Dresde - LEIPZIG - Potsdam - Leipzig - BERLÍN - Dresde - PRAGA - Viena.

16. Mayo a agosto de 1790
Solo; regreso con Constanza.
Viena - Baden - Viena.

17. 23 de septiembre a noviembre de 1790
Con Franz de Paula Hofer.
Viena - Eferding - Regensburg - Ratisbona - Nuremberg Würzburg - FRANCFORT - Offenbach - Maguncia - Mannheim - Heidelberg - Stuttgart - Augsburgo - MUNICH - Viena.

18. Junio de 1791
Solo.
Viena - Baden - Viena.

19. 10 (?) a 11 de julio de 1791
Solo; regreso con Constanza.
Viena - Baden - Viena.

20. Agosto a septiembre de 1791
Con Constanza.
Viena - PRAGA - Viena.

21. 15-16 de octubre de 1791
Solo; regreso con Constanza.
Viena - Baden - Viena.

El catálogo de Köchel (Köchel Verzeichnis)

Tras la muerte de Mozart hubo varios intentos de catalogar su prolífica obra; entre ellos el de Johann Anton André en 1828, y después los de Aloys Fuchs y Otto Jahn.

Ludwig Aloys Ferdinand von Köchel (L. Ritter von Köchel, *el caballero Köchel)* fue un naturalista austriaco, nacido en 1800; era experto en la clasificación de plantas y minerales, y preceptor de los sobrinos del emperador Francisco I de Austria.

Aplicó a la obra de Mozart técnicas propias de un naturalista positivista, similares a las que se empleaban en aquellos tiempos para clasificar los seres vivos, las plantas, los minerales, los cuentos, los refranes, los temas musicales folclóricos... Todo se podía clasificar numéricamente, también las obras de Mozart o de cualquier otro compositor. En 1862 la editorial Breitkopf und Härtel, de Leipzig, publicó el *Chronologisches Thematisches Verzeichnis sammtlicher Tonwerke von W. A. Mozart (Catálogo cronológico y temático de todas las obras de W. A. Mozart)* de Köchel; en seguida comenzó a conocerse como el *catálogo Köchel (Köchel Verzeichnis: «K. V.»,* o simplemente *«K.»).*

El criterio de ordenación es cronológico: comienza con un minueto para piano, en sol mayor (K 1), supuestamente compuesto por Mozart en diciembre de 1761 o enero de 1762, esto es, con cinco años, y concluye con el célebre *Requiem* en re menor, K 626, que quedó incompleto al morir Mozart y fue magistralmente concluido por su discípulo Süssmayr. En la última edición del *Köchel* (1964) se añadió, como K 626b, una colección de 48 fragmentos compuestos en circunstancias y momentos indeterminados.

La ordenación cronológica se complementaba con una clasificación temática por medio de series, del siguiente modo:

Series I a IV: música religiosa.
Serie V: música dramática, que incluye veintiuna óperas.
Series VI y VII: música vocal de concierto, otras composiciones vocales.
Series VIII a XI: obras de carácter sinfónico, incluidas cuarenta y una sinfonías.
Series XII a XVIII: música de cámara y de concierto con instrumentos solistas.
Series XIX a XXII: música de clavicordio o piano solos.
Serie XXIII: música de órgano.
Serie XXIV: obras inacabadas.

Cuando falleció Köchel (en Viena, el 3 de junio de 1877), se estaba preparando la primera reedición de su catálogo, que fue publicada en 1886, también por Breitkopf und Härtel.

La segunda edición, así mismo de Breitkopf und Härtel, se publicó en 1905; la revisión se debió al musicólogo Paul von Waldersee, fallecido en 1906.

La tercera edición, aparecida en 1937, corrió a cargo del musicólogo Albert Einstein.

En 1947 aparecieron dos nuevas ediciones, la cuarta y la quinta, pero apenas supusieron modificaciones respecto a la anterior.

En 1951 se publicó un compendio, elaborado por Hellmuth von Hase (director de Breitkopf und Härtel), en algo menos de 200 páginas, del llamado desde entonces *Gran Köchel* (este último de 1.168

páginas); es el conocido como *Pequeño Köchel,* y fue traducido al francés y editado en París por A. Leduc.

En febrero de 1964 apareció la sexta edición del catálogo, a cargo de los doctores Giegling de Zürich, Weinmann de Viena y Sievers de Wiesbaden; entre otras innovaciones respecto a anteriores ediciones, en ésta se incluye una relación de documentos relacionados con Mozart y conservados en los archivos fotográficos de la Nationalbibliothek de Viena.

KV	Título	Lugar de composición	Año	Fecha de composición o terminación
K 1	Minué para piano, sol mayor	Salzburgo	1761	Diciembre (o enero de 1762)
K 1a	Andante para piano, do mayor	Salzburgo	1761	Enero
K 1b	Allegro para piano, do mayor	Salzburgo	1761	Enero
K 1c	Allegro para piano, fa mayor	Salzburgo	1761	11 de diciembre
K 1d	Minué para piano, fa mayor	Salzburgo	1761	16 de diciembre
K 2	Minué para piano, fa mayor	Salzburgo	1762	Enero
K 3	Allegro para piano, si bemol mayor	Salzburgo	1762	4 de marzo
K 4	Minué para piano, fa mayor	Salzburgo	1762	11 de mayo
K 5	Minué para piano, fa mayor	Salzburgo	1762	5 de julio
K 5a	Allegro para piano, do mayor	Salzburgo	1763	Verano-Otoño
K 5b	Andante para piano, si bemol mayor	Salzburgo	1763	Verano-Otoño
K 6	Sonata para piano y violín, do mayor	Salzburgo	1762	y 1764
K 7	Sonata para piano y violín, re mayor	Viaje Salzburgo a París	1763 y 1764	
K 8	Sonata para piano y violín, si bemol mayor	París	1763	21 nov. (y 1764)
K 9	Sonata para piano y violín, sol mayor	París	1764	Comienzos
K 10	Sonata para piano y violín o flauta, si bemol mayor	Londres	1764	Otoño
K 11	Sonata para piano y violín o flauta, sol mayor	Londres	1764	Otoño
K 12	Sonata para piano y violín o flauta, la mayor	Londres	1764	Otoño
K 13	Sonata para piano y violín o flauta, fa mayor	Londres	1764	Otoño
K 14	Sonata para piano y violín o flauta, do mayor	Londres	1764	Otoño
K 15	Sonata para piano y violín o flauta, si bemol mayor	Londres	1764	Otoño
K 15a	Allegro para piano, fa mayor	Londres	1765	Primavera
K 15b	Andantino para piano, do mayor	Londres	1765	Primavera
K 15c	Minué para piano, sol mayor	Londres	1765	Primavera
K 15d	Rondó para piano, re mayor	Londres	1765	Primavera
K 15e	Contradanza para piano, sol mayor	Londres	1765	Primavera
K 15f	Minué para piano, do mayor	Londres	1765	Primavera
K 15g	Preludio para piano, do mayor	Londres	1765	Primavera
K 15h	Contradanza para piano, fa mayor	Londres	1765	Primavera
K 15i	Minué para piano, la mayor	Londres	1765	Primavera
K 15k	Minué para piano, la menor	Londres	1765	Primavera
K 15l	Contradanza para piano, la mayor	Londres	1765	Primavera
K 15m	Minué para piano, la menor	Londres	1765	Primavera
K 15n	Andante para piano, do mayor	Londres	1765	Primavera
K 15o	Andante para piano, re mayor	Londres	1765	Primavera
K 15p	Tempo di sonata para piano, sol menor	Londres	1765	Primavera
K 15q	Andante para piano, si bemol mayor	Londres	1765	Primavera
K 15r	Andante para piano, sol menor	Londres	1765	Primavera
K 15s	Rondó para piano, do mayor	Londres	1765	Primavera

KV	Título	Lugar de composición	Año	Fecha de composición o terminación
K 15t	Tempo di sonata para piano, fa mayor	Londres	1765	Primavera
K 15u	Siciliana para piano, re menor	Londres	1765	Primavera
K 15v	Finale di sonata para piano, fa mayor	Londres	1765	Primavera
K 15w	Alemanda para piano, si bemol mayor	Londres	1765	Primavera
K 15x	Finale di sonata para piano, fa mayor	Londres	1765	Primavera
K 15y	Minué para piano, sol mayor	Londres	1765	Primavera
K 15z	Giga para piano, do menor	Londres	1765	Primavera
K 15aa	Finale di sonata para piano, re mayor	Londres	1765	Primavera
K 15bb	Finale di sonata para piano, re mayor	Londres	1765	Primavera
K 15cc	Minué para piano, mi bemol mayor	Londres	1765	Primavera
K 15dd	Andante para piano, la bemol mayor	Londres	1765	Primavera
K 15ee	Minué para piano, mi bemol mayor	Londres	1765	Primavera
K 15ff	Minué para piano, la bemol mayor	Londres	1765	Primavera
K 15gg	Contredanse en rondeau, si bemol mayor	Londres	1765	Primavera
K 15hh	Rondó para piano, fa mayor	Londres	1765	Primavera
K 15ii	Andante para piano, si bemol mayor	Londres	1765	Primavera
K 15kk	Tempo di sonata para piano, mi bemol mayor	Londres	1765	Primavera
K 15ll	Finale di sonata para piano, si bemol mayor	Londres	1765	Primavera
K15mm	Andante para piano, mi bemol mayor	Londres	1765	Primavera
K 15nn	Minué para piano, fa mayor (fragmento)	Londres	1765	Primavera
K 15oo	Minué para piano, fa mayor	Londres	1765	Primavera
K 15pp	Minué para piano, si bemol mayor	Londres	1765	Primavera
K 15qq	Minué para piano, mi bemol mayor	Londres	1765	Primavera
K 15rr	Minué para piano, do mayor (fragmento)	Londres	1765	Primavera
K 15ss	Fuga a cuatro voces, do mayor (fragmento)	Londres	1765	Primavera
K 16	Sinfonía n.º 1, mi bemol mayor	Londres	1764	Fines-Comienzos 1765
K 17	Sinfonía, si bemol mayor. Apócrifa.			
K 18	Sinfonía, mi bemol mayor. Apócrifa ¿de C.F. Abel?			
K 19	Sinfonía n.º 4, re mayor	Londres	1765	Comienzos
K 19a	Sinfonía, fa mayor			
K 19b	Sinfonía, do mayor. Perdida.			
K 19d	Sonata para clavicémbalo o piano a cuatro manos, do mayor	Londres	1765	Mayo
K 20	Motete «God is our refuge», sol menor	Londres	1765	Julio
K 21	Aria para tenor «Va, dal furor portata», do mayor	Londres	1765	
K 21a	Variaciones para piano, la mayor. Perdidas	Londres	1765	
K 22	Sinfonía n.º 5, si bemol mayor	La Haya	1765	Diciembre
K 23	Aria para soprano «Conservati fedele», la mayor	La Haya	1765	Octubre
K 24	8 variaciones para piano, sol mayor	La Haya	1766	Enero-febrero

KV	Título	Lugar de composición	Año	Fecha de composición o terminación
K 25	7 variaciones para piano, re mayor	La Haya	1766	Enero-febrero
K 26	Sonata para piano y violín, mi bemol	La Haya	1766	Febrero
K 27	Sonata para piano y violín, sol mayor	La Haya	1766	Febrero
K 28	Sonata para piano y violín, do mayor	La Haya	1766	Febrero
K 29	Sonata para piano y violín, re mayor	La Haya	1766	Febrero
K 30	Sonata para piano y violín, fa mayor	La Haya	1766	Febrero
K 31	Sonata para piano y violín, si bemol mayor	La Haya	1766	Febrero
K 32	Quodlibet «Galimathias musicum», piano y orquesta	La Haya	1766	Marzo
K 32a	«Das dritte Skizzenbuch», para piano. Perdida			
K 33	Kyrie, fa mayor	París	1766	12 de junio
K 33a	Pieza para flauta sola. Perdida	La Haya o París	1766	Finales
K 33b	Pieza para violoncello solo. Perdida	La Haya o París	1766	Finales
K 33c	Stabat Mater a 4 voces. Perdida	La Haya o París	1766	Finales
K 33d	Sonata para piano, sol mayor	La Haya o París	1766	Finales
K 33e	Sonata para piano, si bemol	La Haya o París	1766	Finales
K 33f	Sonata para piano, do mayor	La Haya o París	1766	Finales
K 33g	Sonata para piano, fa mayor	La Haya o París	1766	Finales
K 33h	Pieza para cuerno de caza. Perdida	La Haya o París	1766	Finales
K 34	Ofertorio «Scande Coeli limina», do mayor	Seeon, Baviera	1766	Diciembre
K 35	Oratorio sacro «Die Schuldigkeit des ersten Gebotes (El cumplimiento del primer mandamiento)». Primera parte	Salzburgo	1766	Diciembre-marzo 1767
K 36	Aria para tenor «Tali e cotanti sono». Recitativo «Or che il dovere», Re mayor	Salzburgo	1766	21 de diciembre
K 37	Concierto n.º 1 para piano y orquesta, fa mayor	Salzburgo	1767	Abril
K 38	«Apollo et Hyacinthus», entreacto en latín	Salzburgo	1767	Primavera
K 39	Concierto para piano, si bemol, sobre varios autores	Salzburgo	1767	Junio
K 40	Concierto para piano, re mayor, sobre varios autores	Salzburgo	1767	Julio
K 41	Concierto para piano, sol mayor, sobre varios autores	Salzburgo	1767	Julio
K 41a	Divertimentos. Perdidos	Salzburgo	1767	
K 41b	Piezas para instrumentos de viento. Perdidas	Salzburgo	1767	

KV	Título	Lugar de composición	Año	Fecha de composición o terminación
K 41c	Marcha. Perdida	Salzburgo	1767	
K 41d	Minués. Perdidos	Salzburgo	1767	
K 41e	Fuga para piano. Perdida.	Salzburgo	1767	
K 41f	Fuga a cuatro voces. Perdida.	Salzburgo	1767	
K 41g	Música nocturna. Perdida.	Salzburgo	1767	
K 42	Cantata «Grabmusik»	Salzburgo	1767	Primavera
K 43	Sinfonía n.º 6, fa mayor	Viena u Olomouc	1767	Primavera
K 43a	Aria para dos sopranos «Ach, was müssen wir erfahren?» (Ay, ¿qué es lo que oímos?). Fragmento	Viena u Olomouc	1767	Octubre
K 44	Antífona «Cibavit eos in adipe»	Bolonia	1770	Septiembre-octubre
K 45	Sinfonía n.º 7, re mayor	Viena	1768	17 de enero
K 45a	Sinfonía «Viena Lambach»/«Nueva Lambach», sol mayor	Viena	1768 o 1766	
K 45b	Sinfonía n.º 55, si bemol	Viena	1768	Comienzos
K 46	Quinteto para cuerda-reelaboración de la K 361	Viena	1781	
K 47	Ofertorio «Veni Sancte Spiritus»	Viena	1768	Otoño
K 48	Sinfonía n.º 8, re mayor	Viena	1768	13 de diciembre
K 49	Missa brevis, sol mayor	Viena	1768	Octubre-noviembre
K 50	«Bastien und Bastienne», singspiel en un acto	Viena	1768	Verano
K 51	«La finta semplice» (La ingenua fingida), ópera bufa en tres actos	Viena	1768	Abril-julio
K 52	Lied «Daphne, deine Rosenwangen» (Dafne, tus mejillas rosadas), la mayor	Viena	1768	Agosto
K 53	Lied «An die Freude» (A la Alegría), fa mayor	Viena	1768	Agosto o noviembre
K 54	Sonata para piano, fa mayor	Viena	1768	26 de julio
K 55	Sonata para piano y violín, fa mayor. Apócrifa	Milán (?)	1772 o 1773	
K 56	Sonata para piano y violín, do mayor. Apócrifa	Milán (?)	1772 o 1773	
K 57	Sonata para piano y violín, fa mayor. Apócrifa	Milán (?)	1772 o 1773	
K 58	Sonata para piano y violín, mi bemol. Apócrifa	Milán (?)	1772 o 1773	
K 59	Sonata para piano y violín, do menor. Apócrifa	Milán (?)	1772 o 1773	
K 60	Sonata para piano y violín, mi menor. Apócrifa	Milán (?)	1772 o 1773	
K 61	Sonata para piano y violín, la mayor. Apócrifa	Milán (?)	1772 o 1773	
K 61b	7 minués para dos violines y bajo	Salzburgo	1769	26 de enero
K 61g	2 minués para orquesta	Salzburgo	1769	26 de enero
K 61h	6 minués para orquesta	Salzburgo	1769	26 de enero
K 62	Marcha de casación, re mayor	Salzburgo	1763	

KV	Título	Lugar de composición	Año	Fecha de composición o terminación
K 63	Casación, sol mayor	Salzburgo	1763	
K 64	Minué, re mayor. ¿Apócrifo?	Salzburgo	1763	
K 65	Missa brevis, re menor	Salzburgo	1769	14 de enero
K 66	Misa «Dominicus Messe», do mayor	Salzburgo	1769	Octubre
K 66b	Te Deum, do mayor	Salzburgo	1769	Otoño
K 66c	Sinfonía, re mayor. Perdida	Salzburgo	1769	Otoño
K 66d	Sinfonía, si bemol. Perdida	Salzburgo	1769	Otoño
K 66e	Sinfonía, si bemol. Perdida	Salzburgo	1769	Otoño
K 67	Sonata da chiesa, mi bemol	Salzburgo	1767	
K 68	Sonata da chiesa, si bemol	Salzburgo	1767	
K 69	Sonata da chiesa, re mayor	Salzburgo	1767	
K 70	Aria para soprano «Sol nascente»-Recitativo «A Berenice», sol mayor	Salzburgo	1769	28 de febrero
K 71	Aria para tenor «Ah, più tremar no voglio», fa mayor. Fragmento	Milán	1770	Comienzos
K 72	Ofertorio «Inter natos mulierum»	Salzburgo	1771	Mayo-junio
K 73	Sinfonía n.º 9, do mayor	Salzburgo	1769 o 1771	
K 73a	Aria «Misero tu non sei». Perdida	Milán	1770	26 de enero
K 73r	4 cánones enigmáticos	Bolonia	1770	Julio-agosto
K 74	Sinfonía n.º 10, sol mayor	Milán	1770	Octubre-diciembre
K 74b	Aria para soprano «Non curo l'affetto d'un timido amante», mi mayor	Milán	1771	Comienzos
K 75	Sinfonía n.º 42, fa mayor	Salzburgo	1771	Primavera-verano
K 76	Sinfonía n.º 43, fa mayor	Viena	1767	Otoño
K 77	Aria para soprano «Misero pargoletto»-Recitativo «Misero me!», mi bemol	Milán	1770	Marzo
K 78	Aria para soprano «Per pietà, bell'idol mio», mi bemol	Milán	1770(?)	Marzo (?)
K 79	Aria para soprano «Per quel paterno amplesso»-Recitativo «O temerario Arbace», si bemol	Milán	1770 (?)	Marzo (?)
K 80	Cuarteto para cuerda, sol mayor	Lodi	1770	15 de marzo
K 81	Sinfonía n.º 44, re mayor	Roma	1770	25 de abril
K 82	Aria para soprano «Se ardire e esperanza», fa mayor	Roma	1770	Abril
K 83	Aria para soprano «Se tutti i mali miei», mi bemol	Roma	1770	Abril
K 84	Sinfonía n.º 11, re mayor	Milán y Bolonia	1770	Febrero y julio
K 85	Miserere, la menor	Bolonia	1770	Agosto
K 86	Antífona «Quaerite primum regnum Dei»	Bolonia	1770	9 de octubre
K 87	Mitrídates, rey del Ponto, ópera en tres actos	Bolonia y Milán	1770	Agosto-diciembre
K 88	Aria para soprano «Fra cento affanni»	Milán	1770	Febrero
K 89	Kirie, sol mayor	Roma	1770	Mayo
K 90	Kirie, re menor	Salzburgo	1771	Verano
K 91	Kirie, re mayor	Salzburgo	1774	Verano

KV	Título	Lugar de composición	Año	Fecha de composición o terminación
K 92	Salve Regina	Salzburgo	1771	
K 93	De profundis clamavi	Salzburgo	1771	
K 93a	Salmo «Memento Domine David»			
K 93c	Lacrimosa para un réquiem			
K 94	Minué para piano, re mayor	Roma	1770	Abril
K 95	Sinfonía n.º 45, re mayor	Roma	1770	Abril
K 96	Sinfonía n.º 46, do mayor	Milán	1771	Octubre-noviembre
K 97	Sinfonía n.º 47, re mayor	Roma	1770	Abril
K 98	Sinfonía n.º 48, fa mayor. Dudosa	Milán (?)	1771(?)	Noviembre
K 99	Casación, si bemol mayor	Salzburgo	1769	Verano
K 100	Serenata n.º 1 «Final-Musik», re mayor	Salzburgo	1769	Verano
K 101	Serenata n.º 2 «Ständchen», fa mayor	Salzburgo	1776	
K 102	Final de sinfonía, do mayor	Salzburgo	1775	Abril-agosto
K 103	Minués para orquesta	Salzburgo	1769	Febrero
K 104	Minués para orquesta	Salzburgo	1769	Febrero
K 105	Minués para orquesta	Salzburgo	1769	Febrero
K 106	Obertura y 3 contradanzas, re mayor	Salzburgo	1790	Enero
K 107	3 conciertos para piano, sobre sonatas de J. Ch. Bach	Salzburgo o Londres	1771 o 1765	
K 108	Regina Coeli, do mayor	Salzburgo	1771	Mayo
K 109	Litaniae B.M.V. Lauretanae, si bemol	Salzburgo	1771	Mayo
K 110	Sinfonía n.º 12, sol mayor	Salzburgo	1771	Julio
K 111	«Ascanio en Alba», serenata teatral en dos actos	Milán	1771	Agosto-septiembre
K 112	Sinfonía n.º 13, fa mayor	Milán	1771	2 de noviembre
K 113	Divertimento «Concierto» n.º 1, mi bemol	Milán	1771	Noviembre
K 114	Sinfonía n.º 4, la mayor	Salzburgo	1771	30 de diciembre
K 115	Missa brevis, do mayor. Fragmento	Salzburgo	1773	Junio
K 116	Missa brevis, fa mayor. Apócrifa (?)	Salzburgo	1773(?)	
K 117	Offertorio pro omni tempore «Benedictus sit Deus», do mayor	Salzburgo	1769	Septiembre-octubre
K 118	«Betulia liberada», acción sacra en dos partes	Padua y Salzburgo	1771	Marzo-abril
K 119	Aria para soprano «Der Liebe himmlisches Gefühl», la mayor	Viena	1782	
K 120	Final para una sinfonía, de la obertura de «Ascanio in Alba», re mayor	Milán	1771	Octubre-noviembre
K 121	Final para una sinfonía, de la obertura de «La jardinera fingida», re mayor	Salzburgo	1775	Primavera
K 122	Minué para orquesta, mi bemol	Bolonia	1770	Agosto
K 123	Contradanza para orquesta, si bemol	Roma	1770	14 de abril
K 124	Sinfonía n.º 15, sol mayor	Salzburgo	1772	21 de febrero
K 125	Litaniae de venerabili altaris Sacramento, si bemol	Salzburgo	1772	Marzo
K 126	«El sueño de Escipión», acción teatral en un acto	Salzburgo	1772	Marzo

KV	Título	Lugar de composición	Año	Fecha de composición o terminación
K 127	Regina Coeli, si bemol	Salzburgo	1772	Mayo
K 128	Sinfonía n.º 16, do mayor	Salzburgo	1772	Mayo
K 129	Sinfonía n.º 17, sol mayor	Salzburgo	1772	Mayo
K 130	Sinfonía n.º 18, fa mayor	Salzburgo	1772	Mayo
K 131	Divertimento, re mayor	Salzburgo	1772	Junio
K 132	Sinfonía n.º 19, mi bemol	Salzburgo	1772	Julio
K 133	Sinfonía n.º 20, re mayor	Salzburgo	1772	Julio
K 134	Sinfonía n.º 21, la mayor	Salzburgo	1772	Agosto
K 135	«Lucio Sila», drama para música, en tres actos	Salzburgo y Milán	1772	Octubre-diciembre
K 135a	«Le gelosie del serraglio», esbozo de ballet	Milán	1772	Diciembre
K 136	Divertimento para cuerda, re mayor	Salzburgo	1772	Febrero
K 137	Divertimento para cuerda, si bemol	Salzburgo	1772	Febrero
K 138	Divertimento para cuerda, fa mayor	Salzburgo	1772	Febrero
K 139	Missa solemnis, do menor	Viena	1768	Octubre-diciembre
K 140	Missa brevis. Dudosa			
K 141	Te Deum, do mayor	Salzburgo	1769	Finales
K 141a	Sinfonía de la obertura de «El sueño de Escipión»: Allegro y andante-Presto	Salzburgo	1772	Marzo y noviembre
K 142	Tantum ergo, si bemol. Dudoso			
K 143	Aria para soprano «Quaere superna» Recitativo «Ergo interest», sol mayor	Milán	1770	Febrero
K 144	Sonata da chiesa, re mayor	Salzburgo	1772	
K 145	Sonata da chiesa, fa mayor	Salzburgo	1772	
K 146	Aria Passionslied «Kommet her, ihr frechen Sünder» (Venid, malvados pecadores), si bemol	Salzburgo	1779	Marzo-abril
K 147	Lied «Wie unglücklich bin ich nit» (Cuán infeliz no soy), fa mayor	Salzburgo	1772 o 1775-1776	
K 148	Lied «O heiliges Band der Freundschaft» (Oh, sagrado lazo de la amistad), re mayor	Salzburgo	1772 o 1784	
K 149	Lied «Die grossmütige Gelassenheit» (La firme determinación), si bemol. Dudoso.	Salzburgo	1772	
K 150	Lied «Geheime Liebe» (Amor secreto), sol mayor. Dudoso	Salzburgo	1772	
K 151	Lied «Die Zufriedenheit im niedrigen Stande» (La alegría de los humildes), fa mayor. Dudoso	Salzburgo	1772	
K 152	Lied «Ridente la calma» (La calma risueña), fa mayor. Dudoso	Salzburgo	1775	
K 153	Fuga para piano, mi bemol. Fragmento	Viena	1782	
K 154	Fuga para piano, sol menor. Fragmento	Viena	1782	

KV	Título	Lugar de composición	Año	Fecha de composición o terminación
K 155	Cuarteto para cuerda, re mayor	Bolzano o Verona	1772	Octubre-noviembre
K 156	Cuarteto para cuerda, sol mayor	Milán	1772	Finales
K 157	Cuarteto para cuerda, do mayor	Milán	1772	Finales
K 158	Cuarteto para cuerda, fa mayor	Milán	1773	Comienzos
K 159	Cuarteto para cuerda, si bemol	Milán	1773	Febrero
K 160	Cuarteto para cuerda, mi bemol	Milán	1773	Febrero
K 161	Allegro y andante de la obertura de «El sueño de Escipión». Ver K 141a	Salzburgo	1772	Marzo
K 162	Sinfonía n.º 22, «Salzburguesa», do mayor	Salzburgo	1773	Abril
K 163	Presto de la obertura de «El sueño de Escipión». Ver K 141a	Salzburgo	1772	Noviembre
K 164	6 minués para orquesta	Salzburgo	1772	Junio
K 165	Motete «Exultate, jubilate», fa mayor	Milán	1773	Enero
K 166	Divertimento n.º 3 para viento, mi bemol	Salzburgo	1773	24 de marzo
K 166f	Kirie, do mayor. Fragmento	Salzburgo	1773	Junio
K 166g	Kirie, re mayor. Fragmento	Salzburgo	1773	Junio
K 166h	In Te Domine speravi, do mayor	Salzburgo	1773	Junio
K 167	Misa in honorem Ssmae. Trinitatis, do mayor	Salzburgo	1773	Junio
K 168	Cuarteto para cuerda, fa mayor	Viena	1773	Agosto
K 169	Cuarteto para cuerda, la mayor	Viena	1773	Agosto
K 170	Cuarteto para cuerda, do mayor	Viena	1773	Agosto
K 171	Cuarteto para cuerda, mi bemol	Viena	1773	Agosto
K 172	Cuarteto para cuerda, si bemol	Viena	1773	Septiembre
K 173	Cuarteto para cuerda, re menor	Viena	1773	Septiembre
K 174	Quinteto para cuerda, si bemol	Salzburgo	1773	Diciembre
K 175	Concierto n.º 5 para piano, re mayor	Salzburgo	1773	Diciembre
K 176	16 minués para orquesta	Salzburgo	1773	Diciembre
K 177	Offertorium sub exposito venerabili. Apócrifo			
K 178	Aria para soprano «Ah, spiegarti, oh Dio, vorrei (Ah, explicarte quisiera, oh Dios)», la mayor	Viena	1783	Junio
K 179	12 variaciones para piano sobre un minué de J.Ch. Fischer, do mayor	Salzburgo	1774	Verano
K 180	6 variaciones para piano sobre «Mio caro Adone», sol mayor	Viena	1773	Otoño
K 181	Sinfonía n.º 23, «Salzburguesa», re mayor	Salzburgo	1773	19 de mayo
K 182	Sinfonía n.º 24, si bemol	Salzburgo	1773	3 de octubre
K 183	Sinfonía n.º 25, sol menor	Salzburgo	1773	5 de octubre
K 184	Sinfonía n.º 26, «Salzburguesa», mi bemol	Salzburgo	1773	30 de marzo
K 185	Serenata n.º 3, «Final-Musik», «Andretter-Musik», re mayor	Viena	1773	Julio-agosto
K 186	Divertimento n.º 4 para viento, si bemol	Milán	1773	Marzo

KV	Título	Lugar de composición	Año	Fecha de composición o terminación
K 187	Divertimento n.º 5 para viento y tímpanos, sobre Gluck y Starzer	Viena o Salzburgo	1773	Verano-otoño
K 188	Divertimento n.º 6, para flautas y trompetas, do mayor	Salzburgo	1776	Comienzos
K 189	Marcha, re mayor	Viena	1773	Agosto
K 190	Concierto para dos violines, «Concertone», do mayor	Salzburgo	1774	31 de mayo
K 191	Concierto para fagot, si bemol	Salzburgo	1774	4 de junio
K 192	Missa brevis, fa mayor	Salzburgo	1774	24 de junio
K 193	Dixit Dominus y Magnificat, do mayor	Salzburgo	1774	Julio
K 194	Missa brevis, re mayor	Salzburgo	1774	8 de agosto
K 195	Litaniae Lauretanae BMW, re mayor	Salzburgo	1774	Mayo
K 196	«La finta giardiniera» (La jardinera fingida), ópera bufa en tres actos	Salzburgo y Munich	1774	Septiembre a enero 1775
K 196a	Kirie, sol mayor. Fragmento	Munich	1775	Enero
K 196d	Concierto para fagot, fa mayor. Perdido	Munich	1775	Enero
K 196e	Divertimento para viento, mi bemol. Dudoso			
K 196f	Divertimento para viento, si bemol. Dudoso			
K 197	Tantum ergo, re mayor. Dudoso			
K 198	Ofertorio «Sub tuum praesidium», fa mayor			
K 199	Sinfonía n.º 27, «Salzburguesa», sol mayor	Salzburgo	1773	10 o 16 de abril
K 200	Sinfonía n.º 28, do mayor	Salzburgo	1774	12 o 17 de noviembre
K 201	Sinfonía n.º 29, «A media orquesta»	Salzburgo	1774	6 de abril
K 202	Sinfonía n.º 30, re mayor	Salzburgo	1774	5 de mayo
K 203	Sinfonía n.º 4, «Final-Musik», re mayor	Salzburgo	1774	Agosto
K 204	Serenata n.º 5, «Final Musik», re mayor	Salzburgo	1775	5 de agosto
K 205	Divertimento n.º 7, re mayor	Salzburgo	1773	Julio
K 206	Marcha, re mayor	Munich	1781	Enero
K 207	Concierto n.º 1 para violín, si bemol	Salzburgo	1775	14 de abril
K 208	«El rey pastor», drama musical en dos actos	Salzburgo	1775	Marzo-abril
K 209	Aria para tenor «Si mostra la sorte», re mayor	Salzburgo	1775	19 de mayo
K 209a	Aria para bajo «Un dente guasto». Fragmento	Salzburgo	1775	
K 210	Aria para tenor «Con ossequio, con rispetto»	Salzburgo	1775	Mayo
K 211	Concierto n.º 2 para violín, re mayor	Salzburgo	1775	14 de junio
K 212	Sonata da chiesa, si bemol	Salzburgo	1775	Julio
K 213	Divertimento para viento, «Tafelmusik», fa mayor	Salzburgo	1775	Julio
K 214	Marcha, do mayor	Salzburgo	1775	20 de agosto
K 215	Marcha, re mayor	Salzburgo	1775	Agosto
K 216	Concierto n.º 3 para violín, «Strassburger-Konzert»	Salzburgo	1775	12 de septiembre

KV	Título	Lugar de composición	Año	Fecha de composición o terminación
K 217	Aria para soprano «Voi avete un cor fedele»	Salzburgo	1775	26 de octubre
K 218	Concierto n.º 4 para violín, «Strassburger-Konzert», re mayor	Salzburgo	1775	Octubre
K 219	Concierto n.º 5 para violín, «Türkisch», la mayor	Salzburgo	1775	20 de diciembre
K 220	Missa brevis «Spatzen-Messe», do mayor	Munich	1775	Enero
K 221	Kirie, do mayor	Munich	1775	Febrero
K 222	Ofertorio «Misericordias Domini»	Munich	1775	Febrero
K 223	Hosanna, do mayor	Salzburgo	1773	Junio-julio
K 224	Sonata da chiesa, fa mayor	Salzburgo	1776	Enero
K 225	Sonata da chiesa, la mayor	Salzburgo	1776	Abril
K 226	Canon «O Schwestern, traut dem Amor nicht». Apócrifo			
K 227	Canon «O wunderschön ist Göttes Erde». Apócrifo			
K 228	Doble canon «Ach! Zu kurz» (¡Ay!, demasiado breve), fa mayor	Viena	1787	24 de abril
K 229	Canon «Sie ist dahin» (Ella se ha marchado), do menor	Viena	1782	
K 230	Canon «Selig, selig alle» (Bienaventurados todos), do menor	Viena	1782	
K 231	Canon «Leck mic im Arsch» (Lámeme el culo), si bemol	Viena	1782	
K 232	Canon «Lieber Freistädtler» (Querido Freistädtler), sol mayor	Viena	1787	
K 233	Canon «Leck mir den Arsch fein recht schön sauber» (Lámeme el culo hasta que quede bien limpio), si bemol	Viena	1782	
K 234	Canon «Bei der Hitz in Sommer ess ich» (Al calor del verano como yo), sol mayor	Viena	1782	
K 235	Canon para piano. Apócrifo			
K 236	Andantino para piano, mi bemol	Viena	1790	
K 237	Marcha, re mayor	Salzburgo	1774	Verano
K 238	Concierto n.º 6 para piano, si bemol	Salzburgo	1776	Enero
K 239	Serenata nocturna n.º 6, re mayor	Salzburgo	1776	Enero
K 240	Divertimento n.º 9 para viento, si bemol	Salzburgo	1776	Enero
K 241	Sonata da chiesa, sol mayor	Salzburgo	1776	Enero
K 242	Concierto n.º 7 para tres pianos, «Lodron-Konzert», fa mayor	Salzburgo	1776	Febrero
K 243	Litaniae de venerabilis altaris sacramento, mi bemol	Salzburgo	1776	Marzo
K 244	Sonata da chiesa, fa mayor	Salzburgo	1776	Abril
K 245	Sonata da chiesa, re mayor	Salzburgo	1776	Abril
K 246	Concierto n.º 8 para piano, «Lützow-Konzert», do mayor	Salzburgo	1776	Marzo
K 247	Divertimento n.º 10, «Lodronische Nachtmusik n.º 1», fa mayor	Salzburgo	1776	13 de junio

KV	Título	Lugar de composición	Año	Fecha de composición o terminación
K 248	Marcha para orquesta, fa mayor	Salzburgo	1776	Junio
K 249	Marcha para orquesta, «Haffner», re mayor	Salzburgo	1776	20 de julio
K 250	Serenata n.º 7 para orquesta, «Haffner»	Salzburgo	1776	Julio
K 251	Divertimento n.º 11, «Septimino», re mayor	Salzburgo	1776	26 a 30 de julio
K 252	Divertimento n.º 12 para viento, mi bemol	Salzburgo	1776	Enero
K 253	Divertimento n.º 13 para viento, fa mayor	Salzburgo	1776	Agosto
K 254	Divertimento-Trío para piano y cuerda, si bemol	Salzburgo	1776	Agosto
K 255	Aria para contralto, «Io ti lascio»-Recitativo «Ombra felice», fa mayor	Salzburgo	1776	Septiembre
K 256	Aria bufa para tenor, «Clarice, cara mia sposa», re mayor	Salzburgo	1776	Septiembre
K 257	Misa Credo, do mayor	Salzburgo	1776	Noviembre
K 258	Misa breve «Spaur-Messe», do mayor	Salzburgo	1776	Diciembre
K 259	Misa breve «Orgelsolo-Messe», do mayor	Salzburgo	1776	Diciembre
K 260	Ofertorio «Venite, populi», re mayor	Salzburgo	1776	Marzo-junio
K 261	Adagio para violín y orquesta, mi mayor (para el concierto K 219)	Salzburgo	1776	Otoño-invierno
K 262	Misa larga, do mayor	Salzburgo	1776	Abril
K 263	Sonata da chiesa, do mayor	Salzburgo	1776	Diciembre
K 264	9 variaciones para piano sobre «Lison dormait», do mayor	París	1778	Septiembre
K 265	12 variaciones para piano sobre «Ah, vous dirais-je, Maman», do mayor	París	1778	Verano
K 266	Trío sonata para cuerda, «Nachtmusik», si bemol	Salzburgo	1777	Primavera
K 267	4 contradanzas	Salzburgo	1777	Febrero
K 268	Concierto n.º 6 para violín, mi bemol. Dudoso	Salzburgo (?) Viena (?)	1780(?) 1786(?)	
K 269	Rondó concertante para violín, si bemol	Salzburgo	1776	Finales
K 270	Divertimento n.º 14 para viento, «Tafelmusik», si bemol	Salzburgo	1777	Enero
K 271	Concierto n.º 9 para piano, «Jeunehomme-Konzert», mi bemol	Salzburgo	1777	Enero
K 271i	Concierto n.º 7 para violín, re mayor	Salzburgo	1777	16 de julio
K 271d	Concierto para oboe, «Ferlendis Konzert». Perdido	Salzburgo	1777	Verano
K 272	Recitativo y aria para soprano «Ah, lo previdi!»-«Ah, t'invola aglio occhi miei», do menor	Salzburgo	1777	Agosto
K 273	Gradual ad festum B.M.V. «Sancta Maria, mater Dei», fa mayor	Salzburgo	1777	9 de septiembre
K 274	Sonata da chiesa, sol mayor	Salzburgo	1777	Febrero

KV	Título	Lugar de composición	Año	Fecha de composición o terminación
K 275	Misa breve, si bemol mayor	Salzburgo	1777	Verano-otoño
K 276	Motete «Regina Coeli», do mayor	Salzburgo	1779	Otoño
K 277	Motete «Alma Dei creatoris Mater», fa mayor	Salzburgo	1777	Verano-otoño
K 278	Sonata da chiesa, do mayor	Salzburgo	1777	Marzo-abril
K 279	Sonata para piano, do mayor	Salzburgo	1774	Verano
K 280	Sonata para piano, fa mayor	Salzburgo	1774	Otoño
K 281	Sonata para piano, si bemol	Salzburgo	1774	Otoño
K 282	Sonata para piano, mi bemol	Salzburgo	1774	Finales
K 283	Sonata para piano, sol mayor	Salzburgo	1774	Finales
K 284	Sonata para piano «Dürnitz-Sonate», re mayor	Munich	1775	Febrero o marzo
K 284a	4 preludios para piano. Perdidos	Salzburgo o Munich	1777	Septiembre
K 284	Instrumentación de un concierto para flauta de J.B. Wendling. Perdida	Mannheim	1777	Noviembre-diciembre
K 284f	Rondeau para piano. Perdido.	Mannheim	1777	Noviembre-diciembre
K 285	Cuarteto para flauta y cuerda, re mayor	Mannheim	1777	25 de diciembre
K 285a	Cuarteto para flauta y cuerda, sol mayor	Mannheim	1777	Diciembre
K 285b	Cuarteto para flauta y cuerda, do mayor	Mannheim	1778	Febrero
K 286	Nocturno n.º 8 para cuatro orquestas, re mayor	Salzburgo	1775	Diciembre
K 287	Divertimento n.º 15 «Lodronische Nachtmusik n.º 2», si bemol	Salzburgo	1777	1 de febrero
K 288	Divertimento, fa mayor. Fragmento	Salzburgo	1777	Junio
K 289	Divertimento n.º 16, para viento, mi bemol	Salzburgo	1777	Junio
K 290	Marcha «Andretter-Musik», re mayor	Salzburgo	1773	Verano-otoño
K 291	Adagio y fuga en re mayor, para orquesta. Apócrifo			
K 292	Sonata para fagot y violoncello, si bemol	Munich	1775	Enero
K 293	Concierto para oboe, fa mayor	Viena	1783	Febrero
K 294	Aria para soprano «Non so donde viene»-Recitativo «Alcandro lo confesso», mi bemol	Mannheim	1778	24 de febrero
K 295	Aria para tenor «Il cor dolente e afflitto»-Recitativo «Se al labbro mio non credi», si bemol	Mannheim	1778	27 de febrero
K 295a	Aria para soprano «Ah, non lasciarmi»-Recitativo «Basta, vincesti», mi bemol	Mannheim	1778	27 de febrero
K 296	Sonata para piano y violín, do mayor	Mannheim	1778	11 de marzo
K 296b	Kirie, mi bemol. Fragmento	Mannheim	1778	Febrero
K 296c	Sanctus, mi bemol. Fragmento	Mannheim	1778	Febrero
K 297	Sinfonía n.º 31, «Pariser» (Parisina), re mayor	París	1778	1 de mayo a 12 de junio

KV	Título	Lugar de composición	Año	Fecha de composición o terminación
K 297a	8 piezas para un miserere de I. Holzbauer. Perdidas	París	1778	Marzo-abril
K 297b	Sinfonía concertante para viento, mi bemol. Dudosa	París	1778	Abril
K 298	Cuarteto para flauta y cuerda, la mayor	París	1778	23 de marzo a 31 de agosto
K 299	Concierto para flauta y arpa, do mayor	París	1778	Abril
K 299b	Ballet «Les petits riens» (Las naderías), do mayor	París	1778	1 de mayo a 12 de junio
K 299c	Esbozo de ballet. Fragmento			
K 299d	Rondó para orquesta «La chasse». Fragmento	París	1778	Abril
K 300	Gavota para orquesta, si bemol	París	1778	Mayo-junio
K 301	Sonata para piano y violín, sol mayor	Mannheim	1778	14 a 28 de febrero
K 302	Sonata para piano y violín, mi bemol	Mannheim	1778	14 a 28 de febrero
K 303	Sonata para piano y violín, do mayor	Mannheim	1778	14 de febrero
K 304	Sonata para piano y violín, mi menor	París	1778	Junio-julio
K 305	Sonata para piano y violín, la mayor	Mannheim	1778	Febrero
K 306	Sonata para piano y violín, re mayor	París	1778	Julio
K 307	Arieta francesa «Oiseaux, si tous les ans», do mayor	Mannheim	1777	8 de noviembre
K 308	Arieta francesa «Dans un bois solitaire», la bemol	Mannheim	1778	28 de febrero a 2 de marzo
K 309	Sonata para piano, do mayor	Mannheim	1777	1 a 8 de noviembre
K 310	Sonata para piano «Parisina» n.º 1, la menor	París	1778	6 de julio
K 311	Sonata para piano, re mayor	Mannheim	1777	Noviembre
K 312	Allegro para piano, sol menor	Viena	1790	Verano
K 313	Concierto para flauta, sol mayor	Mannheim	1778	Enero-febrero
K 314	Concierto para flauta, re mayor	Mannheim	1778	Febrero
K 315	Andante para flauta y orquesta, do mayor	Mannheim	1778	Enero
K 315b	Escena para contralto. Perdida	Saint-Germain	1778	Agosto
K 315e	Músicas para el melodrama «Semíramis». Perdidas	Mannheim	1778	Noviembre
K 315f	Concierto para piano y violín, re mayor. Fragmento.	Mannheim	1778	Noviembre
K 316	Aria para soprano «Io non chiedo, eterni Dei»-Recitativo «Popoli di Tessaglia», do mayor	París-Munich	1778	Marzo-junio y enero 1779
K 317	«Krönungs-Messe» (Misa de la Coronación), do mayor	Salzburgo	1779	23 de marzo
K 318	Sinfonía obertura n.º 32, sol mayor	Salzburgo	1779	26 de abril
K 319	Sinfonía n.º 33, si bemol	Salzburgo	1779	9 de julio
K 320	Serenata n.º 9 «Posthorn-Serenate», re mayor	Salzburgo	1779	3 de agosto

KV	Título	Lugar de composición	Año	Fecha de composición o terminación
K 321	Vesperae de Dominica (Vísperas de domingo), do mayor	Salzburgo	1779	Marzo-diciembre
K 322	Kirie, mi bemol. Fragmento	Mannheim	1778	Febrero
K 323	Kirie, do mayor. Fragmento	Salzburgo	1779	Diciembre
K 324	Himno «Salus infirmorum». Dudoso			
K 325	Himno «Sancta Maria». Dudoso			
K 326	Himno «Justum deduxit». Apócrifo			
K 327	Himno «Adoramus te». Apócrifo			
K 328	Sonata da chiesa, do mayor	Salzburgo	1779	Enero-julio
K 329	Sonata da chiesa, do mayor	Salzburgo	1779	Enero-julio
K 330	Sonata para piano «Parisina» n.º 2, do mayor	París	1778	4 a 20 de julio
K 331	Sonata para piano «Parisina» n.º 3, «Marcha turca», la mayor	París	1778	Mayo-julio
K 332	Sonata para piano «Parisina» n.º 4, fa mayor	París	1778	Agosto-septiembre
K 333	Sonata para piano «Parisina» n.º 5, si bemol	París	1778	Agosto-septiembre
K 334	Divertimento n.º 17 para sexteto «Musique von Robinig», re mayor	Salzburgo	1779	Primavera-verano
K 335	2 marchas, re mayor	Salzburgo	1779	1 a 3 de agosto
K 336	Sonata da chiesa, do mayor	Salzburgo	1780	Marzo
K 337	Misa solemne «Missa aulica»	Salzburgo	1780	Marzo
K 338	Sinfonía n.º 34, do mayor	Salzburgo	1780	29 de agosto
K 339	Vesperae solemnes de confessore, do mayor	Salzburgo	1780	
K 340	Kirie, re menor. Dudoso			
K 341	Kirie «de Munich», re menor	Munich	1780	Noviembre-marzo 1781
K 342	Kirie, re mayor. Apócrifo			
K 343	2 lieder da chiesa, «O Gottes Lamm», fa mayor-«Als aus Ägypten Israel», do mayor	Salzburgo	1779	
K 344	«Zaide» (Zaida), singspiel en dos actos	Salzburgo	1779	Abril-noviembre 1780
K 345	«Thamos, König in Aegypten» (Thamos, rey de Egipto)	Salzburgo	1773 y 1779	
K 346	Nocturno para voces «Luces queridas, luces bellas», fa mayor	Viena	1783	
K 347	Canon para voces «Laßt uns ziehen» (Vamos), re mayor	Viena	1782	
K 348	Canon para voces «V'amo di core teneramente» (Os amo de corazón tiernamente), sol mayor	Viena	1782	
K 349	Lied «Die Zufriedenheit» (El contento), sol mayor	Munich	1780	Noviembre-marzo 1781
K 350	Lied «Schlafe, mein Prinzchen» (Duerme, principito mío). Apócrifo			
K 351	Lied «Komm, liebe Zither» (Ven, querida cítara), do mayor	Munich	1780	Noviembre-marzo 1781

KV	Título	Lugar de composición	Año	Fecha de composición o terminación
K 352	8 variaciones para piano sobre «Dieu d'amour», fa mayor	Viena	1781	Junio
K 353	12 variaciones para piano sobre «La belle Françoise», mi bemol	París	1778	Mayo-julio
K 354	12 variaciones para piano sobre «Je suis Lindor», mi bemol	París	1778	Marzo-junio
K 355	Minué para piano, re mayor	Viena	1789	
K 356	Pequeño adagio para Glassharmonica (armónica de cristal), do mayor	Viena	1791	Enero-mayo
K 357	Allegro y andante para piano a cuatro manos, sol mayor. Fragmento.	Viena	1786	Agosto-septiembre
K 358	Sonata para piano a cuatro manos, si bemol	Salzburgo	1774	Abril-mayo
K 359	12 variaciones para piano y violín sobre «La bergère Célimène», sol menor	Viena	1781	Junio-julio
K 360	6 variaciones para piano y violín sobre «Hélas, j'ai perdu mon amant», «Au bord d'une fontaine», sol menor	Viena	1781	Junio
K 361	Serenata n.º 10, «Gran Partita», si bemol	Munich-Viena	1781	Febrero-abril
K 362	Marcha para orquesta, do mayor	Salzburgo-Munich	1780	Octubre-diciembre
K 363	3 minués para orquesta	Salzburgo-Munich	1780	Octubre-diciembre
K 364	Sinfonía concertante n.º 52, para violín y viola, mi bemol	Salzburgo	1779	Agosto-septiembre
K 365	Concierto n.º 10 para dos pianos, mi bemol	Salzburgo	1779	Enero-marzo
K 365a	Aria para soprano y orquesta «Zittere, töricht Herz» (Tiembla, corazón loco)	Munich	1780	Noviembre
K 366	«Idomeneo, rey de Creta», ópera seria en tres actos	Salzburgo-Munich	1780	Octubre-enero 1781
K 367	Música para ballet, re mayor	Munich	1781	1 a 18 de enero
K 368	Aria para soprano «Sperai vivino il lido»-Recitativo «Ma che vi fece, o stelle», fa mayor	Munich	1781	Enero
K 369	Aria para soprano «Ah! No son'io che parlo»-Recitativo «Misera, dove son!», mi bemol	Munich	1781	8 de marzo
K 370	Cuarteto para oboe y cuerda, fa mayor	Munich	1781	Enero-marzo
K 370b	Concierto para trompa y orquesta, mi bemol. Fragmento	Viena	1781	Marzo
K 371	Rondó para trompa y orquesta, mi bemol	Viena	1781	21 de marzo
K 372	Allegro para piano y violín, si bemol	Viena	1781	24 de marzo
K 373	Rondó para violín y orquesta, do mayor	Viena	1781	2 de abril
K 374	Aria para soprano «Or che il ciel a me ti rende»-Recitativo «A questo seno deh vieni», mi bemol	Viena	1781	Abril

KV	Título	Lugar de composición	Año	Fecha de composición o terminación
K 375	Serenata n.º 11 para viento, mi bemol	Viena	1781	Octubre (2ª versión: julio 1782)
K 375b	Sonata para dos pianos, si bemol. Fragmento	Viena	1782	Comienzos
K 375c	Sonata para dos pianos, si bemol. Fragmento	Viena	1782	Comienzos
K 375d	Fuga para dos pianos, sol mayor. Fragmento	Viena	1782	Comienzos
K 375g	Fuga para piano, sol mayor. Fragmento	Viena	1782	Comienzos
K 375h	Fuga para piano, fa mayor. Fragmento	Viena	1782	Comienzos
K 376	Sonata n.º 32 para piano y violín, fa mayor	Viena	1781	Abril-julio
K 377	Sonata n.º 33 para piano y violín, fa mayor	Viena	1781	Julio
K 378	Sonata n.º 34 para piano y violín, si bemol	Salzburgo	1779	Enero-marzo
K 379	Sonata para piano y violín, sol mayor	Viena	1781	Abril
K 380	Sonata para piano y violín, mi bemol	Viena	1781	Abril-julio
K 381	Sonata para piano a cuatro manos, re mayor	Salzburgo	1772	Enero
K 382	Rondó para piano y orquesta, re mayor	Viena	1782	Marzo
K 383	Aria para soprano «Nehmt meinen Dank» (Aceptad mi agradecimiento)	Viena	1782	10 de abril
K 383b	Fuga para piano. Fragmento	Viena	1782	Abril
K 383c	Tema con variaciones para órgano. Fragmento	Viena	1782	Abril
K 383d	Fuga para piano. Fragmento	Viena	1782	Abril
K 383g	Sinfonía para orquesta. Perdida	Viena	1782	Abril
K 383i	Movimiento de sinfonía. Esbozo	Viena	1782	Abril
K 384	«Die Entführung aus dem Serail» (El rapto en el serrallo), singspiel en tres actos	Viena	1781	30 de julio-29 de mayo de 1782
K 384b	Marcha para viento. Fragmento	Viena	1782	Julio
K 384c	Allegro para viento. Fragmento	Viena	1782	Julio
K 385	Sinfonía n.º 35, «Haffner-Sinfonie», re mayor	Viena	1782	Julio-agosto
K 385h	Adagio para piano. Fragmento			
K 385n	Fuga para cuatro voces, «Credo». Fragmento			
K 385o	Allegro para piano y orquesta (esbozo para el concierto K 414)			
K 386	Rondó para piano y orquesta, la mayor	Viena	1782	19 de octubre
K 386d	Lied «Bardengesang auf Gibraltar» (Oda a Gibraltar), re mayor. Fragmento	Viena	1782	25 de diciembre

KV	Título	Lugar de composición	Año	Fecha de composición o terminación
K 387	Cuarteto para cuerda «Frühlings-Quartett», sol mayor	Viena	1782	31 de diciembre
K 388	Serenata n.º 12 para viento, «Nachtmusik», do menor	Viena	1782	30 de julio
K 389	Dúo para tenores «Welch' ängstlisches Beben» (Qué angustioso temblor), mi bemol	Viena	1782	Abril-mayo
K 390	Lied «An die Hoffnung» (A la esperanza), re menor	Salzburgo	1780	Enero-agosto
K 391	Lied «An die Einsamkeit» (A la soledad)	Salzburgo	1780	Enero-agosto
K 392	Lied «Verdankt sei es dem Glanz der Grossen» (Gracias sean dadas al esplendor de los poderosos), fa mayor	Salzburgo	1780	Enero-agosto
K 393	5 solfeos para soprano	Viena	1782	Agosto
K 394	Fantasía (preludio y fuga) para piano, do mayor	Viena	1782	1 a 20 de abril
K 395	Capricho (pequeña fantasía) para piano, do mayor	París	1778	15 a 20 de julio
K 396	Adagio (fantasía) para piano y violín, do menor	Viena	1782	Agosto-septiembre
K 397	Fantasía para piano, re menor	Viena	1782	Agosto-septiembre
K 398	6 variaciones para piano sobre «Salve tu, Domine», fa mayor	Viena	1782	
K 399	Suite (partita) para piano, do mayor	Viena	1782	
K 400	Allegro para piano, si bemol. Fragmento	Viena	1781	Verano-primavera 1782
K 401	Fuga para piano a cuatro manos, sol menor. Fragmento	Viena	1781	Verano-primavera 1782
K 402	Sonata para piano y violín, la mayor. Fragmento	Viena	1782	Agosto-septiembre
K 403	Sonata para piano y violín, do mayor. Fragmento	Viena	1782	Agosto-septiembre
K 404	Sonata para piano y violín, do mayor. Fragmento	Viena	1782	Agosto-septiembre
K 404a	6 preludios y fugas para cuerda	Viena	1782	Julio
K 405	5 fugas, para cuerda	Viena	1782	Julio
K 405a	Fuga para cuerda. Fragmento			
K 406	Quinteto de cuerda, do menor	Viena	1787	Primavera
K 407	Quinteto para trompa y cuerda, mi bemol	Viena	1782	Diciembre
K 408	3 marchas para orquesta, do mayor	Viena	1782	Agosto
K 409	Minué y trío para orquesta, do mayor	Viena	1782	Mayo
K 410	Adagio para trío de viento, fa mayor	Viena	1785	Diciembre
K 411	Adagio para quinteto de viento, si bemol	Viena	1785	Diciembre
K 412	Concierto para trompa y orquesta, re mayor	Viena	1782	Julio-diciembre
K 413	Concierto n.º 11 para piano, fa mayor	Viena	1782	Diciembre-enero 1783

KV	Título	Lugar de composición	Año	Fecha de composición o terminación
K 414	Concierto n.º 12 para piano, la mayor	Viena	1782	Octubre
K 415	Concierto n.º 13 para piano, do mayor	Viena	1782	Diciembre-enero 1783
K 416	Aria-rondó para soprano «Ah non sai qual pena sia»-Recitativo «Mia speranza adorata», si bemol	Viena	1783	8 de enero
K 417	Concierto para trompa y orquesta, mi bemol	Viena	1783	27 de mayo
K 418	Aria para soprano «Vorrei spiegarvi, oh Dio!», la mayor	Viena	1783	20 de junio
K 419	Aria para soprano «No, no che non sei capace», do mayor	Viena	1783	Junio
K 420	Aria-rondó para tenor «Per pietà, no ricercate», mi bemol	Viena	1783	21 de junio
K 421	Cuarteto para cuerda, re menor	Viena	1783	14 a 17 de junio
K 422	«La oca del Cairo», drama jocoso en dos actos	Viena	1783	Julio-octubre
K 422a	Kirie en re mayor. Fragmento	Viena	1783	Verano
K 423	Dúo para violín y viola, sol mayor	Salzburgo	1783	Julio-octubre
K 424	Dúo para violín y viola, si bemol	Salzburgo	1783	Julio-octubre
K 425	Sinfonía n.º 26, do mayor, «Linz»	Linz	1783	30 de octubre a 3 de noviembre
K 426	Fuga para dos pianos, do menor	Viena	1783	29 de diciembre
K 427	Missa solemnis, do menor. Incompleta	Viena	1782	Agosto-mayo 1783
K 428	Cuarteto para cuerda, mi bemol	Viena	1783	Junio-julio
K 429	Cantata «Dir, Seele des Weltalls, o Sonne» (A ti, oh Sol, alma del universo). Fragmento	Viena	1785(?)	
K 430	«Lo sposo deluso» (El esposo engañado, o La rivalidad de tres mujeres por un solo amante), ópera bufa en dos actos. Incompleta	Salzburgo-Viena	1783	Julio-noviembre
K 431	Aria para tenor «Aura che intorno spiri»-Recitativo «Misero! O sogno!», mi bemol	Viena	1783	Diciembre
K 432	Aria para bajo «Aspri rimorsi atroci»-Recitativo «Cosí dunque tradisci», fa menor	Viena	1783	
K 433	Aria para bajo «Männer suchen stets zu naschen», fa mayor. Esbozo	Viena	1783	
K 434	Terceto para voces «Del gran regno delle Amazzoni». Fragmento	Viena	1785	Diciembre
K 435	Aria para tenor «Müss'ich auch durch tausend Drachen» (Aunque a mil dragones enfrentarme debiera), re mayor. Esbozo	Viena	1783	
K 436	Nocturno para voces «Ecco quel fiero istante», fa mayor	Viena	1783	

KV	Título	Lugar de composición	Año	Fecha de composición o terminación
K 437	Nocturno para voces «Mi lagnero tacendo», sol mayor	Viena	1783	
K 438	Nocturno para voces «Se lontan, ben mio, tu sei», mi bemol. Fragmento	Viena	1783	
K 439	Nocturno para voces «Due pupille amabili», fa mayor	Viena	1783	
K 439b	5 divertimentos para viento, si bemol	Viena	1783	
K 440	Aria para soprano «In te spero, o sposo amato», do mayor. Fragmento	Viena	1782	Abril-mayo
K 441	Terceto para voces «Das Bandel» (La cinta), sol mayor	Viena	1783	
K 441a	Lied para bajo y piano «Ja! Grüss dich Gott» (Te saludo, oh Señor)	Viena	1783	
K 441d	Canon para voces «Von Pimperl und vom Stanzerl». Fragmento	Viena	1783	
K 442	Trío para piano, violín y violoncello re menor. Fragmento	Viena	1783	Otoño
K 443	Fuga sonata para trío de cuerda, sol mayor. Fragmento	Viena	1782	
K 444	Introducción para una sinfonía de M. Haydn, sol mayor	Linz	1783	Noviembre
K 445	Marcha para orquesta, re mayor	Salzburgo	1779	Junio-julio
K 446	Música para una pantomima. Fragmento	Viena	1783	Febrero
K 447	Concierto para trompa, mi bemol	Viena	1783	
K 448	Sonata para dos pianos, re mayor	Viena	1781	Noviembre
K 449	Concierto n.º 14 para piano, mi bemol	Viena	1784	9 de febrero
K 450	Concierto n.º 15 para piano, si bemol	Viena	1784	15 de marzo
K 451	Concierto n.º 16 para piano, re mayor	Viena	1784	22 de marzo
K 452	Quinteto para piano y viento, mi bemol	Viena	1784	30 de marzo
K 452a	Quinteto para piano y viento, si bemol. Fragmento, perdido			
K 452b	Allegro en re mayor para concierto de piano. Fragmento			
K 452c	Andante en do mayor para concierto de piano. Fragmento			
K 453	Concierto n.º 17 para piano, sol mayor	Viena	1784	12 de abril
K 453a	Marcha para piano, «Pequeña marcha fúnebre del Señor Maestro en Contrapunto», do menor	Viena	1784	Primavera
K 453b	20 ejercicios para piano	Viena	1784	Primavera
K 454	Sonata n.º 40 para piano y violín, si bemol	Viena	1784	21 de abril
K 455	10 variaciones para piano sobre «Unser drummer Pöbel», sol mayor	Viena	1784	25 de agosto
K 456	Concierto n.º 18 para piano, si bemol	Viena	1784	30 de septiembre
K 457	Sonata n.º 14 para piano, do menor	Viena	1784	14 de octubre

KV	Título	Lugar de composición	Año	Fecha de composición o terminación
K 458	Cuarteto n.º 17 para cuerda «Jagd» (De la caza), si bemol	Viena	1784	9 de noviembre
K 458a	Minué para cuarteto de cuerda, si bemol. Fragmento	Viena	1784	Noviembre
K 458b	Rondó para cuarteto de cuerda, si bemol. Fragmento	Viena	1784	Noviembre
K 458c	Final para cuarteto de cuerda, si bemol. Esbozo	Viena	1784	Noviembre
K 458d	Minué para cuarteto de cuerda, si bemol. Esbozo	Viena	1784	Noviembre
K 459	Concierto n.º 19 para piano, fa mayor	Viena	1784	11 de diciembre
K 460	8 variaciones para piano, «Come un agnello» (Como un cordero)	Viena	1784	Junio
K 461	6 minués para orquesta	Viena	1784	Enero
K 462	6 contradanzas para orquesta	Viena	1784	Enero
K 463	2 minués con contradanzas para orquesta	Viena	1784	Enero
K 464	Cuarteto n.º 18 para cuerda, la mayor	Viena	1785	10 de enero
K 465	Cuarteto n.º 19 para cuerda, «De las disonancias», do mayor	Viena	1785	14 de enero
K 466	Concierto n.º 20 para piano, re menor	Viena	1785	10 de febrero
K 467	Concierto n.º 21 para piano, do mayor	Viena	1785	9 de marzo
K 468	Lied «Gesellenreise» (El viaje de los compañeros)	Viena	1785	26 de marzo
K 469	«David penitente», oratorio	Viena	1785	1 a 13 de marzo
K 470	Andante para violín y orquesta, la mayor	Viena	1785	1 de abril
K 470a	Partes de trompeta y tímpanos para el concierto para violín de G.B. Viotti, en mi menor	Viena	1785	Abril
K 471	Cantata «Die Maurerfreude» (La alegría masónica), mi bemol	Viena	1785	20 de abril
K 472	Lied «Der Zauberer» (El mago)	Viena	1785	7 de mayo
K 473	Lied «Die Zufriedenheit» (El contento), si bemol	Viena	1785	7 de mayo
K 474	Lied «Die betrogene Welt» (El mundo engañado), sol mayor	Viena	1785	7 de mayo
K 475	Fantasía para piano, do menor	Viena	1785	20 de mayo
K 475a	Lied para soprano y piano, «Einsam bin ich» (Estoy solo), re menor. Fragmento	Viena	1785	
K 476	Lied «Das Veilchen» (La violeta), sol mayor	Viena	1785	8 de junio
K 477	Marcha fúnebre masónica «Maurerische Trauermusik», do menor	Viena	1785	10 de noviembre
K 477a	Lied cantata para soprano y piano «Por la recuperada salud de Ofelia». Perdido			
K 478	Cuarteto para piano y cuerda, sol menor	Viena	1785	16 de octubre

KV	Título	Lugar de composición	Año	Fecha de composición o terminación
K 479	Cuarteto para voces «Dite almeno in che mancai», mi bemol	Viena	1785	21 de noviembre
K 480	Terceto para voces «Mandina amabile», la mayor	Viena	1785	5 a 21 de noviembre
K 481	Sonata n.º 41 para piano y violín, mi bemol	Viena	1785	12 de diciembre
K 482	Concierto n.º 22 para piano, mi bemol	Viena	1785	16 de diciembre
K 483	Lied «Zerfließet heut, geliebte Brüder» (Fundíos hoy, queridos hermanos), si bemol	Viena	1785	Diciembre
K 484	Lied «Logenlied» (Canto de la logia), sol mayor	Viena	1786	Enero
K 485	Rondó para piano, re mayor	Viena	1786	10 de enero
K 486	«Der Schauspieldirektor» (El empresario teatral), singspiel en un acto	Viena	1786	18 de enero a 3 de febrero
K 487	12 dúos para trompas, do mayor	Viena	1786	27 de julio
K 488	Concierto n.º 23 para piano, la mayor	Viena	1786	2 de marzo
K 488a	Andante para piano y orquesta, re mayor. Fragmento			
K 488b	Rondó para piano y orquesta, la mayor. Fragmento			
K 488c	Rondó para piano y orquesta, la mayor. Fragmento			
K 488d	Rondó para piano y orquesta, la mayor. Fragmento			
K 489	Dúo para voces «Spiegarti non poss'io», la mayor	Viena	1786	10 de marzo
K 490	Aria para voces «Non temer, amato bene»-Recitativo «Non più, tutto ascoltai», si bemol	Viena	1786	10 de marzo
K 491	Concierto n.º 24 para piano, do menor	Viena	1786	24 de marzo
K 491a	Rondó para piano y orquesta, mi bemol. Fragmento	Viena	1786	Marzo
K 492	«Las bodas de Fígaro», ópera bufa en cuatro actos	Viena	1785	Octubre-abril 1786
K 493	Cuarteto para piano y cuerda, mi bemol	Viena	1786	3 de junio
K 494	Rondó para piano, fa mayor	Viena	1786	10 de junio
K 494a	Allegro para trompa y orquesta, mi mayor. Fragmento			
K 495	Concierto n.º 4 para trompa, mi bemol	Viena	1786	26 de junio
K 496	Trío para piano y cuerda, sol mayor	Viena	1786	8 de julio
K 497	Sonata para piano a cuatro manos, fa mayor	Viena	1786	10 de agosto
K 498	Trío para clarinete, piano y viola «Kegelstatt-Trio» (Trío de los bolos), mi bemol	Viena	1786	5 de agosto
K 499	Cuarteto para cuerda «Hoffmeister», re mayor	Viena	1786	19 de agosto
K 500	12 variaciones para piano, si bemol	Viena	1786	12 de septiembre

KV	Título	Lugar de composición	Año	Fecha de composición o terminación
K 501	Andante y variaciones para piano a cuatro manos	Viena	1786	4 de noviembre
K 502	Trío para piano y cuerda, si bemol	Viena	1786	18 de noviembre
K 503	Concierto n.º 25 para piano y orquesta, do mayor	Viena	1786	4 de diciembre
K 504	Sinfonía n.º 38, re mayor, «Prager-Sinfonie» (Sinfonía de Praga)	Viena	1786	6 de diciembre
K 505	Rondó para soprano «Non temer, amato bene»-Recitativo «Ch'io mi scordi di te?, mi bemol»	Viena	1786	26 de diciembre
K 506	Lied «der Freiheit» (Canción de la Libertad), fa mayor	Viena	1785	Noviembre-diciembre
K 506a	Cuaderno de ejercicios. Fragmento	Viena	1785	Otoño-agosto 1786
K 507	Canon para voces «Heiterkeit und leichtes Blut» (Alegría y buena sangre), fa mayor	Viena	1786	Después del 3 de junio
K 508	Canon para voces «Auf das Wohl aller Freunde» (A la salud de todos los amigos), fa mayor	Viena	1786	Después del 3 de junio
K 509	6 danzas alemanas para orquesta	Viena	1787	6 de febrero
K 509b	«Der Salzburger Lump in Wien» (El vagabundo de Salzburgo en Viena), farsa. Esbozo			
K 509c	«Die Liebesprobe» (La prueba de amor), farsa. Esbozo			
K 510	9 contradanzas y cuadrillas para orquesta. Dudoso	Praga	1787	Enero
K 511	Rondó para piano, la menor	Viena	1787	11 de marzo
K 512	Aria para bajo «Non so d'onde viene»-Recitativo «Alcandro, lo confesso», fa mayor	Viena	1787	18-19 de marzo
K 513	Aria para bajo «Mentre ti lascio, oh figlia», mi bemol	Viena	1787	23 de marzo
K 514	Rondó para trompa y orquesta, re mayor	Viena	1787	4 de abril
K 515	Quinteto para cuerda, do mayor	Viena	1787	19 de abril
K 515a	Andante para cuerda, fa mayor. Fragmento	Viena	1787	Abril-mayo
K 516	Quinteto para cuerda, sol menor	Viena	1787	16 de mayo
K 516a	Rondó para un quinteto de cuerda, sol menor. Fragmento	Viena	1787	Primavera
K 516c	Allegro para un quinteto de cuerda, si bemol. Fragmento	Viena	1787	Primavera
K 516d	Andante para un quinteto de clarinete y cuerda, mi bemol. Fragmento	Viena	1787	Primavera
K 516e	Rondó para un quinteto de clarinete y cuerda, mi bemol. Fragmento	Viena	1787	Primavera
K 516f	Composición mecánica en do mayor, «Juego de dados musicales». Esbozo			

KV	Título	Lugar de composición	Año	Fecha de composición o terminación
K 517	Lied «Die Alte» (La anciana), mi menor	Viena	1787	18-20 de mayo
K 518	Lied «Die Verschweigung» (El compromiso de callar), fa mayor	Viena	1787	18-20 de mayo
K 519	Lied «Das Lied der Trennung» (Canción de la separación), fa menor	Viena	1787	23 de mayo
K 520	Lied «Als Luise die Briefe ihres ungetreuen Liebhabers verbrannte» (Cuando Luisa quemó las cartas de su amante infiel), do menor	Viena	1787	26 de mayo
K 521	Sonata para piano a cuatro manos, do mayor	Viena	1787	29 de mayo
K 522	Divertimento «Ein musikalischer Spass» (Una broma musical) o «Dorfmusikanten-Sextett» (Los músicos de pueblo)	Viena	1787	14 de junio
K 522a	Rondó para orquesta, do mayor	Viena	1787	1-15 de junio
K 523	Lied «Abendempfindung» (Impresión de atardecer), fa mayor	Viena	1787	24 de junio
K 524	Lied «An Chloe», mi bemol	Viena	1787	24 de junio
K 525	Serenata n.º 13 para cuerda, «Eine kleine Nachtmusik» (Pequeña música nocturna)	Viena	1787	10 de agosto
K 526	Sonata n.º 42 para piano y violín, la mayor	Viena	1787	24 de agosto
K 526a	Movimiento de sonata para piano, la mayor. Esbozo	Viena	1787	Agosto
K 527	«Il dissoluto punito, ossia il don Giovanni» (El libertino castigado, o don Juan), drama jocoso en dos actos	Praga	1787	Marzo-octubre
K 528	Aria para soprano «Resta, oh cara»-Recitativo «Bella mia fiamma», do mayor	Praga	1787	3 de noviembre
K 529	Lied «Des kleinen Friedrichs Geburtstag» (El cumpleaños del pequeño Federico)	Praga	1787	6 de noviembre
K 530	Lied «Das Traumbild» (La imaginación fantasiosa), mi bemol	Praga	1787	6 de noviembre
K 531	Lied «Die kleine Spinnerin» (La pequeña hilandera), do mayor	Viena	1787	11 de diciembre
K 532	Terceto para voces «Grazie agli inganni tuoi», si bemol. Fragmento	Viena	1787	
K 533	Allegro, fa mayor, y andante, si bemol, para piano	Viena	1788	3 de enero
K 534	Contradanza para orquesta «Das Donnerwetter» (El temporal), re mayor	Viena	1788	14-23 de enero
K 535	Contradanza para orquesta «La bataille» (La batalla), do mayor	Viena	1788	14-23 de enero
K 535a	3 contradanzas para orquesta. Perdidas			

KV	Título	Lugar de composición	Año	Fecha de composición o terminación
K 535b	Contradanza para orquesta, si bemol. Fragmento			
K 536	6 danzas alemanas para orquesta	Viena	1788	27 de enero
K 537	Concierto n.º 26 para piano, «Krönungskonzert» (Concierto de la Coronación), re mayor	Viena	1788	24 de febrero
K 537a	Allegro para piano, re mayor. Fragmento			
K 537b	Adagio para piano, re menor. Fragmento			
K 538	Aria para soprano «Ah se in ciel, benigne stelle», fa mayor	Viena	1788	4 de marzo
K 539	Aria para bajo «Ein deutsches Kriegslied» (Canción de guerra alemana), la mayor	Viena	1788	24 de febrero
K 540	Adagio para piano, si menor	Viena	1788	10 de marzo
K 540a	Aria para tenor «Dalla sua pace», sol mayor	Viena	1788	24 de abril
K 540b	Dúo para soprano y bajo «Per queste tue manine», do mayor	Viena	1788	28 de abril
K 540c	Aria para soprano «Mi tradi quell'alma ingrata»-Recitativo «In queli eccessi, o Nùmi», mi bemol	Viena	1788	30 de abril
K 541	Arieta bufa para bajo «Un bacio di mano», fa mayor	Viena	1788	Mayo
K 542	Trío para piano y cuerda, mi mayor	Viena	1788	22 de junio
K 543	Sinfonía n.º 39 «Schwanengesang» (Canto del cisne), mi bemol	Viena	1788	26 de junio
K 544	Pequeña marcha para orquesta, re mayor. Perdida	Viena	1788	Junio
K 545	Sonata para piano, do mayor, «Fácil» o «Para principiantes»	Viena	1788	26 de junio
K 546	Adagio y fuga para cuerda, do menor	Viena	1788	26 de junio
K 546a	Allegro para piano y violín, sol mayor. Fragmento			
K 547	Sonata para piano y violín, fa mayor, para principiantes	Viena	1788	10 de julio
K 548	Trío para piano y cuerda, do mayor	Viena	1788	14 de julio
K 549	Nocturno para voces «Più non si trovano»	Viena	1788	16 de julio
K 550	Sinfonía n.º 40, sol menor	Viena	1788	25 de julio
K 551	Sinfonía n.º 41, «Júpiter», do mayor	Viena	1788	10 de agosto
K 552	Lied «Beim Auszug in das Feld» (La partida para el frente), la mayor	Viena	1788	11 de agosto
K 553	Canon para voces «Aleluya», do mayor	Viena	1788	2 de septiembre
K 554	Canon para voces «Ave María», fa mayor	Viena	1788	2 de septiembre
K 555	Canon para voces «Lacrimoso son'io», la menor	Viena	1788	2 de septiembre

KV	Título	Lugar de composición	Año	Fecha de composición o terminación
K 556	Canon para voces «Grechtelt's enk, wir gehen im Prater» (Preparaos, que vamos al Prater), sol mayor	Viena	1788	2 de septiembre
K 557	Canon para voces «Nascoso è il mio sol» (Está oculto mi sol), fa menor	Viena	1788	2 de septiembre
K 558	Canon para voces «Prater Ausflug» (Excursión al Prater), si bemol	Viena	1788	2 de septiembre
K 559	Canon para voces «Difficile lectu mihi Mars», fa mayor	Viena	1788	2 de septiembre
K 560	Canon para voces «O du eselhafter Peierl» (Oh, burro de Peierl), fa mayor	Viena	1788	2 de septiembre
K 561	Canon para voces «Bona nox, bist a rechta Ox», la mayor	Viena	1788	2 de septiembre
K 562	Canon para voces «Caro bell'idol mio», la mayor	Viena	1788	2 de septiembre
K 562a	Canon para voces, sin letra, si bemol	Viena	1788	
K 562b	Canon estudio para voces, fa mayor	Viena	1788	
K 562c	Canon para cuerda, do mayor. Dudoso	Viena	1788	Septiembre
K 562e	Trío para cuerda, sol mayor. Fragmento	Viena	1788	Septiembre
K 563	Divertimento para cuerda «Gran Trío», mi bemol	Viena	1788	27 de septiembre
K 564	Trío para piano y cuerda, sol mayor	Viena	1788	27 de octubre
K 565	2 contradanzas para orquesta, si bemol-re mayor	Viena	1788	30 de octubre
K 565a	Contradanza para orquesta, re mayor. Fragmento	Viena	1788	Noviembre
K 566	Instrumentación de «Acis y Galatea» de G.F. Händel	Viena	1788	Noviembre
K 567	6 danzas alemanas para orquesta	Viena	1788	6 de diciembre
K 568	12 minués para orquesta	Viena	1788	24 de diciembre
K 569	Aria alemana para soprano «Ohne Zwang, aus eignem Triebe» (Sin constricción, por propio deseo), fa mayor. Perdida	Viena	1789	Enero
K 569a	Allegro para piano, si bemol. Fragmento			
K 570	Sonata n.º 16 par piano, si bemol	Viena	1789	Febrero
K 571	6 danzas alemanas para orquesta	Viena	1789	21 de febrero
K 571a	Cuarteto para voces «Mi querido Druck und Schluck», mi bemol. Fragmento	Viena	1789	Comienzos
K 572	Instrumentación de «El Mesías» de G.F. Händel	Viena	1789	Marzo
K 572a	Canon doble a seis voces «Lebet wohl, wir sehen uns wieder» (Que sigáis bien, nos volveremos a ver). Perdido	Leipzig	1789	22 de abril

KV	Título	Lugar de composición	Año	Fecha de composición o terminación
K 573	9 variaciones para piano sobre un tema de Duport, re mayor	Potsdam	1789	29 de abril
K 574	Pequeña giga para piano «Homenaje a J.S. Bach», sol mayor	Leipzig	1789	16 de mayo
K 575	Cuarteto para cuerda «Prusiano», «La violeta», re mayor	Viena	1789	Junio
K 576	Sonata n.º 17 para piano, re mayor	Viena	1789	Julio
K 577	Aria rondó para soprano «Al desío di chi t'adora» (Al deseo de quien te adora), fa mayor	Viena	1789	Julio
K 578	Aria para soprano «Alma grande e nobil core» (Alma grande y noble corazón), si bemol	Viena	1789	Agosto
K 579	Arieta para soprano «Un moto di gioia» (Un movimiento de alegría), sol mayor	Viena	1789	Agosto
K 580	Aria para soprano «Schon lacht der holde Frühling» (Ya sonríe la suave primavera), si bemol	Viena	1789	17 de septiembre
K 581	Quinteto para clarinete «Stadler-Quintett», la mayor	Viena	1789	29 de septiembre
K 581a	Rondó para quinteto de clarinete y cuerda, la mayor. Fragmento			
K 582	Aria para soprano «Chi sà, chi sà, qual sia», do mayor	Viena	1789	Octubre
K 583	Aria para soprano «Vado, ma dove? Oh Dei», mi bemol	Viena	1789	Octubre
K 584	Aria para bajo «Rivolgete a lui lo sguardo» (Volved a él la mirada), re mayor	Viena	1789	Diciembre
K 585	12 minués para orquesta	Viena	1789	Diciembre
K 586	12 danzas alemanas	Viena	1789	Diciembre
K 587	Contradanza para orquesta «Der Sieg von Helden Coburg» (La victoria del héroe de Coburgo), la mayor	Viena	1789	Diciembre
K 588	«Cosí fan tutte ossia La scuola degli amanti» (Así hacen todas o La escuela de los amantes), ópera bufa en dos actos	Viena	1789	Octubre-enero 1790
K 589	Cuarteto para cuerda «Prusiano», si bemol	Viena	1790	
K 589a	Rondó para cuarteto de cuerda, si bemol. Fragmento	Viena	1790	Mayo-junio
K 589b	Rondó para cuarteto de cuerda, fa mayor. Fragmento	Viena	1790	Mayo-junio
K 590	Cuarteto para cuerda «Prusiano», fa mayor	Viena	1790	Junio
K 590a	Larghetto para piano, fa mayor. Fragmento			

KV	Título	Lugar de composición	Año	Fecha de composición o terminación
K 590b	Rondó para piano, fa mayor. Fragmento			
K 590c	Rondó para piano, fa mayor. Fragmento			
K 591	Instrumentación de la «Alexanderfest» de G.F. Händel	Viena	1790	Julio
K 592	Instrumentación de la «Caecilian-Ode» de G.F. Händel	Viena	1790	Julio
K 592b	Movimiento de quinteto para cuerda, re mayor. Fragmento			
K 593	Quinteto para cuerda, re mayor	Viena	1790	Diciembre
K 593a	Adagio para órgano mecánico, re menor. Fragmento	Viena	1790	Octubre-diciembre
K 594	Fantasía para órgano mecánico, fa menor-fa mayor	Viena	1790	Octubre-diciembre
K 595	Concierto n.º 27 para piano y orquesta, si bemol	Viena	1791	5 de enero
K 596	Lied «Sehnsucht nach dem Frühling» (Anhelo de la Primavera), fa mayor	Viena	1791	14 de enero
K 597	Lied «Im Frühlingsanfange» (Al comienzo de la Primavera), mi bemol	Viena	1791	14 de enero
K 598	Lied «Das Kinderspiel» (El juego de los niños), la mayor	Viena	1791	14 de enero
K 599	6 minués para orquesta	Viena	1791	23 a 29 de enero
K 600	6 danzas alemanas para orquesta	Viena	1791	23 a 29 de enero
K 601	4 minués para orquesta	Viena	1791	5 de febrero
K 602	4 danzas alemanas para orquesta «Der Werkerlmann» (El organillero)	Viena	1791	5 de febrero
K 603	2 contradanzas para orquesta, re mayor y si bemol	Viena	1791	5 a 12 de febrero
K 604	2 minués para orquesta, si bemol y mi bemol	Viena	1791	5 a 12 de febrero
K 605	3 danzas alemanas para orquesta	Viena	1791	12 de febrero
K 606	6 danzas alemanas para trío de cuerda	Viena	1791	28 de febrero
K 607	Contradanza para orquesta «El triunfo de las mujeres», mi bemol	Viena	1791	28 de febrero
K 608	Fantasía para órgano mecánico, fa menor	Viena	1791	3 de marzo
K 609	5 contradanzas para orquesta	Viena	1791	Marzo
K 610	Contradanza para orquesta «Les filles malicieuses», sol mayor	Viena	1791	Marzo
K 611	Danza alemana para orquesta «Die Leyerer», do mayor	Viena	1791	Marzo
K 612	Aria para bajo «Per questa bella mano» (Por esta bella mano), re mayor	Viena	1791	8 de marzo
K 613	8 variaciones para piano sobre «Ein Weib ist das herrlichste Ding» (Una muchacha es la cosa más bella que hay), fa mayor	Viena	1791	8 de marzo

KV	Título	Lugar de composición	Año	Fecha de composición o terminación
K 613a	Quinteto para cuerda, mi bemol. Fragmento	Viena	1791	Abril (?)
K 613b	Quinteto para cuerda, mi bemol. Fragmento	Viena	1791	Abril (?)
K 614	Quinteto para cuerda, mi bemol.	Viena	1791	Abril
K 615	Coro «Viviamo felici in dolce contento», sol mayor, Fragmento	Viena	1791	20 de abril
K 615a	Andante para órgano mecánico, fa mayor. Fragmento	Viena	1791	
K 616	Andante para órgano mecánico, fa mayor	Viena	1791	4 de mayo
K 616a	Fantasía para Glassharmonica (vasos de cristal), flauta, oboe, viola y violoncello. Fragmento	Viena	1791	Mayo
K 617	Adagio en do menor y rondó en do mayor para Glassharmonica	Viena	1791	23 de mayo
K 618	Motete «Ave verum Corpus», re mayor	Viena	1791	18 de junio
K 619	Cantata masónica «Eine kleine deutsche Kantate» (Pequeña cantata alemana), do mayor	Viena	1791	Julio
K 620	«Die Zauberflöte» (La flauta mágica), singspiel en dos actos	Viena	1791	Marzo-julio
K 620a	Obertura para orquesta, mi bemol. Fragmento			
K 621	«La clemenza di Tito» (La clemencia de Tito), ópera seria en dos actos	Viena-Praga	1791	19 de agosto a 5 de septiembre
K 621a	Aria para bajo «Io ti lascio, o cara, addio» (Te dejo, amada mía, adiós), mi bemol	Praga	1791	13 a 16 de septiembre
K 622	Concierto para clarinete y orquesta, la mayor	Viena	1791	7 de octubre
K 623	Cantata masónica «Eine kleine Freimaurer-Kantate» (Pequeña cantata masónica) o «Las Lob der Freundschaft» (Loa a la amistad), do mayor	Viena	1791	15 de noviembre
K 623a	Cantata masónica «Laßt uns mit geschlungenen Händen» (Con las manos juntas), do mayor. Fragmento	Viena	1791	Noviembre
K 624	Cadencias para piano	Salzburgo	1767 a 1779	
K 625	Dúo para soprano y bajo «Nun, liebes Weibchen» (Ahora, querida esposa mía), fa mayor	Viena	1790	Agosto
K 626	Réquiem, re menor. Inconcluso	Viena	1791	Agosto-diciembre
K 626b	48 esbozos y fragmentos, de autoría y fechas de composición inciertas			

DISCOGRAFÍA

La «Complete Mozart Edition»

Existe una abundante bibliografía que se ocupa exclusivamente de la reseña y comentario de la discografía mozartiana; son obras que, por muy exhaustivas que intenten ser, nacen sabiendo que, necesariamente, en el momento de su publicación ya habrán sido superadas por la aparición de nuevas grabaciones interesantes [481].

Ni por asomo nos hemos planteado la posibilidad de aportar nuestro humilde granito de arena a las encendidas discusiones sobre si tal o cual grabación de Karl Böhm es preferible o no a aquella otra de Neville Marriner o de Beecham, si es mejor la versión de la sinfonía 40 de Furtwängler que la de Reiner, o las sonatas para piano de Gould que las de Pires; ni siquiera opinaremos sobre si es preferible Harnoncourt a Karajan. Aquí sí que diríamos, aunque no sin reservas, que sobre gustos no hay nada escrito. Lo ideal sería escuchar con atención, estudiar (y recrearse en su estudio) varias o muchas versiones; incluso (pero nunca en lugar de las originales) las que, algunas de ellas muy dignas, juegan con la música de Mozart recreándola con instrumentos y ritmos distintos a aquellos para los que fue concebida. Saber por qué nos gusta más una versión que otra, qué puede tener de propuesta original tal otra, intentar llegar a la convicción, o al menos la sospecha, de cuál puede aproximarse mejor a la intención del autor... y aun así seguir prefiriendo aquella que, por algún motivo, siempre nos gustó más que ninguna otra, por mucho que pueda estar alejada de la intención del propio Mozart; pero siendo conscientes de que es así.

Pero, en fin, muchas personas pueden tener otros intereses, otras necesidades, otras circunstancias, y querer tan sólo (al menos en un primer momento; lo demás vendrá por sí solo) escuchar algunas obras de Mozart interpretadas con un mínimo de dignidad y calidad. Y, desde luego, no sólo un mínimo, sino a menudo un inmejorable grado de dignidad y calidad presentan las grabaciones que integran la edición completa de las obras de Mozart que, con motivo del segundo centenario de su fallecimiento, realizó el sello Philips entre septiembre de 1990 y noviembre de 1991. Sus cuarenta y cinco volúmenes suman ciento setenta y nueve discos compactos en los que, tras una minuciosa labor musicológica, se han incluido no sólo sus obras conservadas completas, sino numerosos fragmentos considerados auténticos, la mayoría de los cuales han sido completados (esto nos parece más cuestionable) por diversos musicólogos especialistas en Mozart. En cuanto a los arreglos que Mozart hizo de obras de otros compositores, especialmente los que realizó por encargo del barón Von Swieten, en esta edición sólo se recogió una selección de ellos, entre los que no se encuentran sus versiones de cuatro oratorios de Händel, entre ellos *El Mesías*.

En ocasiones se incluyeron grabaciones realizadas con anterioridad, pero de acreditada calidad. En cualquier caso, los intérpretes elegidos fueron primeras figuras mundiales. Destacado papel desempeñaron Neville Marriner y la Academy of Saint Martin-in-the-Fields, pero también Sir Colin Davis, Boskovsky, Hager, Alfred Brendel, Elly Ameling, Uchida, Ton Koopman, Henryk Szeryng, Grumiaux, Montserrat Caballé, Kiri Te Kanawa, Jessye Norman, Mirella Freni, Dame Janet Baker, Ileana Cotrubas, Yvonne Minton, Gruberova, Baltsa, Peter Schreier, Nicolai Gedda...

El contenido de cada uno de los cuarenta y cinco volúmenes es el siguiente:

COMPLETE MOZART EDITION - PHILIPS

Vol.	***Contenido***	***N.º de discos***
1	Sinfonías de juventud	6
2	Sinfonías de madurez	6
3	Serenatas para orquesta	7
4	Divertimentos para cuerdas y viento	5
5	Serenatas y divertimentos para viento	6
6	Danzas y marchas	6
7	Conciertos para piano	12
8	Conciertos para violín	4
9	Conciertos para instrumentos de viento	5
10	Quintetos, cuartetos, etc.	3
11	Quintetos de cuerda	3

Vol.	*Contenido*	*N.º de discos*
12	Cuartetos de cuerda	8
13	Tríos y dúos para cuerda	2
14	Quinteto con piano. Cuartetos, tríos, etc.	5
15	Sonatas para violín	7
16	Música para dos pianos y piano a cuatro manos	2
17	Sonatas para piano	5
18	Variaciones para piano, rondós, etc.	5
19	Misas. Réquiem	9
20	Letanías, vísperas, etc.	5
21	Sonatas para órgano y solos	2
22	Oratorios, cantatas y música masónica	6
23	Arias, conjuntos vocales y cánones	8
24	Lieder y nocturnos	2
25	Música de teatro y de ballet	2
26	Apollo et Hyacinthus	2
27	Bastien und Bastienne	1
28	La finta semplice	2
29	Mitridate, Re di Ponto	3
30	Ascanio in Alba	3
31	Il sogno di Scipione	2
32	Lucio Silla	3
33	La finta giardiniera	3
34	Die Gärtnerin aus Liebe	3
35	Il rè pastore	2
36	Zaid El empresario	2
37	Idomeneo	3
38	El rapto en el serrallo	2
39	L'oca del Cairo. Lo sposo deluso	1
40	Le nozze di Figaro	3
41	Don Giovanni	3
42	Così fan tutte	3
43	La flauta mágica	3
44	La clemenza di Tito	2
45	Miscelánea	2

NOTAS

[1] Carta de Leopoldo al editor Jacob Lotter. Salzburgo, 9 de febrero de 1756.

[2] María Ana Mozart a Leopoldo. Mannheim, 14 de noviembre de 1777. Post scríptum de Wolfgang.

[3] Wolfgang a María Ana Thekla. Salzburgo, 10 de mayo de 1779. También aparece el nombre *Sigismundus* en las cartas del 16 de diciembre de 1774 y 31 de octubre de 1777; en esta última menciona expresamente que este nombre se le puso en la Confirmación.

[4] Milán, 10 de febrero de 1770. Como *María Anna Mozartin* firmará la madre de Mozart en su post scríptum a la carta de Wolfgang a Leopoldo, Munich, 29 de septiembre de 1777, y como *M. A. Mozartin* lo hará María Ana Thekla en su carta a Leopoldo, Munich, 2 de enero de 1779.

[5] Wolfgang a Thomas Linley. Bolonia, 10 de septiembre de 1770.

[6] Testimonio de Andreas Schachtner.

[7] Testimonio de *Nannerl*.

[8] Testimonio de Andreas Schachtner.

[9] Testimonio de María Ana Mozart, *Nannerl*.

[10] Leopoldo a Wolfgang. Salzburgo, febrero de 1778.

[11] Leopoldo a Wolfgang. Salzburgo, 5 de febrero de 1778.

[12] Leopoldo a Haguenauer. Viena, 30 de julio de 1768.

[13] George Simmel (1858-1918) subrayó esta característica del habitante de las ciudades contemporáneas, que él llama actitud *blasé*: Simmel, G.: *Metropoli e personalità* (1903).

[14] Leopoldo a Haguenauer. Viena, octubre de 1762.

[15] Zinzendorf, Karl: *Diario*. 17 de octubre de 1762.

[16] Leopoldo a Haguenauer. Viena, 16 de octubre de 1762.

[17] Ibídem.

[18] Ibídem.

[19] Leopoldo a Haguenauer. Viena, 16 de octubre de 1762.

[20] Leopoldo a Haguenauer. Viena, 19 de octubre de 1762.

[21] Leopoldo a Wolfgang. Salzburgo, febrero de 1778.

[22] Leopoldo a Haguenauer. Viena, 19 de octubre de 1762.

[23] Leopoldo a Haguenauer. Viena, 30 de octubre de 1762.

[24] Leopoldo a Haguenauer. Viena, 16 de octubre de 1762.

[25] Schachtner a María Ana Mozart, abril de 1792.

[26] Ibídem.

[27] Recuerdos de Nasnnerl, carta del 24 de noviembre de 1799.

[28] Leopoldo a Haguenauer. Innstadt, 11 de junio de 1763.

[29 a 32] Leopoldo a Haguenauer, 11 de julio de 1763.

[33] Leopoldo a Haguenauer, 19 de julio de 1763.

[34] Leopoldo a Haguenauer. Francfort, 20 de agosto de 1763.

[35] En realidad, ya lo sabemos, era sólo Vicekapellmeister.
[36] Leopoldo a Haguenauer. Aquisgrán, 11 de octubre de 1763.
[37] Leopoldo a Haguenauer, 1 de abril de 1764.
[38] En realidad tenía doce.
[39] Iba a cumplir ocho.
[40 y 41] Leopoldo a la señora Haguenauer, 1 de febrero de 1764.
[42] Leopoldo a Haguenauer, 3 de febrero de 1764.
[43] Leopoldo a Haguenauer, 22 de febrero de 1764.
[44] Leopoldo a Haguenauer, 1 de abril de 1764.
[45 a 49] Leopoldo a Haguenauer, 28 de mayo de 1764.
[50] Wolfgang a Haguenauer, 19 de septiembre de 1765.
[51] Leopoldo a Haguenauer, 5 de noviembre de 1765.
[52] Leopoldo a Haguenauer, 12 de diciembre de 1765.
[53] Leopoldo a Haguenauer, 16 de mayo de 1766.
[54] Tissot, en *Arístides o el Ciudadano*. Lausana, 11 de octubre de 1766.
[55] Wolfgang a Haguenauer, 15 de noviembre de 1766.
[56 a 58] Leopoldo a Haguenauer, 30 de enero de 1768.
[59] Leopoldo a Haguenauer, 3 de febrero de 1768.
[60] Leopoldo a Haguenauer, 11 de mayo de 1768.
[61 y 62] Leopoldo a Haguenauer, 30 de julio de 1768.
[63] Leopoldo a Haguenauer, 14 de septiembre de 1768.
[64] Leopoldo a Haguenauer, 12 de noviembre de 1768.
[65] Leopoldo a Haguenauer, 14 de diciembre de 1768.
[66] Hasse a Ortes. Viena, 30 de septiembre de 1769.
[67] Leopoldo a Ana María, 26 de enero de 1770.
[68] Leopoldo a Ana María. Wörgl, 14 de diciembre de 1769. Post scríptum de Wolfgang.
[69] Molesto, pesado.
[70] Ibídem.
[71] Wolfgang a Nannerl, 17 de enero de 1770.
[72] *Gaceta de Verona,* 9 de enero de 1770.
[73] Leopoldo a Ana María, 10 de febrero de 1770.
[74] Ibídem, post scríptum de Wolfgang.
[75] Leopoldo a Ana María, 24 de marzo de 1770.
[76] Leopoldo a Ana María, 27 de marzo de 1770.
[77 y 78] Leopoldo a Ana María. Roma, 14 de abril de 1770.
[79] Muy interesante también esta aclaración, que aporta curiosos datos sobre la personalidad de Leopoldo, así como la siguiente asunción por parte de Wolfgang de su supuesta condición de *loco,* algo de lo que le gustará presumir, y sobre lo que bromeará a menudo.
[80] Ibídem. Post scríptum de Wolfgang.
[81] Leopoldo a Ana María, 2 de mayo de 1770. Post scríptum de Wolfgang.
[82 a 84] Wolfgang a Nannerl, 19 de mayo de 1770.
[85] Wolfgang, 5 de junio de 1770.
[86] Fernando Galiani a madame d'Epinay, 7 de julio de 1770.
[87] Leopoldo a Ana María, 9 de junio de 1770.
[88] Leopoldo a Ana María, 4 de julio de 1770.
[89 y 90] Leopoldo a Ana María, 7 de julio de 1770. Post scríptum de Wolfgang.
[91] Wolfgang a Nannerl. Bolonia, 21 de agosto de 1770.
[92] Wolfgang a Nannerl, 22 de septiembre de 1770.
[93] Leopoldo a Ana María, 20 de octubre de 1770.

[94] Leopoldo a Ana María, 10 de noviembre de 1770.
[95] Leopoldo al P. Martini, 2 de enero de 1771.
[96] Leopoldo a Ana María, 29 de diciembre de 1770.
[97] Hasse a Ortes. Viena, 30 de septiembre de 1769.
[98] Hasse a Ortes. Viena, 23 de marzo de 1771.
[99] Wolfgang a Nannerl. Milán, 24 de agosto de 1771.
[100] Wolfgang a Nannerl. Milán, 7 de septiembre de 1771.
[101] Wolfgang a Nannerl. Milán, 31 de agosto de 1771.
[102] Wolfgang a Nannerl. Milán, 13 de septiembre de 1771.
[103] María Teresa a Fernando, 6 de noviembre de 1771.
[104] Wolfgang a Ana María. Milán, 30 de noviembre de 1771.
[105] Wolfgang a Nannerl, 5 de diciembre de 1772.
[106 y 107] Wolfgang a Nannerl, 18 de diciembre de 1772.
[108 y 109] Wolfgang a Ana María, 14 de enero de 1775.
[110] *RELACIÓN de la fiesta de N. P. S. Ignacio que en Madrid se hiço a 15 de Noviembre de 1609.* Madrid, Archivo Histórico Nacional, 9-3682, folios 381r-382v.
[111 a 113] Wolfgang al P. Martini, 14 de septiembre de 1776.
[114] Martini a Wolfgang, 18 de diciembre de 1776.
[115] Leopoldo a Wolfgang, 4 de octubre de 1777.
[116] Leopoldo a Martini, 22 de diciembre de 1777.
[117] El perro, un cachorro.
[118] Joseph Bullinger, abate amigo de los Mozart.
[119] Leopoldo, Salzburgo, 25 de septiembre de 1777.
[120] Leopoldo, Salzburgo, 27 de septiembre de 1777.
[121] Wolfgang a Leopoldo; post scríptum de Ana María. Munich, 29 de septiembre de 1777.
[122 a 125] Mozart. Munich, 30 de septiembre de 1777.
[126] Mozart. Munich, 3 de octubre de 1777.
[127 a 129] Mozart. Munich, 10 de octubre de 1777.
[130 y 131] Mozart. Augsburgo, 17 de octubre de 1777.
[132] De Culo Estrecho.
[133] De Celo Fácil.
[134] Huele a Mierda.
[135] Rabo de Cerdo.
[136] Nótese la ironía, provinendo de alguien que a sus pocos años ya había recorrido buena parte de Europa.
[137] Ibídem.
[138] Leopoldo. Salzburgo, 17 de noviembre de 1777.
[139] Leopoldo. Salzburgo, 23 de octubre de 1777.
[140] Wolfgang. Mannheim, 25 de octubre de 1777.
[141] Se refiere a *Sigismondus.*
[142] Wolfgang. Mannheim, 31 de octubre de 1777.
[143] Wolfgang. Mannheim, 26 de octubre de 1777.
[144] Wolfgang. Mannheim, 4 de noviembre de 1777.
[145] Wolfgang. Mannheim, 6 de diciembre de 1777.
[146] Nombre procedente de un drama (1776) de Friedrich Maximilian von Klinger (1752-1831), titulado de ese modo, *Tempestad y fuerza,* o *Tormenta y empuje.*
[147] Wolfgang. Mannheim, 16 de noviembre de 1777.
[148] Wolfgang. Mannheim, 8 de noviembre de 1777.
[149] Leopoldo. Salzburgo, 17 de noviembre de 1777.
[150] Wolfgang. Mannheim, 13 de noviembre de 1777.

[151] Elisabeth Cannabich.
[152] *La guasa sigue su propio curso.*
[153] Miembro de la capilla de Salzburgo.
[154] Wolfgang. Mannheim, 14 de noviembre de 1777.
[155] Wolfgang. Mannheim, 22 de noviembre de 1777.
[156] Leopoldo. Salzburgo, 20 de noviembre de 1777.
[157] Leopoldo. Salzburgo, 24 de noviembre de 1777.
[158] Leopoldo. Salzburgo, 27 de noviembre de 1777.
[159] Wolfgang. Mannheim, 29 de noviembre.
[160 y 161] Post scríptum a la carta de Wolfgang. Mannheim, 6 de diciembre de 1777.
[162] Leopoldo. Mannheim, 3 de octubre de 1777.
[163 y 164] Wolfgang. Mannheim, 20 de diciembre de 1777.
[165] Wolfgang. Mannheim, 11 de enero de 1778.
[166] En realidad tenía casi dieciocho años; nació en 1760. Se trataba, pues, de un nuevo ejemplo de la tradición de quitar años a los niños que destacaban por sus dotes naturales.
[167] Wolfgang. Mannheim, 17 de enero de 1778.
[168] Wolfgang. Mannheim, 7 de febrero de 1778.
[169] Post scríptum de Ana María a la carta de Wolfgang. Mannheim, 4 de febrero de 1778.
[170] Se trataba de una cancioncilla, *Oragnia figata la marina gemina fa,* compuesta por ambos.
[171 y 172] Leopoldo. Salzburgo, 12 de febrero de 1778.
[173] Wolfgang a Leopoldo. Viena, 18 de febrero de 1778.
[174] Esta frase se refiere a la alusión que su padre le hacía en su anterior carta, a que de este viaje dependía su propia gloria, pero también el sostenimiento de sus padres y el porvenir de su hermana.
[175] Leopoldo. Salzburgo, 16 de febrero de 1778.
[176] Wolfgang. Mannheim, 23 de febrero de 1778.
[177 y 178] Leopoldo. Salzburgo, 23 de febrero de 1778.
[179] Leopoldo. Salzburgo, 26 de febrero de 1778.
[180] Wolfgang. Mannheim, 7 de marzo de 1778.
[181] *No sé de dónde viene / aquel tierno afecto, / aquel sentimiento que, desconocido, / embarga mi pecho.*
[182 y 183] Wolfgang. París, 24 de marzo de 1778.
[184] Wolfgang a Leopoldo. París, 29 de mayo de 1778.
[185] Wolfgang a Leopoldo. París, 14 de mayo de 1778.
[186] Wolfgang a Leopoldo. París, 9 de julio de 1778.
[187] Wolfgang a Leopoldo. París, 31 de julio de 1778.
[188] De nuevo una referencia a la Pasión de Cristo, y una mención a que sus sacrificios personales, su peregrinar por Europa, todo era para mayor gloria de Dios, como mantenía su padre.
[189] Wolfgang a Leopoldo. París, 3 de julio de 1778.
[190] Bullinger se lo acababa de confirmar.
[191 y 192] Leopoldo. Salzburgo, 13 de julio de 1778.
[193] Nombre de otro importante compositor salzburgués del momento.
[194] Friedrich Melchior Grimm a Leopoldo. París, 27 de julio de 1778.
[195] Wolfgang a Fridolin Weber. París, 29 de julio de 1778; post scríptum a Aloysia del día 30 de julio.
[196] *Volta subito:* expresión utilizada en música para indicar que hay que volver la página rápidamente.

[197] Wolfgang al abate Bullinger. París, 7 de agosto de 1778.
[198] Wolfgang a Leopoldo. París, 11 de septiembre de 1778.
[199] Se refiere a la familia Weber.
[200] Leopoldo. Salzburgo, 27 de agosto de 1778.
[201 y 202] Leopoldo. Salzburgo, 31 de agosto de 1778.
[203 y 204] Wolfgang. Nancy, 3 de octubre de 1778.
[205] *La pescadora.*
[206] *La campesina en la corte.*
[207] Ibídem.
[208] Wolfgang. Estrasburgo, 15 de octubre de 1778.
[209] Wolfgang a Leopoldo. París, 11 de septiembre de 1778
[210] Wolfgang a Leopoldo. Estrasburgo, 15 de octubre de 1778.
[211 y 212] Wolfgang a Leopoldo. Estrasburgo, 2 de noviembre de 1778.
[213] Wolfgang a Leopoldo. Estrasburgo, 26 de octubre de 1778.
[214] De la señora Cannabich, donde estaba alojado.
[215 a 218] Wolfgang a Leopoldo. Mannheim, 12 de noviembre de 1778.
[219] Al que todos daban por sucesor del príncipe.
[220 a 222] Leopoldo a Wolfgang. Salzburgo, 19 de noviembre de 1778.
[223] Leopoldo a Wolfgang. Sakzburgo, 23 de noviembre de 1778.
[224] Wolfgang a Leopoldo. Mannheim, 3 de diciembre de 1778.
[225 y 226] Wolfgang a Leopoldo. abadía de Kaisershcim, 18 de diciembre de 1778.
[227] Wolfgang a Leopoldo. Munich, 29 de diciembre de 1778.
[228] Con el recitativo *Popoli di Tessaglia.*
[229] Wolfgang a Aloysia. París, 31 de julio de 1778.
[230] Leopoldo a Wolfgang. Salzburgo, 23 de noviembre de 1778.
[231] Wolfgang a Leopoldo. Munich, 29 de diciembre de 1778.
[232] Leopoldo a Wolfgang. Salzburgo, 31 de diciembre de 1778
[233] Wolfgang a Leopoldo. Munich, 2 de enero de 1779.
[234] Wolfgang a Ana María Tecla, abadía de Kaisersheim, 23 de diciembre de 1778.
[235] Ana María Tecla a Leopoldo. Munich, 2 de enero de 1779.
[236] Ambos eran salzburgueses.
[237] Wolfgang a Leopoldo. Munich, 8 de enero de 1779.
[238] Wolfgang a Leopoldo. Mannheim, 12 de noviembre de 1778.
[239] Wolfgang a Leopoldo. 26 de mayo de 1781.
[240] Wolfgang a Ana María Tecla. Salzburgo, 10 de mayo de 1779.
[241] Wolfgang a Leopoldo. Viena, 15 de febrero de 1783.
[242] Wolfgang a Leopoldo. Munich, 15 de noviembre de 1780.
[243] Wolfgang a Leopoldo. Munich, 13 de noviembre de 1780.
[244] Se refiere a *Idomeneo.*
[245] Wolfgang a Leopoldo. Munich, 5 de diciembre de 1780.
[246] Wolfgang a Leopoldo. Munich, 13 de diciembre de 1780.
[247] Wolfgang a Leopoldo. Munich, 11 de diciembre de 1780.
[248] Leopoldo a Wolfgang. Salzburgo, 11 de diciembre de 1780.
[249] Wolfgang a Leopoldo. Munich, 16 de diciembre de 1780.
[250] Wolfgang a Leopoldo. Munich, 30 de diciembre de 1780.
[251] Leopoldo a Wolfgang. Salzburgo, 25 de diciembre de 1780.
[252 y 253] Wolfgang a Leopoldo. 30 de diciembre de 1780.
[254] Niemtschek.
[255] Testimonio de Rochlitz.
[256] Wolfgang a Leopoldo. Munich, 3 de enero de 1781.
[257] *Munchener Staats Gelehrten und Vermischten Nachrichten,* 1 de febrero de 1781.

[258 y 259] Wolfgang a Leopoldo. Viena, 17 de marzo de 1781 (Mozart consignó, por error, «1780»).

[260] Wolfgang a Leopoldo. Viena, 24 de marzo de 1781.

[261] Wolfgang a Leopoldo. Viena, 17 de marzo de 1781.

[262] Wolfgang a Leopoldo. Viena, 24 de marzo de 1781.

[263] Su príncipe, es decir, Colloredo.

[254 y 265] Ibídem.

[266] Wolfgang a Leopoldo. Viena, 11 de abril de 1781.

[267] Alusión paródica a la *música de mesa*.

[268] Ibídem.

[269 a 271] Wolfgang a Leopoldo, 9 de mayo de 1781.

[272] Wolfgang a Leopoldo. Viena, 13 de junio de 1781.

[273] Wolfgang a Leopoldo. Viena, 9 de mayo de 1781.

[274 y 275] Wolfgang a Leopoldo. 12 de mayo de 1781.

[276] Wolfgang a Leopoldo. Viena, 16 de mayo de 1781.

[277] Wolfgang a Leopoldo. Viena, 19 de mayo de 1781.

[278 y 279] Wolfgang a Leopoldo. Viena, 20 de junio de 1781.

[280] Wolfgang a Leopoldo. Viena, 2 de junio de 1781.

[281 a 283] Wolfgang a Leopoldo. Viena, 13 de junio de 1781.

[284 y 285] Wolfgang a Leopoldo. Viena, 16 de mayo de 1781.

[286] Wolfgang a Leopoldo. Viena, 9 de junio de 1781.

[287] Wolfgang a Leopoldo. Viena, 9 de mayo de 1781.

[288] Wolfgang a Leopoldo. Viena, 27 de junio de 1781.

[289] Wolfgang a Leopoldo. Viena, 2 de junio de 1781.

[290 y 291] Zaida.

[292] Wolfgang a Leopoldo. Viena, 18 de abril de 1781.

[293 y 294] Wolfgang a Leopoldo. Viena, 1 de agosto de 1781.

[295] Christoph-Friedrich Bretzner, *Gaceta de Leipzig,* 1782.

[296 y 297] Wolfgang a Leopoldo. Viena, 25 de julio de 1781.

[298] Wolfgang a Leopoldo. Viena, 8 de agosto de 1781.

[299] Wolfgang a Leopoldo. Viena, 5 de septiembre de 1781.

[300] Sabemos de la poca simpatía que, desde niño, sentía Wolfgang por las trompetas. Durante el barroco existió una verdadera *trompetamanía*: los virtuosos de trompeta o de corneta eran, con mucho, los músicos más apreciados, con los que sólo podían rivalizar los *castrati;* pero artistas como Mozart estaban señalando otras direcciones.

[301] Wolfgang a Leopoldo. Viena, 13 de octubre de 1781.

[302 y 303] Wolfgang a Leopoldo. 15 de diciembre de 1781.

[304] Ibídem.

[305] *Vosotras que sabéis / lo que es el amor / ved, señoras, / si yo lo llevo en el corazón*.

[306] Post scríptum de Ana María a la carta de Wolfgang. Mannheim, 4 de febrero de 1778.

[307 a 310] Wolfgang a Leopoldo. Viena, 22 a 26 de diciembre de 1781.

[311] Algunos de los defensores de esta teoría han llegado a mantener que la audición de ciertas obras de Mozart permitiría aprobar un examen de matemáticas o de Derecho Civil sin necesidad de estudiar el temario. No aconsejamos a nuestros lectores que intenten comprobarlo.

[312] Wolfgang a Leopoldo. Viena, 3 de noviembre de 1781.

[313] Clementi, Muzio: *Recuerdos,* recopilados por Berger.

[314] Wolfgang a Leopoldo. Viena, 17 de enero de 1782.

[315] Wolfgang a Leopoldo. Viena, 9 de enero de 1782.

[316] Wolfgang a Leopoldo. 16 de enero de 1782.
[317] Wolfgang a Nannerl. Viena, 13 de febrero de 1782.
[318 y 319] Wolfgang a Leopoldo. Viena, 10 de abril de 1782.
[320] Wolfgang a Nannerl. Viena, 20 de abril de 1782.
[321] Joseph Weigl: *Autobiografía.*
[322 y 323] Wolfgang a Constanza, 29 de abril de 1782.
[324] Wolfgang a Leopoldo. Viena, 8 de mayo de 1782.
[325] Wolfgang a Leopoldo. 29 de mayo de 1782.
[326] Wolfgang a Leopoldo. Viena, 8 de mayo de 1782.
[327] Wolfgang a Leopoldo. Viena, 27 de julio de 1782.
[328] Goethe, 4 de abril de 1785.
[329] Wolfgang a Leopoldo. Viena, 31 de julio de 1782.
[330] Wolfgang a Leopoldo. Viena, 20 de julio de 1782.
[331 y 332] Wolfgang a Leopoldo. Viena, 27 de julio de 1782.
[333] Wolfgang a Leopoldo. Viena, 31 de julio de 1782.
[334] Wolfgang a Leopoldo. 7 de agosto de 1782.
[335] *En ti espero, oh esposo amado; a ti confío mi suerte.*
[336 y 337] Leopoldo a la condesa Waldstädten. Salzburgo, 23 de agosto de 1782.
[338] Wolfgang a Leopoldo. Viena, 8 de enero de 1783.
[339] Wolfgang a la baronesa Waldstädten. Viena, 28 de septiembre de 1782.
[340] Wolfgang a Leopoldo. Viena, 17 de agosto de 1782.
[341] Wolfgang a la baronesa Waldstädten. Viena, 2 de octubre de 1782.
[342] Ibídem. *Mozart, el grande, pequeño de cuerpo, y Constanza, la más bella y prudente de todas las esposas.*
[343 a 345] Wolfgang a Leopoldo. Viena, 28 de diciembre de 1782.
[346] Wolfgang a Leopoldo, 12 de marzo de 1783.
[347] Despacio, señor Asno.
[348] Ánimo - Rápido, valor - Bestia - Oh, qué desafinado - ¡Ay de mí! - ¡Ah, se me secan los cojones! - Con fuerza - Respira - ¡Adelante!, ¡adelante! - ¡Oh, cerdo infame! - ¡Oh, termina, te lo ruego! - ¡Oh, maldito! - Bravo, pobrecillo - ¿Más destreza? - ¡Ah!, atajo de borregos - ¿Acabas? - ¡Gracias al Cielo! - ¡Basta, basta!
[349] Wolfgang a Leopoldo. Viena, 29 de marzo de 1783.
[350] Wolfgang a Leopoldo. Viena, 12 de abril de 1783.
[351] Wolfgang a Leopoldo. Viena, 7 de mayo de 1783.
[352] Wolfgang a Leopoldo. Viena, 21 de mayo de 1783.
[353 y 354] Wolfgang a Leopoldo. Viena, 18 de junio de 1783.
[355] Wolfgang a Leopoldo. Viena, 21 de junio de 1783.
[356] Wolfgang a Leopoldo. Viena, 21 de junio de 1783.
[357] Wolfgang a Leopoldo. Munich, 18 de enero de 1781.
[358] Referido por G. Schinn y Fr. J. Otter, alumnos de Michael Haydn.
[359] Wolfgang a Leopoldo, 4 de enero de 1783.
[360] Wolfgang, 6 de diciembre de 1783.
[361 y 362] Wolfgang a Leopoldo. Linz, 31 de octubre de 1783.
[363] Wolfgang a Leopoldo. Viena, 10 de diciembre de 1783.
[364 y 365] Wolfgang a Leopoldo. Viena, 28 de abril de 1784.
[366] Wolfgang a Leopoldo. Viena, 10 de abril de 1784.
[367] Wolfgang a Leopoldo. Viena, 8 de abril de 1781.
[368] Wolfgang a Nannerl. Viena, 18 de agosto de 1784.
[369] Michaël O'Kelly: *Memorias.* 1826.
[370] Wolfgang a Franz Joseph Haydn. Viena, 1 de septiembre de 1785.
[371 a 373] Leopoldo a Nannerl. Viena, 14 de febrero de 1785.

[374] Se trata del n.º 18, en si bemol, KV 456, compuesto unos meses antes, en septiembre de 1784.
[375 y 376] Ibídem.
[377 y 378] Leopoldo a Nannerl. Viena, 21 de febrero de 1785.
[379] Leopoldo a Nannerl. Viena, 12 de marzo de 1785.
[380] Leopoldo a Nannerl. Viena, 25 de marzo de 1785.
[381] Leopoldo a Nannerl. Viena, 2 de abril de 1785.
[382 y 383] Wolfgang a Anton Klein. Viena, 21 de marzo de 1785.
[384] Wolfgang a Leopoldo. Viena, 7 de mayo de 1783.
[385] Se refiere a Martín y Soler.
[386] Lorenzo Da Ponte: *Memorias*.
[387] Lorenzo Da Ponte: *Memorias*.
[388] Testimonio de Franz Niemtschek.
[389] Testimonio de J. F. Rochlitz.
[390] Lorenzo Da Ponte: *Memorias*.
[391] Wolfgang a Hoffmeister. Viena, 20 de noviembre de 1785.
[392] Leopoldo a Nannerl. Salzburgo, 18 de abril de 1786.
[393] Testimonio de O'Kelly.
[394] Testimonio de Rochlitz.
[395] Testimonio de O'Kelly. El dicho italiano significa *Quien más sabe, menos sabe,* o *cuanto más sabemos, menos sabemos*.
[396] Gyrowtz: *Autobiografía*.
[397] De su nieto; ya hemos dicho que Nannerl no había sido ambigua, al contrario que había hecho Wolfgang, al bautizar a su primer hijo con el nombre de su padre.
[398] Leopoldo a Nannerl. Salzburgo, 17 de noviembre de 1786.
[399] Testimonio de Rochlitz.
[400 y 401] Wolfgang a Gottfried Jacquin. Praga, 14 de enero de 1787.
[402] Wolfgang a Gottfried von Jacquin. Praga, 15 de enero de 1787.
[403] María Ana a Breitkopf y Haertel, 8 de febrero de 1800.
[404] Wolfgang a Leopoldo. Viena, 4 de abril de 1787.
[405] Testimonio de Ries.
[406] Wolfgang, 11 de abril de 1787.
[407] Wolfgang a Gottfried von Jacquin. Viena, 29 de mayo de 1787.
[408] Wolfgang a Leopoldo. Mannheim, 18 de febrero de 1778.
[409] Wolfgang a Nannerl. Viena, 16 de junio de 1787.
[410] Wolfgang, 4 de junio de 1787.
[411] Wolfgang a Jacquin. Praga, 25 de octubre de 1787.
[412] *Oberpostzeitung*. Praga, 3 de noviembre de 1787.
[413] Franz Joseph Haydn a Bondini. Viena, 1787.
[414 y 415] Wolfgang a Jacquin. Praga, 4 de noviembre de 1787.
[416] Testimonio de Karl Thomas Mozart.
[417] Wolfgang a Nannerl. Viena, 2 de agosto de 1788.
[418] Testimonio de Lorenzo Da Ponte.
[419] Rosemberg, 16 de mayo de 1788.
[420] Testimonio de Rochlitz.
[421] Schreiber, Alois: *Dramaturgische Blätter*. Francfort, 1789.
[422] Goethe a Schiller. Weimar, 30 de diciembre de 1797.
[423] Wolfgang a Puchberg, 17 de junio de 1788.
[424] Wolfgang a Puchberg, 27 de junio de 1788.
[425] Von Swieten a Mozart.
[426] Wolfgang a Constanza. Budweis, 8 de abril de 1789.

[427] Rochlitz.
[428] *Allgemeine Musik. Zeitung, t. XIV.*
[429] Wolfgang a Constanza. Berlín, 23 de mayo de 1789.
[430] Wolfgang a Puchberg. Viena, 12 de julio de 1789; post scríptum del 14 de julio.
[431] Wolfgang a Puchberg. Viena, 17 de julio de 1789.
[432] Wolfgang, 18 (?) de agosto de 1789.
[433] Wolfgang a Puchberg. Viena, diciembre de 1789. Puchberg anotó en esta carta: *Enviados 300 fl.*
[434] Wolfgang al archiduque Franz. Viena, mayo de 1790.
[435] Wolfgang a Puchberg. Viena, finales de marzo de 1790.
[436] Wolfgang a Puchberg. Baden, 14 de agosto de 1790.
[437] Wolfgang a Constanza. Francfort, 28 de septiembre de 1790.
[438] Wolfgang a Constanza. Francfort, 30 de septiembre de 1790.
[439] Wolfgang a Constanza. Francfort, 3 de octubre de 1790.
[440] Wolfgang a Constanza. Francfort, 8 de octubre de 1790.
[441] Wolfgang a Constanza. Francfort, 15 de octubre de 1790.
[442] Wolfgang a Constanza. Francfort, 23 de octubre de 1790.
[443] Testimonio de Bachaus.
[444] 20 de agosto de 1792
[445] Testimonio de Josef Deiner.
[446] No son abundantes, pero existen interesantes estudios sobre los instrumentos mecánicos; recomendamos especialmente un trabajo de Alfredo Aracil: *Juego y artificio. Autómatas y otras ficciones en la cultura del Renacimiento a la Ilustración*. Madrid, Cátedra [1998].
[447] Wolfgang a Constanza. Viena, 7 de junio de 1791.
[448] Wolfgang a Constanza. Viena, 12 de junio de 1791.
[449] Wolfgang a Constanza. Viena, 12 de junio de 1791.
[450] Wolfgang a Anton Stoll. Viena, 12 de julio de 1791.
[451] Wolfgang a Constanza. Viena, 5 de julio de 1791.
[452] Wolfgang a Constanza. Viena, 7 de julio de 1791.
[453] Wolfgang a Constanza. Viena, 9 de julio de 1791.
[454] Viena, 12 de julio de 1791.
[455] Wolfgang a Constanza. Viena, 9 de julio de 1791.
[456] Wolfgang a Constanza. Viena, 8 de octubre de 1791.
[457 y 458] Wolfgang a Constanza. Viena, 14 de octubre.
[459] *Llámame con los bienaventurados. / Suplicante y humilde te ruego, / con el corazón casi hecho ceniza: / apiádate de mi última hora.* (Fragmento del *Confutatis* del *Requiem.)*
[460] Niemtschek.
[461] Este documento, conservado en la Biblioteca Nacional de Berlín, es supuestamente la copia en alemán de una carta escrita por Mozart en italiano, de la que no se tiene más noticia que la nota que en él se contiene, referente a que se encontraba en poder de un tal Mr. Joung de Londres. La propia forma en que está redactada sugiere que se debe a algún autor decimonónico, uno de tantos panegiristas bienintencionados y glosadores truculentos que tanto han perjudicado siempre la investigación histórica.
[462] Massin, Jean y Brigitte: *Wolfgang Amadeus Mozart,* pág. 1163.
[463] Testimonio de Deiner.
[464] Testimonio de Schak. Recopilado en el *Allgemeine Musikalische Zeitung*.
[465] Testimonio de Constanza, recopilado en *Monatsschrift für Theater und Music,* 1857.

[466] y [467] Testimonio de Sofía Haibel.

[468] *Día de lágrimas será aquel / en que resurja del polvo / el hombre culpable, para ser juzgado.*

[469] *Musikalische Wochenblatt.*

[470] *¡Alegres atravesamos, / por el poder de la música, / la sombría noche de la muerte!* (Pamina y Tamino, en el *Finale* de *La flauta mágica*.)

[471] Se refiere al talento de Mozart.

[472] *Seca tus lágrimas, / vida mía, / y calma tu dolor: / la sombra del padre / se compadecerá de tu sufrir.* (Don Ottavio en *Don Giovanni,* Acto II, escena séptima.)

[473] Testimonio de O'Kelly.

[474] Wolfgang. Mannheim, 20 de diciembre de 1777.

[475] Schlichtegroll: Nota necrológica de Mozart.

[476] Niemtschek.

[477] Wolfgang a Leopoldo; abadía de Kaisersheim, 18 de diciembre de 1778.

[478] *Musikalische Wochenblatt.*

[479] Un veneno muy utilizado en la época, sobre todo en Italia.

[480] Eibl, Joseph Heinz: *Mozart. Chronik eines Lebens.* 1965, 1977. *(Mozart. Crónica de una vida.)*

[481] Una de las publicaciones en castellano más recientes es la siguiente: Reverter, Arturo: *Mozart. Discografía recomendada. Obra completa comentada.* Barcelona, Eds. Península, 1995. 2ª ed. actualizada, 1999.

CRONOLOGÍA

Año	Vida y obra de Mozart	Cultura	Acontecimientos históricos
1719	14 de noviembre: Nace en Augsburgo Johann Georg Leopold Mozart, padre de Wolfgang.		
1720	25 de diciembre: Nace en Sant Gilgen Anna Maria Pertl, madre de Mozart.		
1747	21 de noviembre: Contraen matrimonio, en Salzburgo, Leopoldo Mozart y Ana María Pertl.		
1750	Muere Johann Sebastian Bach. Rousseau: Discurso *sobre las ciencias y las artes.*		
1751	30 de julio: Nace la cuarta hija de los Mozart, Maria Anna Walburga Ignatia, *Nannerl,* primera que sobrevivió.	Publicación del primer volumen de la *Enciclopedia*. Voltaire: *El siglo de Luis XIV.*	

Año	Vida y obra de Mozart	Cultura	Acontecimientos históricos
1752		7 de febrero: Primera condena de la *Enciclopedia*.	
1754		Rousseau: *Discurso sobre el origen de la desigualdad*.	
1755			Expulsión de los jesuitas del Paraguay.
1756	Domingo 27 de enero: Nace en Salzburgo Johannes Chrysostomus Wolfgang Theophilus Mozart, Wolferl, último hijo de los Mozart, y segundo que logró sobrevivir. Fue bautizado el día siguiente. Publicación en Augsburgo, por Jacob Lotter, del *Versuch einer gründlichen Violinschule (Ensayo para un método fundamental de violín)*, de Leopoldo Mozart.	Voltaire: *Ensayo sobre las costumbres y el espíritu de las naciones*. S. Gessner: *Idilios*. Fallece el compositor Giacomo Antonio Perti (1661-1756). Nace el compositor Johann Christoph Vogel (Nüremberg, 1756-París, 1788). Nace el compositor Paul Wranitzky (Nova Risé, Moravia, 1756-Viena, 1808).	1756-1763: Guerra de los Siete Años, entre Federico el Grande de Prusia, Inglaterra y Francia.
1757	Leopoldo Mozart es nombrado *Hofkomponist*, compositor de la corte, del arzobispo de Salzburgo, Sigismund von Schrattenbach.	Nace el pintor y escritor William Blake (Londres, 1757-1827). Nace el pintor y escultor Antonio Canova (Possagno Trevi, 1757-Venecia, 1822). Nace el constructor de instrumentos Ignaz Joseph Pleyel (Ruppersthal, Austria, 1757-París, 1831).	

Año	Vida y obra de Mozart	Cultura	Acontecimientos históricos
		Fallece el compositor Giuseppe Domenico Scarlatti (Nápoles, 1685-Madrid, 1757). Fallece el compositor Jan Vaclav Antonin Stamitz (Nemecky Brod, Bohemia, 1717-Mannheim, 1757). Madrid: Estatutos de la Real Academia de Nobles Artes de San Fernando.	
1758		Rousseau: *Carta a D'Alembert*. F. Quesnay: *Tableau économique*.	
1759	Leopoldo comienza a dar clases de música a *Nannerl*, y da inicio al primer *Notenbuch* o *Nottenbook*.	8 de marzo: Segunda condena de la *Enciclopedia*. Fundación del British Museum. Voltaire: *Cándido*. J. Macpherson: *Cantos de Osián*.	Carlos III, rey de España (1759-1788). Expulsión de los jesuitas de Brasil y Portugal. Ocupación de Quebec por Inglaterra.
1760	Anotación de Leopoldo en el primer *Nottenbook: «Estos ocho minuetos anteriores han sido aprendidos por el pequeño Wolfgang a sus cuatro años».*	Nacimiento de Luigi Cherubini (Florencia, 1760-París, 1842). Rousseau: *La nueva Eloísa*.	Jorge III, rey de Inglaterra.
1761	Anotación de Leopoldo en el primer *Nottenbook: «El minué y el trío se los*	Octubre: Representación del *Orfeo y Eurídice* de Gluck, en el Hofburg de Viena.	

Año	Vida y obra de Mozart	Cultura	Acontecimientos históricos
	aprendió Wolfgangerl en media hora, el 26 de enero de 1761, un día antes de su quinto cumpleaños, a las nueve y media horas de la noche». Alrededor de diciembre de 1761 o enero de 1762 se debieron componer las que se consideran primeras obras de Wolfgang, aunque hay quienes consideran que un par de estas piezas fueron compuestas en los primeros meses de 1761.	Haydn, nombrado maestro de música del príncipe A. Esterhazy.	
1762	Anotación de Leopoldo en el primer *Nottenbook:* «Compuesto en enero de 1762» (se trata del KV 2). A lo largo de 1762 Leopoldo irá consignando diversas piezas del *Nottenbook* como compuestas por Wolfgang. Enero(?): Primer viaje de Wolfgang, a Munich. 18 de septiembre de 1762 a 5 de enero de 1763: Viaje a Viena. 13 de octubre: Recibimiento por la familia imperial en el palacio de Schoenbrunn.	Rousseau: *El contrato social* y *Emilio*. Diderot: *El sobrino de Rameau*. Gluck: *Orfeo y Eurídice*.	Catalina II, zarina de Rusia. Río de Janeiro, capital de Brasil. Conquista de La Habana por Inglaterra.

Año	Vida y obra de Mozart	Cultura	Acontecimientos históricos
	21 de octubre a 4 de noviembre: Wolfgang convalece de escarlatina. 31 de octubre: Inicio del segundo *Nottenbook*, dedicado a Wolfgang. Primeros viajes a Munich y Viena.		
1763	5 de enero: Regreso a Salzburgo. Wolfgang sufre un ataque de reúma. Febrero: Leopoldo Mozart es nombrado *Vicekapellmeister* (Maestro de capilla auxiliar) de la corte de Salzburgo. 9 de junio de 1763 a 29 de noviembre de 1766: Viaje por Augsburgo, Ulm, Colonia, Bruselas, París, Londres. Julio: En Mannheim son recibidos por el elector Karl Theodor, y conocen la magnífica orquesta de Mannheim. 18 de noviembre: Llegan a París, donde cuentan con el apoyo de Friedrich Melchor Grimm. Diciembre: Visitas a Versalles, donde conocen a madame de	Voltaire: *Tratado sobre la tolerancia*.	Acuerdo de París entre Inglaterra y Francia: Canadá es cedido a Inglaterra.

Año	Vida y obra de Mozart	Cultura	Acontecimientos históricos
	Pompadour y son recibidos (finales de mes) por la familia real.		
1764	Febrero: Publicación en París de las primeras sonatas para violín y piano, KV 6 a 9; es la primera publicación de obras de Mozart. 23 de abril: Llegan a Londres. El 27 de abril y el 19 de mayo son recibidos por la familia real. Wolfgang se propone componer una ópera. Mozart conoce en Londres a Johann Christian Bach. Otoño: Seis sonatas para clave y violín KV 10 a 15, dedicadas a la reina Carlota. Comienzo del tercer *Nottenbook,* donde Wolfgang escribió 25 piezas breves para clave.	J. Hargreaves: Hiladora mecánica. Inicio de la moderna industria textil. Voltaire: *Diccionario filosófico.* Muere Jean Philippe Rameau (Dijon, 1683-París, 1764). Rousseau: *Diccionario de música.* Muere William Hogarth (1697-1764). Winckelmann: *Historia del arte de la antigüedad.* Cesare Beccaria: *De los delitos y las penas.*	Disolución de la Compañía de Jesús en Francia. Stanislaw Poniatowski, rey de Polonia.
1765	43 piezas breves para piano, KV 15a a KV 15ss. Primera sinfonía, KV 16. Segunda sinfonía (n.º 4; las 2 y 3 son apócrifas), KV 19. Aria *Va, dal furor portata,* KV 21.	Johann Christian Bach: *Adriano in Sira.* Estreno de *Tom Jones,* de François-André Philidor.	José II, elegido emperador del Sacro Imperio Romano Germánico. Revueltas en Quito.

Año	Vida y obra de Mozart	Cultura	Acontecimientos históricos
	24 de julio: Salen de Londres; regreso al continente. 11 de noviembre: Llegan a La Haya. 15 de noviembre a mediados de diciembre: Enfermedad de Wolfgang ¿tifus? *Galimathias Musicum.*		
1766	10 de mayo: Llegada de nuevo a París, donde permanecen hasta el 10 de julio. Finales de noviembre: llegada a Salzburgo.	Franz Joseph Haydn: cuartetos op. 9. Lessing: *Laocoonte.*	El conde de Aranda, primer ministro de Carlos III en España.
1767	Abril: Primer concierto para piano, KV 37. *Apollo et Hyacinthus,* KV 38. 11 de septiembre: Salida hacia Viena para las bodas de María Josefa con Fernando, rey de Nápoles. Octubre: Wolfgang convalece de viruela; Nannerl lo hará en noviembre. En Viena conocen a Franz Mesmer.	Gluck: *Alcestes.* Franz Joseph Haydn: sinfonías 35 a 38. Muerte de Georg Philipp Telemann (Magdeburgo, 1681-Hamburgo, 1767).	27 de febrero: Expulsión de los jesuitas de España y de la América española. Máquina de vapor de Jaime Watt.
1768	Wolfgang compone *La finta semplice,* KV 51, que será estrenada en Salzburgo en 1769. 1 de octubre: Estreno del singspiel *Bastián y Bastiana,* KV 50.	Muerte de Antonio Canal, *Canaletto* (1697-1768). Giovanni Paisiello: *L'osteria di Marechiaro.*	Compra de Córcega por Francia. Primer viaje de Cook a Australia.

Año	Vida y obra de Mozart	Cultura	Acontecimientos históricos
		Sterne: *Viaje sentimental.*	
1769	Wolfgang es nombrado *Konzertmeister* de la orquesta de Salzburgo. 1 de mayo: Estreno de *La finta semplice,* KV 51. Octubre: *Dominicus Messe,* o misa *del Pater Dominicus,* KV 66. 11 de diciembre: Inicio del primer viaje a Italia.	Pierre Alexandre Monsigny: *El desertor.*	15 de agosto: Nacimiento de Napoleón Bonaparte.
1770	Enero: Retrato de Mozart realizado en Verona, seguramente por Saverio dalla Rosa. A los catorce años de edad, durante este primer viaje a Italia, él o su padre decidieron cambiar el nombre de *Gottlieb* por su equivalente italiano, *Amadeo.* 15 de marzo: Termina su primer cuarteto para cuerda, KV 80. Finales de marzo: Conocen, en Bolonia, al padre Giambattista Martini. 11 de abril: Llegada a Roma, donde permanecen hasta el 10 de julio, con un intermedio en Nápoles. Anéc-	27 de marzo: Muere Giambattista Tiépolo (1696-1770). Muerte de Giuseppe Tartini. Nacimiento de Ludwig van Beethoven. Gluck: *Paris y Elena.* Jean-Honoré Fragonard: *El columpio.* Fundación del *Göttinger Musenalmanach.*	16 de mayo: Matrimonio del futuro Luis XVI con María Antonieta. Enfrentamiento entre María Teresa de Austria y Federico II de Prusia por controlar los estados alemanes. Enfrentamiento entre España e Inglaterra por las islas Malvinas. Lavoisier: Análisis del aire.

Año	Vida y obra de Mozart	Cultura	Acontecimientos históricos
	dota del *Miserere* de Allegri, de la capilla Sixtina. 5 de julio: Wolfgang es nombrado caballero de la orden de la Espuela de Oro. El día 8 son recibidos por el Papa. 20 de julio: De nuevo en Bolonia. 9 de octubre: Es admitido como miembro de la Academia Filarmónica de Bolonia. Cuatro *cánones enigmáticos,* KV 73r. 12 de diciembre: Estreno en Milán de *Mitrídates, rey de Ponto,* KV 87.		
1771	12 de enero: Wolfgang es nombrado por la Academia Filarmónica de Verona *Cancilliere dell'Academia*. 28 de marzo: Llegada a Salzburgo. Nueve sinfonías, KV 114, 124, 161, 128, 129, 130, 132, 133 y 134 *Betulia liberada,* KV 118. 13 de agosto: Inicio del segundo viaje a Italia. 17 de octubre: Representación en Milán de la serenata escénica *Ascanio en Alba,* KV 111.	Luigi Boccherini: Quintetos para cuerda op. 10 y 11. Primera edición de la *Enciclopedia Británica*. Klopstock: *Odas*.	

Año	Vida y obra de Mozart	Cultura	Acontecimientos históricos
	16 de diciembre: Llegada a Salzburgo; ese mismo día fallece el arzobispo Sigismund Schrattenbach.		
1772	Enero a marzo: Wolfgang, enfermo. 14 de marzo: Es elegido como príncipe arzobispo de Salzburgo Hieronymus Colloredo. 29 de abril: Coronación por Colloredo, en la que se estrena la serenata escénica *El sueño de Escipión,* KV 126. Sinfonías 16 a 21, KV 128 a 132. Divertimentos KV 136 a 138. 24 de octubre: Inicio del tercer viaje a Italia. Diciembre, Milán: *Lucio Silla,* KV 135.	F. J. Haydn: *Misa de Santa Cecilia* y *cuartetos del Sol,* op. 20. Herder: *Sobre el origen del lenguaje.*	Primer reparto de Polonia. Segundo gran viaje de Cook.
1773	13 de marzo: Llegada a Salzburgo. Sinfonías salzburguesas, n.º 22 (K 162), 23 (K 181), 26 (K 184) y 27 (K 199). Divertimentos para viento K 166, 186, 187. Misa *In honorem Ssmae. Trinitatis,* K 167. Julio: Viaje a Viena. Seis cuartetos *vieneses,* KV 168 a 173.	F. J. Haydn: Sinfonías n.º 45, *del adiós,* 46, 47 y 49, *La Pasión.*	Motín del té en Boston. Disolución de la Compañía de Jesús por Clemente XIV.

Año	Vida y obra de Mozart	Cultura	Acontecimientos históricos
	Serenata n.º 3, KV 185, *Final-Musik* o *Andretter-Musik*. 30 de septiembre: Llegada a Salzburgo. Diciembre: Concierto para piano n.º 5 (primero totalmente original), KV 175.		
1774	Terminación de *Thamos, rey de Egipto,* KV 345 Primer quinteto de cuerda, KV 174. Sinfonías n.º 25, 28 y 29, KV 183, 200 y 201. Dos *Missas brevis,* KV 192 y 194. *Magnificat,* KV 193. *Litanieae Lauretanae,* KV 195. Serenata *Final-Musik,* K 203). 6 de diciembre: Viaje hacia Munich.	Goethe: *Werther.* Muere Niccolò Jomelli. Nacimiento de Gaspare Spontini. París: *Ifigenia en Aulide,* de Gluck.	10 de mayo. Muere Luis XI. Comienzo del reinado de Luis XVI. Priestley: Descubrimiento del oxigeno.
1775	13 de enero, Munich: Estreno de *La finta giardiniera.* 7 de marzo: Llegada a Salzburgo. Abril a diciembre: Conciertos para violín KV 207, 211, 216, 218 y 219. Diciembre: Nocturno n.º 8, KV 286, para cuatro orquestas.	Estreno de *El barbero de Sevilla.* Muerte de Giovanni Battista Sammartini.	Comienzo del pontificado de Pío VI. Guerra de independencia americana.

Año	Vida y obra de Mozart	Cultura	Acontecimientos históricos
1776	Concierto para tres pianos, KV 242. Concierto para piano n.º 8, KV 246. Marcha Haffner, KV 249. Serenata Haffner, KV 250.	Adam Smith: *Investigaciones sobre la naturaleza y causas de la riqueza de las naciones.* Klinger, F.M.: *Sturm und Drang.* Inicio de la *General history of music,* de Charles Burney, y de la *General history of the science and practice of music,* de John Hawkins.	4 de julio: Proclamación de la independencia de los Estados Unidos de América. Primeros raíles de hierro. Tercer gran viaje de Cook. Watt: Máquina de vapor.
1777	Enero: Concierto para piano n.º 9 en mi bemol, KV 271, *Jeunehomme-Konzert.* Divertimento n.º 14 para instrumentos de viento, KV 270, *Tafelmusik.* Febrero: Divertimento n.º 15, KV 287, *Lodronische Nachtmusik n.º 2.* Junio: Divertimento n.º 16, KV 289. 1 de agosto: Envía su dimisión a Colloredo, que contesta el día 28 despidiéndole a él y a Leopoldo, que será readmitido unos días después. Agosto: Recitativo y aria *Ah, lo previdi!/Ah, tínvola agli occhi miei,* KV 272. 23 de septiembre: Inicio del viaje hacia París con su madre.		

Año	Vida y obra de Mozart	Cultura	Acontecimientos históricos
	Octubre: En Augsburgo conocen al constructor de pianos Johann Andreas Stein. 30 de octubre a 14 de marzo: Mannheim. Amistad con Cannabich.		
1778	Enero: Conoce a la familia Weber. Febrero: Aria *Il cor dolente e afflitto,* KV 295. 14 de marzo: Salen dc Mannhcim. Llegan a París el día 23. Abril: Concierto para flauta, arpa y orquesta, KV 299. Mayo-junio: Sinfonía n.º 31, *París,* KV 297. 5 sonatas para piano *Parisinas,* KV 310 y 330 a 333 (la 331, *Marcha Turca).* París, 3 de julio: Muerte de Ana María. Variaciones para piano KV 265 (300e). 26 de septiembre: Wolfgang sale de París. Cuartetos con flauta KV 285, 285a y 285b. Conciertos para flauta KV 313 y 314. Andante para flauta y orquesta K 315. 6 de noviembre a 9 de diciembre: Mannheim. 24 de noviembre: Munich.	Primer concierto público de Beethoven. Inauguración del teatro de la Scala en Milán. Buffon: *Las épocas de la Naturaleza.*	

Año	Vida y obra de Mozart	Cultura	Acontecimientos históricos
1779	15 o 16 de enero: Regreso a Salzburgo. 17 de enero: Comienza a trabajar como *Hoforganist* de la corte de Salzburgo, además de *Konzertmeister.* Marzo: Misa de la Coronación, KV 317 y Misa áulica, KV 337. Abril: Sinfonía 32, *obertura,* KV 318. Verano: Sinfonía 33, KV 319. Agosto: Sinfonía 34, KV 338 y serenata *Postillón,* KV 320. Otoño: Motete *Regina Coeli,* KV 276 y *Sinfonía concertante,* KV 364. Diciembre: Kirie, KV 323.	París: *Ifigenia en Táuride* de Gluck. Muere Jean-Simeon Chardin (1699-1779).	
1780	*Vísperas,* KV 339. Sinfonía K. 338. *Missa Solemnis,* K. 337. *Zaida,* singspiel, KV 344 (entre abril de 1779 y noviembre de 1780). Retrato de *La familia Mozart en el invierno de 1780/81,* de J.N. della Croce. 5 de noviembre: Salida hacia Munich. 29 de diciembre: Estreno de *Idomeneo, re di Creta.*	F. J. Haydn: Cuartetos op. 33.	29 de noviembre: Muere María Teresa.

Año	Vida y obra de Mozart	Cultura	Acontecimientos históricos
1781	Munich: *Idomeneo*. Febrero-Abril: Serenata n.º 10, KV 361, *Gran Partita*. Primeros de mayo: Ruptura definitiva, en Viena, con Colloredo; patada del conde de Arco. Verano: Seis sonatas para piano y violín, op. II, KV 376, 377, 379, 380, 296 y 378. Noviembre: Publicación de estas sonatas por Artaria. Serenata para instrumentos de viento KV 375. Sonata para piano KV 448. Diciembre: Compromiso con Constanza Weber.	Kant: *Crítica de la razón pura*. Rousseau: *Confesiones*.	
1782	Amistad con el barón Von Swieten, para el que adapta oratorios de J.S. Bach y Haendel. Preludio y fuga KV 394. 16 de julio: Estreno de *El rapto en el serrallo*. Sinfonía n.º 35, KV 385, *Haffner*. Serenata n.º 12 para instrumentos de viento, KV 388, «Nachtmusik».	Paisiello: *Il barbiere di Siviglia*. Muerte de J.C. Bach. Nacimiento de Niccolò Paganini. Muerte de Pietro Metastasio.	

Año	Vida y obra de Mozart	Cultura	Acontecimientos históricos
	4 de agosto: Matrimonio con Constanza. Diciembre: Mozart proyecta elaborar una obra de crítica musical con ejemplos, que no llegará a realizarse.		
1783	Conciertos para trompa KV 412, 417, 447 y 495. 17 de junio: Nacimiento de Raimundo Mozart, primer hijo de Wolfgang y Constanza. 21 de junio: Cuarteto en re menor, KV 421. 31 de julio: Wolfgang y Constanza llegan a Salzburgo. Dúos KV 423 y 424, compuestos para Michael Haydn. 19 de agosto: Fallece, en Viena, Raimundo Mozart. 25 de agosto: *Missa solemnis* en do menor, KV 427. *L'Oca del Cairo,* KV 422. 4 de noviembre: Sinfonía *Linz,* KV 425.	Primer ascenso en globo Montgolfier. Estreno de *Las bodas de Fígaro* de Beaumarchais. Beethoven: Tres sonatas para piano. Muerte de Johann Adolf Hasse.	
1784	30 de marzo: Quinteto para piano e instrumentos de viento, KV 452. Verano: Matrimonio de Nannerl con el barón Johann-Baptist von	André Gretry: *Ricardo corazón de león.*	

Año	Vida y obra de Mozart	Cultura	Acontecimientos históricos
	Berchtold zu Sonnenburg. 21 de septiembre: Nacimiento de Karl Thomas, segundo hijo de Wolfgang y Constanza. Conciertos para piano K. 449 a 451, 453, 456 y 459. 14 de octubre: Sonata en do menor para piano, KV 457. Fantasía en do menor, KV 475. 14 de diciembre: Ingresa como aprendiz en la logia masónica *Die Wohltätigkeit (La Beneficencia)*, relacionada con el *Aufklärung*,		
1785	Primeros de enero: Cuarteto n.º 18, KV 464. 14 de enero: Cuarteto n.º 19, KV 465, «De las disonancias». Conciertos para piano n.º 20, KV 466, y n.º 21, KV 467. 10 de febrero a 25 de abril: Leopoldo visita a Wolfgang en Viena. Marzo: Lied masónico *Gesellenreise (El viaje de los compañeros)*, K 468 y oratorio *David penitente*, K 469. 24 de abril: Cantata *Die Maurerfreude (La alegría masónica)*, KV 471.	Blanchard: Travesía del canal de La Mancha en globo. Primera fábrica de hilados con máquinas de vapor, en Nottingham. Telar mecánico de Cartwright. F. J. Haydn: *Las siete palabras de Cristo en la cruz*. Kant: *Fundamentos de la metafísica de las costumbres*.	

Año	Vida y obra de Mozart	Cultura	Acontecimientos históricos
	Mayo: Lieder masónicos *Der Zauberer (El mago),* K 472, *Die Zufriedenheit (El contento),* K 473 y *Die betrogene Welt (El mundo engañado),* K 474. Junio: Lieder masónicos *Einsam bin ich (Estoy solo),* K 475a y *Das Veilchen (La violeta),* K 476. Septiembre: Seis cuartetos dedicados a Haydn. 16 de diciembre: Concierto para piano n.º 22, KV 482. Dos *Lieder* masónicos: KV 483 *(Fundíos hoy, queridos hermanos)* y KV 484 *(Logenlied, Canto de la logia).*		
1786	Enero: *Der Schauspieldirektor (El empresario teatral),* singspiel, KV 486. Febrero: Representación en Schöenbrunn de *El empresario teatral.* 1 de mayo, Viena: *Las bodas de Fígaro,* KV 492. Conciertos para piano K. 488, 491 y 503. Agosto: Trío en mi bemol, «Kegelstatt», KV 498.	Primera ascensión del Montblanc. Nacimiento de Karl Maria von Weber. 18 de noviembre: Estreno de *Cosa rara,* de Vicente Martín y Soler.	17 de agosto: Muere Federico II, que es sucedido por Federico Guillermo II.

Año	Vida y obra de Mozart	Cultura	Acontecimientos históricos
	Cuarteto en re, KV 499. 16 de octubre: Nace Johann Thomas, tercer hijo de Wolfgang y Constanza. 15 de noviembre: Fallece Johann Thomas. Comienzos de diciembre, Sinfonía *Praga,* K. 504. Diciembre: éxito de *Las bodas de Fígaro* en Praga. 26 de diciembre: Rondó para soprano *Non temer, amato bene,* para Nancy Storace.		
1787	9 de enero: Salida hacia Praga con Constanza y Franz de Paula Hofer. 10(?) de febrero: Llegada a Praga. 10(?) de abril: Ludwig van Beethoven llega por primera vez a Viena. 28 de mayo: Muerte de Leopoldo Mozart, en Salzburgo. 14 de junio: Sexteto *Ein musikalischer Spass (Una broma musical)* o *Dorfmusikanten Sextett (Los músicos de pueblo),* KV 522. 10 de agosto: Serenata para cuerda n.º 13,	15 de noviembre: Fallece Gluck. David: *La muerte de Sócrates.*	27 de septiembre: Constitución de los Estados Unidos de América.

Año	Vida y obra de Mozart	Cultura	Acontecimientos históricos
	KV 525, *«Eine kleine Nachtmusik» (Pequeña música nocturna)*. Comienzos de septiembre: Salida hacia Praga, con Constanza. Colaboraciones de Giacomo Casanova en el libreto de *Don Juan* (de Lorenzo da Ponte). 29 de octubre, Praga: *Il dissoluto punito ossia il Don Giovanni (Don Giovanni o El convidado de piedra)*, KV 527. Mediados de noviembre: Regreso a Viena. 7 de diciembre: Mozart es nombrado *Kammermusikus* en la corte vienesa.		
1788	Concierto para piano n.º 26, KV 537, *«De la Coronación»*. 7 de mayo: Representación en Viena de *Don Juan*. Finales de mayo en adelante: Diversas peticiones de préstamos a Michaël Puchberg. 26 de junio: Sonata para piano, KV 545, *«fácil»* o *«para principiantes»*. Sonata para piano KV 547. Tríos KV 542 y 548. Tres últimas sinfonías: n.º 39, K 543, n.º 40,	Muerte de C.P.E. Bach. Luigi Cherubini: *Demofonte*. Kant: *Crítica de la razón práctica*. Muere Thomas Gainsborough (1727-1788).	

Año	Vida y obra de Mozart	Cultura	Acontecimientos históricos
	K 550, y la n.º 41, *«Júpiter»*, K 551. Otoño: Divertimento KV 563. Trío KV 564. Adaptaciones de oratorios de Emanuel Bach y de Haendel, para el barón Von Swieten: orquestación de *El Mesías*.		
1789	8 de abril: Salida hacia Berlín, con Karl von Lichnowsky Abril: Leipzig; visita a la escuela de Santo Tomás. 4 de junio(?): Regreso a Viena. Quinteto con clarinete, KV 581.	Haydn: Cuartetos op. 54 y 55.	30 de abril: Washington, presidente de los Estados Unidos 20 de mayo: Francia: Juramento del juego de pelota. 9 de julio: Francia: Inicio de las sesiones de la asamblea nacional constituyente. 14 de julio: Toma de la Bastilla. 26 de agosto: Declaración de los derechos del hombre y del ciudadano.
1790	Viena: *Così fan tutte*.	Viaje de F.J. Haydn a Londres.	Francfort, septiembre: Coronación de Leopoldo II. Proclamación de los Estados Unidos belgas.
1791	Praga: *La clemencia de Tito*. Viena, 30 de septiembre: *La flauta mágica*.	1 de enero: llegada de F.J. Haydn a Londres. Primeras sinfonías londinenses.	14 de septiembre: Luis XVI jura la constitución.

Año	Vida y obra de Mozart	Cultura	Acontecimientos históricos
	Viena, 15 de noviembre: *Pequeña cantata masónica,* KV 623. Elaboración de parte del *Réquiem*. 5 de diciembre: Muerte en Viena.	Nacimiento de Jacobo Meyerbeer. Luigi Cherubini: *Lodoiska*.	
1792		Schiller: *Historia de la Guerra de los Treinta Años.*	1 de marzo: Muerte del emperador Leopoldo, que es sucedido por Francisco II.
1793		Whitney: Máquina para desmotar el algodón. Fundación del Museo de Historia Natural.	21 de enero: Ejecución de Luis XVI. 16 de octubre: Ejecución de María Antonieta.
1794		Condorcet: *Esbozo de un cuadro histórico de los progresos del espíritu humano*.	
1796		Senefelder: Invención de la litografía. Laplace: *Exposición del sistema del mundo*. Goethe: *Wilhelm Meister.*	Victorias de Napoleón Bonaparte en Italia.
1797		Goethe: *Hermann y Dorotea*.	16 de noviembre: Muerte de Federico Guillermo II, que es sucedido por Federico Guillermo III.
1798		Malthus: *Ensayos sobre el principio de la población.*	

Año	Vida y obra de Mozart	Cultura	Acontecimientos históricos
1799		Beethoven: *Sonata Patética.*	
1800		Volta: Invención de la pila eléctrica.	

BIBLIOGRAFÍA

Friedrich von Schlichtegroll (1764-1822) realizó una nota necrológica de Mozart para la *Necrología del año 1791* de Perthes, en Gotha. Contó con la colaboración y la posterior aprobación de Nannerl. Sin embargo, se opuso a su contenido Constanza, quien aseguraba que era un artículo injusto; durante mucho tiempo esta opinión de la viuda de Mozart hizo que se tuviera en poca consideración esta necrología.

En 1797 se publicó el trabajo sobre Mozart de Rochlitz, y en 1798 fue escrita la verdadera primera biografía conocida de Mozart, elaborada por un crítico musical checo, Franz Xaver Niemtschek, que utilizó documentos que le fueron facilitados por Constanza Weber; este hecho, junto con la proximidad de los acontecimientos referidos, concede, siempre con las debidas prevenciones, un importante valor a este trabajo.

De 1814 es la muy breve y elogiosa biografía realizada por Stendhal, que, a pesar de la importancia que tuvo en su momento, apenas aporta datos de interés, salvo el no poco importante de saber cómo se abordaba en el Romanticismo la figura de Mozart.

En 1828 Constanza Weber hizo publicar la obra que sobre Mozart realizó su segundo marido, Georg Nikolaus Nissen, pero que por el fallecimiento de éste tuvo que terminar J. H. Feuerstein. Se trata de un trabajo de más de 900 páginas, que en su mayor parte contienen la transcripción de numerosos documentos aportados por Constanza. Pero Nissen, que realizó una importante y fundamental labor, sin embargo, en parte dominado por su inmensa admiración por Mozart, en parte por respeto a su propia esposa y, sobre todo, porque pertenecía a una época que distaba mucho de ser tan escrupulosa como desde no hace tanto tiempo quiere serlo la nuestra en cuanto a la investigación histórica, no tuvo inconveniente en corregir y censurar la realidad cuando lo estimó conveniente, llegando incluso a tachar y reescribir datos en algunos documentos originales.

El diplomático ruso Alexander von Ulibischeff publicó en 1843 una biografía demasiado subjetiva, pero que alcanzó una gran difusión.

Todas estas primeras biografías son prolijas en anécdotas más o menos verosímiles, y no siempre tienen un rigor histórico que las haga incontestables como fuentes, al tiempo que suelen dejar a un lado la propia obra del artista, los aspectos musicales. Los historiadores, especialmente los especialistas en arte, no debemos perder de vista el valor de la propia obra de arte como una importantísima fuente historiográfica en sí misma, por mucho que una reacción contra los abusos que durante mucho tiempo ha sufrido cierta historiografía artística, nos haya llevado hoy a cierta radicalización al respecto. Con todo, las referidas biografías no dejan de tener cuando menos el importante valor de mostrar cómo fue configurándose y evolucionando el *mito Mozart*.

Otto Jahn dio inicio a una fundamental investigación sobre Mozart, con motivo del primer centenario de su nacimiento; el primero de los cuatro volúmenes de su trabajo apareció en 1856, y el último en 1859. En sucesivas ediciones se incluyó en esta obra el catálogo de Köchel.

Con un criterio más riguroso que los anteriores biógrafos, diversos autores fueron planteando dudas sobre lo que se había dicho de Mozart anteriormente, y reflexionando sobre su obra: Friedrich Chrysander (1881-ss.) rebatió muchas opiniones de Jahn. Adolf Sandberger (1900), Hermann Kretzschmar (1905), Paul Graf von Waldersee (1905), entre otros, continuaron en esta línea.

De 1912 es la obra de Théodore de Wyzéwa y Georges de Saint-Foix *W A Mozart. Sa vie et son oeuvre, de l'enfance à la pleine maturité (1756-1777),* en dos volúmenes, a los que Saint-Foix añadió dos más tras la muerte de Wyzéwa: el tercero, que llega a 1784, y el cuarto hasta 1788. En 1946 apareció un quinto y último volumen, que se ocupa de los tres últimos años del músico. Pero se trata sobre todo de un trabajo de carácter musicológico, basándose en el análisis estilístico o formalista de la obra de Mozart.

Arthur Schurig publicó en Leipzig, en 1913, un trabajo en dos volúmenes en el que, siguiendo la corriente entonces en boga, negaba que existiese ninguna relación entre la personalidad de Mozart y su obra, postura contraria a la que había mantenido Jahn.

En 1914 se publicó la primera edición de la correspondencia de los Mozart, *Die Briefe W. A. Mozart und seiner Familie,* en cinco volúmenes, superada por la edición de Erich Mueller von Asow *Briefe W. A. Mozart, Gesamtausgabe mit dem originalbriefen in Licchtdrunck* (1942, cinco vols.). Estos documentos, las más importantes fuentes para el estudio de la vida y obra de Mozart, aún no han sido traducidos al castellano; las ediciones que circulan con cartas de los Mozart traducidas a nuestro idioma son sólo breves antologías.

Partiendo de la obra de Jahn, pero introduciendo importantes matices, Hermann Abert publicó su biografía de Mozart en 1919-1921.

De 1933 es la biografía de Robert Haas, y de 1941 la de Alfred Orel. En 1937 publicó Alfred Einstein el *Índice cronológico-temático de todas las composiciones de W.A. Mozart según Ludwig von Köchel,* que abunda en el estudio de su obra. Einstein publicó además su *Mozart* en 1947, y *Mozart, his character, his work*, en 1962.

Otro interesante trabajo es el publicado en 1955 por Erich Schenk.

Desde 1956 se publica la *Nueva edición de todas las obras de W. A. Mozart* por la Bärenreiter-Verlag (Kassel), realizada por la Fundación Internacional Mozarteum (Internationale Stiftung Mozarteum).

Bernhard Paumgartner (1887-1971) publicó una documentada biografía de Mozart en 1967, con el precedente del congreso *Wolfgang Amadeus Mozart 1756-1956,* dirigido por él en 1956.

También de los años 60 es la obra de Otto Erich Deutsch *Mozart: a Documentary Biography* (Stanford, 1965); Deutsch ya había publicado anteriormente diversas recopilaciones de documentos de Mozart, y en 1962 se encargó, junto con W. A. Bauer, de la *Edición completa de las cartas y anotaciones de Mozart.*

Un estupendo y documentado trabajo, aunque en ocasiones demasiado subjetivo, es el de Jean y Brigitte Massin *Wolfgang Amadeus Mozart* (1970), dividido en dos partes: una primera de biografía, y una segunda de análisis histórico de su obra.

Las investigaciones y consecuentes publicaciones sobre Mozart, incluyendo congresos, revistas, incluso proyectos colectivos por medio de Internet, se han ido multiplicando exponencialmente con el paso de los años. Entre ellas destacaremos *Mozart: A documentary biography,* de Otto Erich Deutsch (Stanford, 1965); *Mozart,* de Wolfgang Hildesheimer; los trabajos de H. C. Robbins Landon *Mozart's last* year (Nueva York, 1988), *Mozart: The Golden Years* (Nueva York, 1989) y *Mozart and Viena* (Nueva York, 1991). De 1990 es *Mozart in Vienna,* de Volkmar Braunbehrens, y del mismo año *The compleat Mozart,* dirigida por Neal Zaslaw y William Cowdery. De 1995 es *Mozart: a life,* de Maynard Solomon.

En la siguiente bibliografía básica únicamente citamos obras publicadas en castellano, dejando a un lado los artículos publicados en revistas y siguiendo un criterio selectivo. Nos parece importante recomendar que siempre que sea posible se tenga en cuenta, cuando se comienza la lectura de cualquier trabajo de carácter histórico, cuál es la formación del autor (si es historiador, musicólogo, periodista, guía turístico, un aficionado autodidacto...), dato no necesariamente decisivo para la calidad de la obra, pero que sí suele ser cuando menos orientativo, como suele serlo conocer los temas en los que el autor se ha especializado, la corriente metodológica a la que pueda adscribirse, e incluso si tiene o tenía cuando elaboró su trabajo una determinada adscripción ideológica; cuando nos ocupamos de temas históricos, datos como éstos tienen bastante relevancia, aunque casi nunca se reflejan con claridad, e incluso en ocasiones tienden a disimularse.

Suele resultar más fácil conocer otro dato esencial: la fecha de la publicación original; no es infrecuente que se publique en castellano por primera vez una obra que apareció quince, treinta, cincuenta o más años antes en su idioma original. Esto no reduce la importancia de muchas obras que siguen siendo fundamentales en la historiografía, y que son de obligada consulta y referencia; pero siempre y en toda ocasión es muy conveniente conocer este dato y tenerlo en consideración.

Obras generales:

ALIER, ROGER: *Guía universal de la ópera*. Vol. 1: *De Adam a Mozart*. Barcelona, Ma non troppo [2000].

GORTÁZAR, ISABEL (dir.): *Historia de los grandes compositores clásicos*. Vol. 2: *Haydn, Mozart, Rossini*. Barcelona, Olimpo, 1993.

—*Gran música, La*. Bilbao, Asuri, 1990. Vol. II: Clasicismo, *heroísmo y desesperación*. Textos de Alfredo Mandelli y Laura Louissetti.

Obras específicas sobre Mozart:

ALBET, MONTSERRAT: *Mozart, un genio musical*. Barcelona, Planeta, 1993. *Memoria de la historia,* n.º 84. Barcelona, Planeta-De Agostini, 1997. *Memoria de la historia,* n.º 62.

ALMAGRO, J. F.: *Mozart, Mozart, Mozart*. Barcelona, Sun, 1991.

ANDRÉS, RAMÓN: *Mozart*. Barcelona, Ma non troppo, 2003.

—*Wolfgang Amadeus Mozart*. Madrid, Rueda, 1995. Col. *Grandes biografías*.

AZANCOT, LEOPOLDO: *Mozart, el amor y la culpa*. Madrid, Mondadori, 1988. (Novela.)

BALCELLS, P. A.: *Autorretrato de Mozart a través de su correspondencia*. Barcelona, El Acantilado, 2000.

BLOM, ERIC: *Mozart*. Buenos Aires, Schapire, 1946. *Los grandes músicos*.

BRAUNBEHRENS, VOLKMAR y JÜRGENS, KARL HEINZ: *Mozart, imágenes de su vida*. Barcelona, Lábor, 1991.

BRION, MARCEL: *Mozart*. Barcelona, Juventud, 1990. 1995. Col. *Libros de bolsillo Z*, n.º 30-31. Barcelona, Planeta-De Agostini, 1995. *Grandes biografías Planeta-De Agostini*, n.º 8.

CAMPBELL, DON: *El efecto Mozart. Aprovechar el poder de la música para sanar el cuerpo, fortalecer la mente y liberar el espíritu creativo*. Barcelona, Urano [1998]. Ed. original: *The Mozart effect*.

—*El efecto Mozart para niños. Despertar con música la mente, la salud y la creatividad del niño*. Barcelona, Urano [2001]. Ed. original: *The Mozart effect for children*.

CURZON, HENRI DE: *Mozart*. Valencia, Manuel Villar, 1917. *Biblioteca Villar*.

DINI, JESÚS (ed.): *Cartas. Wolfgang Amadeus Mozart*. Barcelona, Muchnik, 1986, 1999. (Selección de cartas de Mozart.)

DINI MARROQUÍN, JESÚS: *Mozart*. Madrid, Daimon, 1985. Col. *Conocer y reconocer la música de...*

DOWNS, PHILIP G.: *La música clásica: La era de Haydn, Mozart y Beethoven*. Tres Cantos, Akal, 1988. Akal Música, n.º 4.

EINSTEIN, ALFRED: *Mozart*. Buenos Aires, Espasa-Calpe, 1948.

ELÍAS, NORBERT: *Mozart: Sociología de un genio*. Barcelona, Península, 1991. *Península / Ideas*, n.º 19. Barcelona, Península, 1998. *Historia, ciencia, sociedad*, n.º 272.

GAY, PETER: *Mozart*. Barcelona, Mondadori, 2001. (Ed. original: *Mozart*. Nueva York, Viking Penguin, 1999.)

GÓMEZ GARCÍA, JULIO: *En el centenario de Mozart*. Madrid, C. Bermejo, 1956.

GORTÁZAR, ÁNGELA: *Wolfgang Amadeus Mozart*. Barcelona, Orbis, 1994. (Aparecida en 40 fascículos.)

GUARDIOLA, ANTONIO: *Mozart*. Madrid, Hernando, 1949. *Colección Hernando de libros para la juventud*.

HILDESHEIMER, WOLFGANG: *Mozart*. Barcelona, Javier Vergara, 1985. Barcelona, Salvat [1995]. *Grandes biografías*, n.º 8.

HOCQUARD, JEAN-VICTOR: *Mozart*. Barcelona, Antoni Bosch, 1980.

—*Mozart. Una biografía musical (1791-1991)*. Madrid, Espasa-Calpe, 1991. 2 vols. (Ed. original: *Mozart. L'amour, la mort*. París, Garamont-Archimbaud, 1987.)

HUTCHINGS, ARTHUR: *Mozart*. Barcelona, Salvat, 1986, 1988. (Ed. original: *Mozart the man*. Phonogram International, 1976.) *Biblioteca Salvat de grandes biografías*, n.º 68.

JACKSON, GABRIEL: *Mozart*. Barcelona, Antártida, 1992.
—*El difunto Kapellmeister Mozart*. Barcelona, Muchnik, 1991. Col. *Sin fronteras*.
JOSÉ, EDUARD: Mozart/Mendelssohn. Barcelona, Parramón, 1982. Col. «Música y Músicos».
KOLB, ANNETTE: *Mozart*. Buenos Aires, Eds. Siglo Veinte [1945].
KUNZE, STEFAN: *Las óperas de Mozart*. Madrid, Alianza, 1990. (Alianza Música.)
KUPCHIK, CHRISTIAN: *Mozart, los silencios de un prodigio*. Madrid, Compañía Europea de Comunicaciones e Información, 1991. «Biblioteca de El Sol», n.º 200.
LA MARA [PSEUDÓNIMO DE IDA MARIE LIPSIUS]: *Wolfgang A. Mozart*. Madrid, Unión Musical Española [s.a.]. *Biografías de músicos*.
LAHER, LUDWIG: *Ser hijo de Mozart*. Barcelona, Littera, 2002. (Sobre Franz Xaver Mozart.)
LLEONART, JOSÉ: *Mozart y su familia*. Barcelona, Juventud, 1945. Col. *Para todos*, n.º 50.
—*Vida de Mozart*. Barcelona, Seix y Barral, 1940, 1943, 1948. *Vidas de grandes hombres*.
MANDELLI, ALFREDO: *El esplendor del 700: Wolfgang Amadeus Mozart*. Madrid, Prensa Española, 1980.
MASSIN, JEAN y BRIGITTE: *Wolfgang Amadeus Mozart*. Madrid, Turner, 1987 (Ed. original: Librairie Arthème Fayard, 1970.)
MITJANA, RAFAEL: *Mozart y la psicología sentimental*. Conferencia leída en el Ateneo de Madrid el 24 de marzo de 1918. Madrid, Imp. Sucesores de Hernando, 1918.
MÖRIKE, EDUARD: *Mozart en su viaje a Praga*. Barcelona, Librería Domenech Verdaguer [1939].
—*Mozart. Camino de Praga*. Madrid, Alianza, 1983.
—*Mozart por él mismo*. Barcelona, Ave [1942], [1965].
—*Mozart y su época*. Ciclo de conciertos conmemorativos del II centenario de su muerte. Madrid [s.n.], 1991.
PANTORBA, BERNARDINO DE: *Mozart: semblanza*. Madrid, Antonio Carmona, 1947.
PAROUTY, MICHEL: *Mozart, amado de los dioses*. Madrid, Aguilar, 1991. Col. Aguilar Universal, n.º 20.
PAUMGARTNER, BERNHARD: *Mozart*. Barcelona, Vergara [1957].
—*Mozart*. Madrid, Alianza, 1990. Col. Alianza Música, n.º 50.
PELLICANO, AURELIO: *Mozart, los años dorados, 1781-1791*. Madrid, Anaya, 1991. (Ed. original: Milán, 1920.)
PETIT, PIERRE: *Mozart o la música instantánea*. Madrid, Rialp, 1992. (Ed. original: *Mozart ou la musique instantanée*. París, Perrin, 1991.)

PITROU, ROBERT: *Mozart*. Barcelona, Guada [1959]. Col. *Quién fue...*, vol. 32.

—*La vida de Mozart*. Barcelona, Lauro, 1945.

POGGI, AMEDEO y VALLORA, EDGAR: *Mozart. Repertorio completo*. Madrid, Cátedra, 1994. (Ed. original: *Mozart, Signori, il catalogo è questo!* Torino, Giulio Einaudi Ed., 1991.)

PUSHKIN, ALEXANDR SERGUEEVICH: *Eugenio Onieguin*... Contiene: *Mozart y Salieri*. Madrid, Aguilar [1945], [1962]. Col. *Crisol,* n.º 117.

RECIO AGÜERO, PEDRO: *Mozart: su vida y sus obras*. París-Buenos Aires, Ed. Hispano-Americana [191?]. Col. *Los grandes músicos*.

RÉMY, YVES Y ADA: *Mozart*. Madrid, Espasa-Calpe, 1974, 1979. Col. *Clásicos de la música*. (Ed. original: *Mozart*. París, Hachette, 1970.)

REVERTER, ARTURO: *Mozart*. Barcelona, Península, 1995, 1999. *Guías Scherzo,* n.º 2.

ROBBINS LANDON, H. C.: *1791, el último año de Mozart*. Madrid, Siruela, 1991, 1995. Col. *Libros del tiempo,* 2.

—*Mozart. Los años dorados. 1781-1791*. Barcelona, Destino, 1990, 1991. (Ed. original: *Mozart. The golden years*. 1989.)

—*Mozart, una jornada particular*. Barcelona, Destino, 1994. Col. *Áncora y Delfín,* n.º 726.

ROBBINS LANDON, H. C. (dir.): *Mozart y su realidad: guía para la comprensión de su vida y su música*. Barcelona, Lábor, 1991.

ROHMER, ERIC: *De Mozart en Beethoven. Ensayo sobre la noción de profundidad en la música*. Madrid, Árdora, 2000.

ROSEN, CHARLES: *El estilo clásico: Haydn, Mozart, Beethoven*. Madrid, Alianza, 1986.

ROSSELLI, JOHN: *Vida de Mozart*. Madrid, Cambridge University Press, 2000. (Ed. original: *The life of Mozart*. Cambridge, Cambridge University Press, 1998.)

RUIZ TARAZONA, ANDRÉS: *W. A. Mozart: La inspiración celeste*. Madrid, Real Musical [1975].

SADIE, STANLEY: *Mozart*. Barcelona, Muchnik, 1985.

SCHERZO (revista). Número especial dedicado a Mozart. Madrid (diciembre 1991), 234 pp.

SOLLERS, PHILLIPPE: *Misterioso Mozart*. Barcelona, Alba Editorial, 2003. (Ed. original: «Mistérieux Mozart», 2001.)

STENDHAL: *Vida de Mozart*. Barcelona, Ave [1941]. *Las mejores biografías breves*.

—*Vida de Mozart*. Barcelona, Alba, 2000, 2001. (Parte dedicada a Mozart de la obra original: *Cartas escritas desde Viena, Austria, sobre el célebre compositor Josef Haydn, seguidas de una vida de Mozart y de consideraciones sobre Metastasio y sobre el estado presente de la música en Francia y en Italia,* por Louis-Alexandre-César Bombet [pseudónimo de Henry Beyle, «Stendhal»], 1815.)

STRICKER, RÉMY: *Ficción y realidad en las óperas de Mozart.* Madrid, Aguilar, 1991. (Ed. original: París, 1980.)

THOMPSON, W.: *Mozart: retrato de un genio.* [Barcelona(?)], Folio, 1991.

TORRES MULAS, JACINTO: *La obra para orquesta de W. A. Mozart (sinfonías y conciertos).* Madrid, Instituto de Bibliografía Musical, 1982.

VALENTIN, ERICH: *Guía de Mozart.* Madrid, Alianza, 1988. (Ed. original: *Lübbes Mozart-Lexikon.* 1983.)

—*Mozart.* Barcelona, Destino [1961].

VALLE, HÉCTOR [pseudónimo de FERNANDO VELA]: *Mozart.* Madrid, Atlas, 1943. Col. *Vidas,* n.º 1.

VAN LOON, HENDRIK WILLEM: *Mozart y Beethoven.* Barcelona, La Gacela [1942].

VELA, FERNANDO: *Mozart.* Madrid, Alianza, 1966. *El libro de bolsillo, n.º 2.*

Óperas:

Bodas de Fígaro, Las (Le nozze di Figaro). Commedia per musica en cuatro actos. Libreto de Lorenzo Da Ponte.

Barcelona, Planeta Agostini, 1989. Texto en italiano y español.

Barcelona, Fundació Gran Teatre del Liceu [1999]. Texto en italiano y español.

Madrid, Daimon, 1983. Estudio y comentarios: Blas Cortés. Col. *Introducción al mundo de la ópera.*

Madrid, SOPEC, 1990. Traducciones: Rafael Banús, Luis Carlos Gago.

Madrid, Teatro de la Zarzuela [1996].

Madrid, Teatro Real, 1997.

Oviedo, Teatro Campoamor, 1997. 50 festival de ópera de Oviedo. Programa días 14 y 16 de septiembre de 1997. Texto en italiano y español.

Clemenza di Tito, La. Ópera seria en dos actos. Libreto de Pietro Metastasio.

Barcelona, Fundació Gran Teatre del Liceu [2002].

Madrid, Fundación del Teatro Lírico, 1999. Texto en italiano y español.

Così fan tutte ossia La scuola degli amanti (Así hacen todas). Dramma giocoso en dos actos. Libreto de Lorenzo Da Ponte.

Barcelona, Planeta-De Agostini [1989]. Texto en italiano y español.

Madrid, Fundación del Teatro Lírico [2001]. Teatro Real, temporada 2001-2002.

Madrid, Teatro Lírico Nacional de La Zarzuela, 1987.
Madrid, Teatro de la Zarzuela, [1995]. Texto en italiano y español.
Oviedo, Asociación Asturiana de Amigos de la Ópera [1998]. Texto en italiano y español.
Pozuelo de Alarcón (Madrid), Fundación Albéniz [2001]. Texto en italiano y español.

Don Juan (Il disoluto punito, ossia il Don Giovanni). Dramma giocoso en dos actos. Libreto de Lorenzo Da Ponte.
Barcelona, Planeta-De Agostini [1989]. Texto en italiano y español.
Madrid, Daimon, 1982, 1986. Estudio y comentarios: Xavier Pujol. Col. *Introducción al mundo de la ópera*.
Madrid, Teatro Lírico Nacional de la Zarzuela, 1989.
Madrid, Teatro de la Zarzuela [1997].
Madrid, Teatro Real [2000].
Sevilla, Sociedad Estatal para la Exposición Universal Sevilla 92; Madrid, Cátedra, 1992. Texto en italiano y español.

Flauta mágica, La (Die Zauberflöte). Singspiel en dos actos. Libreto de Emanuel Schikaneder.
Barcelona, Fundació del Gran Teatre del Liceu [2000], [2002]. Texto en alemán y español.
Barcelona, Ma non troppo [2000]. Estudio y comentarios de Roger Alier. *Introducción a la ópera*, n.º 3.
Barcelona, Planeta-De Agostini [1989]. Texto en alemán y español.
Buchner, Gerhard: *La flauta mágica. Un cuento fantástico según la obra de Emanuel Schikaneder y Wolfgang Amadeus Mozart. Contada para los niños por Gerhard Buchner.* Madrid, Everest, 1984, 1987. Col. «La torre y la flor», n.º 16.

La flauta mágica de Mozart y la versión cinematográfica de Ingmar Bergmann. [Valladolid], Semana Internacional de Cine, 1976.
Madrid, Fundación del Teatro Lírico [2000]. Texto en alemán y español.
Madrid, Instituto Nacional de las Artes Escénicas y de la Música, 1993. Temporada de ópera 1993. Texto en alemán y español.
Madrid, Teatro de la Zarzuela [1997].
Sevilla, Teatro de la Maestranza [2002]. Texto en alemán y español.

Idomeneo. Drama para música en tres actos. Libreto de Giambattista Varesco.
Madrid, Instituto Nacional de las Artes Escénicas y de la Música, 1991.
Madrid, Teatro de la Zarzuela, 1996.

Rapto en el serrallo, El (Die Entführung aus dem Serail). Singspiel en tres actos. Libreto de Gottlieb Stephanie el Joven.
Madrid, Daimon, 1981. Estudios y comentarios de Roger Alier. Texto en alemán y español. Col. «Introducción al mundo de la ópera».
Madrid, Teatro Lírico Nacional de La Zarzuela, 1988.
Madrid, Teatro de la Zarzuela [1995].